TASCABILI BOMPIANI   33

UMBERTO ECO
IL NOME DELLA ROSA
IN APPENDICE POSTILLE
A "IL NOME DELLA ROSA"

BEST SELLER

ISBN 88-452-4634-5

© 1980/2007 RCS Libri S.p.A.
Via Mecenate 91 - 20138 Milano

LIII edizione Tascabili Bompiani gennaio 2007

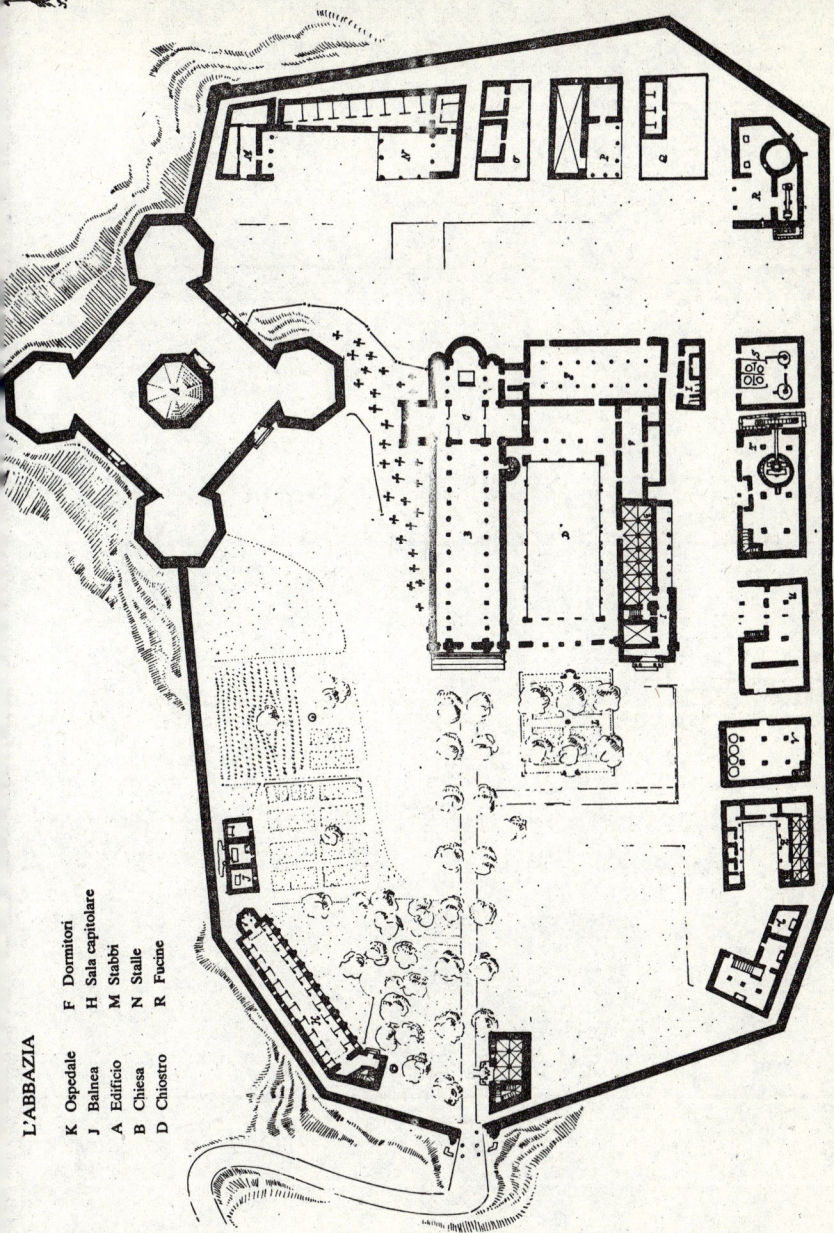

L'ABBAZIA

K Ospedale	F Dormitori
J Balnea	H Sala capitolare
A Edificio	M Stabbi
B Chiesa	N Stalle
D Chiostro	R Fucine

NATURALMENTE, UN MANOSCRITTO

Il 16 agosto 1968 mi fu messo tra le mani un libro dovuto alla penna di tale abate Vallet, Le manuscript de Dom Adson de Melk, traduit en français d'après l'édition de Dom J. Mabillon *(Aux Presses de l'Abbaye de la Source, Paris, 1842). Il libro, corredato da indicazioni storiche invero assai povere, asseriva di riprodurre fedelmente un manoscritto del XIV secolo, a sua volta trovato nel monastero di Melk dal grande erudito secentesco, a cui tanto si deve per la storia dell'ordine benedettino. La dotta trouvaille (mia, terza dunque nel tempo) mi rallegrava mentre mi trovavo a Praga in attesa di una persona cara. Sei giorni dopo le truppe sovietiche invadevano la sventurata città. Riuscivo fortunosamente a raggiungere la frontiera austriaca a Linz, di lì mi portavo a Vienna dove mi ricongiungevo con la persona attesa, e insieme risalivamo il corso del Danubio.*

In un clima mentale di grande eccitazione leggevo, affascinato, la terribile storia di Adso da Melk, e tanto me ne lasciai assorbire che quasi di getto ne stesi una traduzione, su alcuni grandi quaderni della Papeterie Joseph Gibert, su cui è tanto piacevole scrivere se la penna è morbida. E così facendo arrivammo nei pressi di Melk, dove ancora, a picco su un'ansa del fiume, si erge il bellissimo Stift più volte restaurato nei secoli. Come il lettore avrà immaginato, nella biblioteca del monastero non trovai traccia del manoscritto di Adso.

Prima di arrivare a Salisburgo, una tragica notte in un piccolo albergo sulle rive del Mondsee, il mio sodalizio di viaggio bruscamente si interruppe e la persona con cui viaggiavo scomparve portando seco il libro dell'abate Vallet, non per malizia, ma a causa del modo disordinato e abrupto con cui aveva avuto fine il nostro rapporto. Mi rimase così una serie di quaderni manoscritti di mio pugno, e un gran vuoto nel cuore.

Alcuni mesi dopo a Parigi decisi di andare a fondo nella mia ricerca. Delle poche notizie che avevo tratto dal libro francese, mi rimaneva il riferimento alla fonte, eccezionalmente minuto e preciso:

Vetera analecta, sive *collectio veterum aliquot operum* & opusculorum omnis generis, carminum, epistolarum, diplomaton, epitaphiorum, &, *cum itinere germanico*, adnotationibus aliquot disquisitionibus R.P.D. Joannis Mabillon, Presbiteri ac Monachi Ord. Sancti Benedicti e Congregatione S. Mauri. - *Nova Editio* cui accessere *Mabilonii* vita & aliquot opuscula, scilicet Dissertatio de *Pane Eucharistico, Azymo et Fermentato*, ad Eminentiss. Cardinalem *Bona*. Subjungitur opusculum *Eldefonsi* Hispaniensis Episcopi de eodem argumento *Et Eusebii* Romani ad *Theophilum* Gallum epistola, *De cultu sanctorum ignotorum*, Parisiis, apud Levesque, ad Pontem S. Michaelis, MDCCXXI, cum privilegio Regis.

Trovai subito i Vetera Analecta *alla biblioteca Sainte Geneviève, ma con mia grande sorpresa l'edizione reperita discordava per due particolari: anzitutto l'editore, che era Montalant, ad Ripam P.P. Augustinianorum (prope Pontem S. Michaelis) e poi la data, di due anni posteriore. Inutile dire che questi* analecta *non contenevano alcun manoscritto di Adso o Adson da Melk — e si tratta anzi, come ciascuno può controllare, di una raccolta di testi di media e breve lunghezza, mentre la storia trascritta dal Vallet si estendeva per alcune centinaia di pagine. Consultai all'epoca medievalisti illustri come il caro e indimenticabile Etienne Gilson, ma fu chiaro che gli unici* Vetera Analecta *erano quelli che avevo visto a Sainte Geneviève. Una puntata all'Abbaye de la Source, che sorge nei dintorni di Passy, e una conversazione con l'amico Dom Arne Lahnestedt mi convinsero altresì che nessun abate Vallet aveva pubblicato libri coi torchi (peraltro inesistenti) dell'abbazia. È nota la trascuratezza degli eruditi francesi nel dare indicazioni bibliografiche di qualche attendibilità, ma il caso superava ogni ragionevole pessimismo. Incominciai a ritenere che mi fosse capitato tra le mani un falso. Ormai lo stesso libro del Vallet era irrecuperabile (o almeno non ardivo andarlo a richiedere a chi me lo aveva sottratto). E non mi rimanevano che le mie note, delle quali cominciavo ormai a dubitare.*

Vi sono momenti magici, di grande stanchezza fisica e intensa eccitazione motoria, in cui si danno visioni di persone conosciute in passato ("en me retraçant ces détails, j'en suis

à me demander s'ils sont réels, ou bien si je les ai rêvés").
Come appresi più tardi dal bel libretto dell'*Abbé de Bucquoy*, si danno altresì visioni di libri non ancora scritti.

Se non fosse successo qualcosa di nuovo sarei ancora qui a domandarmi da dove venga la storia di Adso da Melk, senonché nel 1970, a Buenos Aires, curiosando sui banchi di un piccolo libraio antiquario in Corrientes, non lontano dal più insigne Patio del Tango di quella grande strada, mi capitò tra le mani la versione castigliana di un libretto di Milo Temesvar, Dell'uso degli specchi nel gioco degli scacchi, *che già avevo avuto occasione di citare (di seconda mano) nel* mio Apocalittici e integrati, recensendo il suo più recente I venditori di Apocalisse. *Si trattava della traduzione dell'ormai introvabile originale in lingua georgiana (Tibilisi, 1934) e quivi, con mia grande sorpresa, lessi copiose citazioni dal manoscritto di Adso, salvo che la fonte non era né il Vallet né il Mabillon, bensì padre Athanasius Kircher (ma quale opera?). Un dotto — che non ritengo opportuno nominare — mi ha poi assicurato che (e citava indici a memoria) il grande gesuita non ha mai parlato di Adso da Melk. Ma le pagine di Temesvar erano sotto i miei occhi e gli episodi a cui si riferiva erano assolutamente analoghi a quelli del manoscritto tradotto dal Vallet (in particolare, la descrizione del labirinto non lasciava luogo ad alcun dubbio). Checché ne abbia poi scritto Beniamino Placido,*[1] *l'abate Vallet era esistito e così certamente Adso da Melk.*

Ne conclusi che le memorie di Adso sembravano giustamente partecipare alla natura degli eventi di cui egli narra: avvolte da molti e imprecisi misteri, a cominciare dall'autore, per finire alla collocazione dell'abbazia di cui Adso tace con tenace puntigliosità, così che le congetture permettono di disegnare una zona imprecisa tra Pomposa e Conques, con ragionevoli probabilità che il luogo sorgesse lungo il dorsale appenninico, tra Piemonte, Liguria e Francia (come dire tra Lerici e Turbìa). Quanto all'epoca in cui si svolgono gli eventi descritti, siamo alla fine del novembre 1327; quando invece scriva l'autore è incerto. Calcolando che si dice novizio nel '27 e ormai vicino alla morte quando stende le sue memorie, possiamo congetturare che il manoscritto sia stato stilato negli ultimi dieci o vent'anni del XIV secolo.

A ben riflettere, assai scarse erano le ragioni che potessero inclinarmi a dare alle stampe la mia versione italiana di una

[1] *La Repubblica*, 22 settembre 1977.

oscura versione neogotica francese di una edizione latina secentesca di un'opera scritta in latino da un monaco tedesco sul finire del trecento.

Anzitutto, quale stile adottare? La tentazione di rifarmi a modelli italiani dell'epoca andava respinta come del tutto ingiustificata: non solo Adso scrive in latino, ma è chiaro da tutto l'andamento del testo che la sua cultura (o la cultura dell'abbazia che così chiaramente lo influenza) è molto più datata; si tratta chiaramente di una somma plurisecolare di conoscenze e di vezzi stilistici che si collegano alla tradizione basso medievale latina. Adso pensa e scrive come un monaco rimasto impermeabile alla rivoluzione del volgare, legato alle pagine ospitate nella biblioteca di cui narra, formatosi su testi patristico-scolastici, e la sua storia (al di là dei riferimenti ed avvenimenti del XIV secolo, che pure Adso registra tra mille perplessità, e sempre per sentito dire) avrebbe potuto essere scritta, quanto a lingua e a citazioni erudite, nel XII o nel XIII secolo.

D'altra parte è indubbio che nel tradurre nel suo francese neogotico il latino di Adso, il Vallet abbia introdotto di suo varie licenze, e non sempre soltanto stilistiche. Per esempio i personaggi parlano talora delle virtù delle erbe rifacèndosi chiaramente a quel libro dei segreti attribuito ad Alberto Magno che ebbe nei secoli infiniti rifacimenti. È certo che Adso lo conoscesse, ma rimane il fatto che egli ne cita dei brani che riecheggiano troppo letteralmente vuoi ricette di Paracelso vuoi chiare interpolazioni di un'edizione dell'Alberto di sicura epoca Tudor.[2] D'altra parte ho appurato in seguito che ai tempi in cui il Vallet trascriveva (?) il manoscritto di Adso, circolava a Parigi un'edizione settecentesca del Grand e del Petit Albert[3] ormai irrimediabilmente inquinata. Tuttavia, come essere sicuri che il testo a cui si rifacevano Adso o i monaci di cui egli annotava i discorsi, non contenesse, tra glosse, scolii e appendici varie, anche annotazioni che poi avrebbero nutrito la cultura posteriore?

Infine, dovevo conservare in latino i passaggi che lo stesso abate Vallet non ritenne opportuno tradurre, forse per conservare l'aria del tempo? Non v'erano giustificazioni precise

---

[2] Liber aggregationis seu liber secretorum Alberti Magni, Londinium, juxta pontem qui vulgariter dicitur Flete brigge, MccccLxxxv.

[3] Les admirables secrets d'Albert le Grand, A Lyon, Chez les Héritiers Beringos, Fratres, à l'Enseigne d'Agrippa, MDCCLXXV; Secrets merveilleux de la Magie Naturelle et Cabalistique du Petit Albert, A Lyon, ibidem, MDCCXXIX.

per farlo, se non un senso, forse malinteso, di fedeltà alla mia fonte... Ho eliminato il soverchio, ma qualcosa ho lasciato. E temo di aver fatto come i cattivi romanzieri che, mettendo in scena un personaggio francese, gli fanno dire "parbleu!" e "la femme, ah! la femme!".

In conclusione, sono pieno di dubbi. Proprio non so perché mi sia deciso a prendere il coraggio a due mani e a presentare come se fosse autentico il manoscritto di Adso da Melk. Diciamo: un gesto di innamoramento. O, se si vuole, un modo per liberarmi da numerose e antiche ossessioni.

Trascrivo senza preoccupazioni di attualità. Negli anni in cui scoprivo il testo dell'abate Vallet circolava la persuasione che si dovesse scrivere solo impegnandosi sul presente, e per cambiare il mondo. A dieci e più anni di distanza è ora consolazione dell'uomo di lettere (restituito alla sua altissima dignità) che si possa scrivere per puro amor di scrittura. E così ora mi sento libero di raccontare, per semplice gusto fabulatorio, la storia di Adso da Melk, e provo conforto e consolazione nel ritrovarla così incommensurabilmente lontana nel tempo (ora che la veglia della ragione ha fugato tutti i mostri che il suo sonno aveva generato), così gloriosamente priva di rapporto coi tempi nostri, intemporalmente estranea alle nostre speranze e alle nostre sicurezze.

Perché essa è storia di libri, non di miserie quotidiane, e la sua lettura può inclinarci a recitare, col grande imitatore da Kempis: "In omnibus requiem quaesivi, et nusquam inveni nisi in angulo cum libro."

5 gennaio 1980

NOTA

Il manoscritto di Adso è diviso in sette giornate e ciascuna giornata in periodi corrispondenti alle ore liturgiche. I sottotitoli, in terza persona, sono stati probabilmente aggiunti dal Vallet. Ma poiché sono utili a orientare il lettore, né quest'uso si discosta da quello di molta letteratura in volgare di quel tempo, non ho ritenuto opportuno eliminarli.

Una certa perplessità mi hanno dato i riferimenti di Adso alle ore canoniche, perché non solo la loro individuazione varia a seconda delle località e delle stagioni, ma con ogni probabilità nel XIV secolo non ci si atteneva con assoluta precisione alle indicazioni fissate da san Benedetto nella regola.

Tuttavia, a orientamento del lettore, deducendo in parte dal testo e in parte confrontando la regola originaria con la descrizione della vita monastica data da Edouard Schneider in *Les heures bénédictines* (Paris, Grasset, 1925), credo ci si possa attenere alla seguente valutazione:

Mattutino (che talora Adso chiama anche con l'antica espressione di *Vigiliae*). Tra le 2.30 e le 3 di notte.

Laudi (che nella tradizione più antica erano dette *Matutini*). Tra le 5 e le 6 di mattina, in modo da terminare quando albeggia.

Prima Verso le 7.30, poco prima dell'aurora.

Terza Verso le 9.

Sesta Mezzogiorno (in un monastero dove i monaci non lavoravano nei campi, d'inverno, era anche l'ora del pasto).

Nona Tra le 2 e le 3 pomeridiane.

Vespro Verso le 4.30, al tramonto (la regola prescrive di far cena quando ancora non è scesa la tenebra).

Compieta Verso le 6 (entro le 7 i monaci vanno a coricarsi).

Il computo si basa sul fatto che nell'Italia settentrionale, alla fine di novembre, il sole si leva intorno alle 7.30 e tramonta intorno alle 4.40 pomeridiane.

PROLOGO

In principio era il Verbo e il Verbo era presso Dio, e il Verbo era Dio. Questo era in principio presso Dio e compito del monaco fedele sarebbe ripetere ogni giorno con salmodiante umiltà l'unico immodificabile evento di cui si possa asserire l'incontrovertibile verità. Ma videmus nunc per speculum et in aenigmate e la verità, prima che faccia a faccia, si manifesta a tratti (ahi, quanto illeggibili) nell'errore del mondo, così che dobbiamo compitarne i fedeli segnacoli, anche là dove ci appaiono oscuri e quasi intessuti di una volontà del tutto intesa al male.

Giunto al finire della mia vita di peccatore, mentre canuto senesco come il mondo, nell'attesa di perdermi nell'abisso senza fondo della divinità silenziosa e deserta, partecipando della luce inconversevole delle intelligenze angeliche, trattenuto ormai col mio corpo greve e malato in questa cella del caro monastero di Melk, mi accingo a lasciare su questo vello testimonianza degli eventi mirabili e tremendi a cui in gioventù mi accadde di assistere, ripetendo verbatim quanto vidi e udii, senza azzardarmi a trarne un disegno, come a lasciare a coloro che verranno (se l'Anticristo non li precederà) segni di segni, perché su di essi si eserciti la preghiera della decifrazione.

Il Signore mi conceda la grazia di essere testimone trasparente degli accadimenti che ebbero luogo all'abbazia di cui è bene e pio si taccia ormai anche il nome, al finire dell'anno del Signore 1327 in cui l'imperatore Ludovico scese in Italia per ricostituire la dignità del sacro romano impero, giusta i disegni dell'Altissimo e a confusione dell'infame usurpatore simoniaco ed eresiarca che in Avignone recò vergogna al nome santo dell'apostolo (dico l'anima peccatrice di Giacomo di Cahors, che gli empi onorarono come Giovanni XXII).

Forse, per comprendere meglio gli avvenimenti in cui mi trovai coinvolto, è bene che io ricordi quanto stava avvenendo in quello scorcio di secolo, così come lo compresi allora, vivendolo, e così come lo rammemoro ora, arricchito di altri racconti che ho udito dopo — se pure la mia memoria sarà in grado di riannodare le fila di tanti e confusissimi eventi.

Sin dai primi anni di quel secolo il papa Clemente V aveva trasferito la sede apostolica ad Avignone lasciando Roma in preda alle ambizioni dei signori locali: e gradatamente la città santissima della cristianità si era trasformata in un circo, o in un lupanare, dilaniata dalle lotte tra i suoi maggiori; si diceva repubblica, e non lo era, battuta da bande armate, sottoposta a violenze e saccheggi. Ecclesiastici sottrattisi alla giurisdizione secolare comandavano gruppi di facinorosi e rapinavano con la spada in pugno, prevaricavano e organizzavano turpi traffici. Come impedire che il Caput Mundi ridiventasse, e giustamente, la meta di chi volesse indossare la corona del sacro romano impero e restaurare la dignità di quel dominio temporale che già era stato dei cesari?

Ecco dunque che nel 1314 cinque principi tedeschi avevano eletto a Francoforte Ludovico di Baviera come supremo reggitore dell'impero. Ma il giorno stesso, sull'opposta riva del Meno, il conte palatino del Reno e l'arcivescovo di Colonia avevano eletto alla stessa dignità Federico d'Austria. Due imperatori per una sola sede e un solo papa per due: situazione che divenne, invero, fomite di grande disordine...

Due anni dopo veniva eletto ad Avignone il nuovo papa, Giacomo di Cahors, vecchio di settantadue anni, col nome appunto di Giovanni XXII, e voglia il cielo che mai più alcun pontefice assuma un nome ormai così inviso ai buoni. Francese e devoto al re di Francia (gli uomini di quella terra corrotta sono sempre inclini a favorire gli interessi dei loro, e sono incapaci di guardare al mondo intero come alla loro patria spirituale), egli aveva sostenuto Filippo il Bello contro i cavalieri templari, che il re aveva accusato (credo ingiustamente) di delitti vergognosissimi per impadronirsi dei loro beni, complice quell'ecclesiastico rinnegato. Frattanto si era inserito in tutta quella trama Roberto di Napoli, il quale per mantenere il controllo della penisola italiana aveva convinto il papa a non riconoscere nessuno dei due imperatori tedeschi, e così era rimasto capitano generale dello stato della chiesa.

Nel 1322 Ludovico il Bavaro batteva il suo rivale Federico. Ancor più timoroso di un solo imperatore, come lo era stato di due, Giovanni scomunicò il vincitore, e questi di rimando denunciò il papa come eretico. Occorre dire che, proprio in quell'anno, aveva avuto luogo a Perugia il capitolo dei frati francescani, e il loro generale, Michele da Cesena, accogliendo le istanze degli "spirituali" (di cui avrò ancora occasione di parlare) aveva proclamato come verità di fede la povertà di Cristo, che se aveva posseduto qualcosa coi suoi apostoli l'aveva avuto solo come usus facti. Degna risoluzione, intesa a salvaguardare la virtù e la purezza dell'ordine, ma essa spiacque assai al papa, che forse vi intravvedeva un principio che avrebbe messo a repentaglio le stesse pretese che egli, come capo della chiesa, aveva, di contestare all'impero il diritto di eleggere vescovi, accampando di converso per il sacro soglio quello di investire l'imperatore. Fossero queste o altre le ragioni che lo muovevano, Giovanni condannò nel 1323 le proposizioni dei francescani con la decretale *Cum inter nonnullos*.

Fu a quel punto, immagino, che Ludovico vide nei francescani, nemici ormai al papa, dei potenti alleati. Affermando la povertà di Cristo essi in qualche modo rinvigorivano le idee dei teologi imperiali, e cioè di Marsilio da Padova e Giovanni di Giandruno. E infine, non molti mesi prima degli eventi di cui sto narrando, Ludovico, che aveva raggiunto un accordo con lo sconfitto Federico, scendeva in Italia, veniva incoronato a Milano, entrava in conflitto coi Visconti, che pure lo avevano accolto con favore, poneva Pisa sotto assedio, nominava vicario imperiale Castruccio, duca di Lucca e Pistoia (e credo facesse male perché non conobbi mai uomo più crudele, tranne forse Uguccione della Faggiola), e ormai si apprestava a scendere a Roma, chiamato da Sciarra Colonna signore del luogo.

Ecco com'era la situazione quando io — già novizio benedettino nel monastero di Melk — fui sottratto alla tranquillità del chiostro da mio padre, che si batteva al seguito di Ludovico, non ultimo tra i suoi baroni, e che ritenette saggio portarmi con sé perché conoscessi le meraviglie d'Italia e fossi presente quando l'imperatore fosse stato incoronato in Roma. Ma l'assedio di Pisa lo assorbì nelle cure militari. Io ne trassi vantaggio aggirandomi, un poco per ozio e un poco per desiderio di apprendere, per le città della Toscana, ma questa vita libera e senza regola non si addiceva, pensarono i miei genitori, a un adolescente votato alla vita contemplativa. E su suggerimento di Marsilio, che aveva preso a benvolermi, decisero di pormi accanto a un dotto francescano, frate

Guglielmo da Baskerville, il quale stava per iniziare una missione che lo avrebbe portato a toccare città famose e abbazie antichissime. Divenni così suo scrivano e discepolo al tempo stesso, né ebbi a pentirmene, perché fui con lui testimone di avvenimenti degni di essere consegnati, come ora sto facendo, alla memoria di coloro che verranno.

Io non sapevo allora cosa frate Guglielmo cercasse, e a dire il vero non lo so ancor oggi, e presumo non lo sapesse neppure lui, mosso com'era dall'unico desiderio della verità, e dal sospetto — che sempre gli vidi nutrire — che la verità non fosse quella che gli appariva nel momento presente. E forse in quegli anni egli era distratto dai suoi studi prediletti da incombenze del secolo. La missione di cui Guglielmo era incaricato mi rimase ignota lungo tutto il viaggio, ovvero egli non me ne parlò. Fu piuttosto ascoltando brani di conversazioni, che egli ebbe con gli abati dei monasteri in cui ci arrestammo via via, che mi feci qualche idea sulla natura del suo compito. Ma non lo capii appieno sino a che non pervenimmo alla nostra meta, come poi dirò. Eravamo diretti verso settentrione, ma il nostro viaggio non procedette in linea retta e ci arrestammo in varie abbazie. Accadde così che piegammo verso occidente mentre la nostra meta ultima stava a oriente, quasi seguendo la linea montana che da Pisa porta in direzione dei cammini di San Giacomo, soffermandoci in una terra che i terribili avvenimenti che poi vi avvennero mi sconsigliano di identificare meglio, ma i cui signori erano fedeli all'impero e dove gli abati del nostro ordine di comune accordo si opponevano al papa eretico e corrotto. Il viaggio durò due settimane tra varie vicende e in quel tempo ebbi modo di conoscere (non mai abbastanza, come sempre mi convinco) il mio nuovo maestro.

Nelle pagine che seguono non vorrò indulgere a descrizioni di persone — se non quando l'espressione di un volto, o un gesto, non appariranno come segni di un muto ma eloquente linguaggio — perché, come dice Boezio, nulla è più fugace della forma esteriore, che appassisce e muta come i fiori di campo all'apparire dell'autunno, e che senso avrebbe oggi dire dell'abate Abbone che ebbe l'occhio severo e le guance pallide, quando ormai lui e coloro che lo attorniavano sono polvere e della polvere il loro corpo ha ormai il grigiore mortifero (solo l'animo, lo voglia Iddio, risplendendo di una luce che non si spegnerà mai più)? Ma di Guglielmo vorrei dire, e una volta per tutte, perché di lui mi colpirono anche le singolari fattezze, ed è proprio dei giovani legarsi a un uomo più anziano e più saggio non solo per il fascino della parola e l'acutezza della mente, ma pur anche per la forma superficiale del corpo, che ne risulta carissima, come accade per la figura di un padre, di cui si studiano i gesti, e i corrucci, e se ne spia il sorriso — senza che ombra di lussuria inquini questo modo (forse l'unico purissimo) di amore corporale.

Gli uomini di una volta erano belli e grandi (ora sono dei bambini e dei nani), ma questo fatto è solo uno dei tanti che testimoni la sventura di un mondo che incanutisce. La gioventù non vuole apprendere più nulla, la scienza è in decadenza, il mondo intero cammina sulla testa, dei ciechi conducono altri ciechi e li fan precipitare negli abissi, gli uccelli si lanciano prima di aver preso il volo, l'asino suona la lira, i buoi danzano, Maria non ama più la vita contemplativa e Marta non ama più la vita attiva, Lea è sterile, Rachele ha l'occhio carnale, Catone frequenta i lupanari, Lucrezio diventa femmina. Tutto è sviato dal proprio cammino. Siano rese grazie a Dio che io a quei tempi acquisii dal mio maestro la voglia di apprendere e il senso della retta via, che si conserva anche quando il sentiero è tortuoso.

Era dunque l'apparenza fisica di frate Guglielmo tale da attirare l'attenzione dell'osservatore più distratto. La sua statura superava quella di un uomo normale ed era tanto magro che sembrava più alto. Aveva gli occhi acuti e penetranti; il naso affilato e un po' adunco conferiva al suo volto l'espressione di uno che vigili, salvo nei momenti di torpore di cui dirò. Anche il mento denunciava in lui una salda volontà, pur se il viso allungato e coperto di efelidi — come sovente vidi di coloro nati tra Hibernia e Northumbria — poteva talora esprimere incertezza e perplessità. Mi accorsi col tempo che quella che pareva insicurezza era invece e solo curiosità, ma all'inizio poco sapevo di questa virtù, che credevo piuttosto una passione dell'animo concupiscibile, ritenendo che l'animo razionale non se ne dovesse nutrire, pascendosi solo del vero, di cui (pensavo) si sa già sin dall'inizio.

Fanciullo com'ero, la cosa che di lui subito mi aveva colpito, erano certi ciuffi di peli giallastri che gli uscivano dalle orecchie, e le sopracciglia folte e bionde. Poteva egli avere cinquanta primavere ed era dunque già molto vecchio, ma muoveva il suo corpo instancabile con una agilità che a me sovente faceva difetto. La sua energia pareva inesauribile, quando lo coglieva un eccesso di attività. Ma di tanto in tanto, quasi il suo spirito vitale partecipasse del gambero, recedeva in momenti di inerzia e lo vidi per ore stare sul suo giaciglio in cella, pronunciando a malapena qualche monosillabo, senza contrarre un solo muscolo del viso. In quelle occasioni appariva nei suoi occhi un'espressione vacua e assente, e avrei sospettato che fosse sotto l'impero di qualche sostanza vegetale capace di dar visioni, se la palese temperanza che regolava la sua vita non mi avesse indotto a respingere questo pensiero. Non nascondo tuttavia che, nel corso del viaggio, si era fermato talora sul ciglio di un prato, ai bordi di una foresta, a raccogliere qualche erba (credo sempre la stessa): e si poneva a masticarla con volto assorto. Parte ne teneva con sé, e la mangiava nei momenti di maggior tensione (e sovente ne avemmo all'abbazia!). Quando una volta gli chiesi di che si trattasse, disse sorridendo che un buon cristiano può imparare talora anche dagli infedeli; e quando gli domandai di assaggiarne, mi rispose che, come per i discorsi, anche per i semplici ve ne sono di *paidikoi*, di *ephebikoi* e di *gynaikeioi* e via dicendo, così che le erbe che sono buone per un vecchio francescano non son buone per un giovane benedettino.

Nel tempo che stemmo insieme non avemmo occasione di far vita molto regolare: anche all'abbazia vegliammo di notte e cademmo stanchi di giorno, né partecipammo regolarmente gli uffici sacri. Di rado tuttavia, in viaggio, vegliava oltre compieta, e aveva abitudini parche. Qualche volta, come accadde all'abbazia, passava tutta la giornata muovendosi per l'orto, esaminando le piante come fossero crisopazi o smeraldi, e lo vidi aggirarsi per la cripta del tesoro guardando uno scrigno tempestato di smeraldi e crisopazi come fosse un cespuglio di stramonio. Altre volte stava un giorno intero nella sala grande della biblioteca sfogliando manoscritti come a cercarvi null'altro che il suo piacere (quando intorno a noi si moltiplicavano i cadaveri di monaci orrendamente uccisi). Un giorno lo trovai che passeggiava nel giardino senza alcun fine apparente, come se non dovesse render conto a Dio delle sue opere. Nell'ordine mi avevano insegnato ben altro modo di dividere il mio tempo, e glielo dissi. Ed egli rispose che la bellezza del cosmo è data non solo dall'unità nella varietà, ma anche dalla varietà nell'unità. Mi parve una risposta dettata da ineducata empiria, ma appresi in seguito che gli uomini della sua terra definiscono spesso le cose in modi in cui pare che la forza illuminante della ragione abbia pochissimo ufficio.

Durante il periodo che trascorremmo all'abbazia gli vidi sempre le mani coperte dalla polvere dei libri, dall'oro delle miniature ancora fresche, da sostanze giallastre che aveva toccato nell'ospedale di Severino. Pareva non potesse pensare se non con le mani, cosa che allora mi pareva più degna di un meccanico (e mi era stato insegnato che il meccanico è *moechus*, e commette adulterio nei confronti della vita intellettuale a cui dovrebbe essere unito in castissimo sponsale): ma anche quando le sue mani toccavano cose fragilissime, come certi codici dalle miniature ancor fresche, o pagine corrose dal tempo e friabili come pane azzimo, egli possedeva, mi parve, una straordinaria delicatezza di tatto, la stessa che egli usava nel toccare le sue macchine. Dirò infatti che quest'uomo curioso portava seco, nella sua sacca da viaggio, strumenti che mai avevo visto prima di allora, e che egli definiva come le sue meravigliose macchine. Le macchine, diceva, sono effetto dell'arte, che è scimmia della natura, e di essa riproducono non le forme ma la stessa operazione. Egli mi spiegò così i portenti dell'orologio, dell'astrolabio e del magnete. Ma all'inizio temetti che si trattasse di stregoneria, e finsi di dormire certe notti serene in cui egli si poneva (in mano uno strano triangolo) a osservare le stelle. I francescani che avevo conosciuto in Italia e nella mia terra erano uomini semplici, sovente illetterati, e mi stupii con lui della sua sapienza. Ma egli mi disse sorridendo che i francescani delle sue isole erano di stampo diverso: "Ruggiero Bacone, che io venero quale maestro, ci ha insegnato che il piano divino passerà un giorno per la scienza delle macchine, che è magìa naturale e santa. E un giorno per forza di natura si potranno fare strumenti di navigazione per cui le navi vadano unico *homine regente*, e ben più rapide di quelle spinte da vela o da remi; e vi saranno carri 'ut sine animali moveantur cum impetu inaestimabili, et instrumenta volandi et homo sedens in medio instrumenti revolvens aliquod ingenium per quod alae artificialiter compositae aerem verberent, ad modum avis volantis'. E strumenti piccolissimi che sollevino pesi infiniti e veicoli che permettano di viaggiare sul fondo del mare.''

Quando gli chiesi dove fossero queste macchine, mi disse che erano già state fatte nell'antichità, e alcune persino ai tempi nostri: "Eccetto lo strumento per volare, che non vidi, né conobbi chi lo avesse visto, ma conosco un sapiente che lo ha pensato. E si possono fare ponti che valichino i fiumi senza colonne o altro sostentamento e altre macchine inaudite. Ma non devi preoccuparti se non ci sono ancora, perché non vuol dire che non ci saranno. E io ti dico che Dio vuole che ci siano, e certo son già nella sua mente, anche se il mio amico di Occam nega che le idee esistano in tal modo, e non perché possiamo decidere della natura divina, ma proprio perché non possiamo porle alcun limite.'' Né fu questa l'unica proposizione contraddittoria che gli sentii enunciare: ma anche ora che sono vecchio e più saggio di allora non ho definitivamente compreso come egli potesse aver tanta fiducia nel suo amico di Occam e giurare al tempo stesso sulle parole di Bacone, come era solito fare. È pur vero che quelli erano tempi oscuri in cui un uomo saggio doveva pensare cose in contraddizione tra loro.

Ecco, ho detto di frate Guglielmo cose forse insensate, quasi a raccogliere sin dall'inizio le impressioni sconnesse che ne ebbi allora. Chi egli fu, e cosa facesse, mio buon lettore, potrai forse meglio dedurre dalle azioni che operò nei giorni che trascorremmo all'abbazia. Né ti ho promesso un disegno compiuto, bensì un elenco di fatti (questi sì) mirabili e terribili.

Così conoscendo giorno per giorno il mio maestro, e trascorrendo le lunghe ore di marcia in lunghissimi conversari di cui, se il caso, dirò a poco a poco, giungemmo alle falde del monte su cui si ergeva l'abbazia. Ed è ora che, come noi allora facemmo, a essa si approssimi il mio racconto, e possa la mia mano non tremare nell'accingermi a dire quanto poi accadde.

PRIMO GIORNO

Primo giorno

PRIMA

*Dove si arriva ai piedi dell'abbazia e Guglielmo
dà prova di grande acume.*

Era una bella mattina di fine novembre. Nella notte aveva
nevicato un poco, ma il terreno era coperto di un velo fresco
non più alto di tre dita. Al buio, subito dopo laudi, avevamo ascoltato la messa in un villaggio a valle. Poi ci eravamo
messi in viaggio verso le montagne, allo spuntar del sole.

Come ci inerpicavamo per il sentiero scosceso che si sno-
dava intorno al monte, vidi l'abbazia. Non mi stupirono di
essa le mura che la cingevano da ogni lato, simili ad altre
che vidi in tutto il mondo cristiano, ma la mole di quello
che poi appresi essere l'Edificio. Era questa una costruzione
ottagonale che a distanza appariva come un tetragono (figura perfettissima che esprime la saldezza e l'imprendibilità
della Città di Dio), i cui lati meridionali si ergevano sul pianoro dell'abbazia, mentre quelli settentrionali sembravano
crescere dalle falde stesse del monte, su cui s'innervavano a
strapiombo. Dico che in certi punti, dal basso, sembrava che
la roccia si prolungasse verso il cielo, senza soluzione di tinte
e di materia, e diventasse a un certo punto mastio e torrione
(opera di giganti che avessero gran familiarità e con la terra
e col cielo). Tre ordini di finestre dicevano il ritmo trino
della sua sopraelevazione, così che ciò che era fisicamente
quadrato sulla terra, era spiritualmente triangolare nel cielo.
Nell'appressarvici maggiormente, si capiva che la forma qua-
drangolare generava, a ciascuno dei suoi angoli, un torrione
eptagonale, di cui cinque lati si protendevano all'esterno —
quattro dunque degli otto lati dell'ottagono maggiore generando quattro eptagoni minori, che all'esterno si manifestavano come pentagoni. E non è chi non veda l'ammirevole
concordia di tanti numeri santi, ciascuno rivelante un sotti-
lissimo senso spirituale. Otto il numero della perfezione

29

d'ogni tetragono, quattro il numero dei vangeli, cinque il numero delle zone del mondo, sette il numero dei doni dello Spirito Santo. Per la mole, e per la forma, l'Edificio mi apparve come più tardi avrei visto nel sud della penisola italiana Castel Ursino o Castel dal Monte, ma per la posizione inaccessibile era di quelli più tremendo, e capace di generare timore nel viaggiatore che vi si avvicinasse a poco a poco. E fortuna che, essendo una limpidissima mattinata invernale, la costruzione non mi apparve quale la si vede nei giorni di tempesta.

Non dirò comunque che essa suggerisse sentimenti di giocondità. Io ne trassi spavento, e una inquietudine sottile. Dio sa che non erano fantasmi dell'animo mio immaturo, e che rettamente interpretavo indubitabili presagi iscritti nella pietra, sin dal giorno che i giganti vi posero mano, e prima che la illusa volontà dei monaci ardisse consacrarla alla custodia della parola divina.

Mentre i nostri muletti arrancavano per l'ultimo tornante della montagna, là dove il cammino principale si diramava a trivio, generando due sentieri laterali, il mio maestro si arrestò per qualche tempo, guardandosi intorno ai lati della strada, e sulla strada, e sopra la strada, dove una serie di pini sempreverdi formava per un breve tratto un tetto naturale, canuto di neve.

"Abbazia ricca," disse. "All'Abate piace apparire bene nelle pubbliche occasioni."

Abituato come ero a sentirlo fare le più singolari affermazioni, non lo interrogai. Anche perché, dopo un altro tratto di strada, udimmo dei rumori, e a una svolta apparve un agitato manipolo di monaci e di famigli. Uno di essi, come ci vide, ci venne incontro con molta urbanità: "Benvenuto signore," disse, "e non vi stupite se immagino chi siete, perché siamo stati avvertiti della vostra visita. Io sono Remigio da Varagine, il cellario del monastero. E se voi siete, come credo, frate Guglielmo da Baskerville, l'Abate dovrà esserne avvisato. Tu," ordinò rivolto a uno del seguito, "risali ad avvertire che il nostro visitatore sta per entrare nella cinta!"

"Vi ringrazio, signor cellario," rispose cordialmente il mio maestro, "e tanto più apprezzo la vostra cortesia in quanto per salutarmi avete interrotto l'inseguimento. Ma non temete, il cavallo è passato di qua e si è diretto per il sentiero di destra. Non potrà andar molto lontano perché, arrivato al deposito dello strame, dovrà fermarsi. È troppo intelligente per buttarsi lungo il terreno scosceso..."

"Quando lo avete visto?" domandò il cellario.

"Non l'abbiamo visto affatto, non è vero Adso?" disse Guglielmo volgendosi verso di me con aria divertita. "Ma se cercate Brunello, l'animale non può che essere là dove io ho detto."

Il cellario esitò. Guardò Guglielmo, poi il sentiero, e infine domandò: "Brunello? Come sapete?"

"Suvvia," disse Guglielmo, "è evidente che state cercando Brunello, il cavallo preferito dall'Abate, il miglior galoppatore della vostra scuderia, nero di pelo, alto cinque piedi, dalla coda sontuosa, dallo zoccolo piccolo e rotondo ma dal galoppo assai regolare; capo minuto, orecchie sottili ma occhi grandi. È andato a destra, vi dico, e affrettatevi, in ogni caso."

Il cellario ebbe un momento di esitazione, poi fece un segno ai suoi e si gettò giù per il sentiero di destra, mentre i nostri muli riprendevano a salire. Mentre stavo per interrogare Guglielmo, perché ero morso dalla curiosità, egli mi fece cenno di attendere: e infatti pochi minuti dopo udimmo grida di giubilo, e alla svolta del sentiero riapparvero monaci e famigli riportando il cavallo per il morso. Ci passarono di fianco continuando a guardarci alquanto sbalorditi e ci precedettero verso l'abbazia. Credo anche che Guglielmo rallentasse il passo alla sua cavalcatura per permettere loro di raccontare quanto era accaduto. Infatti avevo avuto modo di accorgermi che il mio maestro, in tutto e per tutto uomo di altissima virtù, indulgeva al vizio della vanità quando si trattava di dar prova del suo acume e, avendone già apprezzato le doti di sottile diplomatico, capii che voleva arrivare alla meta preceduto da una solida fama di uomo sapiente.

"E ora ditemi," alla fine non seppi trattenermi, "come avete fatto a sapere?"

"Mio buon Adso," disse il maestro. "È tutto il viaggio che ti insegno a riconoscere le tracce con cui il mondo ci parla come un grande libro. Alano delle Isole diceva che

> omnis mundi creatura
> quasi liber et pictura
> nobis est in speculum

e pensava alla inesausta riserva di simboli con cui Dio, attraverso le sue creature, ci parla della vita eterna. Ma l'universo è ancor più loquace di come pensava Alano e non solo parla

31

delle cose ultime (nel qual caso lo fa sempre in modo oscuro) ma anche di quelle prossime, e in questo è chiarissimo. Quasi mi vergogno a ripeterti quel che dovresti sapere. Al trivio, sulla neve ancora fresca, si disegnavano con molta chiarezza le impronte degli zoccoli di un cavallo, che puntavano verso il sentiero alla nostra sinistra. A bella e uguale distanza l'uno dall'altro, quei segni dicevano che lo zoccolo era piccolo e rotondo, e il galoppo di grande regolarità — così che ne dedussi la natura del cavallo, e il fatto che esso non correva disordinatamente come fa un animale imbizzarrito. Là dove i pini formavano come una tettoia naturale, alcuni rami erano stati spezzati di fresco giusto all'altezza di cinque piedi. Uno dei cespugli di more, là dove l'animale deve aver girato per infilare il sentiero alla sua destra, mentre fieramente scuoteva la sua bella coda, tratteneva ancora tra gli spini dei lunghi crini nerissimi... Non mi dirai infine che non sai che quel sentiero conduce al deposito dello strame, perché salendo per il tornante inferiore abbiamo visto la bava dei detriti scendere a strapiombo ai piedi del torrione orientale, bruttando la neve; e così come il trivio era disposto, il sentiero non poteva che condurre in quella direzione."

"Sì," dissi, "ma il capo piccolo, le orecchie aguzze, gli occhi grandi..."

"Non so se li abbia, ma certo i monaci lo credono fermamente. Diceva Isidoro di Siviglia che la bellezza di un cavallo esige 'ut sit exiguum caput et siccum prope pelle ossibus adhaerente, aures breves et argutae, oculi magni, nares patulae, erecta cervix, coma densa et cauda, ungularum soliditate fixa rotunditas'. Se il cavallo di cui ho inferito il passaggio non fosse stato davvero il migliore della scuderia, non spiegheresti perché a inseguirlo non sono stati solo gli stallieri, ma si è incomodato addirittura il cellario. E un monaco che considera un cavallo eccellente, al di là delle forme naturali, non può non vederlo così come le auctoritates glielo hanno descritto, specie se," e qui sorrise con malizia al mio indirizzo, "è un dotto benedettino..."

"Va bene," dissi, "ma perché Brunello?"

"Che lo Spirito Santo ti dia più sale in zucca di quel che hai, figlio mio!" esclamò il maestro. "Quale altro nome gli avresti dato se persino il grande Buridano, che sta per diventare rettore a Parigi, dovendo parlare di un bel cavallo, non trovò nome più naturale?"

Così era il mio maestro. Non soltanto sapeva leggere nel

gran libro della natura, ma anche nel modo in cui i monaci leggevano i libri della scrittura, e pensavano attraverso di quelli. Dote che, come vedremo, gli doveva tornar assai utile nei giorni che sarebbero seguiti. La sua spiegazione inoltre mi parve a quel punto tanto ovvia che l'umiliazione per non averla trovata da solo fu sopraffatta dall'orgoglio di esserne ormai compartecipe e quasi mi congratulai con me stesso per la mia acutezza. Tale è la forza del vero che, come il bene, è diffusivo di sé. E sia lodato il nome santo del nostro signore Gesù Cristo per questa bella rivelazione che ebbi.

Ma riprendi le fila, o mio racconto, ché questo monaco senescente si attarda troppo nei marginalia. Di' piuttosto che arrivammo al grande portale dell'abbazia, e sulla soglia stava l'Abate a cui due novizi sorreggevano una bacinella d'oro colma d'acqua. E come fummo discesi dai nostri animali, egli lavò le mani a Guglielmo, poi lo abbracciò baciandolo sulla bocca e dandogli il suo santo benvenuto, mentre il cellario si occupava di me.

"Grazie Abbone," disse Guglielmo, "è per me una gioia grande mettere piede nel monastero della magnificenza vostra, la cui fama ha valicato queste montagne. Io vengo come pellegrino nel nome di Nostro Signore e come tale voi mi avete reso onore. Ma vengo anche a nome del nostro signore su questa terra, come vi dirà la lettera che vi consegno, e anche a suo nome vi ringrazio per la vostra accoglienza."

L'Abate prese la lettera coi sigilli imperiali e disse che in ogni caso la venuta di Guglielmo era stata preceduta da altre missive di suoi confratelli (dappoiché, mi dissi io con un certo orgoglio, è difficile cogliere un abate benedettino di sorpresa), poi pregò il cellario di condurci ai nostri alloggiamenti, mentre gli stallieri ci prendevano le cavalcature. L'Abate si ripromise di visitarci più tardi quando ci fossimo rifocillati, ed entrammo nella grande corte dove gli edifici dell'abbazia si estendevano lungo tutto il dolce pianoro che smussava in una morbida conca — o alpe — la sommità del monte.

Della disposizione dell'abbazia avrò occasione di dire più volte, e più minutamente. Dopo il portale (che era l'unico varco nelle mura di cinta) si apriva un viale alberato che conduceva alla chiesa abbaziale. A sinistra del viale si stendeva una vasta zona di orti e, come poi seppi, il giardino botanico, intorno ai due edifici dei balnea e dell'ospedale ed erboristeria, che costeggiavano la curva delle mura. Sul fondo, a sinistra della chiesa, si ergeva l'Edificio, separato dalla chiesa da una spianata coperta di tombe. Il portale nord della chiesa guardava il torrione sud dell'Edificio, che offriva frontalmente agli occhi del visitatore il torrione occidentale, quindi a sinistra si legava alle mura e sprofondava turrito verso l'abisso, su cui si protendeva il torrione settentrionale, che si vedeva di sghimbescio. A destra della chiesa si stendevano alcune costruzioni che le stavano a ridosso, e intorno al chiostro: certo il dormitorio, la casa dell'Abate e la casa dei pellegrini a cui eravamo diretti e che raggiungemmo traversando un bel giardino. Sul lato destro, al di là di una vasta spianata, lungo le mura meridionali e continuando a oriente dietro la chiesa, una serie di quartieri colonici, stalle, mulini, frantoi, granai e cantine, e quella che mi parve essere la casa dei novizi. La regolarità del terreno, appena ondulato, aveva permesso agli antichi costruttori di quel luogo sacro di rispettare i dettami dell'orientamento, meglio di quanto avrebbero potuto pretendere Onorio Augustoduniense o Guglielmo Durando. Dalla posizione del sole in quell'ora del giorno, mi avvidi che il portale si apriva perfettamente a occidente, così che il coro e l'altare fossero rivolti a oriente; e il sole di buon mattino poteva sorgere risvegliando direttamente i monaci nel dormitorio e gli animali nelle stalle. Non vidi abbazia più bella e mirabilmente orientata, anche se in seguito conobbi San Gallo, e Cluny, e Fontenay, e altre ancora, forse più grandi ma meno proporzionate. Diversamente dalle altre, questa si segnalava però per la mole incommensurabile dell'Edificio. Non avevo l'esperienza di un maestro muratore, ma mi avvidi subito che esso era molto più antico delle costruzioni che lo attorniavano, nato forse per altri scopi, e che l'insieme abbaziale gli si era disposto intorno in tempi posteriori, ma in modo che l'orientamento della grande costruzione si adeguasse a quello della chiesa, o questa a quello. Perché l'architettura è tra tutte le arti quella che più arditamente cerca di riprodurre nel suo ritmo l'ordine dell'universo, che gli antichi chiamavano *kosmos*, e cioè ornato, in quanto è come un grande animale su cui rifulge la perfezione e la proporzione di tutte le sue membra. E sia lodato il Creatore Nostro che, come dice Agostino, ha stabilito tutte le cose in numero, peso e misura.

Primo giorno

TERZA

Dove Guglielmo ha una istruttiva conversazione
con l'Abate.

Il cellario era uomo pingue e di aspetto volgare ma gioviale, canuto ma ancor robusto, piccolo ma veloce. Ci condusse alle nostre celle nella casa dei pellegrini. O meglio, ci condusse alla cella assegnata al mio maestro, promettendomi che per il giorno seguente ne avrebbe liberata una anche per me in quanto, sebbene novizio, ero ospite loro, e dunque dovevo essere trattato con ogni onore. Per quella notte avrei potuto dormire in una vasta e lunga nicchia che si apriva nella parete della cella, su cui aveva fatto disporre della buona paglia fresca. Cosa che, aggiunse, si faceva talora per i servi di qualche signore che desiderava essere vegliato durante il suo sonno.

Poi i monaci ci portarono vino, cacio, olive, pane e della buona uva passa, e ci lasciarono a rifocillarci. Mangiammo e bevemmo con molto gusto. Il mio maestro non aveva le abitudini austere dei benedettini e non amava mangiare in silenzio. Peraltro parlava sempre di cose così buone e sagge che era come se un monaco ci leggesse le vite dei santi.

Quel giorno non mi trattenni dall'interrogarlo ancora sul fatto del cavallo.

"Però," dissi, "quando voi avete letto le tracce sulla neve e sui rami, non conoscevate ancora Brunello. In un certo modo quelle tracce ci parlavano di tutti i cavalli, o almeno di tutti i cavalli di quella specie. Non dobbiamo dunque dire che il libro della natura ci parla solo per essenze, come insegnano molti insigni teologi?"

"Non del tutto caro Adso," mi rispose il maestro. "Certo quel tipo di impronte mi esprimeva, se vuoi, il cavallo come *verbum mentis*, e me l'avrebbe espresso ovunque l'avessi trovato. Ma l'impronta in quel luogo e in quell'ora del giorno mi diceva che almeno uno tra tutti i cavalli possibili era passato di lì. Così che io mi trovavo a mezza strada tra l'apprendimento del concetto di cavallo e la conoscenza di un cavallo individuale. E in ogni caso quel che io conoscevo del cavallo universale mi era dato dalla traccia, che era singolare. Potrei dire che in quel momento io ero prigioniero tra la singolarità della traccia e la mia ignoranza, che assumeva la forma assai diafana di un'idea universale. Se tu vedi qualcosa da lontano, e non capisci cosa sia, ti accontenterai di definirlo come un corpo esteso. Quando ti si sarà avvicinato lo definirai allora come un animale, anche se non saprai ancora se sia un cavallo o un asino. E infine, quando esso sarà più vicino, potrai dire che è un cavallo anche se non saprai ancora se Brunello o Favello. E solo quando sarai alla giusta distanza tu vedrai che è Brunello (ovvero quel cavallo e non un altro, comunque tu decida di chiamarlo). E quella sarà la conoscenza piena, l'intuizione del singolare. Così io un'ora fa ero pronto ad attendermi tutti i cavalli, ma non per la vastità del mio intelletto, bensì per la pochezza della mia intuizione. E la fame del mio intelletto è stata saziata solo quando ho visto il cavallo singolo, che i monaci portavano per il morso. Solo allora ho veramente saputo che il mio ragionare di prima mi aveva condotto vicino alla verità. Così le idee, che io usavo prima per figurarmi un cavallo che non avevo ancora visto, erano puri segni, come erano segni dell'idea di cavallo le impronte sulla neve: e si usano segni e segni di segni solo quando ci fanno difetto le cose.''

Altre volte lo avevo udito parlare con molto scetticismo delle idee universali e gran rispetto delle cose individuali: e anche in seguito mi parve che questa tendenza gli provenisse sia dall'essere britannico che dall'essere francescano. Ma quel giorno non aveva forze sufficienti per affrontare dispute teologiche: sì che mi rannicchiai nello spazio che mi era stato concesso, mi avvolsi in una coperta e caddi in un sonno profondo.

Chi fosse entrato avrebbe potuto scambiarmi per un fagotto. E così fece certamente l'Abate quando venne a visitare Guglielmo verso l'ora terza. Fu così che io potei ascoltare inosservato il loro primo colloquio. E senza malizia, perché il manifestarmi di colpo al visitatore sarebbe stato più scortese che il celarmi, come feci, con umiltà.

Giunse pertanto Abbone. Si scusò per l'intrusione, rinnovò il suo benvenuto e disse che doveva parlare a Guglielmo, in privato, di cosa assai grave.

Cominciò a congratularsi con lui per l'abilità con cui si era condotto nella storia del cavallo, e chiese come mai egli aveva saputo dar notizie tanto sicure di una bestia che non aveva mai vista. Guglielmo gli spiegò succintamente e con distacco la via che aveva seguito, e l'Abate molto si rallegrò per il suo acume. Disse che non si sarebbe atteso di meno da un uomo che era stato preceduto da una fama di grande sagacia. Gli disse che aveva ricevuto una lettera dall'Abate di Farfa che non solo gli parlava della missione affidata a Guglielmo dall'imperatore (della quale avrebbero poi discusso nei giorni seguenti) ma anche gli diceva che in Inghilterra e in Italia il mio maestro era stato inquisitore in alcuni processi, dove si era distinto per la sua perspicacia, non disgiunta da grande umanità.

"Molto mi è piaciuto sapere," aggiunse l'Abate, "che in numerosi casi voi avete deciso per l'innocenza dell'accusato. Credo, e mai come in questi giorni tristissimi, alla presenza costante del maligno nelle cose umane," e si guardò intorno, impercettibilmente, come se il nemico si aggirasse tra quelle mura, "ma credo anche che molte volte il maligno operi per cause seconde. E so che può spingere le sue vittime a fare il male in modo tale che la colpa ricada su di un giusto, godendo del fatto che il giusto venga bruciato in luogo del suo succubo. Spesso gli inquisitori, per dar prova di solerzia, strappano a ogni costo una confessione all'accusato, pensando che sia buon inquisitore solo colui che conclude il processo trovando un capro espiatorio..."

"Anche un inquisitore può essere mosso dal diavolo," disse Guglielmo.

"È possibile," ammise l'Abate con molta cautela, "perché i disegni dell'Altissimo sono imperscrutabili, ma non sarò io a gettare l'ombra del sospetto su uomini così benemeriti. È anzi di voi, come uno di coloro, che io ho oggi bisogno. È accaduto in questa abbazia qualcosa, che richiede l'attenzione e il consiglio di un uomo acuto e prudente come voi siete. Acuto per scoprire e prudente (se il caso) per coprire. Spesso infatti è indispensabile provare la colpa di uomini che dovrebbero eccellere per la loro santità, ma in modo da poter eliminare la causa del male senza che il colpevole venga additato al pubblico disprezzo. Se un pastore falla deve essere isolato dagli altri pastori, ma guai se le pecore cominciassero a diffidare dei pastori."

"Capisco," disse Guglielmo. Avevo già avuto modo di notare che, quando si esprimeva in quel modo così sollecito ed educato, di solito celava, in modo onesto, il suo dissenso o la sua perplessità.

"Per questo," continuò l'Abate, "ritengo che ogni caso che riguardi il fallo di un pastore non possa essere affidato che a uomini come voi, che non solo sanno distinguere il bene dal male, ma anche ciò che è opportuno da ciò che non lo è. Mi piace pensare che voi abbiate condannato solo quando..."

"...gli accusati erano colpevoli di atti delittuosi, di venefici, di corruzione di fanciulli innocenti e di altre nefandezze che la mia bocca non osa pronunziare..."

"...che abbiate condannato solo quando," continuò l'Abate senza tener conto dell'interruzione, "la presenza del demonio fosse così evidente agli occhi di tutti da non potersi procedere diversamente senza che l'indulgenza fosse più scandalosa dello stesso delitto."

"Quando ho riconosciuto qualcuno colpevole," precisò Guglielmo, "costui aveva realmente commesso crimini di tal fatta che potevo consegnarlo con buona coscienza al braccio secolare."

L'Abate ebbe un attimo di incertezza: "Perché," chiese, "insistete nel parlare di azioni delittuose senza pronunciarvi sulla loro causa diabolica?"

"Perché ragionare sulle cause e sugli effetti è cosa assai difficile, di cui credo che l'unico giudice possa essere Dio. Noi già fatichiamo molto a porre un rapporto tra un effetto così evidente come un albero bruciato e la folgore che lo ha incendiato, che il risalire catene talora lunghissime di cause ed effetti mi pare altrettanto folle che cercare di costruire una torre che arrivi sino al cielo."

"Il dottore d'Aquino," suggerì l'Abate, "non ha temuto di dimostrare con la forza della sola ragione l'esistenza dell'Altissimo risalendo di causa in causa alla causa prima non causata."

"Chi sono io," disse con umiltà Guglielmo, "per oppormi al dottore d'Aquino? Anche perché la sua prova dell'esistenza di Dio è suffragata da tante altre testimonianze che le sue vie ne risultano fortificate. Dio ci parla nell'interno dell'anima nostra, come già sapeva Agostino, e voi Abbone avreste cantato le lodi del Signore e l'evidenza della sua presenza anche se Tommaso non avesse..." Si arrestò, e soggiunse: "Immagino."

"Oh, certo," si affrettò ad assicurare l'Abate, e il mio maestro troncò in questo modo bellissimo una discussione di scuola che evidentemente gli piaceva poco. Poi riprese a parlare.

"Torniamo ai processi. Vedete, un uomo, poniamo, è stato ucciso per veneficio. Questo è un dato di esperienza. È possibile che io immagini, di fronte a certi segni inconfutabili, che l'autore del veneficio sia un altro uomo. Su catene di cause così semplici la mia mente può intervenire con una certa fiducia nel suo potere. Ma come posso complicare la catena immaginando che, a causare l'azione malvagia, ci sia un altro intervento, questa volta non umano ma diabolico? Non dico che non sia possibile, anche il diavolo denuncia il suo passaggio per chiari segni, come il vostro cavallo Brunello. Ma perché devo cercare queste prove? Non è già sufficiente che io sappia che il colpevole è quell'uomo e lo consegni al braccio secolare? In ogni caso la sua pena sarà la morte, che Dio lo perdoni."

"Ma mi risulta che in un processo svoltosi a Kilkenny tre anni fa, in cui alcune persone furono accusate di aver commesso turpi delitti, voi non abbiate negato l'intervento diabolico, una volta individuati i colpevoli."

"Ma nemmeno lo ho mai affermato con parole aperte. Non l'ho neppure negato, è vero. Chi sono io per esprimere giudizi sulle trame del maligno, specie," aggiunse, e parve voler insistere su questa ragione, "in casi in cui coloro che avevano dato inizio all'inquisizione, il vescovo, i magistrati cittadini e il popolo tutto, forse gli stessi accusati, desideravano veramente avvertire la presenza del demonio? Ecco, forse l'unica vera prova della presenza del diavolo è l'intensità con cui tutti in quel momento ambiscono saperlo all'opera..."

"Voi quindi," disse l'Abate con tono preoccupato, "mi dite che in molti processi il diavolo non agisce solo nel colpevole ma forse e soprattutto nei giudici?"

"Potrei forse fare un'affermazione del genere?" chiese Guglielmo, e mi avvidi che la domanda era formulata in modo che l'Abate non potesse affermare che lui poteva; così Guglielmo approfittò del suo silenzio per deviare il corso del loro dialogo. "Ma in fondo si tratta di cose lontane. Ho abbandonato quella nobile attività e se l'ho fatto è perché il Signore così ha voluto..."

"Senza dubbio," ammise l'Abate.

"...e ora," continuò Guglielmo, "mi occupo di altre delicate questioni. E vorrei occuparmi di quella che vi travaglia, se voi me ne parlaste."

Mi parve che l'Abate fosse soddisfatto di poter terminare quella conversazione tornando al suo problema. Prese dunque a raccontare, con molta prudenza nella scelta delle parole e lunghe perifrasi, di un fatto singolare che era accaduto pochi giorni prima e che aveva lasciato molto turbamento tra i monaci. E disse che ne parlava a Guglielmo perché, sapendolo gran conoscitore e dell'animo umano e delle trame del maligno, sperava che potesse dedicare parte del suo tempo prezioso a far luce su un dolorosissimo enigma. Si era dunque dato il caso che Adelmo da Otranto, un monaco ancor giovane eppure già famoso come grande maestro miniatore, e che stava adornando i manoscritti della biblioteca di immagini bellissime, era stato trovato una mattina da un capraio in fondo alla scarpata dominata dal torrione est dell'Edificio. Poiché era stato visto dagli altri monaci in coro durante compieta ma non era ricomparso a mattutino, era probabilmente precipitato durante le ore più buie della notte. Notte di grande tempesta di neve, in cui cadevano fiocchi taglienti come lame, che quasi sembravano grandine, spinti da un austro che soffiava impetuoso. Fatto molle da quella neve che si era dapprima sciolta e poi indurita in lamine di ghiaccio, il suo corpo era stato trovato ai piedi dello strapiombo, dilaniato dalle rocce contro cui aveva rimbalzato. Povera e fragile cosa mortale, che Dio avesse misericordia di lui. A causa dei molti rimbalzi che il corpo aveva subito precipitando, non era facile dire da qual punto esatto fosse caduto: certamente da una delle finestre che si aprivano per tre ordini di piani sui tre lati del torrione esposti verso l'abisso.

"Dove avete sepolto il povero corpo?" domandò Guglielmo.

"Nel cimitero, naturalmente," rispose l'Abate. "Forse lo avrete notato, si stende tra il lato settentrionale della chiesa, l'Edificio e l'orto."

"Vedo," disse Guglielmo, "e vedo che il vostro problema è il seguente. Se quell'infelice si fosse, Dio non voglia, suicidato (poiché non si poteva pensare che fosse caduto accidentalmente) il giorno dopo avreste trovato una di quelle finestre aperte, mentre le avete ritrovate tutte chiuse, e senza che ai piedi di alcuna apparissero tracce d'acqua."

L'Abate era uomo, lo dissi, di grande e diplomatica compostezza, ma questa volta ebbe un movimento di sorpresa che gli tolse ogni traccia di quel decoro che si addice alla persona grave e magnanima, come vuole Aristotele: "Chi ve lo ha detto?"

"Me lo avete detto voi," disse Guglielmo. "Se la finestra fosse stata aperta, avreste subito pensato che egli vi si era gettato. Da come ho potuto giudicare dall'esterno, si tratta di grandi finestre a vetrate opache e finestre di quel tipo non si aprono di solito, in edifici di questa mole, ad altezza d'uomo. Dunque se fosse stata aperta, essendo impossibile che lo sciagurato vi si fosse affacciato e avesse perduto l'equilibrio, non sarebbe restato che pensare a un suicidio. Nel qual caso non lo avreste lasciato seppellire in terra consacrata. Ma poiché lo avete seppellito cristianamente, le finestre dovevano essere chiuse. Perché se erano chiuse, non avendo io incontrato neppure nei processi di stregoneria un morto impenitente a cui Dio o il diavolo abbiano concesso di risalire dall'abisso per cancellar le tracce del suo misfatto, è evidente che il presunto suicida è stato piuttosto spinto, vuoi da mano umana vuoi da forza diabolica. E voi vi chiedete chi possa averlo, non dico spinto nell'abisso, ma issato nolente sino al davanzale, e siete turbato perché una forza malefica, naturale o soprannaturale che sia, si aggira ora per l'abbazia."

"È così..." disse l'Abate, e non era chiaro se confermasse le parole di Guglielmo o rendesse ragione a se stesso delle ragioni che Guglielmo aveva così ammirevolmente prodotto. "Ma come fate a sapere che non vi era acqua ai piedi di alcuna vetrata?"

"Poiché mi avete detto che soffiava l'austro e l'acqua non poteva essere spinta contro finestre che si aprono a oriente."

"Non mi avevano detto abbastanza delle vostre virtù," disse l'Abate. "E avete ragione, non c'era acqua, e ora so perché. Le cose sono andate come dite. E ora capite la mia angoscia. Già sarebbe stato grave se uno dei miei monaci si fosse macchiato dell'abominevole peccato di suicidio. Ma ho ragioni di ritenere che un altro di loro si sia macchiato di un peccato altrettanto terribile. E fosse solo quello..."

"Anzitutto, perché uno dei monaci? Nell'abbazia vi sono molte altre persone, stallieri, caprai, servitori..."

"Certo, è un'abbazia piccola ma ricca," ammise con sussiego l'Abate. "Centocinquanta famigli per sessanta monaci. Ma tutto è avvenuto nell'Edificio. Quivi, come forse già sapete, anche se al primo piano vi sono e le cucine e il refettorio, ai due piani superiori vi sono lo scriptorium e la biblioteca. Dopo la cena l'Edificio viene chiuso e vi è una regola rigidissima che proibisce a chiunque di accedervi,'' indovinò la domanda di Guglielmo e aggiunse subito, ma chiaramente a malincuore, ''compresi i monaci naturalmente, ma...''

''Ma?''

''Ma escludo assolutamente, assolutamente capite, che un famiglio abbia avuto il coraggio di penetrarvi di notte.'' Nei suoi occhi passò come un sorriso di sfida, ma fu rapido come il baleno, o una stella cadente. ''Diciamo che avrebbero paura, sapete... talora gli ordini dati ai semplici vanno rinforzati con qualche minaccia, come il presagio che a chi disubbidisce possa accadere qualcosa di terribile, e per forza soprannaturale. Un monaco invece...''

''Capisco.''

''Non solo, ma un monaco potrebbe avere altre ragioni per avventurarsi in un luogo interdetto, voglio dire ragioni... come dire? Ragionevoli, anche se contrarie alla regola...''

Guglielmo si accorse del disagio dell'Abate e fece una domanda che forse mirava a sviare il discorso, ma che produsse un disagio altrettanto grande.

''Parlando di un possibile omicidio avete detto 'e fosse solo quello'. Che volevate dire?''

''Ho detto così? Ebbene, non si uccide senza ragione, per quanto perversa. E tremo al pensiero della perversità delle ragioni che possono aver spinto un monaco a uccidere un confratello. Ecco. È così.''

''Non c'è altro?''

''Non c'è altro che io possa dirvi.''

''Volete dire che non c'è altro che voi abbiate potere di dire?''

''Vi prego frate Guglielmo, fratello Guglielmo,'' e l'Abate accentuò sia frate che fratello. Guglielmo arrossì vivamente e commentò:

''Eris sacerdos in aeternum.''

''Grazie,'' disse l'Abate.

O Signore Iddio, quale mistero terribile sfiorarono in quel momento i miei imprudenti superiori, spinto l'uno dall'angoscia e l'altro dalla curiosità. Perché, novizio che si avviava ai misteri del santo sacerdozio di Dio, anch'io umile fanciullo compresi che l'Abate sapeva qualcosa ma lo aveva appreso sotto il sigillo della confessione. Egli doveva aver saputo dalle labbra di qualcuno qualche particolare peccaminoso che poteva avere relazione con la tragica fine di Adelmo. Per questo forse pregava frate Guglielmo di scoprire un segreto di cui egli sospettava senza poterlo palesare a nessuno, e sperava che il mio maestro facesse luce con le forze dell'intelletto su quanto egli doveva avvolgere d'ombra in forza del sublime imperio della carità.

"Bene," disse allora Guglielmo, "potrò porre domande ai monaci?"

"Potrete."

"Potrò aggirarmi liberamente per l'abbazia?"

"Ve ne conferisco facoltà."

"Mi investirete di questa missione coram monachis?"

"Questa sera stessa."

"Comincerò però oggi, prima che i monaci sappiano di cosa mi avete incaricato. E inoltre desideravo molto, non ultima ragione del mio passaggio qui, visitare la vostra biblioteca, di cui si parla con ammirazione in tutte le abbazie della cristianità."

L'Abate si alzò quasi di scatto, col viso molto teso. "Potrete aggirarvi per tutta l'abbazia, ho detto. Non certo per l'ultimo piano dell'Edificio, nella biblioteca."

"Perché?"

"Avrei dovuto spiegarvelo prima, e credevo che lo sapeste. Voi sapete che la nostra biblioteca non è come le altre..."

"So che ha più libri di ogni altra biblioteca cristiana. So che a petto dei vostri armaria quelli di Bobbio o di Pomposa, di Cluny o di Fleury sembrano la stanza di un fanciullo che appena si inizi all'abaco. So che i seimila codici che vantava Novalesa cento e più anni fa sono poco a petto dei vostri, e forse molti di quelli sono ora qui. So che la vostra abbazia è l'unica luce che la cristianità possa opporre alle trentasei biblioteche di Bagdad, ai diecimila codici del visir Ibn al-Alkami, che il numero delle vostre bibbie eguaglia i duemilaquattrocento corani che vanta il Cairo, e che la realtà dei vostri armaria è luminosa evidenza contro la superba leggenda degli infedeli che anni fa volevano (intimi come sono del principe della menzogna) la biblioteca di Tripoli ricca di sei milioni di volumi e abitata da ottantamila commentatori e duecento scribi."

"Così è, siano rese lodi al cielo."

"So che tra i monaci che vivono tra voi molti vengono da altre abbazie sparse in tutto il mondo: chi per poco tempo, onde copiare manoscritti introvabili altrove e portarli poi alla propria sede, non senza avervi portato in cambio qualche altro manoscritto introvabile che voi copierete e inserirete nel vostro tesoro; e chi per lunghissimo tempo, per restarvi talora sino alla morte, perché solo qui può trovare le opere che illuminino la sua ricerca. E dunque avete tra voi germani, daci, ispani, francesi e greci. So che l'imperatore Federico, molti e molti anni fa, chiese a voi di compilargli un libro sulle profezie di Merlino e di tradurlo poi in arabo, per inviarlo in dono al soldano d'Egitto. So infine che un'abbazia gloriosa come Murbach, in questi tempi tristissimi, non ha più un solo scriba, che a San Gallo sono rimasti pochi monaci che sappiano scrivere, che ormai è nelle città che sorgono corporazioni e gilde composte di secolari che lavorano per le università e che solo la vostra abbazia rinnova di giorno in giorno, che dico?, porta a fastigi sempre più alti le glorie del vostro ordine..."

"Monasterium sine libris," citò assorto l'Abate, "est sicut civitas sine opibus, castrum sine numeris, coquina sine suppellectili, mensa sine cibis, hortus sine herbis, pratum sine floribus, arbor sine foliis... E il nostro ordine, crescendo intorno al doppio comandamento del lavoro e della preghiera, fu luce per tutto il mondo conosciuto, riserva di sapere, salvezza di una dottrina antica che minacciava di scomparire in incendi, saccheggi e terremoti, fucina di nuova scrittura e incremento dell'antica... Oh, voi sapete bene, viviamo ora in tempi molto oscuri, e arrossisco dirvi che non molti anni fa il concilio di Vienne ha dovuto ribadire che ogni monaco ha il dovere di prendere gli ordini... Quante nostre abbazie, che duecento anni fa erano centro splendente di grandezza e santità, sono ora rifugio di infingardi. L'ordine è ancora potente, ma il fetore delle città cinge dappresso i nostri luoghi santi, il popolo di Dio è ora incline ai commerci e alle guerre di fazione, giù nei grandi centri abitati, dove non può avere albergo lo spirito della santità, non solo si parla (che ai laici altro non potresti chiedere) ma già si scrive in volgare, e che mai nessuno di questi volumi possa entrare nelle nostre mura — fomite di eresia quale fatalmente diviene! Per i peccati degli uomini il mondo sta sospeso sul ciglio dell'abisso, penetrato dell'abisso stesso che l'abisso invoca. E domani, come voleva Onorio, i corpi degli uomini saranno più piccoli dei nostri, così come i nostri sono più piccoli di quelli degli antichi. Mundus senescit. Se ora Dio ha affidato al nostro ordine una missione, essa è quella di opporsi a questa corsa verso l'abisso, e conservando, ripetendo e difendendo il tesoro di saggezza che i nostri padri ci hanno affidato. La divina provvidenza ha ordinato che il governo universale, che all'inizio del mondo era in oriente, man mano che il tempo si avvicina si spostasse verso occidente, per avvertirci che la fine del mondo si approssima, perché il corso degli avvenimenti ha già raggiunto il limite dell'universo. Ma sino a che non scada definitivamente il millennio, fino a che non trionfi, sia pure per poco, la bestia immonda che è l'Anticristo, sta a noi difendere il tesoro del mondo cristiano, e la parola stessa di Dio, quale egli la dettò ai profeti e agli apostoli, quale i padri la ripeterono senza cambiarvi verbo, quale le scuole hanno cercato di chiosare, anche se oggi nelle scuole stesse si annida il serpe della superbia, dell'invidia, della dissennatezza. In questo tramonto noi siamo ancora fiaccole e luce alta sull'orizzonte. E finché queste mura resisteranno, noi saremo i custodi della Parola divina."

"E così sia," disse Guglielmo in tono devoto. "Ma cosa c'entra questo con il fatto che non si può visitare la biblioteca?"

"Vedete frate Guglielmo," disse l'Abate, "per poter realizzare l'opera immensa e santa che arricchisce quelle mura," e accennò alla mole dell'Edificio, che si intravvedeva dalle finestre della cella, troneggiante al di sopra della stessa chiesa abbaziale, "uomini devoti hanno lavorato per secoli, seguendo regole di ferro. La biblioteca è nata secondo un disegno che è rimasto oscuro a tutti nei secoli e che nessuno dei monaci è chiamato a conoscere. Solo il bibliotecario ne ha ricevuto il segreto dal bibliotecario che lo precedette, e lo comunica, ancora in vita, all'aiuto bibliotecario, in modo che la morte non lo sorprenda privando la comunità di quel sapere. E le labbra di entrambi sono suggellate dal segreto. Solo il bibliotecario, oltre a sapere, ha il diritto di muoversi nel labirinto dei libri, egli solo sa dove trovarli e dove riporli, egli solo è responsabile della loro conservazione. Gli altri monaci lavorano nello scriptorium e possono conoscere l'elenco dei volumi che la biblioteca rinserra. Ma un elenco di titoli spesso dice assai poco, solo il bibliotecario sa, dalla collocazione del volume, dal grado della sua inaccessibilità, quale tipo di segreti, di verità o di menzogne il volume custodisca. Solo egli decide come, quando, e se fornirlo al monaco che ne fa richiesta, talora dopo essersi consultato con me. Perché non tutte le verità sono per tutte le orecchie, non tutte le menzogne possono essere riconosciute come tali da un animo pio, e i monaci, infine, stanno nello scriptorium per porre capo a un'opera precisa, per la quale debbono leggere certi e non altri volumi, e non per seguire ogni dissennata curiosità che li colga, vuoi per debolezza della mente, vuoi per superbia, vuoi per suggestione diabolica.''

''Ci sono dunque in biblioteca anche libri che contengono menzogne...''

''I mostri esistono perché fanno parte del disegno divino e nelle stesse orribili fattezze dei mostri si rivela la potenza del Creatore. Così esistono per disegno divino anche i libri dei maghi, le kabbale dei giudei, le favole dei poeti pagani, le menzogne degli infedeli. È stata ferma e santa convinzione di coloro che hanno voluto e sostenuto questa abbazia nei secoli, che anche nei libri menzogneri possa trasparire, agli occhi del lettore sagace, una pallida luce della sapienza divina. E perciò anche di essi la biblioteca è scrigno. Ma proprio per questo, capite, essa non può essere penetrata da chiunque. E inoltre,'' aggiunse l'Abate quasi a scusarsi della pochezza di quest'ultimo argomento, ''il libro è creatura fragile, soffre l'usura del tempo, teme i roditori, le intemperie, le mani inabili. Se per cento e cento anni ciascuno avesse potuto liberamente toccare i nostri codici, la maggior parte di essi non esisterebbe più. Il bibliotecario li difende dunque non solo dagli uomini ma anche dalla natura, e dedica la sua vita a questa guerra contro le forze dell'oblio, nemico della verità.''

''Così nessuno, salvo due persone, entra all'ultimo piano dell'Edificio...''

L'Abate sorrise: ''Nessuno deve. Nessuno può. Nessuno, volendolo, vi riuscirebbe. La biblioteca si difende da sola, insondabile come la verità che ospita, ingannevole come la menzogna che custodisce. Labirinto spirituale, è anche labirinto terreno. Potreste entrare e potreste non uscire. E ciò detto, vorrei che voi vi adeguaste alle regole dell'abbazia.''

''Ma voi non avete escluso che Adelmo possa essere precipitato da una delle finestre della biblioteca. E come posso ragionare sulla sua morte se non vedo il luogo in cui potrebbe aver avuto inizio la storia della sua morte?''

''Frate Guglielmo,'' disse l'Abate in tono conciliante, ''un uomo che ha descritto il mio cavallo Brunello senza vederlo e la morte di Adelmo senza saperne quasi nulla, non avrà difficoltà a ragionare su luoghi a cui non ha accesso.''

Guglielmo si piegò in un inchino: ''Siete saggio anche quando siete severo. Come volete.''

''Se mai fossi saggio, lo sarei perché so essere severo,'' rispose l'Abate.

"Un'ultima cosa," chiese Guglielmo. "Ubertino?"

"È qui. Vi attende. Lo troverete in chiesa."

"Quando?"

"Sempre," sorrise l'Abate. "Sapete che, benché molto dotto, non è uomo da apprezzare la biblioteca. La ritiene una lusinga del secolo... Sta per lo più in chiesa a meditare, a pregare..."

"È vecchio?" chiese Guglielmo esitando.

"Da quando non lo vedete?"

"Da molti anni."

"È stanco. Molto distaccato dalle cose di questo mondo. Ha sessantotto anni. Ma credo abbia ancora l'animo della sua gioventù."

"Lo cercherò subito, vi ringrazio."

L'Abate gli chiese se non voleva unirsi alla comunità per il desinare, dopo sesta. Guglielmo disse che aveva appena mangiato, e molto confortevolmente, e che avrebbe preferito vedere subito Ubertino. L'Abate salutò.

Stava uscendo dalla cella quando si levò dalla corte un urlo straziante, come di persona ferita a morte, cui seguirono altri lamenti altrettanto atroci. "Cos'è?!" chiese Guglielmo, sconcertato. "Nulla," rispose l'Abate sorridendo. "In questa stagione si stanno uccidendo i maiali. Un lavoro per i porcai. Non è di questo sangue che dovrete occuparvi."

Uscì, e fece torto alla sua fama di uomo accorto. Perché il mattino seguente... Ma frena la tua impazienza, lingua mia petulante. Ché nel giorno di cui dico, e prima di notte, avvennero ancora molte cose di cui sarà bene riferire.

SESTA

Dove Adso ammira il portale della chiesa e Guglielmo ritrova Ubertino da Casale.

La chiesa non era maestosa come altre che vidi in seguito a Strasburgo, a Chartres, a Bamberga e a Parigi. Assomigliava piuttosto a quelle che già avevo visto in Italia, poco inclini a elevarsi vertiginosamente verso il cielo e saldamente posate a terra, spesso più larghe che alte; se non che a un primo livello essa era sormontata, come una rocca, da una serie di merli quadrati, e sopra a questo piano si elevava una seconda costruzione, più che una torre, una solida seconda chiesa, sovrastata da un tetto a punta e traforata di severe finestre. Robusta chiesa abbaziale come ne costruivano i nostri antichi in Provenza e Linguadoca, lontana dalle arditezze e dall'eccesso di ricami propri dello stile moderno, che solo in tempi più recenti, credo, si era arricchita, sopra il coro, di una guglia arditamente puntata verso la volta celeste.
Due colonne diritte e pulite antistavano l'ingresso, che appariva a prima vista come un solo grande arco: ma dalle colonne si dipartivano due strombature che, sormontate da altri e molteplici archi, conducevano lo sguardo, come nel cuore di un abisso, verso il portale vero e proprio, che si intravvedeva nell'ombra, sovrastato da un gran timpano, retto ai lati da due piedritti e al centro da un pilastro scolpito, che suddivideva l'entrata in due aperture, difese da porte di quercia rinforzate di metallo. In quell'ora del giorno il sole pallido batteva quasi a picco sul tetto e la luce cadeva di sghimbescio sulla facciata senza illuminare il timpano: così che, superate le due colonne, ci trovammo di colpo sotto la volta quasi silvestre delle arcate che si dipartivano dalla sequenza di colonne minori che proporzionalmente rinforzavano i contrafforti. Abituati finalmente gli occhi alla penombra, di colpo il muto discorso della pietra istoriata, accessibi-

le com'era immediatamente alla vista e alla fantasia di chiunque (perché pictura est laicorum literatura), folgorò il mio sguardo e mi immerse in una visione di cui ancor oggi a stento la mia lingua riesce a dire.

Vidi un trono posto nel cielo e uno assiso sul trono. Il volto dell'Assiso era severo e impassibile, gli occhi spalancati e dardeggianti su di una umanità terrestre giunta alla fine della sua vicenda, i capelli e la barba maestosi che ricadevano sul volto e sul petto come le acque di un fiume, in rivoli tutti uguali e simmetricamente bipartiti. La corona che portava sul capo era ricca di smalti e di gemme, la tunica imperiale color porpora gli si disponeva in ampie volute sulle ginocchia, intessuta di ricami e merletti in fili d'oro e d'argento. La mano sinistra, ferma sulle ginocchia, teneva un libro sigillato, la destra si levava in attitudine non so se benedicente o minacciosa. Il volto era illuminato dalla tremenda bellezza di un nimbo cruciforme e fiorito, e vidi brillare intorno al trono e sopra il capo dell'Assiso un arcobaleno di smeraldo. Davanti al trono, sotto i piedi dell'Assiso, scorreva un mare di cristallo e intorno all'Assiso, intorno al trono e sopra il trono, quattro animali terribili — vidi — terribili per me che li guardavo rapito, ma docili e dolcissimi per l'Assiso, di cui cantavano le lodi senza riposo.

Ovvero, non tutti potevano dirsi terribili, perché bello e gentile mi apparve l'uomo che alla mia sinistra (e alla destra dell'Assiso) porgeva un libro. Ma orrenda mi parve dal lato opposto un'aquila, il becco dilatato, le piume irte disposte a lorìca, gli artigli possenti, le grandi ali aperte. E ai piedi dell'Assiso, sotto alle due prime figure, altre due, un toro e un leone, ciascuno dei due mostri serrando tra gli artigli e gli zoccoli un libro, il corpo volto all'esterno del trono ma il capo verso il trono, come torcendo le spalle e il collo in un impeto feroce, i fianchi palpitanti, gli arti di bestia che agonizzi, le fauci spalancate, le code avvolte e ritorte come serpenti e terminanti all'apice in lingue di fiamma. Entrambi alati, entrambi coronati da un nimbo, malgrado l'apparenza formidabile non erano creature dell'inferno, ma del cielo, e se tremendi apparivano era perché ruggivano in adorazione di un Venturo che avrebbe giudicato i vivi e i morti.

Attorno al trono, a fianco dei quattro animali e sotto i piedi dell'Assiso, come visti in trasparenza sotto le acque del mare di cristallo, quasi a riempire tutto lo spazio della visione, composti secondo la struttura triangolare del timpano, elevandosi da una base di sette più sette, poi a tre più tre e quindi a due più due, a lato del trono, stavano ventiquattro vegliardi, su ventiquattro piccoli troni, rivestiti di vesti bianche e coronati d'oro. Chi aveva in mano una viella, chi una coppa di profumi, e uno solo suonava, tutti gli altri rapiti in estasi, il volto rivolto all'Assiso di cui cantavano le lodi, le membra anch'esse contorte come quelle degli animali, in modo da poter tutti vedere l'Assiso, ma non in modo belluino, bensì con movenze di danza estatica — come dovette danzare Davide intorno all'arca — in modo che dovunque essi fossero le loro pupille, contro la legge che governava la statura dei corpi, convergessero nello stesso fulgidissimo punto. Oh, quale concento di abbandoni e di slanci, di posture innaturali eppure aggraziate, in quel mistico linguaggio di membra miracolosamente liberate dal peso della materia corporale, signata quantità infusa di nuova forma sostanziale, come se il sacro stuolo fosse battuto da un vento impetuoso, soffio di vita, frenesia di dilettazione, giubilo allelujatico divenuto prodigiosamente, da suono che era, immagine.

Corpi e membra abitati dallo Spirito, illuminati dalla rivelazione, sconvolti i volti dallo stupore, esaltati gli sguardi dall'entusiasmo, infiammate le gote dall'amore, dilatate le pupille dalla beatitudine, folgorato l'uno da una dilettosa costernazione, trafitto l'altro da un costernato diletto, chi trasfigurato dalla meraviglia, chi ringiovanito dal gaudio, eccoli tutti cantare con l'espressione dei visi, col panneggio delle tuniche, col piglio e la tensione degli arti, un cantico nuovo, le labbra semiaperte in un sorriso di lode perenne. E sotto i piedi dei vegliardi, e inarcati sopra di essi e sopra il trono e sopra il gruppo tetramorfo, disposti in bande simmetriche, a fatica distinguibili l'uno dall'altro tanto la sapienza dell'arte li aveva resi tutti mutuamente proporzionati, uguali nella varietà e variegati nell'unità, unici nella diversità e diversi nella loro atta coadunazione, in mirabile congruenza delle parti con dilettevole soavità di tinte, miracolo di consonanza e concordia di voci tra sé dissimili, compagine disposta a modo delle corde della cetra, consenziente e cospirante continuata cognazione per profonda e interna forza atta a operare l'univoco nel gioco stesso alterno degli equivoci, ornato e collazione di creature irreducibili a vicenda e a vicenda ridotte, opera di amorosa connessione retta da una regola celeste e mondana a un tempo (vincolo e stabile nesso di pace, amore, virtù, regime, potestà, ordine, origine, vita, luce, splendore, specie e figura), equalità numerosa risplendente per il rilucere della forma sopra le parti proporzionate della materia — ecco che si intrecciavano tutti i fiori e le foglie e i viticci e i cespi e i corimbi di tutte le erbe di cui si adornano i giardini della terra e del cielo, la viola, il citiso, la serpilla, il giglio, il ligustro, il narciso, la colocasia, l'acanto, il malobatro, la mirra e gli opobalsami.

Ma, mentre l'anima mia, rapita da quel concerto di bellezze terrene e di maestosi segnali soprannaturali, stava per esplodere in un cantico di gioia, l'occhio, accompagnando il ritmo proporzionato dei rosoni fioriti ai piedi dei vegliardi, cadde sulle figure che, intrecciate, facevano tutt'uno con il pilastro centrale che sosteneva il timpano. Cos'erano e che simbolico messaggio comunicavano quelle tre coppie di leoni intrecciati a croce trasversalmente disposta, rampanti come archi, puntando le zampe posteriori sul terreno e poggiando le anteriori sul dorso del proprio compagno, la criniera arruffata in volute anguiformi, la bocca aperta in un ringhio minaccioso, legati al corpo stesso del pilastro da una pasta, o un nido, di viticci? A calmare il mio spirito, come erano forse posti ad ammaestrare la natura diabolica dei leoni e a trasformarla in simbolica allusione alle cose superiori, sui lati del pilastro, erano due figure umane, innaturalmente lunghe quanto la stessa colonna e gemelle di altre due che simmetricamente da ambo i lati le fronteggiavano sui piedritti istoriati ai lati esterni, ove ciascuna delle porte di quercia aveva i propri stipiti: erano dunque quattro figure di vegliardi, dai cui parafernali riconobbi Pietro e Paolo, Geremia e Isaia, contorti anch'essi come in un passo di danza, le lunghe mani ossute levate a dita tese come ali, e come ali le barbe e i capelli mossi da un vento profetico, le pieghe delle vesti lunghissime agitate dalle lunghissime gambe dando vita a onde e volute, opposti ai leoni ma della stessa materia dei leoni. E mentre ritraevo l'occhio affascinato da quella enigmatica polifonia di membra sante e di lacerti infernali, vidi a lato del portale, e sotto le arcate profonde, talora istoriati sui contrafforti nello spazio tra le esili colonne che li sostenevano e adornavano, e ancora sulla folta vegetazione dei capitelli di ciascuna colonna, e di lì ramificandosi verso la volta silvestre delle multiple arcate, altre visioni orribili a vedersi, e giustificate in quel luogo solo per la loro forza parabolica e allegorica o per l'insegnamento morale che trasmettevano: e vidi una femmina lussuriosa nuda e scarnificata, rosa da rospi immondi, succhiata da serpenti, accoppiata a un satiro dal ventre rigonfio e dalle gambe di grifo coperte di ispidi peli, la gola oscena, che urlava la propria dannazione, e vidi un avaro, rigido della rigidità della morte sul suo letto sontuosamente colonnato, ormai preda imbelle di una coorte di demoni di cui uno gli strappava dalla bocca rantolante l'anima in forma di infante (ahimè mai più nascituro alla vita eterna), e vidi un orgoglioso cui un demone s'installava sulle spalle ficcandogli gli artigli negli occhi, mentre altri due golosi si straziavano in un corpo a corpo ripugnante, e altre creature ancora, testa di capro, pelo di leone, fauci di pantera, prigionieri in una selva di fiamme di cui quasi potevi sentire l'alito ardente. E intorno a loro, frammisti a loro, sopra di loro e sotto ai loro piedi, altri volti e altre membra, un uomo e una donna che si afferravano per i capelli, due aspidi che risucchiavano gli occhi di un dannato, un uomo ghignante che dilatava con le mani adunche le fauci di un'idra, e tutti gli animali del bestiario di Satana, riuniti a concistoro e posti a guardia e corona del trono che li fronteggiava, a cantarne la gloria con la loro sconfitta, fauni, esseri dal doppio sesso, bruti dalle mani con sei dita, sirene, ippocentauri, gorgoni, arpie, incubi, dracontopodi, minotauri, linci, pardi, chimere, cenoperi dal muso di cane che lanciavano fuoco dalle narici, dentetiranni, policaudati, serpenti pelosi, salamandre, ceraste, chelidri, colubri, bicipiti dalla schiena armata di denti, iene, lontre, cornacchie, coccodrilli, idropi dalle corna a sega, rane, grifoni, scimmie, cinocefali, leucroti, manticore, avvoltoi, parandri, donnole, draghi, upupe, civette, basilischi, ypnali, presteri, spectafichi, scorpioni, sauri, cetacei, scitali, anfisbene, jaculi, dipsadi, ramarri, remore, polipi, murene e testuggini. L'intera popolazione degli inferi pareva essersi data convegno per far da vestibolo, selva oscura, landa disperata dell'esclusione, all'apparizione dell'Assiso del timpano, al suo volto promettente e minaccioso, essi, gli sconfitti dell'Armageddon, di fronte a chi verrà a separare definitivamente i vivi dai morti. E tramortito (quasi) da quella visione, incerto ormai se mi trovassi in un luogo amico o nella valle del giudizio finale, sbigottii, e a stento trattenni il pianto, e mi parve di udire (o udii davvero?) quella voce e vidi quelle visioni che avevano accompagnato la mia fanciullezza di novizio, le mie prime letture dei libri sacri e le notti di meditazione nel coro di Melk, e nel deliquio dei miei sensi debolissimi e indeboliti udii una voce potente come di tromba che diceva ''quello che vedi scrivilo in un libro'' (e questo ora sto facendo), e vidi sette lampade d'oro e in mezzo alle lampade Uno simile a figlio d'uomo, cinto al petto con una fascia d'oro, candidi la testa e i capelli come lana candida, gli occhi come fiamma di fuoco, i piedi come bronzo ardente nella fornace, la voce come il fragore di molte acque, e teneva nella destra sette stelle e dalla bocca gli usciva una spada a doppio taglio. E vidi una porta aperta nel cielo e Colui che era assiso mi parve come diaspro e sardonio e un'iride avvolgeva il trono e dal trono uscivano lampi e tuoni. E l'Assiso prese nelle mani una falce affilata e gridò: "Vibra la tua falce e mieti, è giunta l'ora di mietere perché è matura la messe della terra"; e Colui che era assiso vibrò la sua falce e la terra fu mietuta.

Fu allora che compresi che d'altro non parlava la visione, se non di quanto stava avvenendo nell'abbazia e avevamo colto dalle labbra reticenti dell'Abate — e quante volte nei giorni seguenti non tornai a contemplare il portale, sicuro di vivere la vicenda stessa che esso raccontava. E compresi che ivi eravamo saliti per essere testimoni di una grande e celeste carneficina.

Tremai, come fossi bagnato dalla pioggia gelida d'inverno. E udii un'altra voce ancora, ma questa volta essa veniva dalle mie spalle ed era una voce diversa, perché partiva dalla terra e non dal centro sfolgorante della mia visione; e anzi spezzava la visione perché anche Guglielmo (a quel punto mi riavvidi della sua presenza), sino ad allora perduto anch'egli nella contemplazione, si volgeva come me.

L'essere alle nostre spalle pareva un monaco, anche se la tonaca sudicia e lacera lo faceva assomigliare piuttosto a un vagabondo, e il suo volto non era dissimile da quello dei mostri che avevo appena visto sui capitelli. Non mi è mai accaduto in vita, come invece accadde a molti miei confratelli, di essere visitato dal diavolo, ma credo che se esso dovesse apparirmi un giorno, incapace per decreto divino di celare appieno la sua natura anche quando volesse farsi simile all'uomo, esso non avrebbe altre fattezze di quelle che mi presentava in quell'istante il nostro interlocutore. La testa rasata, ma non per penitenza, bensì per l'azione remota di qualche viscido eczema, la fronte bassa, ché se egli avesse avuto capelli sul capo essi si sarebbero confusi con le sopracciglia (che aveva dense e incolte), gli occhi erano rotondi, con le pupille piccole e mobilissime, e lo sguardo non so se innocente o maligno, e forse entrambe le cose, a tratti e in momenti diversi. Il naso non poteva dirsi tale se non perché un osso si dipartiva dalla metà degli occhi, ma come si staccava dal volto subito ne rientrava, trasformandosi in null'altro che due oscure caverne, narici amplissime e folte di peli. La bocca, unita alle narici da una cicatrice, era ampia e sgraziata, più estesa a destra che a sinistra, e tra il labbro superiore, inesistente, e l'inferiore, prominente e carnoso, emergevano con ritmo irregolare denti neri e aguzzi come quelli di un cane.

L'uomo sorrise (o almeno così credetti) e levando il dito come per ammonire, disse:

"Penitenziagite! Vide quando draco venturus est a rodegarla l'anima tua! La mortz est super nos! Prega che vene lo papa santo a liberar nos a malo de todas le peccata! Ah ah, ve piase ista negromanzia de Domini Nostri Iesu Christi! Et anco jois m'es dols e plazer m'es dolors... Cave el diabolo! Semper m'aguaita in qualche canto per adentarme le carcagna. Ma Salvatore non est insipiens! Bonum monasterium, et aqui se magna et se priega dominum nostrum. Et el resto valet un figo seco. Et amen. No?"

Dovrò, nel prosieguo di questa storia, parlare ancora, e molto, di questa creatura e riferirne i discorsi. Confesso che mi riesce molto difficile farlo perché non saprei dire ora, come non compresi mai allora, che genere di lingua egli parlasse. Non era il latino, in cui ci esprimevamo tra uomini di lettere all'abbazia, non era il volgare di quelle terre, né altro volgare che mai avessi udito. Credo di avere dato una pallida idea del suo modo di parlare riferendo poco sopra (così come me le ricordo) le prime parole che udii da lui. Quando più tardi appresi della sua vita avventurosa e dei vari luoghi in cui era vissuto, senza trovar radici in alcuno, mi resi conto che Salvatore parlava tutte le lingue, e nessuna. Ovvero si era inventata una lingua propria che usava i lacerti delle lingue con cui era entrato in contatto — e una volta pensai che la sua fosse, non la lingua adamica che l'umanità felice aveva parlato, tutti uniti da una sola favella, dalle origini del mondo sino alla Torre di Babele, e nemmeno una delle lingue sorte dopo il funesto evento della loro divisione, ma proprio la lingua babelica del primo giorno dopo il castigo divino, la lingua della confusione primeva. Né d'altra parte potrei chiamare lingua la favella di Salvatore, perché in ogni lingua umana vi sono delle regole e ogni termine significa ad placitum una cosa, secondo una legge che non muta, perché l'uomo non può chiamare il cane una volta cane e una volta gatto, né pronunciare suoni a cui il consenso delle genti non abbia assegnato un senso definito, come accadrebbe a chi dicesse la parola "blitiri". E tuttavia, bene o male, io capivo cosa Salvatore volesse intendere, e così gli altri. Segno che egli parlava non una, ma tutte le lingue, nessuna nel modo giusto, prendendo le sue parole ora dall'una ora dall'altra. Mi avvidi pure in seguito che egli poteva nominare una cosa ora in latino ora in provenzale, e mi resi conto che, più che inventare le proprie frasi, egli usava disiecta membra di altre frasi, udite un giorno, a seconda della situazione e delle cose che voleva dire, come se riuscisse a parlare di un cibo, intendo, solo con le parole delle genti presso cui aveva mangiato quel cibo, ed esprimere la sua gioia solo con sentenze che aveva udito emettere da gente gioiosa, il giorno che egli aveva provato parimenti gioia. Era come se la sua favella fosse quale la sua faccia, messa insieme con pezzi di facce altrui, o come vidi talora dei preziosi reliquiari (si licet magnis componere parva, o alle cose divine le diaboliche) che nascevano dai detriti di altri oggetti sacri. In quel momento, in cui lo incontrai per la prima volta, Salvatore mi apparve, e per il volto, e per il modo di parlare, un essere non dissimile dagli incroci pelosi e ungulati che avevo appena visto sotto il portale. Più tardi mi accorsi che l'uomo era forse di buon cuore e di umore faceto. Più tardi ancora... Ma andiamo per ordine. Anche perché, non appena egli ebbe parlato, il mio maestro lo interrogò con molta curiosità.

"Perché hai detto penitenziagite?" chiese.

"Domine frate magnificentisimo," rispose Salvatore con una sorta di inchino, "Jesus venturus est e li homini debent facere penitentia. No?"

Guglielmo lo guardò fissamente: "Sei venuto qui da un convento di minoriti?"

"No intendo."

"Chiedo se sei vissuto tra i frati di santo Francesco, chiedo se hai conosciuto i cosiddetti apostoli..."

Salvatore impallidì, ovvero il suo volto abbronzato e belluino divenne grigio. Fece un profondo inchino, pronunciò a mezze labbra un "vade retro", si segnò devotamente e fuggì voltandosi indietro ogni tanto.

"Cosa gli avete chiesto?" domandai a Guglielmo.

Egli restò un poco soprappensiero. "Non importa, te lo dirò dopo. Ora entriamo. Voglio trovare Ubertino."

Era da poco trascorsa l'ora sesta. Il sole, pallido, penetrava da occidente, e quindi da poche e sottili finestre, nell'interno della chiesa. Una striscia sottile di luce toccava ancora l'altare maggiore, il cui paliotto mi parve rilucere di un fulgore aureo. Le navate laterali erano immerse nella penombra.

Presso all'ultima cappella prima dell'altare, nella navata di sinistra, si ergeva una esile colonna su cui stava una Vergine in pietra, scolpita nello stile dei moderni, dal sorriso ineffabile, il ventre prominente, il bambino in braccio, vestita di un abito grazioso, con un sottile corsetto. Ai piedi della Vergine, in preghiera, quasi prostrato, stava un uomo, vestito con gli abiti dell'ordine cluniacense.

Ci appressammo. L'uomo, udendo il rumore dei nostri passi, alzò il volto. Era un vegliardo, col volto glabro, il cranio senza capelli, i grandi occhi celesti, una bocca sottile e rossa, la pelle candida, il teschio ossuto a cui la pelle aderiva come fosse una mummia conservata nel latte. Le mani erano bianche, dalle dita lunghe e sottili. Sembrava una fanciulla avvizzita da una morte precoce. Posò su di noi uno sguardo dapprima smarrito, come lo avessimo disturbato in una visione estatica, poi il volto gli si illuminò di gioia.

"Guglielmo!" esclamò. "Fratello mio carissimo!" Si alzò a fatica e si fece incontro al mio maestro, abbracciandolo e baciandolo sulla bocca. "Guglielmo!" ripeté, e gli occhi gli si inumidirono di pianto. "Quanto tempo! Ma ti riconosco ancora! Quanto tempo, quante vicende! Quante prove che il Signore ci ha imposto!" Pianse. Guglielmo gli rese l'abbraccio, evidentemente commosso. Ci trovavamo davanti a Ubertino da Casale.

Di lui avevo già sentito parlare e a lungo, anche prima di venire in Italia, e ancor più frequentando i francescani della corte imperiale. Qualcuno mi aveva persino detto che il più grande poeta di quei tempi, Dante Alighieri da Firenze, morto da pochi anni, aveva composto un poema (che io non potei leggere perché era scritto nel volgare toscano) a cui avevano posto mano e cielo e terra, e di cui molti versi altro non erano che una parafrasi di brani scritti da Ubertino nel suo *Arbor vitae crucifixae*. Né questo era il solo titolo di merito di quell'uomo famoso. Ma per permettere al mio lettore di capire meglio l'importanza di quell'incontro, dovrò cercare di ricostruire le vicende di quegli anni, così come le avevo comprese e durante il mio breve soggiorno nell'Italia centrale, da parole sparse del mio maestro, e ascoltando i

molti colloqui che Guglielmo aveva avuto con abati e monaci nel corso del nostro viaggio.

Cercherò di dirne cosa avevo capito, anche se non son sicuro di dire bene queste cose. I miei maestri di Melk mi a-
vevano detto sovente che è molto difficile per un nordico
farsi idee chiare sulle vicende religiose e politiche d'Italia.

La penisola, in cui la potenza del clero era evidente più
che in ogni altro paese, e in cui più che in ogni altro paese
il clero ostentava potenza e ricchezza, aveva generato da almeno due secoli movimenti di uomini intesi a una vita più
povera, in polemica coi preti corrotti, di cui rifiutavano persino i sacramenti, riunendosi in comunità autonome, al
tempo stesso invise ai signori, all'impero e alle magistrature
cittadine.

Infine era venuto santo Francesco, e aveva diffuso un a-
more di povertà che non contraddiceva ai precetti della chiesa, e per opera sua la chiesa aveva accolto il richiamo alla
severità dei costumi di quegli antichi movimenti e li aveva
purificati dagli elementi di disordine che si annidavano in
essi. Avrebbe dovuto seguirne un'epoca di mitezza e santità,
ma, come l'ordine francescano cresceva e attirava a sé gli uomini migliori, esso diveniva troppo potente e legato ad affari
terreni, e molti francescani vollero riportarlo alla purezza di
un tempo. Cosa assai difficile per un ordine che ai tempi in
cui ero all'abbazia già contava più di trentamila membri
sparsi in tutto il mondo. Ma così è, e molti di questi frati di
san Francesco si opponevano alla regola che l'ordine si era
data, dicendo che l'ordine aveva ormai assunto i modi di
quelle istituzioni ecclesiastiche per riformare le quali era nato. E che questo era già avvenuto ai tempi in cui Francesco
era in vita, e che le sue parole e i suoi propositi erano stati
traditi. Molti di essi riscoprirono allora il libro di un monaco
cistercense che aveva scritto agli inizi del XII secolo dell'era
nostra, chiamato Gioacchino e a cui si attribuiva spirito di
profezia. Infatti egli aveva previsto l'avvento di un'era nuova, in cui lo spirito di Cristo, da tempo corrotto a opera dei
suoi falsi apostoli, si sarebbe di nuovo realizzato sulla terra.
E aveva annunciato tali scadenze che a tutti era parso chiaro
che egli parlasse senza saperlo dell'ordine francescano. E di
questo molti francescani si erano assai rallegrati, pare sin
troppo, tanto che a metà secolo a Parigi i dottori della Sor-
bona condannarono le proposizioni di quell'abate Gioacchino, ma pare che lo fecero perché i francescani (e i domenicani) stavano diventando troppo potenti, e sapienti, nell'u-

niversità di Francia, e si voleva eliminarli come eretici. Il che poi non si fece e fu un gran bene per la chiesa, perché ciò permise che fossero divulgate le opere di Tommaso d'Aquino e di Bonaventura da Bagnoregio, che certo non erano eretici. Dove si vede che anche a Parigi le idee erano confuse, o qualcuno voleva confonderle per fini suoi. E questo è il male che l'eresia fa al popolo cristiano, che rende oscure le idee e spinge tutti a diventare inquisitori per il proprio bene personale. Che poi quanto vidi all'abbazia (e di cui dirò dopo) mi ha fatto pensare che spesso sono gli inquisitori a creare gli eretici. E non solo nel senso che se li figurano quando non ci sono, ma che reprimono con tanta veemenza la tabe eretica da spingere molti a farsene partecipi, in odio a loro. Davvero, un circolo immaginato dal demonio, che Dio ci salvi.

Ma dicevo dell'eresia (se pur tale fosse stata) gioachimita. E si vide in Toscana un francescano, Gerardo da Borgo San Donnino, farsi voce delle predizioni di Gioacchino e impressionar molto l'ambiente dei minori. Sorse così tra loro una schiera di sostenitori della regola antica, contro la riorganizzazione dell'ordine tentata dal grande Bonaventura, che ne era poi divenuto generale. Nell'ultimo trentennio del secolo scorso, quando il concilio di Lione, salvando l'ordine francescano contro chi lo voleva abolire, gli concesse la proprietà di tutti i beni che aveva in uso, come già era di legge per gli ordini più antichi, alcuni frati nelle Marche si ribellarono, perché ritenevano che lo spirito della regola fosse stato definitivamente tradito, in quanto un francescano non deve possedere nulla, né personalmente, né come convento, né come ordine. Li misero in prigione a vita. Non mi pare che predicassero cose contrarie al vangelo, ma quando entra in gioco il possesso delle cose terrene è difficile che gli uomini ragionino secondo giustizia. Mi dissero che anni dopo, il nuovo generale dell'ordine, Raimondo Gaufredi, trovasse questi prigionieri ad Ancona e, liberandoli, dicesse: "Volesse Dio che tutti noi e tutto l'ordine fossimo macchiati di tale colpa." Segno che non è vero quel che dicono gli eretici e nella chiesa abitano ancora uomini di grande virtù.

C'era tra questi prigionieri liberati, Angelo Clareno, che si incontrò poi con un frate di Provenza, Pietro di Giovanni Olivi, che predicava le profezie di Gioacchino e poi con Ubertino da Casale, e di lì nacque il movimento degli spirituali. Saliva in quegli anni al soglio pontificio un eremita santissimo, Pietro da Morrone, che regnò come Celestino V, e costui fu accolto con sollievo dagli spirituali: "Apparirà un santo," era stato detto, "e osserverà gli insegnamenti di Cristo, sarà di angelica vita, tremate prelati corrotti." Forse Celestino era di troppa angelica vita, o i prelati intorno a lui eran troppo corrotti, o non riusciva a sopportare la tensione di una guerra ormai troppo lunga con l'imperatore e con gli altri re d'Europa; fatto è che Celestino rinunciò alla sua dignità e si ritirò in romitaggio. Ma nel breve periodo del suo regno, meno di un anno, le speranze degli spirituali furono tutte soddisfatte: essi andarono da Celestino che fondò con loro la comunità detta dei fratres et pauperes heremitae domini Celestini. D'altra parte, mentre il papa doveva funger da mediatore tra i più potenti cardinali di Roma, ve ne furono alcuni come un Colonna e un Orsini, che segretamente sostenevano le nuove tendenze di povertà: scelta invero assai curiosa per uomini potentissimi che vivevano tra agi e ricchezze smodate, e non ho mai capito se semplicemente usassero degli spirituali per i loro fini di governo o in qualche modo si ritenessero giustificati nella loro vita carnale dal sostenere le tendenze spirituali; e forse erano vere entrambe le cose, per quel poco che io capisco delle cose italiane. Ma proprio per fare un esempio, Ubertino era stato accolto come cappellano dal cardinale Orsini quando, divenuto il più ascoltato degli spirituali, correva rischio di essere accusato come eretico. E lo stesso cardinale gli aveva fatto scudo ad Avignone.

Come avviene però in tali casi, da un lato Angelo e Ubertino predicavano secondo dottrina, dall'altro grandi masse di semplici accettavano questa loro predicazione e si diffondevano per il paese, al di là di ogni controllo. Così l'Italia fu invasa da questi fraticelli o frati dalla povera vita che parvero pericolosi a molti. Ormai era difficile distinguere i maestri spirituali, che tenevano contatto con le autorità ecclesiastiche, e i loro seguaci più semplici, che semplicemente ormai vivevano fuori dell'ordine, chiedendo l'elemosina e vivendo giorno per giorno del lavoro delle loro mani, senza trattenere proprietà alcuna. E questi sono coloro che la voce pubblica ormai chiamava fraticelli, non dissimili dai beghini francesi, che si ispiravano a Pietro di Giovanni Olivi.

Celestino V fu sostituito da Bonifacio VIII e questo papa si affrettò a dimostrare scarsissima indulgenza per spirituali e fraticelli in genere: proprio negli ultimi anni del secolo che moriva segnò una bolla, *Firma cautela*, con cui condannava in un sol colpo bizochi, girovaghi questuanti che si aggiravano al limite estremo dell'ordine francescano, e gli stessi spirituali, ovvero coloro che si sottraevano alla vita dell'ordine per darsi all'eremo.

Gli spirituali tentarono poi di ottenere il consenso di altri pontefici, come Clemente V, per potersi staccare dall'ordine in modo non violento. Credo ci sarebbero riusciti, ma l'avvento di Giovanni XXII tolse loro ogni speranza. Come fu eletto nel 1316 egli scrisse al re di Sicilia perché espellesse questi frati dalle sue terre, perché molti si erano rifugiati laggiù: e fece mettere in ceppi Angelo Clareno e gli spirituali di Provenza.

Non deve essere stata un'impresa facile e molti nella curia vi resistevano. Il fatto è che Ubertino e Clareno riuscirono a essere lasciati liberi di abbandonare l'ordine e furono accolti l'uno dai benedettini e l'altro dai celestini. Ma per quelli che rimasero a condurre la loro vita libera, Giovanni fu spietato e li fece perseguitare dall'inquisizione e molti furono bruciati.

Egli aveva capito però che per distruggere la mala pianta dei fraticelli, che minavano alle basi l'autorità della chiesa, bisognava condannare le proposizioni su cui essi basavano la loro fede. Essi sostenevano che Cristo e gli apostoli non avevano avuto alcuna proprietà né individuale né in comune, e il papa condannò come eretica questa idea. Cosa stupefacente, perché non si vede perché mai un papa debba ritenere perversa l'idea che Cristo fosse povero: ma è che proprio un anno prima si era svolto il capitolo generale dei francescani a Perugia, che aveva sostenuto questa opinione, e condannando gli uni il papa condannava anche l'altro. Come ho già detto, il capitolo arrecava gran pregiudizio alla sua lotta contro l'imperatore, questo è il fatto. Così da allora molti fraticelli, che non sapevano nulla né di impero né di Perugia, morirono bruciati.

Queste cose pensavo guardando un personaggio leggendario come Ubertino. Il mio maestro mi aveva presentato e il vecchio mi aveva accarezzato una gota, con una mano calda, quasi ardente. Al tocco di quella mano avevo capito molte delle cose che avevo udito su quel sant'uomo e altre che avevo letto nelle pagine di *Arbor Vitae*, comprendevo il fuoco mistico che lo aveva divorato sin dalla giovinezza quando, pur studiando a Parigi, si era ritratto dalle speculazioni teologiche e aveva immaginato di essere trasformato nella penitente Maddalena; e i rapporti intensissimi che aveva avuto con la santa Angela da Foligno dalla quale era stato iniziato ai tesori della vita mistica e all'adorazione della croce; e perché i suoi superiori un giorno, preoccupati dall'ardore della sua predicazione, lo avessero inviato in ritiro alla Verna.

Scrutavo quel volto, dai tratti dolcissimi come quelli della santa con cui era stato in fraterno commercio di spiritualissimi sensi. Intuivo che doveva aver saputo assumere tratti ben più duri quando nel 1311 il concilio di Vienne, con la decretale *Exivi de paradiso* aveva eliminato i superiori francescani ostili agli spirituali, ma aveva imposto a questi di vivere in pace in seno all'ordine, e questo campione della rinuncia non aveva accettato quell'accorto compromesso e si era battuto perché fosse costituito un ordine indipendente, ispirato al massimo del rigore. Questo gran combattente aveva allora perduto la sua battaglia, perché in quegli anni Giovanni XXII propugnava una crociata contro i seguaci di Pietro di Giovanni Olivi (tra cui lui stesso era annoverato) e condannava i frati di Narbona e Béziers. Ma Ubertino non aveva esitato a difendere di fronte al papa la memoria dell'amico, e il papa, soggiogato dalla sua santità, non aveva osato condannare lui (anche se aveva poi condannato gli altri). In quell'occasione anzi gli aveva offerto una via di salvezza prima consigliandogli e poi ordinandogli di entrare nell'ordine cluniacense. Ubertino, che doveva essere altresì abile (lui apparentemente così disarmato e fragile) nel conquistarsi protezioni e alleanze nella corte pontificia, aveva sì accettato di entrare nel monastero di Gemblach nelle Fiandre, ma credo non ci fosse mai neppure andato, ed era rimasto ad Avignone, sotto le insegne del cardinale Orsini, a difendere la causa dei francescani.

Solo negli ultimi tempi (e le voci che avevo udito erano imprecise) la sua fortuna a corte era tramontata, si era dovuto allontanare da Avignone mentre il papa faceva inseguire quest'uomo indomabile come eretico che per mundum discurrit vagabundus. Di lui, si diceva, non si aveva più traccia. Nel pomeriggio avevo appreso, dal dialogo tra Guglielmo e l'Abate, che egli era ora nascosto in questa abbazia. E ora lo vedevo davanti a me.

"Guglielmo," stava dicendo, "erano sul punto di uccidermi, sai, ho dovuto fuggire nottetempo."

"Chi ti voleva morto? Giovanni?"

"No. Giovanni non mi ha mai amato, ma mi ha sempre rispettato. In fondo è lui che mi ha offerto un modo di sfuggire al processo, dieci anni fa, imponendomi di entrare nei benedettini, e con questo metteva a tacere i miei nemici. Hanno mormorato a lungo, ironizzavano sul fatto che un campione della povertà entrasse in un ordine così ricco, e vivesse alla corte del cardinale Orsini... Guglielmo, tu sai quanto tenga alle cose di questa terra! Ma era il modo di restare ad Avignone e difendere i miei confratelli. Il papa ha timore dell'Orsini, non mi avrebbe mai torto un capello. Ancora tre anni fa mi ha mandato messaggero dal re di Aragona.''

''E allora chi ti voleva male?''

''Tutti. La curia. Hanno tentato di assassinarmi due volte. Hanno tentato di farmi tacere. Tu sai cosa è avvenuto cinque anni fa. Erano stati condannati da due anni i beghini di Narbona e Berengario Talloni, che pure era uno dei giudici, si era appellato al papa. Erano momenti difficili, Giovanni aveva già emesso due bolle contro gli spirituali e lo stesso Michele da Cesena aveva ceduto — a proposito, quando arriva?''

''Sarà qui tra due giorni.''

''Michele... È tanto che non lo vedo. Ora si è ravveduto, capisce cosa volevamo, il capitolo di Perugia ci ha dato ragione. Ma allora, ancora nel 1318 ha ceduto al papa e gli ha messo nelle mani cinque spirituali di Provenza che resistevano alla sottomissione. Bruciati, Guglielmo... Oh, è orribile!'' Si nascose il capo tra le mani.

''Ma cosa è avvenuto esattamente dopo l'appello del Talloni?'' chiese Guglielmo.

''Giovanni doveva riaprire il dibattito, capisci? Doveva, perché anche in curia c'erano uomini presi dal dubbio, anche i francescani della curia — farisei, sepolcri imbiancati, pronti a vendersi per una prebenda, ma erano presi dal dubbio. Fu allora che Giovanni mi chiese di stendere una memoria sulla povertà. Fu una cosa bella, Guglielmo, Dio mi perdoni la superbia...''

''L'ho letta, Michele me l'ha mostrata.''

''C'erano i titubanti, anche tra i nostri, il provinciale di Aquitania, il cardinale di San Vitale, il vescovo di Caffa...''

''Un imbecille,'' disse Guglielmo.

''Riposi in pace, è volato a Dio due anni fa.''

''Dio non è stato così misericordioso. Fu una falsa notizia arrivata da Costantinopoli. È ancora tra noi, mi dicono che farà parte della legazione. Dio ci protegga!''

''Ma è favorevole al capitolo di Perugia,'' disse Ubertino.

"Appunto. Appartiene a quella razza di uomini che sono sempre i migliori campioni del loro avversario."

"A dire il vero," disse Ubertino, "anche allora non giovò molto alla causa. E poi tutto finì in un nulla di fatto, ma almeno non si stabilì che l'idea era eretica, e questo fu importante. Per ciò gli altri non mi hanno mai perdonato. Hanno cercato di nuocermi in tutti i modi, hanno detto che fui a Sachsenhausen quando Ludovico tre anni fa proclamò Giovanni eretico. Eppure tutti sapevano che in luglio ero ad Avignone con l'Orsini... Trovarono che parti della dichiarazione dell'imperatore riflettevano le mie idee, che follia."

"Mica tanto," disse Guglielmo. "Le idee gliele avevo date io, traendole dalla tua dichiarazione di Avignone, e da alcune pagine dell'Olivi."

"Tu?" esclamò, tra stupefatto e gioioso, Ubertino, "ma allora mi dai ragione!"

Guglielmo apparve imbarazzato: "Erano buone idee per l'imperatore, in quel momento," disse evasivamente.

Ubertino lo guardò con diffidenza. "Ah, ma tu non ci credi veramente, vero?"

"Racconta ancora," disse Guglielmo, "racconta come ti sei salvato da quei cani."

"Oh sì, cani, Guglielmo. Cani rabbiosi. Mi trovai a combattere con lo stesso Bonagrazia, sai?"

"Ma Bonagrazia da Bergamo è con noi!"

"Ora, dopo che io gli ebbi parlato a lungo. Solo a quel punto si convinse e protestò contro la *Ad conditorem canonum*. E il papa lo ha imprigionato per un anno."

"Ho sentito che ora è vicino a un mio amico che è alla curia, Guglielmo di Occam."

"L'ho conosciuto poco. Non mi piace. Un uomo senza fervore, tutta testa, niente cuore."

"Ma è una bella testa."

"Può darsi, e lo porterà all'inferno."

"Allora lo rivedrò laggiù, e discuteremo di logica."

"Taci Guglielmo," disse Ubertino sorridendo con intenso affetto, "tu sei migliore dei tuoi filosofi. Se solo avessi voluto..."

"Cosa?"

"Quando ci vedemmo l'ultima volta in Umbria? Ricordi? Ero stato appena guarito dai miei mali per l'intercessione di quella donna meravigliosa... Chiara da Montefalco..." mormorò col volto radioso, "Chiara... Quando la natura femminile, per sua natura così perversa, si sublima nella santità, allora sa farsi il più alto veicolo della grazia. Sai come la mia vita sia stata ispirata alla castità più pura, Guglielmo,'' (lo stava afferrando per un braccio, convulsamente) ''sai con quale... feroce — sì, è la parola giusta — con quale feroce sete di penitenza ho tentato di mortificare in me i palpiti della carne, per farmi una sola trasparenza all'amore di Gesù Crocifisso... Eppure tre donne nella mia vita sono state per me tre messaggeri celesti. Angela da Foligno, Margherita da Città di Castello (che mi anticipò la fine del mio libro quando io non ne avevo scritto che un terzo), e infine Chiara da Montefalco. Fu un premio del cielo che io, proprio io, dovessi indagare sui suoi miracoli e proclamarne la santità alle folle, prima che santa madre chiesa si muovesse. E tu eri laggiù Guglielmo, e potevi aiutarmi in quella santa impresa, e non volesti...''

''Ma la santa impresa a cui mi invitavi era quella di mandare al rogo Bentivenga, Jacomo e Giovannuccio,'' disse piano Guglielmo.

''Stavano offuscando la memoria di lei, con le loro perversioni. E tu eri inquisitore!''

''E proprio allora chiesi di essere sollevato da quell'incarico. La storia non mi piaceva. Non mi piacque, sarò franco, neppure il modo in cui inducesti Bentivenga a confessare i suoi errori. Hai fatto finta di volere entrare nella sua setta, se setta era, gli hai carpito i suoi segreti e lo hai fatto arrestare.''

''Ma così si procede contro i nemici di Cristo! Erano eretici, erano pseudo apostoli, puzzavano dello zolfo di fra Dolcino!''

''Erano gli amici di Chiara.''

''No Guglielmo, non sfiorare neppure con un'ombra la memoria di Chiara!''

''Ma circolavano nel suo gruppo...''

''Erano minoriti, si dicevano spirituali, e invece erano frati della comunità! Ma lo sai che fu chiaro, all'inchiesta, che Bentivenga da Gubbio si proclamava apostolo, e poi con Giovannuccio da Bevagna seduceva le monache dicendo loro che l'inferno non esiste, che si possono soddisfare desideri carnali senza offendere Dio, che si può ricevere il corpo di Cristo (Signore perdonami!) dopo aver giaciuto con una monaca, che al Signore fu più accetta Maddalena della vergine Agnese, che ciò che il volgo chiama demonio è Dio stesso, perché il demone è la sapienza e Dio è appunto sapienza! E fu la beata Chiara, dopo aver udito questi discorsi, ad avere quella visione in cui Dio stesso le disse che quelli erano malvagi seguaci dello Spiritus Libertatis!''

"Erano minoriti con la mente accesa dalle stesse visioni di Chiara, e spesso il passo tra visione estatica e frenesia di peccato è minimo," disse Guglielmo.

Ubertino gli strinse le mani e gli occhi gli si velarono ancora di pianto: "Non dire questo, Guglielmo. Come puoi confondere il momento dell'amore estatico, che ti brucia le viscere col profumo dell'incenso, e lo sregolamento dei sensi che sa di zolfo? Bentivenga istigava a toccare le nude membra di un corpo, affermava che solo così si ottiene la liberazione dall'impero dei sensi, homo nudus cum nuda iacebat..."

"Et non commiscebantur ad invicem..."

"Bugie! Cercavano il piacere, se lo stimolo carnale si faceva sentire, essi non reputavano peccato che per quietarlo uomo e donna giacessero insieme, e l'uno toccasse e baciasse l'altro in ogni parte, e quello congiungesse il suo ventre nudo col ventre nudo di questa!"

Confesso che il modo con cui Ubertino stigmatizzava il vizio altrui non mi induceva a pensieri virtuosi. Il mio maestro dovette accorgersi che ero turbato, e interruppe il santo uomo.

"Sei uno spirito ardente, Ubertino, nell'amore di Dio come nell'odio contro il male. Quello che volevo dire è che c'è poca differenza tra l'ardore dei Serafini e l'ardore di Lucifero, perché nascono sempre da un'accensione estrema della volontà."

"Oh, la differenza c'è, e io la so!" disse ispirato Ubertino. "Tu vuoi dire che tra volere il bene e volere il male c'è un piccolo passo, perché si tratta sempre di dirigere la stessa volontà. Questo è vero. Ma la differenza è nell'oggetto, e l'oggetto è riconoscibile limpidamente. Di qui Dio, di là il diavolo."

"E io temo di non saper più distinguere, Ubertino. Non fu la tua Angela da Foligno a raccontare di quel giorno che, rapita in ispirito, stette nel sepolcro di Cristo? Non disse come dapprima ne baciò il petto e lo vide giacere con gli occhi chiusi, poi baciò la sua bocca e sentì salire da quelle labbra un inenarrabile odore di dolcezze, e dopo una breve pausa posò la sua gota sulla gota di Cristo e il Cristo avvicinò la sua mano alla gota di lei e la strinse a sé e — essa così disse — la sua letizia diventò altissima?..."

"Che c'entra questo con l'impeto dei sensi?" domandò

Ubertino. "Fu esperienza mistica, e il corpo era quello di Nostro Signore."

"Forse mi sono abituato a Oxford," disse Guglielmo, "dove anche l'esperienza mistica era di altro genere..."

"Tutta nella testa," sorrise Ubertino.

"O negli occhi. Dio sentito come luce, nei raggi del sole, nelle immagini degli specchi, nel diffondersi dei colori sopra le parti della materia ordinata, nei riflessi del giorno sulle foglie bagnate... Non è questo amore più vicino a quello di Francesco quando loda Dio nelle sue creature, fiori, erbe, acqua, aria? Non credo che da questo tipo di amore possa venire alcuna insidia. Mentre non mi piace un amore che trasferisce nel colloquio con l'Altissimo i brividi che si provano nei contatti della carne..."

"Tu bestemmi Guglielmo! Non è la stessa cosa. C'è un salto, immenso, verso il basso, tra l'estasi del cuore amante di Gesù Crocifisso e l'estasi corrotta degli pseudo apostoli di Montefalco..."

"Non erano pseudo apostoli, erano fratelli del Libero Spirito, l'hai detto tu stesso."

"E che differenza fa? Tu non hai saputo tutto di quel processo, io stesso non ho ardito mettere agli atti certe confessioni, per non sfiorare neppure per un istante con l'ombra del demonio l'atmosfera di santità che Chiara aveva creato in quel luogo. Ma ho saputo certe cose, certe cose, Guglielmo! Si riunivano nottetempo in una cantina, prendevano un fanciullo appena nato, se lo gettavano l'un l'altro sinché moriva, di percosse... o di altro... E chi lo riceveva vivo per l'ultima volta, e tra le sue mani moriva, diventava il capo della setta... E il corpo del bambino veniva lacerato, e mescolato alla farina, per farne ostie blasfeme!"

"Ubertino," disse fermamente Guglielmo, "queste cose sono state dette, molti secoli fa, dai vescovi armeni, della setta dei pauliciani. E dei bogomili."

"E che conta? Il demonio è ottuso, segue un ritmo nelle sue insidie e nelle sue seduzioni, ripete i propri riti a distanza di millenni, egli è sempre lo stesso, proprio per questo lo si riconosce come il nemico! Ti giuro, accendevano delle candele, la notte di Pasqua, e portavano nella cantina delle fanciulle. Poi spegnevano le candele e si gettavano su di esse, anche se erano legate loro da vincoli di sangue... E se da questo amplesso nasceva un bambino, ricominciava il rito infernale, tutti intorno a un vaso pieno di vino, che chiamavano il barilotto, a inebriarsi, e tagliavano a pezzi il bambino, e ne versavano il sangue in una coppa, e buttavano bambini ancora vivi sul fuoco, e mescevano le ceneri del bambino, il suo sangue, e ne bevevano!"

"Ma questo lo scriveva Michele Psello nel libro sulle operazioni dei demoni, trecento anni fa! Chi ti ha raccontato queste cose?"

"Essi, Bentivenga e gli altri, e sotto tortura!"

"C'è una sola cosa che eccita gli animali più del piacere, ed è il dolore. Sotto tortura vivi come sotto l'impero di erbe che danno visioni. Tutto quello che hai sentito raccontare, tutto quello che hai letto, ti torna alla mente, come se tu fossi rapito, non verso il cielo, ma verso l'inferno. Sotto tortura dici non solo quello che vuole l'inquisitore, ma anche quello che immagini possa dargli piacere, perché si stabilisce un legame (questo sì, veramente diabolico) tra te e lui... Queste cose le so, Ubertino, ho fatto parte anch'io di quei gruppi di uomini che credono di produrre la verità con il ferro incandescente. Ebbene, sappi, l'incandescenza della verità è di altra fiamma. Sotto tortura Bentivenga può avere detto le menzogne più assurde, perché non parlava più lui, ma la sua lussuria, i demoni dell'anima sua."

"Lussuria?"

"Sì, c'è una lussuria del dolore, come c'è una lussuria dell'adorazione e persino una lussuria dell'umiltà. Se bastò così poco agli angeli ribelli per mutare il loro ardore d'adorazione e umiltà in ardore di superbia e di rivolta, cosa dire di un essere umano? Ecco, ora lo sai, fu questo pensiero che mi colse nel corso delle mie inquisizioni. E fu per questo che rinunciai a quella attività. Mi mancò il coraggio di inquisire sulle debolezze dei malvagi, perché scoprii che sono le stesse debolezze dei santi."

Ubertino aveva ascoltato le ultime parole di Guglielmo come se non comprendesse quello che egli diceva. Dall'espressione del suo volto, sempre più ispirata ad affettuosa commiserazione, capii che egli riteneva Guglielmo preda di sentimenti molto colpevoli, che egli perdonava perché molto lo amava. Lo interruppe, e disse in tono assai amaro: "Non importa. Se sentivi così, hai fatto bene a fermarti. Bisogna combattere le tentazioni. Però mi mancò il tuo appoggio, e avremmo potuto sgominare quella mala banda. E invece sai che accadde, io stesso fui accusato di essere troppo debole con loro, e fui sospettato di eresia. Sei stato troppo debole anche tu, nel combattere il male. Il male, Guglielmo: non cesserà mai questa condanna, quest'ombra, questo fango che ci impedisce di toccare la sorgente?'' Si appressò ancora più a Guglielmo, come se fosse timoroso che qualcuno lo udisse: ''Anche qui, anche tra queste mura consacrate alla preghiera, lo sai?''

''Lo so, l'Abate mi ha parlato, mi ha anzi chiesto di aiutarlo a far luce.''

''E allora spia, scava, guarda con occhio di lince in due direzioni, la lussuria e la superbia...''

''La lussuria?''

''Sì, la lussuria. C'era qualcosa di... di femminile, e dunque di diabolico in quel giovane che è morto. Aveva occhi di fanciulla che cerchi commercio con un incubo. Ma ti ho detto anche la superbia, la superbia della mente, in questo monastero consacrato all'orgoglio della parola, alla illusione della sapienza...''

''Se sai qualcosa aiutami.''

''Non so nulla. Non c'è nulla che io *sappia*. Ma certe cose si sentono col cuore. Lascia parlare il tuo cuore, interroga i volti, non ascoltare le lingue... Ma suvvia, perché dobbiamo parlare di queste tristezze e intimorire questo nostro giovane amico?'' Mi guardò coi suoi occhi celesti, sfiorando la mia guancia con le sue dita lunghe e bianche, e quasi mi venne l'istinto di ritrarmi; mi trattenni e feci bene, perché l'avrei offeso, e la sua intenzione era pura. ''Dimmi piuttosto di te,'' disse volgendosi di nuovo a Guglielmo. ''Cosa hai fatto dopo di allora? Sono passati...''

''Diciotto anni. Sono tornato nelle mie terre. Ho studiato ancora a Oxford. Ho studiato la natura.''

''La natura è buona perché è figlia di Dio,'' disse Ubertino.

''E Dio deve essere buono, se ha generato la natura,'' sorrise Guglielmo. ''Ho studiato, ho incontrato amici molto saggi. Poi ho conosciuto Marsilio, mi hanno attratto le sue idee sull'impero, sul popolo, su una nuova legge per i regni della terra, e così sono finito in quel gruppo dei nostri confratelli che stanno consigliando l'imperatore. Ma queste cose le sai, ti avevo scritto. Ho esultato quando a Bobbio mi hanno detto che eri qui. Ti credevamo perduto. Ma ora che sei con noi potrai esserci di grande aiuto tra qualche giorno, quando arriverà anche Michele. Sarà uno scontro duro.''

''Non avrò molto da dire più di quel che dissi cinque anni fa ad Avignone. Chi verrà con Michele?''

''Alcuni che furono al capitolo di Perugia, Arnaldo d'Aquitania, Ugo da Newcastle...''

68

"Chi?" domandò Ubertino.

"Ugo da Novocastro, scusami, uso la mia lingua anche quando parlo in buon latino. E poi Guglielmo Alnwick. E da parte dei francescani avignonesi potremo contare su Girolamo, lo sciocco di Caffa, e verranno forse Berengario Talloni e Bonagrazia da Bergamo."

"Speriamo in Dio," disse Ubertino, "questi ultimi non vorranno inimicarsi troppo il papa. E chi ci sarà a sostenere le posizioni della curia, intendo, tra i duri di cuore?"

"Dalle lettere che mi sono pervenute immagino ci saranno Lorenzo Decoalcone..."

"Un uomo maligno."

"Jean d'Anneaux..."

"Questo è sottile in teologia, guardatene."

"Ce ne guarderemo. E infine Jean de Baune."

"Se la vedrà con Berengario Talloni."

"Sì, credo proprio che ci divertiremo," disse il mio maestro di ottimo umore. Ubertino lo guardò con un sorriso incerto.

"Non capisco mai quando voi inglesi parlate seriamente. Non c'è nulla di divertente in una questione così grave. Ne va della sopravvivenza dell'ordine, che è il tuo e che nel profondo del cuore è ancora il mio. Ma io scongiurerò Michele di non andare ad Avignone. Giovanni lo vuole, lo cerca, lo invita con troppa insistenza. Diffidate di quel vecchio francese. Oh Signore, in quali mani è caduta la tua chiesa!" Volse il capo verso l'altare. "Trasformata in meretrice, ammollita nel lusso, si avvoltola nella lussuria come una serpe in calore! Dalla purezza nuda della stalla di Bethlehem, legno come fu legno il lignum vitae della croce, ai baccanali d'oro e di pietra, guarda, anche qui, hai visto il portale, non ci si sottrae all'orgoglio delle immagini! Sono infine prossimi i giorni dell'Anticristo e io ho paura, Guglielmo!" Si guardò intorno, fissando lo sguardo sbarrato entro le navate oscure, come se l'Anticristo dovesse apparire da un momento all'altro, e io invero mi attendevo di scorgerlo. "I suoi luogotenenti sono già qui, mandati come Cristo mandò gli apostoli per il mondo! Stanno conculcando la Città di Dio, seducono con l'inganno, l'ipocrisia e la violenza. Sarà allora che Dio dovrà mandare i suoi servi, Elia ed Enoch, che egli ha conservato ancora in vita nel paradiso terrestre perché un giorno confondano l'Anticristo, e verranno a profetare vestiti di sacco, e predicheranno la penitenza con l'esempio e con la parola..."

"Sono già venuti, Ubertino," disse Guglielmo, mostrando il suo saio di francescano.

"Ma non hanno ancora vinto, è il momento che l'Anticristo, pieno di furore, comanderà di uccidere Enoch ed Elia e i loro corpi perché ognuno possa vederli e tema di volerli imitare. Così come volevano uccidere me..."

In quel momento, atterrito, pensavo che Ubertino fosse in preda a una sorta di divina mania, e temetti per la sua ragione. Ora a distanza di tempo, sapendo quel che so, e cioè che qualche anno dopo fu misteriosamente ucciso in una città tedesca, e mai non si seppe da chi, sono più atterrito ancora, perché evidentemente quella sera Ubertino profetava.

"Lo sai, l'abate Gioacchino aveva detto la verità. Siamo giunti alla sesta era della storia umana, in cui appariranno due Anticristi, l'Anticristo mistico e l'Anticristo proprio, questo accade ora nella sesta epoca, dopo che è apparso Francesco a configurare nella sua stessa carne le cinque piaghe di Gesù Crocifisso. Bonifacio fu l'Anticristo mistico, e l'abdicazione di Celestino non fu valida, Bonifacio fu la bestia che viene dal mare le cui sette teste rappresentano le offese ai peccati capitali e le dieci corna le offese ai comandamenti, e i cardinali che lo attorniavano erano le locuste, il cui corpo è Appolyon! Ma il numero della bestia, se ne leggi il nome in lettere greche, è *Benedicti*!" Mi fissò per vedere se avevo capito e alzò un dito ammonendomi. "Benedetto XI fu l'Anticristo proprio, la bestia che ascende dalla terra! Dio ha permesso che tale mostro di vizio e di iniquità governasse la sua chiesa perché le virtù del suo successore sfolgorassero di gloria!"

"Ma padre santo," obbiettai con un filo di voce, facendomi coraggio, "il suo successore è Giovanni!"

Ubertino si posò una mano sulla fronte come per cancellare un sogno molesto. Respirava a fatica, era stanco. "Già. I calcoli erano errati, stiamo ancora attendendo il papa angelico... Ma intanto sono apparsi Francesco e Domenico." Alzò gli occhi al cielo e disse come pregando (ma fui sicuro che stava recitando una pagina del suo grande libro sull'albero della vita): "Quorum primus seraphico calculo purgatus et ardore celico inflammatus totum incendere videbatur. Secundus vero verbo predicationis fecundus super mundi tenebras clarius radiavit... Sì, se queste sono state le promesse, il papa angelico dovrà venire."

"E così sia Ubertino," disse Guglielmo. "Intanto io sono qui per impedire che venga cacciato l'imperatore umano.

Del tuo papa angelico parlava anche fra Dolcino..."

"Non pronunciare più il nome di quella serpe!" urlò Ubertino, e per la prima volta lo vidi trasformarsi, da accorato che era, in adirato. "Egli ha insozzato la parola di Gioacchino di Calabria e ne ha fatto fomite di morte e sporcizia! Messaggero dell'Anticristo, se mai ve ne furono. Ma tu Guglielmo parli così perché in verità non credi all'avvento dell'Anticristo e i tuoi maestri di Oxford ti hanno insegnato a idolatrare la ragione inaridendo le capacità profetiche del tuo cuore!"

"Ti sbagli Ubertino," rispose con molta serietà Guglielmo. "Tu sai che venero più di ogni altro tra i miei maestri Ruggiero Bacone..."

"Che vaneggiava di macchine volanti," motteggiò amaramente Ubertino.

"Che ha parlato chiaramente e limpidamente sull'Anticristo, ne ha avvertito i segni nella corruzione del mondo e nell'indebolimento della sapienza. Ma ha insegnato che vi è un solo modo per prepararci alla sua venuta: studiare i segreti della natura, usare del sapere per migliorare il genere umano. Puoi prepararti a combattere l'Anticristo studiando le virtù curative delle erbe, la natura delle pietre, e persino progettando le macchine volanti di cui sorridi."

"L'Anticristo del tuo Bacone era un pretesto per coltivare l'orgoglio della ragione."

"Santo pretesto."

"Nulla che sia pretestuoso è santo. Guglielmo, sai che ti voglio bene. Sai che confido molto in te. Castiga la tua intelligenza, impara a piangere sulle piaghe del Signore, butta via i tuoi libri."

"Tratterrò soltanto il tuo," sorrise Guglielmo. Ubertino sorrise anch'egli e lo minacciò col dito: "Sciocco di un inglese. E non ridere troppo dei tuoi simili. Anzi, quelli che non puoi amare, temili. E guardati dall'abbazia. Questo luogo non mi piace."

"Voglio appunto conoscerlo meglio," disse Guglielmo congedandosi, "andiamo Adso."

"Io ti dico che non è buono, e tu dici che vuoi conoscerlo. Ah!" disse Ubertino scuotendo la testa.

"A proposito," disse ancora Guglielmo già a metà della navata, "chi è quel monaco che sembra un animale e parla la lingua di Babele?"

"Salvatore?" si voltò Ubertino che già si era inginocchiato. "Credo di averne fatto dono io a questa abbazia... Insieme al cellario. Quando lasciai il saio francescano tornai per qualche tempo nel mio vecchio convento a Casale, e lì trovai altri frati in angustie, perché la comunità li accusava di essere spirituali della mia setta... così si esprimevano. Mi adoperai in loro favore, ottenendo che potessero seguire il mio esempio. E due, Salvatore e Remigio, ne ho trovati proprio qui, quando vi arrivai l'anno scorso. Salvatore... Davvero, pare una bestia. Ma è servizievole."

Guglielmo esitò un istante. "L'ho sentito dire penitenziagite."

Ubertino tacque. Mosse una mano come per scacciare un pensiero molesto. "No, non credo. Sai come sono questi fratelli laici. Gente di campagna, che hanno udito forse qualche predicatore vagante, e non sanno cosa si dicono. A Salvatore avrei altro da rimproverare, è una bestia ghiotta e lussuriosa. Ma nulla, nulla contro l'ortodossia. No, il male dell'abbazia è un altro, cercalo in chi sa troppo, non in chi non sa nulla. Non costruire un castello di sospetti su una parola."

"Non lo farei mai," rispose Guglielmo. "Ho smesso di fare l'inquisitore proprio per non fare questo. Però mi piace ascoltare anche le parole, e poi ci penso su."

"Tu pensi troppo. Ragazzo," disse rivolgendosi a me, "non trarre troppi cattivi esempi dal tuo maestro. L'unica cosa a cui si deve pensare, e me ne rendo conto alla fine della mia vita, è la morte. Mors est quies viatoris — finis est omnis laboris. Lasciatemi pregare."

Primo giorno

VERSO NONA

*Dove Guglielmo ha un dialogo dottissimo con
Severino erborista.*

Ripercorremmo la navata centrale e uscimmo dal portale
da cui eravamo entrati. Avevo ancora le parole di Ubertino,
tutte, che mi ronzavano nella testa.

"È un uomo... strano," ardii dire a Guglielmo.

"È, o è stato, per molti aspetti, un grande uomo. Ma
proprio per questo è strano. Sono solo gli uomini piccoli che
sembrano normali. Ubertino avrebbe potuto diventare uno
degli eretici che ha contribuito a fare bruciare, o un cardinale di santa romana chiesa. È andato vicinissimo a entrambe
le perversioni. Quando parlo con Ubertino ho l'impressione
che l'inferno sia il paradiso guardato dall'altra parte."

Non capii cosa volesse dire: "Da che parte?" domandai.

"Eh già," ammise Guglielmo, "si tratta di sapere se ci
sono delle parti e se c'è un tutto. Ma non darmi ascolto. E
non guardare più quel portale," disse colpendomi lievemente sulla nuca mentre mi rigiravo attirato dalle sculture che a-
vevo visto all'entrata. "Per quest'oggi ti hanno spaventato
abbastanza. Tutti."

Mentre mi rivoltavo verso l'uscita, vidi davanti a me un
altro monaco. Poteva avere la stessa età di Guglielmo. Ci
sorrise e ci salutò urbanamente. Disse che era Severino da
Sant'Emmerano, ed era il padre erborista, che aveva cura dei
balnea, dell'ospedale, e degli orti, e che si metteva al nostro
servizio se avessimo voluto orientarci meglio nel recinto del-
l'abbazia.

Guglielmo lo ringraziò e disse che aveva già notato, entrando, il bellissimo orto, che gli pareva contenere non solo
erbe commestibili, ma anche piante medicinali, per quanto
si poteva vedere attraverso la neve.

"D'estate o di primavera, con la varietà delle sue erbe, e

73

ciascuna adornata dei suoi fiori, questo orto canta meglio le lodi del Creatore,'' disse Severino a mo' di scusa. ''Ma anche in questa stagione l'occhio dell'erborista vede attraverso i rami secchi le piante che verranno e può dirti che quest'orto è più ricco di quanto mai lo fu un erbario, e più variopinto, per quanto bellissime siano le miniature di quello. E poi anche in inverno crescono le erbe buone, e altre ne tengo raccolte e pronte nei vasi che ho in laboratorio. Così con le radici dell'acetosella si curano i catarri, e con decotto di radici di althea si fanno impacchi per le malattie della pelle, con la lappa si cicatrizzano gli eczemi, triturando e macinando il rizoma della bistorta si curano le diarree e alcuni mali delle donne, il pepe è un buon digestivo, la farfara va bene per la tosse, e abbiamo della buona genziana per digerire, e della glycyrrhiza, e del ginepro per farne un buon infuso, il sambuco da farne con la corteccia un decotto per il fegato, la saponaria da macerarne le radici in acqua fredda, per il catarro, e la valeriana di cui certo conoscete le virtù.''

''Avete erbe diverse e buone per climi diversi. Come mai?''

''Per un lato lo devo alla misericordia del Signore, che ha posto il nostro altopiano a cavallo di una catena che vede a meridione il mare, e ne riceve i venti caldi, e a settentrione la montagna più alta di cui riceve i balsami silvestri. E per un lato lo devo all'abito dell'arte, che ho indegnamente acquisito per volontà dei miei maestri. Certe piante crescono anche in clima avverso se ne curi il terreno circostante, e il nutrimento, e la crescita.''

''Ma avete anche piante buone solo per mangiare?'' domandai.

''Mio giovane puledro affamato, non ci sono piante buone per il cibo che non siano anche per la cura, purché prese in giusta misura. Solo l'eccesso le rende causa di malattia. Prendi la zucca. È di natura fredda e umida e mitiga la sete, ma a mangiarla guasta ti provoca diarrea e devi restringere le tue viscere con un impasto di salamoia e senape. E le cipolle? Calde e umide, poche potenziano il coito, naturalmente per coloro che non han pronunciato i nostri voti, troppe ti dan pesantezza di capo e van combattute con latte e aceto. Buona ragione,'' aggiunse con malizia, ''perché un giovane monaco ne mangi sempre con parsimonia. Mangia invece aglio. Caldo e secco, è buono contro i veleni. Ma non esagerare, fa espellere troppi umori dal cervello. I fagioli invece producono urina e ingrassano, due cose molto buone. Ma danno cattivi sogni. Molto meno però di certe altre erbe, perché ve ne sono anche che provocano cattive visioni.''

"Quali?'' domandai.

"Eh, eh, il nostro novizio vuole sapere troppo. Queste sono cose che deve sapere solo l'erborista, se no qualsiasi sconsiderato potrebbe andare in giro a somministrar visioni, ovvero a mentire con le erbe.''

"Ma basta un poco d'urtica,'' disse allora Guglielmo, "o la roybra, o l'olieribus, e si è protetti contro le visioni. Spero che voi abbiate di queste buone erbe.''

Severino guardò il maestro di sottecchi: "Ti interessi di erboristeria?''

"Molto poco,'' disse modestamente Guglielmo, "una volta ebbi tra le mani il *Theatrum Sanitatis* di Ububchasym de Baldach...'.'

"Abul Asan al Muchtar ibn Botlan.''

"O Ellucasim Elimittar, come vuoi tu. Mi chiedo se se ne potrà trovare una copia qui.''

"E delle più belle, con molte immagini di preziosa fattura.''

"Sia lode al cielo. E il *De virtutibus herbarum* del Platearius?''

"Anche quello, e il *De plantis* di Aristotele tradotto da Alfredo di Sareshel.''

"Ho sentito dire che non sia veramente di Aristotele,'' osservò Guglielmo, "come non era di Aristotele, si scoprì, il *De causis*.''

"In ogni caso è un grande libro,'' osservò Severino, e il mio maestro ne convenne con molto fervore senza chiedere se l'erborista parlasse del *De plantis* o del *De causis*, due opere che non conoscevo ma che da quella conversazione conclusi essere grandissime entrambe.

"Sarò lieto,'' concluse Severino, "di avere con te qualche onesta conversazione sulle erbe.''

"Io più di te,'' disse Guglielmo, "ma non violeremo la regola del silenzio, che mi pare viga nel vostro ordine?''

"La regola,'' disse Severino, "si è adattata nei secoli alle esigenze delle diverse comunità. La regola prevedeva la lectio divina ma non lo studio: eppure sai quanto il nostro ordine abbia sviluppato la ricerca sulle cose divine e sulle cose umane. Ancora, la regola prevede il dormitorio comune, ma talora è giusto, come da noi, che i monaci abbiano possibilità di riflessione anche durante la notte, e così ciascuno di essi ha la propria cella. La regola è molto severa riguardo al silenzio, e anche da noi non solo il monaco che fa opere manuali ma anche colui che scrive o che legge non deve conversare coi suoi fratelli. Ma l'abbazia è anzitutto una comunità di studiosi e spesso è utile che i monaci si scambino i tesori di dottrina che accumulano. Ogni conversazione che riguardi i nostri studi è ritenuta legittima e profittevole, purché non si svolga in refettorio o durante le ore degli uffici sacri.''

"Hai avuto occasione di parlare molto con Adelmo da Otranto?'' chiese bruscamente Guglielmo.

Severino non parve sorpreso: ''Vedo che l'Abate ti ha già parlato,'' disse. ''No. Con lui non mi intrattenevo sovente. Passava il tempo a miniare. L'ho udito talora discutere con altri monaci, Venanzio da Salvemec, o Jorge da Burgos, sulla natura del suo lavoro. E poi io non passo la giornata nello scriptorium, ma nel mio laboratorio,'' e accennò all'edificio dell'ospedale.

"Capisco,'' disse Guglielmo. ''Dunque non sai se Adelmo avesse avuto visioni.''

"Visioni?''

"Come quelle che procurano le tue erbe, per esempio.''

Severino si irrigidì: ''Ho detto che custodisco con molta cura le erbe pericolose.''

"Non dico questo,'' si affrettò a precisare Guglielmo. ''Parlavo di visioni in genere.''

"Non capisco,'' insisté Severino.

"Pensavo che un monaco che si aggira di notte per l'Edificio, dove per ammissione dell'Abate possono accadere cose... tremende a chi vi entri in ore proibite, bene, dicevo, pensavo che potesse aver avuto visioni diaboliche che l'avessero spinto nel precipizio.''

"Ho detto che non frequento lo scriptorium, salvo quando mi serve qualche libro, ma di solito ho i miei erbari che conservo nell'ospedale. Ti ho detto, Adelmo era molto familiare di Jorge, di Venanzio e... naturalmente, di Berengario.''

Avvertii anch'io una lieve esitazione nella voce di Severino. Né sfuggì al mio maestro: ''Berengario? E perché naturalmente?''

"Berengario da Arundel, l'aiuto bibliotecario. Erano coetanei, sono stati novizi insieme, era normale che avessero cose di cui parlare. Questo volevo dire.''

"Questo dunque volevi dire,'' commentò Guglielmo. E mi stupii che non insistesse su quel punto. Infatti cambiò subito discorso. "Ma forse è ora che entriamo nell'Edificio. Ci fai da guida?"

"Con piacere," disse Severino con un sollievo sin troppo evidente. Ci fece costeggiare l'orto e ci portò di fronte alla facciata occidentale dell'Edificio.

"Dalla parte dell'orto vi è il portale che dà adito alla cucina," disse, "ma la cucina occupa solo la metà occidentale del primo piano, nella seconda metà vi è il refettorio. E dalla porta meridionale, a cui si arriva passando dietro il coro della chiesa, vi sono due altri portali che recano e alla cucina e al refettorio. Ma entriamo pure di qui, perché dalla cucina potremo poi passare dall'interno al refettorio."

Come entrai nella vasta cucina mi avvidi che l'Edificio generava al suo interno, e per tutta la sua altezza, una corte ottagonale; come compresi dopo si trattava di una sorta di gran pozzo, privo di accessi, su cui si aprivano a ogni piano ampie finestre, come quelle che davano verso l'esterno. La cucina era un immenso androne pieno di fumo, dove già molti famigli si affrettavano a disporre i cibi per la cena. Su un grande tavolo due di essi preparavano un pasticcio di verdura, orzo, avena e segale, tagliuzzando rape, crescione, rapanelli e carote. Accanto, un altro dei cuochi aveva appena finito di cuocere alcuni pesci in una miscela di vino e acqua, e li stava ricoprendo con una salsa composta di salvia, prezzemolo, timo, aglio, pepe e sale.

In corrispondenza al torrione occidentale si apriva un enorme forno per il pane che già balenava di fiamme rossastre. Nel torrione meridionale, un immenso camino su cui bollivano dei pentoloni e giravano degli spiedi. Dalla porta che dava sull'aia dietro la chiesa entravano in quel momento i porcai portando le carni dei maiali scannati. Uscimmo anzi da quella porta e ci trovammo sull'aia, nella estremità orientale del pianoro, a ridosso delle mura, dove sorgevano molte costruzioni. Severino mi spiegò che la prima era l'insieme degli stabbi, poi sorgevano le stalle dei cavalli, poi quelle dei buoi, e i pollai, e il recinto coperto delle pecore. Davanti agli stabbi i porcai rimestavano in una gran giara il sangue dei porci appena sgozzati, affinché non si coagulasse. Se veniva rimestato bene e subito avrebbe poi resistito per i prossimi giorni, grazie al clima rigido, e infine se ne sarebbero fatti sanguinacci.

Rientrammo nell'Edificio e gettammo appena una occhiata al refettorio, che attraversammo per portarci verso il torrione orientale. Dei due torrioni, in cui si allargava il refettorio, il settentrionale ospitava un camino, l'altro una scala a forma di chiocciola che menava allo scriptorium, e cioè al secondo piano. Di lì i monaci si recavano ogni giorno al lavoro, oppure da due scale, meno agevoli ma ben riscaldate, che salivano a spirale dietro al camino e al forno della cucina.

Guglielmo chiese se avremmo trovato qualcuno nello scriptorium anche se era domenica. Severino sorrise e disse che il lavoro, per il monaco benedettino, è preghiera. La domenica gli uffici duravano più a lungo, ma i monaci addetti ai libri passavano ugualmente alcune ore lassù, di solito impiegate in fruttiferi scambi di osservazioni dotte, consigli, riflessioni sulle sacre scritture.

DOPO NONA

Dove si visita lo scriptorium e si conoscono molti studiosi, copisti e rubricatori nonché un vegliardo cieco che attende l'Anticristo.

Mentre salivamo vidi che il mio maestro osservava le finestre che davano luce alla scala. Stavo probabilmente diventando abile come lui, perché mi avvidi subito che la loro disposizione difficilmente avrebbe consentito a qualcuno di raggiungerle. D'altra parte neppure le finestre che si aprivano nel refettorio (le uniche che dal primo piano dessero sullo strapiombo) parevano facilmente raggiungibili, dato che sotto di esse non vi erano mobili di sorta.

Arrivati al sommo della scala entrammo, per il torrione orientale, allo scriptorium e quivi non potei trattenere un grido di ammirazione. Il secondo piano non era bipartito come quello inferiore e si offriva quindi ai miei sguardi in tutta la sua spaziosa immensità. Le volte, curve e non troppo alte (meno che in una chiesa, più tuttavia che in ogni altra sala capitolare che mai vidi), sostenute da robusti pilastri, racchiudevano uno spazio soffuso di bellissima luce, perché tre enormi finestre si aprivano su ciascun lato maggiore, mentre cinque finestre minori traforavano ciascuno dei cinque lati esterni di ciascun torrione; otto finestre alte e strette, infine, lasciavano che la luce entrasse anche dal pozzo ottagonale interno.

L'abbondanza di finestre faceva sì che la gran sala fosse allietata da una luce continua e diffusa, anche se si era in un pomeriggio d'inverno. Le vetrate non erano colorate come quelle delle chiese, e i piombi di riunione fissavano riquadri di vetro incolore, perché la luce entrasse nel modo più puro possibile, non modulata dall'arte umana, e servisse al suo scopo, che era di illuminare il lavoro della lettura e della scrittura. Vidi altre volte e in altri luoghi molti scriptoria, ma nessuno in cui così luminosamente rifulgesse, nelle cola-

79

te di luce fisica che facevano risplendere l'ambiente, lo stesso principio spirituale che la luce incarna, la *claritas*, fonte di ogni bellezza e sapienza, attributo inscindibile di quella proporzione che la sala manifestava. Perché tre cose concorrono a creare la bellezza: anzitutto l'integrità o perfezione, e per questo reputiamo brutte le cose incomplete; poi la debita proporzione ovvero la consonanza; e infine la clarità e la luce, e infatti chiamiamo belle le cose di colore nitido. E siccome la visione del bello comporta la pace, e per il nostro appetito è la stessa cosa acquetarsi nella pace, nel bene o nel bello, mi sentii pervaso di grande consolazione e pensai quanto dovesse essere piacevole lavorare in quel luogo.

Quale apparve ai miei occhi, in quell'ora meridiana, esso mi sembrò un gioioso opificio di sapienza. Vidi poi in seguito a San Gallo uno scriptorium di simili proporzioni, separato dalla biblioteca (in altri luoghi i monaci lavoravano nel luogo stesso dove erano custoditi i libri), ma non come questo bellamente disposto. Antiquarii, librarii, rubricatori e studiosi stavano seduti ciascuno al proprio tavolo, un tavolo sotto ciascuna delle finestre. E siccome le finestre erano quaranta (numero veramente perfetto dovuto alla decuplicazione del quadragono, come se i dieci comandamenti fossero stati magnificati dalle quattro virtù cardinali) quaranta monaci avrebbero potuto lavorare all'unisono, anche se in quel momento erano appena una trentina. Severino ci spiegò che i monaci che lavoravano allo scriptorium erano dispensati dagli uffici di terza, sesta e nona per non dover interrompere il loro lavoro nelle ore di luce, e arrestavano le loro attività solo al tramonto, per vespro.

I posti più luminosi erano riservati agli antiquarii, gli alluminatori più esperti, ai rubricatori e ai copisti. Ogni tavolo aveva tutto quanto servisse per miniare e copiare: corni da inchiostro, penne fini che alcuni monaci stavano affinando con un coltello sottile, pietrapomice per rendere liscia la pergamena, regoli per tracciare le linee su cui si sarebbe distesa la scrittura. Accanto a ogni scriba, o al culmine del piano inclinato di ogni tavolo, stava un leggìo, su cui posava il codice da copiare, la pagina coperta da mascherine che inquadravano la linea che in quel momento veniva trascritta. E alcuni avevano inchiostri d'oro e di altri colori. Altri invece stavano solo leggendo libri, e trascrivevano appunti su loro privati quaderni o tavolette.

Non ebbi peraltro il tempo di osservare il loro lavoro, perché ci venne incontro il bibliotecario, che già sapevamo essere Malachia da Hildesheim. Il suo volto cercava di atteggiarsi a una espressione di benvenuto, ma non potei trattenermi dal fremere di fronte a una così singolare fisionomia. La sua figura era alta e, benché estremamente magra, le sue membra erano grandi e sgraziate. Come procedeva a grandi passi, avvolto nelle nere vesti dell'ordine, v'era qualcosa di inquietante nel suo aspetto. Il cappuccio, che venendo di fuori aveva ancora levato, gettava un'ombra sul pallore del suo volto e conferiva un non so che di doloroso ai suoi grandi occhi melanconici. Vi erano nella sua fisionomia come le tracce di molte passioni che la volontà aveva disciplinato ma che sembravano aver fissato quei lineamenti che ora avevano cessato di animare. Mestizia e severità predominavano nelle linee del suo volto e i suoi occhi erano così intensi che a un solo sguardo potevano penetrare il cuore di chi gli parlava, e leggergli i segreti pensieri, così che difficilmente si poteva tollerare la loro indagine e si era tentati di non incontrarli una seconda volta.

Il bibliotecario ci presentò a molti dei monaci che stavano in quel momento al lavoro. Di ciascuno Malachia ci disse anche il lavoro che stava compiendo e di tutti ammirai la profonda devozione al sapere e allo studio della parola divina. Conobbi così Venanzio da Salvemec, traduttore dal greco e dall'arabo, devoto di quell'Aristotele che certamente fu il più saggio di tutti gli uomini. Bencio da Upsala, un giovane monaco scandinavo che si occupava di retorica. Berengario da Arundel, l'aiuto del bibliotecario. Aymaro da Alessandria, che stava ricopiando opere che solo per pochi mesi sarebbero state in prestito alla biblioteca, e poi un gruppo di miniatori di vari paesi, Patrizio da Clonmacnois, Rabano da Toledo, Magnus da Iona, Waldo da Hereford.

L'elenco potrebbe certo continuare e nulla vi è di più meraviglioso dell'elenco, strumento di mirabili ipotiposi. Ma devo venire all'argomento delle nostre discussioni, dal quale emersero molte indicazioni utili per capire la sottile inquietudine che aleggiava tra i monaci, e un non so che di inespresso che gravava su tutti i loro discorsi.

Il mio maestro iniziò a discorrere con Malachia lodando la bellezza e l'operosità dello scriptorium e chiedendogli notizie sull'andamento del lavoro che ivi si compiva perché, disse con molta accortezza, aveva udito parlare ovunque di quella biblioteca e avrebbe voluto esaminare molti dei libri. Malachia gli spiegò quello che già l'Abate aveva detto, che il monaco chiedeva al bibliotecario l'opera da consultare e questi sarebbe andato a reperirla nella biblioteca superiore, se la richiesta fosse stata giusta e pia. Guglielmo domandò come poteva conoscere il nome dei libri custoditi negli armaria soprastanti, e Malachia gli mostrò, fissato da una catenella d'oro al suo tavolo, un voluminoso codice coperto di elenchi fittissimi.

Guglielmo infilò le mani nel saio, dove esso si apriva sul petto a formare una sacca, e ne trasse un oggetto che già gli avevo visto tra le mani, e sul volto, nel corso del viaggio. Era una forcella, costruita così da potere stare sul naso di un uomo (e meglio ancora sul suo, così prominente e aquilino) come un cavaliere sta in groppa al suo cavallo o come un uccello su un trespolo. E ai due lati della forcella, in modo da corrispondere agli occhi, si espandevano due cerchi ovali di metallo, che rinserravano due mandorle di vetro spesse come fondi di bicchiere. Con quelli sugli occhi Guglielmo, di preferenza, leggeva, e diceva di vedere meglio di quanto natura lo avesse dotato, o di quanto l'età sua avanzata, specie quando declinava la luce del giorno, gli consentisse. Né gli servivano per vedere da lontano, che anzi aveva l'occhio acutissimo, ma per vedere da vicino. Con quelli egli poteva leggere manoscritti vergati in lettere sottilissime, che quasi faticavo anch'io a decifrare. Mi aveva spiegato che, giunto che fosse l'uomo oltre la metà della vita, anche se la sua vista era stata sempre ottima, l'occhio si induriva e riluttava ad adattar la pupilla, così che molti sapienti erano come morti alla lettura e alla scrittura dopo la loro cinquantesima primavera. Grave iattura per uomini che avrebbero potuto dare il meglio della loro intelligenza per molti anni ancora. Per cui si doveva lodare il Signore che qualcuno avesse scoperto e fabbricato quello strumento. E me lo diceva per sostenere le idee del suo Ruggiero Bacone, quando diceva che lo scopo della sapienza era anche prolungare la vita umana.

Gli altri monaci guardarono Guglielmo con molta curiosità, ma non ardirono porgli domande. E io mi avvidi che, anche in un luogo così gelosamente e orgogliosamente dedicato alla lettura e alla scrittura, quel mirabile strumento non era ancora penetrato. E mi sentii fiero di essere al seguito di un uomo che aveva qualcosa con cui stupire altri uomini famosi nel mondo per la loro saggezza.

Con quegli oggetti sugli occhi, Guglielmo si chinò sugli elenchi stilati nel codice. Guardai anch'io, e scoprimmo titoli di libri mai uditi, e altri di celeberrimi, che la biblioteca possedeva.

"*De pentagono Salomonis, Ars loquendi et intelligendi in lingua hebraica, De rebus metallicis* di Ruggero da Hereford, *Algebra* di Al Kuwarizmi, resa in latino da Roberto Anglico, le *Puniche* di Silio Italico, i *Gesta francorum, De laudibus sanctae crucis* di Rabano Mauro, e *Flavii Claudii Giordani de aetate mundi et hominis reservatis singulis litteris per singulos libros ab A usque ad Z,*" lesse il mio maestro. "Splendide opere. Ma in che ordine sono registrate?" Citò da un testo che non conoscevo ma che era certo familiare a Malachia: "'Habeat Librarius et registrum omnium librorum ordinatum secundum facultates et auctores, reponeatque eos separatim et ordinate cum signaturis per scripturam applicatis.' Come fate a conoscere il luogo di ciascun libro?"

Malachia gli mostrò delle annotazioni che fiancheggiavano ciascun titolo. Lessi: iii, IV gradus, V in prima graecorum; ii, V gradus, VII in tertia anglorum, e così via. Capii che il primo numero indicava la posizione del libro nello scaffale o *gradus*, indicato dal secondo numero, l'armadio essendo indicato dal terzo numero, e capii pure che le altre espressioni designavano una stanza o corridoio della biblioteca, e ardii chiedere maggiori notizie su queste ultime *distinctiones*. Malachia mi guardò severamente: "Forse non sapete, o avete dimenticato, che l'accesso alla biblioteca è consentito solo al bibliotecario. E dunque è giusto e sufficiente che solo il bibliotecario sappia decifrare queste cose."

"Ma in che ordine sono riportati i libri in questo elenco?" chiese Guglielmo. "Non per argomenti, mi pare." Non accennò a un ordine per autori che seguisse la stessa sequenza delle lettere dell'alfabeto, perché è accorgimento che ho visto messo in opera solo negli ultimi anni, e allora si usava poco.

"La biblioteca affonda la sua origine nel profondo dei tempi," disse Malachia, "e i libri sono registrati secondo l'ordine delle acquisizioni, delle donazioni, del loro ingresso nelle nostre mura."

"Difficili da trovare," osservò Guglielmo.

"Basta che il bibliotecario li conosca a memoria e sappia per ogni libro il tempo in cui arrivò. Quanto agli altri monaci possono fidarsi della sua memoria," e pareva parlasse di un altro che non fosse lui stesso; e compresi che egli parlava della funzione che in quel momento indegnamente ricopriva, ma che era stata ricoperta da cento altri, ormai scomparsi, che si erano tramandati l'un l'altro il loro sapere.

"Ho capito," disse Guglielmo. "Se io dunque cercassi

qualcosa, senza sapere cosa, sul pentagono di Salomone, voi sapreste indicarmi che esiste il libro di cui ho appena letto il titolo, e potreste individuarne la posizione al piano superiore.''

"Se voi doveste veramente apprendere qualcosa sul pentagono di Salomone,'' disse Malachia. "Ma ecco un libro per darvi il quale preferirei prima chiedere il consiglio dell'Abate.''

"Ho saputo che uno dei vostri miniatori più valenti,'' disse allora Guglielmo, "è scomparso di recente. L'Abate mi ha molto parlato della sua arte. Potrei vedere i codici che miniava?''

"Adelmo da Otranto,'' disse Malachia guardando Guglielmo con diffidenza, "lavorava, a causa della sua giovane età, solo sui marginalia. Aveva una immaginazione molto vivace e da cose note sapeva comporre cose ignote e sorprendenti, come chi unisse un corpo umano a una cervice equina. Ma ecco laggiù i suoi libri. Nessuno ha ancora toccato il suo tavolo.''

Ci appressammo a quello che era stato il posto di lavoro di Adelmo, dove giacevano ancora i fogli di un salterio riccamente miniati. Erano folia di vellum finissimo — regina tra le pergamene — e l'ultimo era ancora fissato al tavolo. Appena sfregato con pietrapomice e ammorbidito col gesso, era stato reso liscio con la plana e, dai minuscoli fori prodotti ai lati con uno stilo sottile, erano state tracciate tutte le linee che dovevano guidare la mano dell'artista. La prima metà era stata già ricoperta di scrittura e il monaco aveva iniziato ad abbozzarvi le figure ai margini. Già finiti erano invece gli altri fogli, e guardandoli né io né Guglielmo riuscimmo a trattenere un grido di ammirazione. Si trattava di un salterio ai margini del quale si delineava un mondo rovesciato rispetto a quello cui ci hanno abituati i nostri sensi. Come se al limine di un discorso che per definizione è il discorso della verità, si svolgesse profondamente legato a quello, per mirabili allusioni in aenigmate, un discorso menzognero su un universo posto a testa in giù, dove i cani fuggono davanti alla lepre e i cervi cacciano il leone. Piccole teste a zampa d'uccello, animali con mani umane sulle terga, teste chiomate dalle quali spuntavano piedi, dragoni zebrati, quadrupedi dal collo serpentino che si allacciava in mille nodi inestricabili, scimmie dalle corna cervine, sirene a forma di volatile con ali membranose sul dorso, uomini senza braccia con altri corpi umani che spuntavano loro sulla schiena a

mo' di gobba, e figure con la bocca dentata sul ventre, u-
mani con la testa equina ed equini con gambe umane, pesci
con ali d'uccello e uccelli con coda di pesce, mostri a corpo
unico e doppia testa o testa unica e corpo doppio, vacche a
coda di gallo dalle ali di farfalla, donne dal capo squamato
come il dorso di un pesce, chimere bicefale interallacciate
con libellule dal muso di lucertola, centauri, dragoni, elefanti, manticore, sciapodi sdraiati su rami d'albero, grifoni
dalla cui coda si generava un arciere in assetto di guerra,
creature diaboliche dal collo senza fine, sequenze di animali
antropomorfi e di nani zoomorfi si associavano, talora sulla
stessa pagina, a scene di vita campestre dove vedevi rappresentata, con vivacità impressionante, sì che avresti creduto
che le figure fossero vive, tutta la vita dei campi, aratori,
raccoglitori di frutti, mietitori, filatrici, seminatori accanto a
volpi e faine armate di balestre che scalavano una città turri-
ta difesa da scimmie. Qua una lettera iniziale si piegava a L
e nella parte inferiore generava un dragone, là una grande V
che dava inizio alla parola ''verba'' produceva come naturale
viticchio del suo tronco una serpe dalle mille volute, a sua
volta generante altre serpi quali pampini e corimbi.

Accanto al salterio v'era, evidentemente terminato da poco, uno squisito libro d'ore, dalle dimensioni incredibilmen-
te piccole, sì che avresti potuto tenerlo nel palmo della mano. Esigua la scrittura, le miniature marginali erano a malapena visibili a prima vista e chiedevano che l'occhio le esa-
minasse da vicino per apparire in tutta la loro bellezza (e ti
chiedevi con quale strumento sovrumano il miniatore le a-
vesse tracciate per ottenere effetti di tanta vivacità in uno
spazio così ridotto). Gli interi margini del libro erano invasi
da minuscole figure che si generavano, quasi per naturale e-
spansione, dalle volute terminali delle lettere splendidamente tracciate: sirene marine, cervi in fuga, chimere, torsi umani senza braccia che fuoriuscivano come lombrichi dal corpo
stesso dei versetti. In un punto, quasi a continuare i tre
''Sanctus, Sanctus, Sanctus'' ripetuti su tre linee diverse, vedevi tre figure belluine dalle teste umane, di cui due si pie-
gavano l'una verso il basso e l'altra verso l'alto per unirsi in
un bacio che non avresti esitato a definire inverecondo se
non fossi stato persuaso che, anche se non perspicuo, un
profondo significato spirituale doveva certamente giustificare
quella raffigurazione in quel punto.

Io seguivo quelle pagine combattuto tra l'ammirazione
muta e il riso, perché le figure inclinavano necessariamente

all'ilarità, benché commentassero pagine sante. E frate Guglielmo le esaminava sorridendo, e commentò: "Babewyn, così li chiamano nelle mie isole."

"Babouins, come li chiamano nelle Gallie," disse Malachia. "E infatti Adelmo ha appreso la sua arte nel vostro paese, benché dopo abbia studiato anche in Francia. Babbuini, ovvero scimmie dell'Africa. Figure di un mondo rovesciato, dove le case sorgono sulla punta di una guglia e la terra sta sopra il cielo."

Io mi ricordai di alcuni versi che avevo udito nel vernacolo delle mie terre e non potei trattenermi dal pronunciarli:

> Aller Wunder si geswigen,
> das herde himel hât überstigen,
> daz sult ir vür ein Wunder wigen.

E Malachia continuò, citando dallo stesso testo:

> Erd ob un himel unter
> das sult ir hân besunder
> Vür aller Wunder ein Wunder.

"Bravo Adso," continuò il bibliotecario, "effettivamente queste immagini ci parlano di quella regione dove si arriva cavalcando un'oca blu, dove si trovano sparvieri che pescano dei pesci in un ruscello, orsi che inseguono falconi nel cielo, gamberi che volano con le colombe e tre giganti presi in trappola e morsicati da un gallo."

E un pallido sorriso illuminò le sue labbra. Allora gli altri monaci, che avevano seguito la conversazione con una certa timidezza, si misero a ridere di cuore, come se avessero atteso il consenso del bibliotecario. Il quale si rabbuiò, mentre gli altri seguitavano a ridere, lodando l'abilità del povero Adelmo e indicandosi l'un l'altro le figure più inverosimili. E fu mentre tutti ancora ridevano che udimmo alle nostre spalle una voce, solenne e severa.

"Verba vana aut risui apta non loqui."

Ci voltammo. Chi aveva parlato era un monaco curvo per il peso degli anni, bianco come la neve, non dico solo il pelo, ma pure il viso, e le pupille. Mi avvidi che era cieco. La voce era ancora maestosa e le membra possenti anche se il corpo era rattrappito dal peso dell'età. Ci fissava come se ci vedesse, e sempre anche in seguito lo vidi muoversi e parlare come se possedesse ancora il bene della vista. Ma il tono della voce era invece di chi possieda solo il dono della profezia.

"L'uomo venerando d'età e sapienza che vedete," disse Malachia a Guglielmo indicandogli il nuovo venuto, "è Jorge da Burgos. Più vecchio di chiunque viva nel monastero, salvo Alinardo da Grottaferrata, egli è colui a cui moltissimi tra i monaci affidano il carico dei loro peccati nel segreto della confessione." Poi, volgendosi al vegliardo: "Quello che sta davanti a voi è frate Guglielmo da Baskerville, nostro ospite."

"Spero che non vi siate adirato per le mie parole," disse il vecchio in tono brusco. "Ho udito persone che ridevano su cose risibili e ho ricordato loro uno dei principi della nostra regola. E come dice il salmista, se il monaco si deve astenere dai discorsi buoni per il voto di silenzio, a quanto maggior ragione deve sottrarsi ai discorsi cattivi. E come ci sono discorsi cattivi ci sono immagini cattive. E sono quelle che mentono circa la forma della creazione e mostrano il mondo al contrario di ciò che deve essere, è sempre stato e sempre sarà nei secoli dei secoli sino alla consunzione dei tempi. Ma voi venite da altro ordine, dove mi dicono è vista con indulgenza anche la giocondità più inopportuna." Alludeva a quanto tra i benedettini si diceva delle bizzarrie di santo Francesco di Assisi e forse anche delle bizzarrie attribuite a fraticelli e spirituali d'ogni sorta, che dell'ordine francescano erano i più recenti e imbarazzanti germogli. Ma frate Guglielmo fece mostra di non raccogliere l'insinuazione.

"Le immagini marginali inducono sovente al sorriso, ma per fini di edificazione," rispose. "Come nei sermoni per toccare l'immaginazione delle pie folle occorre inserire exempla, non di rado faceti, così anche il discorso delle immagini deve indulgere a queste nugae. Per ogni virtù e per ogni peccato c'è un esempio tratto dai bestiari, e gli animali si fanno figura del mondo umano."

"Oh sì," motteggiò il vecchio, ma senza sorridere, "ogni immagine è buona per invogliare alla virtù, perché il capolavoro della creazione, messo a capo in giù, diventi materia di riso. E così la parola di Dio si manifesta attraverso l'asino che suona la lira, l'allocco che ara con lo scudo, i buoi che si attaccano da soli all'aratro, i fiumi che risalgono le correnti, il mare che s'incendia, il lupo che si fa eremita! Cacciate la lepre col bue, fatevi insegnar grammatica dalle civette, che i cani morsichino le pulci, gli orbi guardino i muti e i muti domandino pane, la formica partorisca un vitello, volino i polli arrosto, le focacce crescano sui tetti, i pappagalli tengano lezione di retorica, le galline fecondino i galli, mettete il carro avanti i buoi, fate dormire il cane nel letto e tutti camminino a testa in giù! Cosa vogliono tutte queste nugae? Un mondo inverso e opposto a quello stabilito da Dio, sotto pretesto di insegnare i precetti divini!''

"Ma l'Areopagita insegna," disse umilmente Guglielmo, "che Dio può essere nominato solo attraverso le cose più difformi. E Ugo di San Vittore ci ricordava che quanto più la similitudine si fa dissimile, tanto più la verità ci è rivelata sotto il velame di figure orribili e indecorose, tanto meno l'immaginazione si placa nel godimento carnale ed è obbligata a cogliere i misteri che si celano sotto la turpitudine delle immagini..."

"Conosco l'argomento! E ammetto con vergogna che è stato l'argomento principe del nostro ordine, quando gli abati cluniacensi si battevano contro i cistercensi. Ma san Bernardo aveva ragione: a poco a poco l'uomo che rappresenta mostri e portenti di natura per rivelare le cose di Dio per speculum et in aenigmate, prende gusto alla natura stessa delle mostruosità che crea e si diletta di quelle, e per quelle, né vede più che attraverso quelle. Basta che guardiate, voi che avete ancora la vista, ai capitelli del vostro chiostro," e accennò con la mano fuori dalle finestre, verso la chiesa, "sotto gli occhi dei monaci intenti alla meditazione, cosa significano quelle ridicole mostruosità, quelle deformi formosità e formose difformità? Quelle sordide scimmie? Quei leoni, quei centauri, quegli esseri semiumani, con la bocca sul ventre, un piede solo, le orecchie a vela? Quelle tigri maculate, quei guerrieri in lotta, quei cacciatori che soffiano nel corno, e quei molti corpi in una sola testa e molte teste in un solo corpo? Quadrupedi con la coda di serpente, e pesci con la testa di quadrupede, e qui un animale che davanti pare un cavallo e dietro un caprone, e là un equino con le corna e via via, ormai è più piacevole per il monaco leggere i marmi che non i manoscritti, e ammirare le opere dell'uomo anziché meditare sulla legge di Dio. Vergogna, per il desiderio dei vostri occhi e per i vostri sorrisi!''

Il gran vecchio si fermò ansimando. E io ammirai la vivida memoria con cui, forse cieco da tanti anni, ancora rimemorava le immagini della cui turpitudine ci parlava. Tanto che sospettai che esse lo avessero molto sedotto quando le aveva viste, se sapeva descriverle ancora con tanta passione. Ma mi è sovente accaduto di trovare le rappresentazioni più seducenti del peccato proprio nelle pagine di quegli uomini di incorruttibile virtù che ne condannavano il fascino e gli effetti. Segno che questi uomini sono mossi da tale ardore di testimonianza della verità che non esitano, per amor di Dio, a conferire al male tutte le seducenze di cui si ammanta, per render meglio gli uomini edotti dei modi con cui il maligno li incanta. E di fatto le parole di Jorge mi stimolarono una gran voglia di vedere le tigri e le scimmie del chiostro, che non avevo ancora ammirato. Ma Jorge interruppe il corso dei miei pensieri perché riprese, con tono meno eccitato, a parlare.

"Nostro Signore non ha avuto bisogno di tante stoltezze per indicarci la retta via. Nulla nelle sue parabole muove al riso, o al timore. Adelmo invece, che ora piangete morto, godeva talmente delle mostruosità che miniava, che aveva perduto di vista le cose ultime di cui dovevano essere figura materiale. E ha percorso tutti, tutti dico," e la sua voce si fece solenne e minacciosa, "i sentieri della mostruosità. Onde Dio sa punire."

Scese un pesante silenzio sui presenti. Ardì di romperlo Venanzio da Salvemec.

"Venerabile Jorge," disse, "la vostra virtù vi rende ingiusto. Due giorni prima che Adelmo morisse voi eravate presente a un dotto dibattito che ebbe luogo proprio qui nello scriptorium. Adelmo si preoccupava che l'arte sua, indulgendo a rappresentazioni bizzarre e fantastiche, fosse tuttavia intesa alla gloria di Dio, strumento di conoscenza delle cose celesti. Frate Guglielmo citava poco fa l'Areopagita, sulla conoscenza per difformità. E Adelmo citò quel giorno un'altra altissima autorità, quella del dottore d'Aquino, quando disse che conviene che le cose divine siano esposte più in figura di corpi vili che in figura di corpi nobili. Prima perché è più facilmente liberato l'animo umano dall'errore; è chiaro infatti che certe proprietà non possono essere attribuite alle cose divine, ciò che sarebbe dubbio se queste fossero indicate con figure di nobili cose corporee. In secondo luogo perché questo modo rappresentativo più si conviene alla conoscenza che di Dio abbiamo su questa terra: egli ci si manifesta infatti più in quello che non è che in quello che è, e perciò le similitudini di quelle cose che più si allontanano da Dio ci portano a una più esatta opinione di lui, perché così sappiamo che egli è al di sopra di ciò che diciamo e pensiamo. E in terzo luogo perché così sono meglio celate le cose di Dio alle persone indegne. Insomma, si trattava quel giorno di capire in che modo si possa scoprire la verità attraverso espressioni sorprendenti, e argute, ed enigmatiche. E io gli ricordai che nell'opera del grande Aristotele avevo trovato parole assai chiare a questo riguardo...''

''Non ricordo,'' interruppe seccamente Jorge, ''sono molto vecchio. Non ricordo. Posso avere ecceduto in severità. Ora è tardi, debbo andare.''

''È strano che non ricordiate,'' insistette Venanzio, ''fu una dotta e bellissima discussione, in cui intervennero anche Bencio e Berengario. Si trattava di sapere infatti se le metafore, e i giochi di parole, e gli enigmi, che pure paiono immaginati dai poeti per puro diletto, non inducano a speculare sulle cose in modo nuovo e sorprendente, e io dicevo che anche questa è una virtù che si richiede al saggio... E c'era anche Malachia...''

''Se il venerabile Jorge non ricorda, abbi rispetto per la sua età e per la stanchezza della sua mente... peraltro sempre così viva,'' intervenne qualcuno dei monaci che seguivano la discussione. La frase era stata pronunziata in modo agitato, almeno all'inizio, perché chi aveva parlato, accorgendosi che per invitare al rispetto del vecchio, di fatto ne metteva in luce una debolezza, aveva poi rallentato l'impeto del proprio intervento, finendo quasi in un sussurro di scusa. A parlare era stato Berengario da Arundel, l'aiuto bibliotecario. Era un giovane dal volto pallido, e osservandolo mi ricordai della definizione che Ubertino aveva dato di Adelmo: i suoi occhi parevano quelli di una donna lasciva. Intimidito dagli sguardi di tutti che ora si posavano su di lui, teneva le dita delle mani allacciate come chi voglia reprimere un'interna tensione.

Singolare fu la reazione di Venanzio. Guardò Berengario in modo tale che quello abbassò gli occhi: ''Va bene fratello,'' disse, ''se la memoria è un dono di Dio anche la capacità di dimenticare può essere molto buona, e va rispettata. Ma la rispetto nell'anziano confratello a cui parlavo. Da te mi attendevo un ricordo più vivo intorno alle cose accadute quando stavamo qui, insieme con un tuo carissimo amico...''

Non potrei dire se Venanzio avesse calcato il tono sulla parola ''carissimo''. Sta di fatto che avvertii un'atmosfera di imbarazzo tra gli astanti. Ciascuno volgeva l'occhio da una parte diversa e nessuno lo dirigeva su Berengario, che era arrossito violentemente. Intervenne subito Malachia, con autorità: ''Venite, frate Guglielmo,'' disse, ''vi mostrerò altri libri interessanti.''

Il gruppo si sciolse. Scorsi Berengario lanciare a Venanzio uno sguardo carico di rancore, e Venanzio rispondergli del pari, con muta sfida. Io, vedendo che il vecchio Jorge si stava allontanando, mosso da un senso di rispettosa reverenza, mi chinai a baciargli la mano. Il vecchio ricevette il bacio, posò la mano sul mio capo e domandò chi fossi. Quando gli dissi il mio nome il suo volto si rischiarò.

"Porti un nome grande e bellissimo," disse. "Sai chi fu Adso da Montier-en-Der?" domandò. Io, lo confesso, non lo sapevo. Così Jorge soggiunse: "Fu l'autore di un libro grande e tremendo, il *Libellus de Antichristo*, in cui egli vide cose che sarebbero accadute, e non fu ascoltato abbastanza."

"Il libro fu scritto prima del millennio," disse Guglielmo, "e quelle cose non si sono avverate..."

"Per chi non ha occhi per vedere," disse il cieco. "Le vie dell'Anticristo sono lente e tortuose. Egli arriva quando noi non lo prevediamo, e non perché il calcolo suggerito dall'apostolo fosse errato, ma perché noi non ne abbiamo appreso l'arte." Poi gridò, ad altissima voce, il volto verso la sala, facendo rimbombare le volte dello scriptorium: "Egli sta venendo! Non perdete gli ultimi giorni ridendo sui mostriciattoli dalla pelle maculata e dalla coda ritorta! Non dissipate gli ultimi sette giorni!"

VESPRI

Dove si visita il resto dell'abbazia, Guglielmo trae alcune conclusioni sulla morte di Adelmo, si parla col fratello vetraio di vetri per leggere e di fantasmi per chi vuol leggere troppo.

A quel punto sonarono per vespro e i monaci si accinsero a lasciare i loro tavoli. Malachia ci fece capire che anche noi dovevamo andare. Egli sarebbe rimasto con il suo aiutante, Berengario, a riordinare le cose e (così si espresse) a predisporre la biblioteca per la notte. Guglielmo gli chiese se avrebbe poi chiuso le porte.

"Non ci sono porte che difendano l'accesso allo scriptorium dalla cucina e dal refettorio, né alla biblioteca dallo scriptorium. Più forte di alcuna porta deve essere l'interdetto dell'Abate. E i monaci debbono avvalersi e della cucina e del refettorio sino a compieta. A quel punto, a impedire che estranei o animali, per i quali l'interdetto non vale, possano entrare nell'Edificio, io stesso chiudo i portali da basso, che conducono e alle cucine e al refettorio, e da quell'ora l'Edificio rimane isolato."

Scendemmo. Mentre i monaci si avviavano verso il coro il mio maestro decise che il Signore ci avrebbe perdonato se non avessimo assistito all'ufficio divino (il Signore ebbe molto a perdonarci nei giorni seguenti!) e mi propose di camminare un poco con lui per il pianoro, affinché ci familiarizzassimo con il luogo.

Uscimmo dalle cucine, attraversammo il cimitero: v'erano pietre tombali più recenti, e altre che recavano i segni del tempo, raccontando vite di monaci vissuti nei secoli passati. Le tombe erano senza nome, sormontate da croci di pietra.

Il tempo si stava guastando. Si era levato un vento freddo e il cielo si faceva caliginoso. Si indovinava un sole che tramontava dietro gli orti e già si faceva scuro verso oriente, dove ci dirigemmo, costeggiando il coro della chiesa e raggiungendo la parte posteriore del pianoro. Ivi, quasi a ridosso del muro di cinta, dove esso si saldava al torrione orientale dell'Edificio, c'erano gli stabbi e i porcai stavano ricoprendo la giara col sangue dei maiali. Notammo che dietro gli stabbi il muro di cinta era più basso, sì che vi ci si poteva affacciare. Oltre lo strapiombo delle mura, il terreno che digradava vertiginosamente al di sotto era ricoperto di una terraglia che la neve non riusciva completamente a nascondere. Mi resi conto che si trattava del deposito dello strame, che veniva gettato da quel luogo, e discendeva sino al tornante da cui si diramava il sentiero lungo il quale si era avventurato il fuggiasco Brunello. Dico strame, perché si trattava di una gran frana di materia puteolente, il cui odore arrivava sino al parapetto da cui mi affacciavo; evidentemente i contadini venivano ad attingervi dal basso onde usarne per i campi. Ma alle deiezioni degli animali e degli uomini, si mescolavano altri rifiuti solidi, tutto il rifluire di materie morte che l'abbazia espelleva dal proprio corpo, per mantenersi limpida e pura nel suo rapporto con la sommità del monte e col cielo.

Nelle stalle accanto i cavallari stavano riconducendo gli animali alla greppia. Percorremmo il cammino lungo il quale si estendevano, dalla parte del muro, le varie stalle, e a destra, a ridosso del coro, il dormitorio dei monaci, e poi le latrine. Là dove il muro orientale piegava verso meridione, all'angolo della cinta, v'era l'edificio delle fucine. Gli ultimi fabbri stavano riponendo i loro attrezzi e spegnendo i mantici, per avviarsi all'ufficio divino. Guglielmo si mosse con curiosità verso una parte delle fucine, quasi separata dal resto del laboratorio, dove un monaco stava riponendo le proprie cose. Sul suo tavolo vi era una bellissima collezione di vetri multicolori, di piccole dimensioni, ma lastre più ampie erano addossate al muro. Davanti a lui stava un reliquiario ancora incompiuto, di cui esisteva solo la carcassa in argento, ma sulla quale egli stava evidentemente incastonando vetri e altre pietre, che con i suoi strumenti aveva ridotto alle dimensioni di una gemma.

Conoscemmo così Nicola da Morimondo, maestro vetraio dell'abbazia. Ci spiegò che nella parte posteriore della fucina si soffiava anche vetro, mentre in quella anteriore, dove stavano i fabbri, si fissavano i vetri ai piombi di riunione per farne vetrate. Ma, aggiunse, la grande opera vetraria, che abbelliva la chiesa e l'Edificio, era già stata compiuta almeno due secoli addietro. Ora ci si limitava a lavori minori, o alla riparazione dei guasti del tempo.

"E con gran fatica," aggiunse, "perché non si riesce più a trovare i colori di un tempo, specie il blu che potete ancora ammirare nel coro, di una qualità così limpida, che a sole alto riversa nella navata una luce di paradiso. I vetri della parte occidentale della navata, rifatti non molto tempo fa, non sono della stessa qualità, e lo si vede nei giorni estivi. È inutile," soggiunse, "non abbiamo più la saggezza degli antichi, è finita l'epoca dei giganti!"

"Siamo nani," ammise Guglielmo, "ma nani che stanno sulle spalle di quei giganti, e nella nostra pochezza riusciamo talora a vedere più lontano di loro sull'orizzonte."

"Dimmi cosa facciamo meglio che essi non abbiano saputo fare!" esclamò Nicola. "Se scenderai nella cripta della chiesa dove è custodito il tesoro dell'abbazia, troverai reliquiari di una tale squisita fattura che il mostriciattolo che io sto ora miseramente costruendo," e accennò alla propria opera sul tavolo, "ti parrà scimmia di quelli!"

"Non sta scritto che i maestri vetrai debbano continuare a costruire finestre e gli orafi reliquiari, se i maestri del passato han saputo produrne di tanto belli e destinati a durare nei secoli. Altrimenti, la terra si riempirebbe di reliquiari, in un'epoca in cui i santi da cui trar reliquie sono così rari," motteggiò Guglielmo. "Né si dovranno saldare all'infinito finestre. Ma ho visto in vari paesi opere nuove fatte col vetro che ci fan pensare a un mondo di domani in cui il vetro sia non solo al servizio degli uffici divini ma anche aiuto alla debolezza dell'uomo. Ti voglio mostrare un'opera dei giorni nostri, di cui mi onoro di possedere un utilissimo esemplare." Mise le mani nel saio e ne trasse le sue lenti che lasciarono stupito il nostro interlocutore.

Nicola prese la forcella che Guglielmo gli porgeva con grande interesse: "Oculi de vitro cum capsula!" esclamò. "Ne avevo udito parlare da un certo fra Giordano che conobbi a Pisa! Diceva che non erano passati vent'anni da che erano stati inventati. Ma parlai con lui più di venti anni fa."

"Credo che siano stati inventati molto prima," disse Guglielmo, "ma sono di difficile fabbricazione, e ci vogliono maestri vetrai molto esperti. Costano tempo e lavoro. Dieci anni fa un paio di questi vitrei ab oculis ad legendum sono stati venduti a Bologna per sei soldi. Io ne ebbi un paio in dono da un grande maestro, Salvino degli Armati, più di dieci anni fa, e li ho conservati gelosamente per tutto questo tempo, come fossero — quali ormai sono — parte del mio stesso corpo."

"Spero me li lascerai esaminare uno di questi giorni, non mi spiacerebbe produrne di simili," disse emozionato Nicola.

"Certo," acconsentì Guglielmo," ma bada che lo spessore del vetro deve cambiare a seconda dell'occhio a cui si deve adattare, e bisogna tentare molte di queste lenti per provarle sul paziente, sino a che non si trova lo spessore buono."

"Che meraviglia!" continuava Nicola. "Eppure molti parlerebbero di stregoneria e manipolazione diabolica..."

"Puoi certo parlare per queste cose di magìa," acconsentì Guglielmo. "Ma vi sono due forme di magìa. C'è una magìa che è opera del diavolo e che mira alla rovina dell'uomo attraverso artifici di cui non è lecito parlare. Ma c'è una magìa che è opera divina, là dove la scienza di Dio si manifesta attraverso la scienza dell'uomo, che serve a trasformare la natura, e uno dei cui fini è prolungare la vita stessa dell'uomo. E questa è magìa santa, a cui i sapienti dovranno sempre più dedicarsi, non solo per scoprire cose nuove ma per riscoprire tanti segreti di natura che la sapienza divina aveva rivelato agli ebrei, ai greci, ad altri popoli antichi e persino oggi agli infedeli (e non ti dico quante cose meravigliose di ottica e scienza della visione vi siano nei libri degli infedeli!). E di tutte queste conoscenze una scienza cristiana dovrà reimpossessarsi, e riprenderla ai pagani e agli infedeli tamquam ab iniustis possessoribus."

"Ma perché coloro che posseggono questa scienza non la comunicano a tutto il popolo di Dio?"

"Perché non tutto il popolo di Dio è pronto ad accettare tanti segreti, ed è spesso accaduto che i depositari di questa scienza siano stati scambiati per maghi legati da patto col demonio, pagando con la loro vita il desiderio che avevano avuto di rendere gli altri partecipi del loro tesoro di conoscenza. Io stesso, durante processi in cui si sospettava qualcuno di commercio col demonio, ho dovuto guardarmi dall'usare queste lenti, ricorrendo a segretari volonterosi che mi leggessero le scritture di cui abbisognavo, perché altrimenti, in un momento in cui la presenza del diavolo era così invadente, e tutti ne respiravano, per così dire, l'odore di zolfo, io stesso sarei stato visto come amico degli inquisiti. E infine, avvertiva il grande Ruggiero Bacone, non sempre i segreti della scienza debbono andare nelle mani di tutti, ché alcuni potrebbero usarne per cattivi propositi. Spesso il sapiente deve far apparire come magici libri che magici non sono, ma appunto di buona scienza, per proteggerli da occhi indiscreti."

"Tu temi dunque che i semplici possano fare cattivo uso di questi segreti?" chiese Nicola.

"Per quanto riguarda i semplici, temo solo che possano esserne terrorizzati, confondendoli con quelle opere del diavolo di cui troppo spesso parlano loro i predicatori. Vedi, mi è accaduto di conoscere medici abilissimi che avevano distillato medicamenti capaci di guarire immantinenti una malattia. Ma costoro davano il loro unguento o infuso ai semplici accompagnandolo con parole sacre e salmodiando frasi che parevano preghiere. Non perché queste preghiere avessero potere di guarire, ma perché credendo che la guarigione venisse dalle preghiere i semplici inghiottissero l'infuso o si cospargessero con l'unguento, e così guarissero, senza prestare troppa attenzione alla sua forza effettiva. E poi anche perché l'animo, bene eccitato dalla fiducia nella formula devota, si disponesse meglio all'azione corporale del medicamento. Ma spesso i tesori della scienza vanno difesi non contro i semplici bensì contro altri sapienti. Si fanno oggi macchine prodigiose, di cui un giorno ti parlerò, con cui veramente si può dirigere il corso della natura. Ma guai se esse cadessero nelle mani di uomini che le usassero per estendere il loro potere terreno e saziare la loro brama di possesso. Mi dicono che nel Cataio un saggio ha miscelato una polvere che può produrre, a contatto col fuoco, un grande rombo e una gran fiamma, distruggendo tutte le cose per braccia e braccia intorno. Mirabile artificio, se venisse usato per deviare il corso dei fiumi o frantumare la roccia là dove vi sia da dissodare il terreno. Ma se qualcuno la usasse per recar nocumento ai propri nemici?"

"Forse sarebbe bene, se fossero nemici del popolo di Dio," disse devotamente Nicola.

"Forse," ammise Guglielmo. "Ma chi è oggi il nemico del popolo di Dio? Ludovico imperatore o Giovanni papa?"

"Oh mio Signore!" disse tutto spaventato Nicola, "non vorrei proprio decidere da solo una cosa tanto dolorosa!"

"Vedi?" disse Guglielmo. "Talora è bene che certi segreti restino ancora coperti da discorsi occulti. I segreti della natura non si trasportano in pelli di capra o di pecora. Aristotele dice nel libro dei segreti che a comunicar troppi arcani della natura e dell'arte si infrange un sigillo celeste e che molti mali potrebbero seguirne. Il che non vuol dire che i segreti non debbano essere svelati, ma che compete ai sapienti decidere quando e come."

"Per cui è bene che in luoghi come questo," disse Nicola, "non tutti i libri siano alla portata di tutti."

"Questa è un'altra storia," disse Guglielmo. "Si può peccare per eccesso di loquacità e per eccesso di reticenza. Io non volevo dire che occorre nascondere le fonti della scienza. Questo mi pare anzi un gran male. Volevo dire che, trattando di arcani da cui può nascere sia il bene che il male, il sapiente ha diritto e dovere di usare un linguaggio oscuro, comprensibile solo ai suoi simili. La via della scienza è difficile ed è difficile distinguervi il bene dal male. E spesso i sapienti dei tempi nuovi sono solo nani sulle spalle di nani."

L'amabile conversazione col mio maestro doveva aver posto Nicola in vena di confidenze. Pertanto ammiccò a Guglielmo (come a dire: io e te ci intendiamo perché parliamo delle stesse cose) e alluse: "Però laggiù," e accennò all'Edificio, "i segreti della scienza sono ben difesi da opere di magìa..."

"Sì?" disse Guglielmo ostentando indifferenza. "Porte sbarrate, divieti severi, minacce, immagino."

"Oh no, di più..."

"Cosa per esempio?"

"Ecco, io non so con esattezza, io mi occupo di vetri e non di libri, ma nell'abbazia circolano storie... strane..."

"Di che genere?"

"Strane. Diciamo, di un monaco che nottetempo ha voluto avventurarsi in biblioteca, per cercare qualcosa che Malachia non aveva voluto dargli, e ha visto serpenti, uomini senza testa, e uomini con due teste. Per poco non usciva pazzo dal labirinto..."

"Perché parli di magìa e non di apparizioni diaboliche?"

"Perché anche se sono un povero maestro vetraio non sono così sprovveduto. Il diavolo (Dio ci salvi!) non tenta un monaco con serpenti e uomini bicefali. Se mai con visioni lascive, come coi padri del deserto. E poi, se è male mettere mano su certi libri, perché il diavolo dovrebbe distogliere un monaco dal commettere il male?"

"Mi sembra un buon entimema," ammise il mio maestro.

"E infine, quando aggiustavo le vetrate nell'ospedale, mi sono divertito a sfogliare alcuni dei libri di Severino. C'era un libro di segreti scritto credo da Alberto Magno; fui attratto da alcune miniature curiose, e lessi delle pagine sul modo in cui puoi ungere lo stoppino di una lampada a olio, e i suffumigi che ne provengono procurano visioni. Avrai notato, o meglio non avrai ancora notato perché non hai ancora passato una notte all'abbazia, che durante le ore buie il piano superiore dell'Edificio è illuminato. Dalle vetrate, in certi punti, traspare una luce fievole. Molti si son chiesti cosa sia, e si è parlato di fuochi fatui, o delle anime dei bibliotecari monaci trapassati che tornano a visitare il loro regno. Molti qui ci credono. Io penso che siano lampade preparate per le visioni. Sai, se prendi il grasso dell'orecchio di un cane e ne ungi uno stoppino, chi respira il fumo di quella lampada crederà di avere una testa di cane, e se avrà qualcuno accanto lo vedrà con testa di cane. E c'è un altro unguento che fa sì che coloro che girano intorno alla lampada si sentano grandi come elefanti. E con gli occhi di un pipistrello e di due pesci di cui non ricordo il nome, e il fiele di un lupo, fai uno stoppino che bruciando ti farà vedere gli animali di cui hai preso il grasso. E con la coda di lucertola fai vedere tutte le cose intorno come d'argento, e con il grasso di un serpente nero e un frammento di lenzuolo funebre, la stanza apparirà piena di serpenti. Io lo so. Qualcuno nella biblioteca è molto astuto…''

''Ma non potrebbero essere le anime dei bibliotecari trapassati che fanno queste magìe?''

Nicola ristette perplesso e inquieto: ''A questo non avevo pensato. Può darsi. Dio ci protegga. È tardi, vespro è già iniziato. Addio.'' E si diresse verso la chiesa.

Proseguimmo lungo il lato sud: a destra l'albergo dei pellegrini e la sala capitolare col giardino, a sinistra i frantoi, il mulino, i granai, le cantine, la casa dei novizi. E tutti che si affrettavano verso la chiesa.

''Cosa pensate di quello che ha detto Nicola?'' chiesi.

''Non so. Nella biblioteca accade qualcosa, e non credo siano le anime dei bibliotecari trapassati…''

''Perché?''

''Perché immagino siano stati così virtuosi che oggi se ne stanno nel regno dei cieli a contemplare il volto della divinità, se questa risposta ti può soddisfare. Quanto alle lampade, se ci sono le vedremo. E quanto agli unguenti di cui ci parlava il nostro vetraio, ci sono modi più facili per procurare visioni, e Severino li conosce molto bene, te ne sei accorto oggi. È certo che nell'abbazia non si vuole che si penetri la notte in biblioteca e che molti invece hanno tentato o tentano di farlo.''

''E il nostro delitto ha a che fare con questa storia?''

''Delitto? Più ci penso e più mi convinco che Adelmo si è ucciso.''

"E perché?"

"Ti ricordi stamane quando ho notato il deposito dello strame? Mentre salivamo il tornante dominato dal torrione orientale avevo notato in quel punto i segni lasciati da una frana: ovvero, una parte di terreno, più o meno là dove si ammassa lo strame, era franata rotolando sin sotto il torrione. Ed ecco perché questa sera, quando abbiamo guardato dall'alto, lo strame ci è apparso poco coperto di neve, ovvero appena coperto dall'ultima di ieri, non da quella dei giorni scorsi. Quanto al cadavere di Adelmo, l'Abate ci ha detto che era lacerato dalle rocce, e sotto il torrione orientale, appena la costruzione finisce a strapiombo, crescono pini. Le rocce sono invece proprio nel punto in cui la parete del muro finisce, formando come una sorta di gradino, e dopo inizia la calata dello strame."

"E allora?"

"E allora pensa se non sia più... come dire?... meno dispendioso per la nostra mente pensare che Adelmo, per ragioni ancora da appurare, si sia gettato sponte sua dal parapetto del muro, sia rimbalzato sulle rocce e, morto o ferito che fosse, sia precipitato nello strame. Poi la frana, dovuta all'uragano di quella sera, ha fatto scivolare e lo strame e parte del terreno e il corpo del poveretto sotto il torrione orientale."

"Perché dite che è una soluzione meno dispendiosa per la nostra mente?"

"Caro Adso, non occorre moltiplicare le spiegazioni e le cause senza che se ne abbia una stretta necessità. Se Adelmo è caduto dal torrione orientale bisogna che sia penetrato in biblioteca, che qualcuno lo abbia colpito prima perché non opponesse resistenza, che abbia trovato il modo di salire con un corpo esanime sulle spalle sino alla finestra, che l'abbia aperta e abbia precipitato giù lo sciagurato. Con la mia ipotesi ci bastano invece Adelmo, la sua volontà, e una frana. Tutto si spiega utilizzando un minor numero di cause."

"Ma perché si sarebbe ucciso?"

"Ma perché lo avrebbero ucciso? In ogni caso occorre trovare delle ragioni. E che ce ne siano mi sembra indubbio. Nell'Edificio si respira aria di reticenza, tutti ci tacciono qualcosa. Per intanto abbiamo già raccolto alcune insinuazioni, assai vaghe in verità, su qualche strano rapporto che intercorreva tra Adelmo e Berengario. Vuol dire che terremo d'occhio l'aiuto bibliotecario."

Mentre così si parlava, l'ufficio dei vespri era terminato. I servi tornavano alle loro mansioni prima di ritirarsi per la cena, i monaci si avviavano al refettorio. Il cielo era ormai buio e stava iniziando a nevicare. Una neve leggera, a piccoli fiocchi soffici, che avrebbe continuato, credo, per gran parte della notte, perché il mattino seguente tutto il pianoro sarebbe stato coperto da una coltre candida, come dirò.

Io avevo fame e accolsi con sollievo l'idea di andare a mensa.

Primo giorno
COMPIETA

Dove Guglielmo e Adso godono della lieta ospitalità dell'Abate e della corrucciata conversazione di Jorge.

Il refettorio era illuminato da grandi torce. I monaci sedevano lungo una fila di tavole, dominata dal tavolo dell'Abate, posto perpendicolarmente a essi su una vasta pedana. Dalla parte opposta un pulpito, su cui aveva già preso posto il monaco che avrebbe fatto la lettura durante la cena. L'Abate ci attendeva presso una fontanella con un panno bianco per asciugarci le mani dopo il lavabo, giusta i consigli antichissimi di san Pacomio.

L'Abate invitò Guglielmo alla sua tavola e disse che per quella sera, dato che ero anch'io ospite fresco, avrei goduto dello stesso privilegio, anche se ero un novizio benedettino. I giorni seguenti, mi disse paternamente, avrei potuto sedermi a tavola coi monaci, o se il mio maestro mi avesse affidato qualche incarico, passare prima o dopo i pasti in cucina, dove i cuochi si sarebbero presi cura di me.

I monaci stavano ora in piedi ai tavoli, immobili col cappuccio abbassato sul viso e le mani sotto lo scapolare. L'Abate si appressò alla sua tavola e pronunciò il *Benedicite*. Il cantore dal pulpito intonò *Edent pauperes*. L'Abate diede la sua benedizione e ciascuno si sedette.

La regola del nostro fondatore prevede un desinare assai parco, ma lascia all'Abate decidere di quanto cibo abbiano effettivamente bisogno i monaci. D'altra parte ormai nelle nostre abbazie si indulge maggiormente ai piaceri della tavola. Non parlo di quelle che, purtroppo, si sono trasformate in covi di ghiottoni; ma anche quelle ispirate a criteri di penitenza e di virtù forniscono ai monaci, intenti quasi sempre a gravosi lavori dell'intelletto, un nutrimento non molle ma robusto. D'altro canto la mensa dell'Abate è sempre privilegiata, anche perché non di rado vi seggono degli

101

ospiti di riguardo, e le abbazie sono orgogliose dei prodotti della loro terra e delle loro stalle, e della perizia dei loro cucinieri.

Il pasto dei monaci si svolse in silenzio, come di costume, gli uni comunicando agli altri con il nostro consueto alfabeto delle dita. I novizi e i monaci più giovani venivano serviti per primi, subito dopo che i piatti destinati a tutti erano passati dalla mensa dell'Abate.

Alla tavola dell'Abate sedevano con noi Malachia, il cellario e i due monaci più anziani, Jorge da Burgos, il vegliardo cieco che avevo già conosciuto nello scriptorium e il vecchissimo Alinardo da Grottaferrata: quasi centenario, claudicante e d'aspetto fragile, e — mi parve — assente di spirito. Ci disse di lui l'Abate che, novizio già in quella abbazia, sempre vi aveva vissuto e ne ricordava almeno ottant'anni di vicende. L'Abate ci disse queste cose sottovoce all'inizio, perché in seguito ci si attenne all'uso del nostro ordine e si seguì in silenzio la lettura. Ma, come dissi, alla tavola dell'Abate ci si prendevano alcune licenze, e ci avvenne di lodare i piatti che ci furono offerti, mentre l'Abate celebrava le qualità del suo olio, o del suo vino. Anzi una volta, mescendoci da bere, ci ricordò quei brani della regola in cui il santo fondatore aveva osservato che certo il vino non conviene ai monaci, ma poiché non si possono persuadere i monaci dei tempi nostri a non bere, che almeno non bevano sino alla sazietà, perché il vino spinge all'apostasia anche i saggi, come ricorda l'Ecclesiastico. Benedetto diceva "ai tempi nostri" e si riferiva ai suoi, ormai lontanissimi: figuriamoci ai tempi in cui cenavamo all'abbazia, dopo tanto decadimento di costumi (e non parlo dei tempi miei, in cui ora scrivo, se non che qui a Melk si indulge maggiormente alla birra!): insomma, si bevette senza esagerare ma non senza gusto.

Mangiammo carni allo spiedo, dei maiali appena uccisi, e mi avvidi che per altri cibi non si usava grasso di animali né olio di ravizzone, ma del buon olio d'oliva, che veniva da terreni che l'abbazia possedeva a piedi del monte verso il mare. L'Abate ci fece gustare (riservato alla sua mensa) quel pollo che avevo visto preparare in cucina. Notai che, cosa assai rara, egli disponeva anche di una forchetta di metallo, che nella forma mi ricordava le lenti del mio maestro: uomo di nobile estrazione il nostro ospite non voleva lordarsi le mani col cibo, e ci offrì anzi il suo strumento almeno per prendere le carni dal piatto grande e porle nelle nostre ciotole. Io rifiutai, ma vidi che Guglielmo accettò di buon grado e si servì con disinvoltura di quell'arnese da signori, forse per non provare all'Abate che i francescani erano persone di scarsa educazione e di estrazione umilissima.

Entusiasta com'ero per tutti quei buoni cibi (dopo alcuni giorni di viaggio in cui ci eravamo nutriti come potevamo), mi ero distratto dal corso della lettura che intanto devotamente proseguiva. Vi fui richiamato da un vigoroso grugnito d'assenso di Jorge, e mi avvidi che si era al punto in cui veniva sempre letto un capitolo della Regola. Mi resi conto del perché Jorge fosse tanto soddisfatto, dopo averlo ascoltato nel pomeriggio. Diceva infatti il lettore: "Imitiamo l'esempio del profeta che dice: ho deciso, veglierò sul mio cammino per non peccare con la mia lingua, ho posto un bavaglio alla mia bocca, sono ammutolito umiliandomi, mi sono astenuto dal parlare anche di cose oneste. E se in questo passo il profeta ci insegna che talvolta per amore del silenzio ci si dovrebbe astenere persino dai discorsi leciti, quanto di più dobbiamo astenerci dai discorsi illeciti per evitare la pena di questo peccato!" E poi proseguiva: "Ma le volgarità, le scempiaggini e le buffonerie noi le condanniamo alla reclusione perpetua, in ogni luogo, e non permettiamo che il discepolo apra la bocca per fare discorsi di tal fatta."

"E questo valga per i marginalia di cui si diceva oggi," non si trattenne dal commentare Jorge a bassa voce. "Giovanni Boccadoro ha detto che Cristo non ha mai riso."

"Nulla nella sua natura umana lo vietava," osservò Guglielmo, "perché il riso, come insegnano i teologi, è proprio dell'uomo."

"Forte potuit sed non legitur eo usus fuisse," disse recisamente Jorge, citando Pietro Cantore.

"Manduca, jam coctum est," sussurrò Guglielmo.

"Cosa?" chiese Jorge, che credeva che egli alludesse a qualche cibo che gli veniva porto.

"Sono le parole che secondo Ambrogio furono pronunziate da san Lorenzo sulla graticola, quando invitò i carnefici a girarlo dall'altra parte, come ricorda anche Prudenzio nel *Peristephanon*," disse Guglielmo con l'aria di un santo. "San Lorenzo sapeva dunque ridere e dir cose ridicole, sia pure per umiliare i propri nemici."

"Il che dimostra che il riso è cosa assai vicina alla morte e alla corruzione del corpo," ribatté in un ringhio Jorge, e devo ammettere che si comportò da buon loico.

A quel punto l'Abate ci invitò bonariamente al silenzio. La cena peraltro stava terminando. L'Abate si alzò e presentò Guglielmo ai monaci. Ne lodò la saggezza, ne palesò la fama, e avvertì che era stato pregato di investigare sulla morte di Adelmo, invitando i monaci a rispondere alle sue domande e ad avvertire i loro sottoposti, per tutta l'abbazia, a fare altrettanto. E a facilitargli le ricerche, purché, aggiunse, le sue richieste non contravvenissero alle regole del monastero. Nel qual caso si sarebbe dovuto ricorrere alla sua autorizzazione.

Finita la cena i monaci si disposero ad avviarsi al coro per l'ufficio di compieta. Si calarono di nuovo il cappuccio sul viso e si allinearono davanti alla porta, in stazione. Poi si mossero in lunga fila, attraversando il cimitero ed entrando nel coro dal portale settentrionale.

Ci avviammo con l'Abate. ''A quest'ora si chiudono le porte dell'Edificio?'' domandò Guglielmo.

''Appena i servi avranno pulito il refettorio e le cucine, il bibliotecario stesso chiuderà tutte le porte, sprangandole dall'interno.''

''Dall'interno? E lui da dove esce?''

L'Abate fissò Guglielmo per un attimo, serio in volto: ''Certo non dorme in cucina,'' disse bruscamente. E affrettò il passo.

''Bene bene,'' mi sussurrò Guglielmo, ''dunque esiste un'altra entrata, ma noi non la dobbiamo conoscere.'' Io sorrisi tutto fiero della sua deduzione, ed egli mi rimbrottò: ''E non ridere. Hai visto che entro queste mura il riso non gode di buona reputazione.''

Entrammo nel coro. Una sola lampada ardeva, su un robusto tripode di bronzo, alto come due uomini. I monaci si posero negli stalli in silenzio, mentre il lettore leggeva un passaggio di una omelia di san Gregorio.

Poi l'Abate fece un segno e il cantore intonò *Tu autem Domine miserere nobis*. L'Abate rispose *Adjutorium nostrum in nomine Domini* e tutti fecero coro con *Qui fecit coelum et terram*. Quindi iniziò il canto dei salmi: *Quando invoco rispondimi o Dio della mia giustizia*; *Ti ringrazierò Signore con tutto il mio cuore*; *Su benedite il Signore, servi tutti del Signore*. Noi non ci eravamo posti negli stalli, e ci eravamo ritratti nella navata principale. Fu di lì che scorgemmo improvvisamente Malachia emergere dal buio di una cappella laterale.

''Tieni d'occhio quel punto,'' mi disse Guglielmo. ''Potrebbe esserci un passaggio che porta all'Edificio.''

''Sotto il cimitero?''

"E perché no? Anzi, ripensandoci, ci dovrà essere da qualche parte un ossario, è impossibile che da secoli seppelliscano tutti i monaci in quel lembo di terra."

"Ma volete veramente entrare di notte in biblioteca?" domandai atterrito.

"Dove ci sono i monaci defunti e i serpenti e le luci misteriose, mio buon Adso? No, ragazzo. Ci pensavo oggi, e non per curiosità ma perché mi ponevo il problema di come fosse morto Adelmo. Ora, come ti ho detto, propendo per una spiegazione più logica, e tutto sommato vorrei rispettare le usanze di questo luogo."

"Allora perché volete sapere?"

"Perché la scienza non consiste solo nel sapere quello che si deve o si può fare, ma anche nel sapere quello che si potrebbe fare e che magari non si deve fare. Ecco perché oggi dicevo al maestro vetraio che il sapiente deve in qualche modo celare i segreti che scopre, perché altri non ne facciano cattivo uso, ma bisogna scoprirli, e questa biblioteca mi pare piuttosto un luogo dove i segreti rimangono coperti."

Con queste parole si avviò fuori della chiesa, perché l'ufficio era terminato. Eravamo entrambi molto stanchi e andammo nella nostra cella. Io mi rannicchiai in quello che Guglielmo chiamò scherzosamente il mio "loculo" e mi addormentai subito.

SECONDO GIORNO

Secondo giorno
MATTUTINO

*Dove poche ore di mistica felicità sono interrotte
da un sanguinosissimo evento.*

Simbolo talora del demonio, talora del Cristo risorto, nessun animale è più infido del gallo. L'ordine nostro ne conobbe di infingardi, che non cantavano al levar del sole. E d'altra parte, specie nelle giornate invernali, l'ufficio di mattutino ha luogo quando ancora la notte è piena e la natura tutta addormentata, perché il monaco deve alzarsi nell'oscurità e a lungo nell'oscurità pregare attendendo il giorno e illuminando le tenebre con la fiamma della devozione. Perciò saggiamente la consuetudine predispose dei veglianti che non si coricassero con i confratelli, ma trascorressero la notte recitando ritmicamente quel numero esatto di salmi che desse loro la misura del tempo trascorso, così che, allo scadere delle ore votate al sonno degli altri, agli altri dessero il segno della veglia.

Pertanto quella notte fummo svegliati da coloro che percorrevano il dormitorio e la casa dei pellegrini suonando una campanella, mentre uno andava di cella in cella gridando il *Benedicamus Domino* a cui ciascuno rispondeva *Deo gratias*.

Guglielmo e io ci attenemmo all'uso benedettino: in meno di mezz'ora ci apprestammo ad affrontare la nuova giornata, quindi scendemmo in coro dove i monaci attendevano prostrati a terra, recitando i primi quindici salmi, sino a che non entrarono i novizi condotti dal loro maestro. Quindi ciascuno si assise nel proprio stallo e il coro intonò *Domine labia mea aperies et os meum annuntiabit laudem tuam*. Il grido salì verso le volte della chiesa come la supplica di un fanciullo. Due monaci salirono al pulpito e diedero voce al salmo novantaquattro, *Venite exultemus*, a cui seguirono gli altri prescritti. E io provai l'ardore di una fede rinnovata.

I monaci erano negli stalli, sessanta figure rese uguali dal saio e dal cappuccio, sessanta ombre a mala pena illuminate

dal fuoco del gran tripode, sessanta voci intese alle lodi del-
l'Altissimo. E udendo questo commovente concento, vestibolo alle delizie del paradiso, mi chiesi se davvero l'abbazia
fosse luogo di misteri celati, di illeciti tentativi di svelarli, e
di cupe minacce. Perché essa invece ora mi appariva come
ricettacolo di santi, cenacolo di virtù, reliquiario di sapienza,
arca di prudenza, torre di saggezza, recinto di mansuetudine, bastione di fortezza, turibolo di santità.

Dopo sei salmi iniziò la lettura della sacra scrittura. Alcuni monaci ciondolavano per il sonno e uno dei veglianti della notte si aggirava tra gli stalli con una piccola lampada per
ridestare chi si fosse addormentato. Se qualcuno veniva sorpreso in preda a sopore, per penitenza prendeva la lampada
e continuava il giro di controllo. Quindi riprese il canto di
altri sei salmi. Poi l'Abate diede la sua benedizione, l'ebdo-
madario disse le preghiere, tutti si inchinarono verso l'altare
in un minuto di raccoglimento, di cui nessuno, che non abbia vissuto queste ore di mistico ardore e di intensissima pace interiore, può comprendere la dolcezza. Infine, il cappuccio di nuovo sul viso, tutti si sedettero e intonarono solennemente il *Te Deum*. Anch'io lodai il Signore perché mi aveva
liberato dai miei dubbi affrancandomi dal senso di disagio
in cui la prima giornata all'abbazia mi aveva gettato. Siamo
esseri fragili, mi dissi, anche tra questi monaci dotti e devoti
il maligno fa circolare piccole invidie, sottili inimicizie, ma
si tratta di fumo che si dirada al vento impetuoso della fede,
appena tutti si riuniscono nel nome del Padre e Cristo scende ancora tra loro.

Tra mattutino e laudi il monaco non torna in cella, anche
se la notte è ancora fonda. I novizi seguirono il loro maestro
nella sala capitolare a studiare i salmi, alcuni dei monaci re-
starono in chiesa ad accudire agli arredi sacri, i più passeg-
giarono meditando in silenzio nel chiostro, e così facemmo
Guglielmo e io. I servi dormivano ancora e continuavano a
dormire quando, il cielo ancora scuro, ritornammo nel coro
per le laudi.

Ricominciò il canto dei salmi, e uno in particolare, di
quelli previsti per il lunedì, mi ripiombò nei miei primitivi
timori: "La colpa si è impadronita dell'empio, dell'intimo
del suo cuore — non v'è timore di Dio negli occhi suoi —
agisce con frode al suo cospetto — in modo che la sua lingua diventi odiosa." Mi parve di cattivo presagio che la re-

gola avesse prescritto proprio per quel giorno un ammonimento così terribile. Né calmò i miei palpiti di inquietudine, dopo i salmi di lode, la consueta lettura dell'Apocalisse, e mi tornarono alla mente le figure del portale che mi avevano tanto soggiogato il cuore e lo sguardo il giorno prima. Ma dopo il responsorio, l'inno e il versetto, quando stava iniziando il cantico del vangelo, scorsi dietro alle finestre del coro, proprio sopra all'altare, un chiarore pallido che già faceva rilucere le vetrate dei loro diversi colori, sino ad allora mortificati dalla tenebra. Non era ancora l'aurora, che avrebbe trionfato durante prima, proprio mentre avremmo cantato *Deus qui est sanctorum splendor mirabilis* e *Iam lucis orto sidere*. Era appena il primo flebile annuncio dell'alba invernale, ma fu abbastanza, e fu abbastanza a rinfrancarmi il cuore la lieve penombra che nella navata ora stava sostituendo il buio notturno.

Cantavamo le parole del libro divino e, mentre testimoniavamo del Verbo venuto a illuminare le genti, mi parve che l'astro diurno in tutto il suo fulgore stesse invadendo il tempio. La luce, ancora assente, mi parve rilucere nelle parole del cantico, giglio mistico che si schiudeva odoroso tra le crociere delle volte. "Grazie o Signore per questo momento di gaudio inenarrabile," pregai silenziosamente, e dissi al mio cuore "e tu stolto di che temi?"

All'improvviso alcuni clamori si levavano dalla parte del portale settentrionale. Mi domandai come mai i servi, preparandosi al lavoro, disturbassero così le sacre funzioni. In quel punto entrarono tre porcai, col terrore sul viso, e si appressarono all'Abate sussurrandogli qualcosa. L'Abate dapprima li calmò con un gesto, come se non volesse interrompere l'ufficio: ma altri servi entrarono, le grida si fecero più forti: "È un uomo, un uomo morto!" diceva qualcuno, e altri: "Un monaco, non hai visto i calzari?"

Gli oranti tacquero, l'Abate uscì precipitosamente, facendo cenno al cellario che lo seguisse. Guglielmo andò dietro a loro, ma ormai anche gli altri monaci abbandonavano i loro stalli e si precipitavano fuori.

Il cielo era ora chiaro, e la neve per terra rendeva ancora più luminoso il pianoro. Sul retro del coro, davanti agli stabbi, dove dal giorno innanzi troneggiava il grande recipiente col sangue dei maiali, uno strano oggetto di forma quasi cruciforme spuntava dal bordo dell'orcio, come fossero due pali infitti al suolo, da ricoprire di stracci per spaventare gli uccelli.

Erano invece due gambe umane, le gambe di un uomo ficcato a testa in giù nel vaso di sangue.

L'Abate ordinò che si traesse dal liquido infame il cadavere (perché purtroppo nessuna persona viva avrebbe potuto restare in quella oscena posizione). I porcai esitanti si appressarono al bordo e bruttandosi di sangue ne trassero la povera cosa sanguinolenta. Come mi era stato detto, rimestato a dovere subito dopo esser stato versato, e lasciato al freddo, il sangue non si era raggrumato, ma lo strato che ricopriva il cadavere tendeva ora a solidificarsi, ne inzuppava le vesti, ne rendeva il volto irriconoscibile. Si appressò un servo con un secchio di acqua e ne gettò sul volto a quella misera spoglia. Qualcun altro si chinò con un panno a pulirne i lineamenti. E apparve ai nostri occhi il volto bianco di Venanzio da Salvemec, il sapiente di cose greche con cui avevamo discorso nel pomeriggio davanti ai codici di Adelmo.

"Forse Adelmo si è suicidato," disse Guglielmo fissando quel volto, "ma non certo costui, né si può pensare che si sia issato per accidente sino al bordo dell'orcio e sia caduto per errore."

L'Abate gli si appressò: "Frate Guglielmo, come vedete qualcosa accade all'abbazia, qualcosa che richiede tutta la vostra saggezza. Ma vi scongiuro, agite presto!"

"Era presente in coro durante l'ufficio?" domandò Guglielmo additando il cadavere.

"No," disse l'Abate. "Avevo notato che il suo stallo era vuoto."

"Nessun altro era assente?"

"Non mi pare. Non ho notato nulla."

Guglielmo esitò prima di formulare la nuova domanda, e la fece in un sussurro, attento che gli altri non udissero: "Berengario era al suo posto?"

L'Abate lo guardò con inquieta ammirazione, quasi a significare che egli fosse colpito al vedere il mio maestro nutrire un sospetto che egli stesso aveva per un istante nutrito, ma per più comprensibili ragioni. Poi disse rapido: "C'era, sta in prima fila, quasi alla mia destra."

"Naturalmente," disse Guglielmo, "tutto questo non significa nulla. Non credo che nessuno per entrare in coro sia passato dietro all'abside, e quindi il cadavere poteva già essere qui da varie ore, almeno da dopo che si era andati tutti a dormire."

"Certo, i primi servi si alzano con l'alba e per questo l'hanno scoperto solo ora."

Guglielmo si chinò sul cadavere, come se fosse uso a trattare corpi morti. Intinse il panno che giaceva accanto nell'acqua del secchio e deterse meglio il viso di Venanzio. Frattanto gli altri monaci si affollavano spaventati, formando un cerchio vociante a cui l'Abate stava imponendo il silenzio. Tra di loro si fece strada Severino, a cui era affidata la cura dei corpi dell'abbazia, e si chinò presso il mio maestro. Io, per udire il loro dialogo, e per aiutare Guglielmo che aveva bisogno di aver un nuovo panno pulito intriso nell'acqua, mi unii a loro, superando il mio terrore e il mio disgusto.

"Hai mai visto un annegato?" chiese Guglielmo.

"Molte volte," disse Severino. "E se indovino quello che vuoi intendere, non hanno questo volto, i loro lineamenti sono gonfi."

"Allora l'uomo era già morto quando qualcuno lo ha buttato nella giara."

"Perché avrebbe dovuto far questo?"

"Perché avrebbe dovuto ucciderlo? Siamo di fronte all'opera di una mente distorta. Ma ora occorre vedere se ci siano ferite o contusioni sul corpo. Propongo di portarlo nei balnea, di spogliarlo, lavarlo ed esaminarlo. Ti raggiungerò presto."

E mentre Severino, ricevuta licenza dall'Abate, faceva trasportare il corpo dai porcai, il mio maestro chiese che i monaci fossero fatti rientrare in coro seguendo la strada da cui erano venuti, e che i servi si ritirassero nello stesso modo, in modo che lo spiazzo rimanesse deserto. L'Abate non gli chiese il perché di questo suo desiderio e lo accontentò. Rimanemmo così soli, accanto all'orcio dal quale il sangue aveva debordato durante la macabra operazione di ricupero, la neve intorno tutta rossa, sciolta in più punti dall'acqua che era stata sparsa, e una gran chiazza scura dove il cadavere era stato disteso.

"Un bel pasticcio," disse Guglielmo accennando al gioco complesso di orme lasciato tutto intorno dai monaci e dai servi. "La neve, caro Adso, è una ammirevole pergamena sulla quale i corpi degli uomini lasciano scritture leggibilissime. Ma questo è un palinsesto mal raschiato e forse non ci leggeremo nulla di interessante. Da qui alla chiesa, è stato un gran accorrere di monaci, da qui allo stabbio e alle stalle sono venuti i servi a frotte. L'unico spazio intatto è quello che va dagli stabbi all'Edificio. Vediamo se troviamo qualcosa di interessante."

"Ma cosa vorreste trovare?" chiesi.

"Se non si è buttato da solo nel recipiente, qualcuno ve lo ha portato, immagino già morto. E chi trasporta il corpo di un altro lascia tracce profonde nella neve. E allora cerca se trovi qui intorno delle tracce che ti paiano diverse da quelle lasciate da questi monaci vociferatori che ci hanno rovinato la nostra pergamena."

Così facemmo. E dico subito che fui io, Dio mi salvi dalla vanità, che scoprii qualcosa tra il recipiente e l'Edificio. Erano impronte di piedi umani, abbastanza fonde, in una zona in cui nessuno era ancora passato e, come notò subito il mio maestro, più lievi di quelle lasciate dai monaci e dai servi, segno che altra neve vi era caduta, e quindi erano state lasciate tempo addietro. Ma ciò che più ci parve degno di interesse, era che tra quelle impronte si frammischiava una traccia più continua, come di qualcosa trascinato da chi aveva lasciato le impronte. In breve, una scia che andava dalla giara alla porta del refettorio, sul lato dell'Edificio che stava tra la torre meridionale e quella orientale.

"Refettorio, scriptorium, biblioteca," disse Guglielmo. "Ancora una volta la biblioteca. Venanzio è morto nell'Edificio, e più probabilmente nella biblioteca."

"E perché proprio nella biblioteca?"

"Cerco di mettermi nei panni dell'assassino. Se Venanzio fosse morto, ucciso, nel refettorio, nella cucina o nello scriptorium, perché non lasciarlo là? Ma se è morto nella biblioteca occorreva trasportarlo altrove, sia perché nella biblioteca non sarebbe mai stato scoperto (e forse all'assassino interessava proprio che fosse scoperto), sia perché l'assassino probabilmente non vuole che l'attenzione si concentri sulla biblioteca."

"E perché all'assassino poteva interessare che fosse scoperto?"

"Non so, faccio delle ipotesi. Chi ti dice che l'assassino abbia ucciso Venanzio perché odiava Venanzio? Potrebbe averlo ucciso, in luogo di chiunque altro, per lasciare un segno, per significare qualcosa d'altro."

"Omnis mundi creatura, quasi liber et scriptura..." mormorai. "Ma di che segno si tratterebbe?"

"Questo è ciò che non so. Ma non dimentichiamo che ci sono anche segni che sembrano tali e invece sono privi di senso, come blitiri o bu-ba-baff..."

"Sarebbe atroce," dissi, "uccidere un uomo per dire bu-ba-baff!"

"Sarebbe atroce," commentò Guglielmo, "uccidere un uomo anche per dire *Credo in unum Deum...*"

In quel momento fummo raggiunti da Severino. Il cadavere era stato lavato ed esaminato con cura. Nessuna ferita, nessuna contusione sul capo. Morto come per incanto.

"Come per castigo divino?" chiese Guglielmo.

"Forse," disse Severino.

"O per veleno?"

Severino esitò. "Forse, anche."

"Hai veleni nel laboratorio?" chiese Guglielmo mentre ci avviavamo verso l'ospedale.

"Anche. Ma dipende da cosa intendi per veleno. Ci sono sostanze che in piccole dosi sono salutari e in dosi eccessive procurano la morte. Come ogni buon erborista ne conservo, e le uso con discrezione. Nel mio orto coltivo, per esempio, la valeriana. Poche gocce in un infuso di altre erbe calmano il cuore che batte disordinatamente. Una dose esagerata provoca torpore e morte."

"E non hai notato sul cadavere i segni di un veleno particolare?"

"Nessuno. Ma molti veleni non lasciano tracce."

Eravamo giunti all'ospedale. Il corpo di Venanzio, lavato nei balnea, era stato quivi trasportato e giaceva sul gran tavolo nel laboratorio di Severino: alambicchi e altri strumenti di vetro e coccio mi fecero pensare (ma ne sapevo solo per racconti indiretti) alla bottega di un alchimista. Su una lunga scaffalatura lungo il muro esterno, si stendeva una vasta serie di ampolle, brocche, vasi, pieni di sostanze di diversi colori.

"Una bella collezione di semplici," disse Guglielmo. "Tutti prodotti del vostro giardino?"

"No," disse Severino, "molte sostanze, rare e che non crescono in queste zone, mi sono state portate lungo gli anni da monaci provenienti da ogni parte del mondo. Ho anche cose preziose e introvabili, frammiste a sostanze che è facile ottenere dalla vegetazione di questi luoghi. Vedi... aghalingho pesto, proviene dal Cataio, e lo ebbi da un sapiente arabo. Aloe socoltrino, viene dalle Indie, ottimo cicatrizzante. Ariento vivo, risuscita i morti, o per meglio dire, risveglia coloro che han perso i sensi. Arsenacho: pericolosissimo, veleno mortale per chi lo ingerisce. Boracie, pianta buona per i polmoni malati. Bettonica, buona per le fratture del capo.

Masticie: raffrena i flussi polmonari e i catarri molesti. Mirra..."

"Quella dei magi?" chiesi.

"Quella dei magi, ma qui buona per prevenire gli aborti, colta da un albero che si chiama Balsamodendron myrra. E questa è mumia, rarissima, prodotta dalla decomposizione dei cadaveri mummificati, serve a preparare molti medicamenti quasi miracolosi. Mandragola officinalis, buona per il sonno..."

"E per suscitare il desiderio della carne," commentò il mio maestro.

"Dicono, ma qui non la si usa in tal senso, come potete immaginare," sorrise Severino. "E guardate questa," disse prendendo una ampolla, "tuzia, miracolosa per gli occhi."

"E cos'è questa?" domandò vivacemente Guglielmo toccando una pietra che giaceva su uno scaffale.

"Questa? Mi è stata donata tempo fa. Credo che sia lopris amatiti o lapis ematitis. Pare abbia varie virtù terapeutiche, ma non ho ancora scoperto quali. La conosci?"

"Sì," disse Guglielmo, "ma non come medicina." Trasse dal saio un coltellino e lo appressò lentamente alla pietra. Come il coltellino, mosso dalla sua mano con estrema delicatezza, giunse a poca distanza dalla pietra, vidi che la lama compiva un movimento brusco, come se Guglielmo avesse mosso il polso, che invece aveva fermissimo. E la lama aderì alla pietra con un lieve rumore di metallo.

"Vedi," mi disse Guglielmo, "è un magnete."

"E a che serve?" chiesi.

"A varie cose, di cui ti dirò. Ma per ora vorrei sapere, Severino, se non vi è nulla qui che potrebbe uccidere un uomo."

Severino rifletté un istante, troppo direi, data la limpidità della sua risposta: "Molte cose. Ti ho detto, il limite tra il veleno e la medicina è assai lieve, i greci chiamavano entrambi *pharmacon*."

"E non vi è nulla che vi sia stato sottratto di recente?"

Severino rifletté ancora, poi, quasi soppesando le parole: "Nulla, di recente."

"E in passato?"

"Chissà. Non ricordo. Sono in questa abbazia da trent'anni e sto all'ospedale da venticinque."

"Troppo per una memoria umana," ammise Guglielmo. Poi, di colpo: "Parlavamo ieri di piante che possono dare visioni. Quali sono?"

Severino manifestò con gli atti e con l'espressione del viso il vivo desiderio di evitare quell'argomento: "Dovrei pensarci, sai, ho tante sostanze miracolose qui. Ma parliamo piuttosto di Venanzio. Cosa ne dici?"

"Dovrei pensarci," rispose Guglielmo.

Secondo giorno

PRIMA

Dove Bencio da Upsala confida alcune cose, altre ne confida Berengario da Arundel e Adso apprende cosa sia la vera penitenza.

Lo sciagurato incidente aveva sconvolto la vita della comunità. Il trambusto dovuto al ritrovamento del cadavere aveva interrotto l'ufficio sacro. L'Abate aveva subito risospinto i monaci nel coro, a pregare per l'anima del loro confratello.

Le voci dei monaci erano rotte. Ci ponemmo in una situazione adatta per studiare la loro fisionomia quando, secondo la liturgia, il cappuccio non era abbassato. Vedemmo subito il volto di Berengario. Pallido, contratto, lucido di sudore. Il giorno precedente avevamo udito due mormorazioni sul suo conto, come di persona che avesse a che fare in modo particolare con Adelmo; e non era il fatto che i due, coetanei, fossero amici, ma il tono elusivo di coloro che avevano alluso a questa amicizia.

Notammo accanto a lui Malachia. Scuro, accigliato, impenetrabile. Accanto a Malachia, altrettanto impenetrabile il volto del cieco Jorge. Rilevammo invece i movimenti nervosi di Bencio da Upsala, lo studioso di retorica conosciuto il giorno innanzi nello scriptorium, e sorprendemmo un rapido sguardo che costui stava lanciando in direzione di Malachia. "Bencio è nervoso, Berengario è spaventato," osservò Guglielmo. "Occorrerà interrogarli subito."

"Perché?" chiesi ingenuamente.

"Il nostro è un duro mestiere," disse Guglielmo. "Duro mestiere quello dell'inquisitore, bisogna battere sui più deboli e nel momento della loro maggiore debolezza."

Infatti, appena finito l'ufficio, raggiungemmo Bencio che si stava dirigendo alla biblioteca. Il giovane sembrò contrariato di sentirsi chiamare da Guglielmo, e accampò qualche debole pretesto di lavoro. Pareva aver fretta di recarsi allo scriptorium. Ma il mio maestro gli ricordò che stava svolgendo un'indagine per mandato dell'Abate, e lo condusse nel chiostro. Ci sedemmo sul parapetto interno, tra due colonne. Bencio attendeva che Guglielmo parlasse, guardando a tratti verso l'Edificio.

"Allora," domandò Guglielmo, "cosa si disse quel giorno che foste a discutere dei marginalia di Adelmo, tu, Berengario, Venanzio, Malachia e Jorge?"

"Lo avete udito ieri. Jorge osservava che non è lecito ornare di immagini ridicole i libri che contengono la verità. E Venanzio osservò che lo stesso Aristotele aveva parlato delle arguzie e dei giochi di parole, come strumenti per scoprire meglio la verità, e che pertanto il riso non doveva essere cosa cattiva se poteva farsi veicolo di verità. Jorge osservò che, per quanto ricordava, Aristotele aveva parlato di queste cose nel libro della Poetica e a proposito delle metafore. Che già si trattava di due circostanze inquietanti, primo perché il libro della Poetica, rimasto ignoto al mondo cristiano per tanto tempo e forse per decreto divino, ci è arrivato attraverso i mori infedeli..."

"Ma è stato tradotto in latino da un amico dell'angelico dottore d'Aquino," osservò Guglielmo.

"È quanto gli dissi io," fece Bencio subito rinfrancato. "Io leggo male il greco e ho potuto avvicinare quel gran libro proprio attraverso la traduzione di Guglielmo di Moerbeke. Ecco, è quanto gli dissi io. Ma Jorge aggiunse che il secondo motivo di inquietudine è che ivi lo stagirita parlasse della poesia, che è infima doctrina e che vive di figmenta. E Venanzio disse che anche i salmi sono opera di poesia e usano metafore e Jorge si adirò perché disse che i salmi sono opera di ispirazione divina e usano metafore per trasmettere la verità mentre le opere dei poeti pagani usano metafore per trasmettere la menzogna e a fini di mero diletto, cosa che molto mi offese..."

"Perché?"

"Perché io mi occupo di retorica, e leggo molti poeti pagani e so... o meglio credo che attraverso la loro parola si siano trasmesse anche verità naturaliter cristiane... Insomma, a quel punto, se ricordo bene, Venanzio parlò di altri libri e Jorge si arrabbiò molto."

"Quali libri?"

Bencio esitò: "Non ricordo. Cosa importa di quali libri si sia parlato?"

"Importa molto, perché qui stiamo cercando di capire cosa sia avvenuto tra uomini che vivono tra i libri, coi libri, dei libri, e dunque anche le loro parole sui libri sono importanti.''

''È vero,'' disse Bencio, sorridendo per la prima volta e quasi illuminandosi in volto. ''Noi viviamo per i libri. Dolce missione in questo mondo dominato dal disordine e dalla decadenza. Forse allora capirete cosa è accaduto quel giorno. Venanzio, che sa... che sapeva molto bene il greco, disse che Aristotele aveva dedicato specialmente al riso il secondo libro della Poetica e che se un filosofo di quella grandezza aveva consacrato un intero libro al riso, il riso doveva essere una cosa importante. Jorge disse che molti padri avevano dedicato libri interi al peccato, che è una cosa importante ma cattiva, e Venanzio disse che per quello che lui sapeva Aristotele aveva parlato del riso come cosa buona e strumento di verità, e allora Jorge gli chiese con scherno se per caso lui aveva letto questo libro di Aristotele, e Venanzio disse che nessuno poteva ancora averlo letto, perché non si era mai più trovato e forse era andato perduto. E infatti nessuno ha mai potuto leggere il secondo libro della Poetica, Guglielmo di Moerbeke non lo ebbe mai tra le mani. Allora Jorge disse che se non l'aveva trovato era perché non era stato mai scritto, perché la provvidenza non voleva che fossero glorificate le cose futili. Io volevo calmare gli animi perché Jorge è facile all'ira e Venanzio parlava in modo da provocarlo, e dissi che nella parte della Poetica che conosciamo, e nella Retorica, si trovano molte osservazioni sagge sugli enigmi arguti, e Venanzio fu d'accordo con me. Ora c'era con noi Pacifico da Tivoli, che conosce assai bene i poeti pagani, e disse che quanto a enigmi arguti nessuno supera i poeti africani. Citò anzi l'enigma del pesce, quello di Sinfosio:

> Est domus in terris, clara quae voce resultat.
> Ipsa domus resonat, tacitus sed non sonat hospes.
> Ambo tamen currunt, hospes simul et domus una.

A quel punto Jorge disse che Gesù aveva raccomandato che il nostro parlare fosse sì o no e il di più veniva dal maligno; e che bastava dire pesce per nominare il pesce, senza celarne il concetto sotto suoni menzogneri. E aggiunse che non gli pareva saggio prendere a modello gli africani... E allora...''

''Allora?''

''Allora accadde una cosa che non capii. Berengario si mise a ridere, Jorge lo rimproverò e lui disse che rideva perché gli era venuto in mente che a cercar bene tra gli africani si sarebbero trovati ben altri enigmi, e non facili come quello del pesce. Malachia, che era presente, divenne furibondo, prese Berengario quasi per il cappuccio mandandolo ad accudire alle sue faccende... Berengario, lo sapete, è il suo aiuto..."

"E poi?"

"Poi Jorge pose fine alla discussione allontanandosi. Tutti ce ne andammo per le nostre cose, ma mentre lavoravo vidi che prima Venanzio e poi Adelmo avvicinarono Berengario per chiedergli qualcosa. Vidi da lontano che si schermiva, ma essi durante il giorno tornarono entrambi da lui. E poi quella sera vidi Berengario e Adelmo confabulare nel chiostro, prima di andare in refettorio. Ecco, è tutto quello che so."

"Sai cioè che le due persone che recentemente sono morte in circostanze misteriose avevano chiesto qualcosa a Berengario," disse Guglielmo.

Bencio rispose a disagio: "Non ho detto questo! Ho detto quello che è avvenuto quel giorno e come voi mi avete chiesto..." Rifletté un poco, poi aggiunse in fretta: "Ma se volete sapere la mia opinione, Berengario ha parlato loro di qualcosa che sta in biblioteca, ed è là che dovreste cercare."

"Perché pensi alla biblioteca? Cosa voleva dire Berengario con le parole cercare tra gli africani? Non voleva dire che bisognava leggere meglio i poeti africani?"

"Forse, così pareva, ma allora perché Malachia avrebbe dovuto infuriarsi? In fondo dipende da lui decidere se deve dare in lettura un libro di poeti africani, o no. Ma io so una cosa: chi sfogli il catalogo dei libri, troverà, tra le indicazioni che solo il bibliotecario conosce, una che dice sovente 'Africa' e ne ho trovata persino una che diceva 'finis Africae'. Una volta chiesi un libro che recava quel segno, non ricordo quale, il titolo mi aveva incuriosito; e Malachia mi disse che i libri con quel segno erano andati perduti. Ecco quello che so. Per questo vi dico: è giusto, controllate Berengario, e controllatelo quando sale in biblioteca. Non si sa mai."

"Non si sa mai," concluse Guglielmo accomiatandolo. Poi si mise a passeggiare con me nel chiostro e osservò che: anzitutto, ancora una volta, Berengario era fatto segno alle mormorazioni dei suoi confratelli; in secondo luogo Bencio pareva ansioso di spingerci verso la biblioteca. Osservai che forse voleva che noi scoprissimo laggiù cose che anche lui voleva sapere e Guglielmo disse che probabilmente era così, ma che poteva anche darsi che spingendoci verso la biblioteca volesse allontanarci da qualche altro luogo. Quale?, domandai. E Guglielmo disse che non sapeva, magari lo scriptorium, magari la cucina, o il coro, o il dormitorio, o l'ospedale. Osservai che il giorno prima era lui, Guglielmo, a essere affascinato dalla biblioteca ed egli rispose che voleva essere affascinato dalle cose che piacevano a lui e non da quelle che gli altri gli consigliavano. Che però la biblioteca andava tenuta d'occhio, e che a quel punto non sarebbe stato male neppure cercare di penetrarvi in qualche modo. Le circostanze ormai lo autorizzavano a essere curioso ai limiti della cortesia e del rispetto per gli usi e le leggi dell'abbazia.

Ci stavamo allontanando dal chiostro. Servi e novizi stavano uscendo dalla chiesa dopo la messa. E mentre doppiavamo il lato occidentale del tempio scorgemmo Berengario che usciva dal portale del transetto e attraversava il cimitero verso l'Edificio. Guglielmo lo chiamò, quello si arrestò e lo raggiungemmo. Era ancora più sconvolto di quando lo avevamo visto in coro e Guglielmo decise evidentemente di approfittare, come aveva fatto con Bencio, del suo stato d'animo.

"Dunque pare che tu sia stato l'ultimo a vedere Adelmo vivo," gli disse.

Berengario vacillò come stesse per cadere in deliquio: "Io?" domandò con un filo di voce. Guglielmo aveva buttato la sua domanda quasi a caso, probabilmente perché Bencio gli aveva detto di avere visto i due confabulare nel chiostro dopo vespro. Ma doveva avere colto nel segno e Berengario stava chiaramente pensando a un altro e veramente ultimo incontro, perché cominciò a parlare con voce rotta.

"Come potete dire questo, io l'ho visto prima di andare a riposare come tutti gli altri!"

Allora Guglielmo decise che valeva la pena di non dargli respiro: "No, tu l'hai visto ancora e sai più cose di quanto non voglia far credere. Ma qui sono in gioco ormai due morti e non puoi più tacere. Sai benissimo che vi sono molti modi per far parlare una persona!"

Guglielmo mi aveva detto più volte che, anche da inquisitore, aveva sempre rifuggito dalla tortura, ma Berengario lo fraintese (o Guglielmo voleva farsi fraintendere), in ogni caso il suo gioco risultò efficace.

"Sì, sì," disse Berengario rompendo in un pianto dirotto, "io ho visto Adelmo quella sera, ma lo vidi già morto!"

"Come?" interrogò Guglielmo, "ai piedi della scarpata?"

"No, no, lo vidi qui nel cimitero, procedeva tra le tombe,

larva tra le larve. Lo incontrai e subito mi accorsi che non avevo di fronte a me un vivo, il suo volto era quello di un cadavere, i suoi occhi guardavano già le pene eterne. Naturalmente solo il mattino dopo, apprendendo della sua morte, io capii che ne avevo incontrato il fantasma, ma già in quel momento mi resi conto che stavo avendo una visione e che davanti a me stava un'anima dannata, un lemure... Oh Signore, con quale voce di tomba mi parlò!''

''E che disse?''

'''Sono dannato!' così mi disse. 'Tal quale mi vedi hai di fronte a te un reduce dall'inferno e all'inferno bisogna che torni.' Così mi disse. E io gli gridai: 'Adelmo, vieni davvero dall'inferno? Come sono le pene dell'inferno?' E tremavo, perché da poco ero uscito dall'ufficio di compieta dove avevo udito leggere pagine tremende sull'ira del Signore. Ed egli mi disse: 'Le pene dell'inferno sono infinitamente maggiori di quanto la nostra lingua possa dire. Vedi tu,' disse, 'questa cappa di sofismi della quale sono stato vestito sino a oggi? Questa mi grava e pesa come avessi la maggior torre di Parigi o la montagna del mondo in su le spalle e mai la potrò più porre giù. E questa pena m'è stata data dalla divina giustizia per la mia vanagloria, per aver creduto il mio corpo un luogo di delizie, e per l'aver supposto di sapere più degli altri, e per l'essermi dilettato di cose mostruose, che vagheggiate nella mia immaginazione hanno prodotto cose ben più mostruose nell'interno dell'anima mia — e ora con esse dovrò vivere in eterno. Vedi tu? Il fodero di questa cappa è come fosse tutto bracia e fuoco ardente, ed è il fuoco che arde il mio corpo, e questa pena m'è data per il peccato disonesto della carne, della quale mi viziai, e questo fuoco ora senza sosta mi divampa e mi arde! Porgimi la tua mano, mio bel maestro,' mi disse ancora, 'affinché il mio incontro ti sia di utile ammaestramento, rendendoti in cambio molti degli ammaestramenti che mi desti, porgimi la tua mano mio bel maestro!' E scosse il dito della sua mano che ardeva, e mi cadde sulla mano una piccola goccia del suo sudore e mi parve che mi forasse la mano, che per molti giorni ne portai il segno, solo che lo nascosi a tutti. Poi scomparve tra le tombe, e il mattino dopo seppi che quel corpo, che mi aveva così atterrito, stava già morto ai piedi della rocca.''

Berengario ansimava, e piangeva. Guglielmo gli domandò: ''E come mai ti chiamava suo bel maestro? Avevate la stessa età. Gli avevi forse insegnato qualcosa?''

Berengario nascose il capo tirandosi il cappuccio sul volto, e cadde in ginocchio abbracciando le gambe di Guglielmo: "Non so, non so perché mi chiamasse così, io non gli ho insegnato nulla!", e scoppiò in singhiozzi. "Ho paura, padre, voglio confessarmi da voi, misericordia, un diavolo mi mangia le viscere!"

Guglielmo lo scostò da sé e gli porse la mano per rialzarlo. "No Berengario," gli disse, "non chiedermi di confessarti. Non chiudere le mie labbra aprendo le tue. Quello che voglio sapere di te me lo dirai in altro modo. E se non me lo dirai lo scoprirò per conto mio. Chiedimi misericordia, se vuoi, non chiedermi il silenzio. Troppi tacciono in questa abbazia. Dimmi piuttosto, come hai visto il suo volto pallido se era notte fonda, come ha potuto bruciarti la mano se era notte di pioggia e di grandine e di nevischio, cosa facevi nel cimitero? Avanti," e lo scosse con brutalità per le spalle, "dimmi almeno questo!"

Berengario tremava in tutte le sue membra: "Non so cosa facessi nel cimitero, non ricordo. Non so perché ho visto il suo volto, forse avevo una luce, no... lui aveva una luce, portava un lume, forse ho visto il suo volto alla luce della fiamma..."

"Come poteva portare una luce se pioveva e nevicava?"

"Era dopo compieta, subito dopo compieta, non nevicava ancora, ha cominciato dopo... Ricordo che cominciavano a scendere le prime raffiche mentre fuggivo verso il dormitorio. Fuggivo verso il dormitorio, in direzione opposta a quella nella quale andava il fantasma... E poi non so più nulla, vi prego, non interrogatemi più, se non volete confessarmi."

"Va bene," disse Guglielmo, "ora vai, vai nel coro, vai a parlare col Signore, visto che non vuoi parlare con gli uomini, o vai a cercarti un monaco che voglia ascoltare la tua confessione, perché se da allora non confessi i tuoi peccati, ti sei avvicinato da sacrilego ai sacramenti. Vai. Ci rivedremo."

Berengario scomparve di corsa. E Guglielmo si sfregò le mani come lo avevo visto fare in molti altri casi in cui era soddisfatto di qualcosa.

"Bene," disse, "ora molte cose diventano chiare."

"Chiare, maestro?" gli domandai, "chiare ora che abbiamo anche il fantasma di Adelmo?"

"Caro Adso," disse Guglielmo, "quel fantasma mi pare pochissimo fantasma e in ogni caso recitava una pagina che ho già letto su qualche libro a uso dei predicatori. Questi monaci leggono forse troppo, e quando sono eccitati rivivono le visioni che ebbero sui libri. Non so se Adelmo abbia detto davvero quelle cose o se Berengario le abbia udite perché aveva bisogno di udirle. È un fatto che questa storia conferma una serie di mie supposizioni. Per esempio: Adelmo è morto suicida, e la storia di Berengario ci dice che, prima di morire, girava in preda a una grande eccitazione, e rimorso per qualcosa che aveva commesso. Era eccitato e spaventato per il suo peccato perché qualcuno lo aveva spaventato, e forse gli aveva raccontato proprio l'episodio dell'apparizione infernale che egli ha recitato a Berengario con tanta e allucinata maestria. E passava dal cimitero perché veniva dal coro, dove si era confidato (o confessato) con qualcuno che gli aveva incusso terrore e rimorso. E dal cimitero si avviava, come ci ha fatto comprendere Berengario, in direzione opposta al dormitorio. Verso l'Edificio, dunque, ma anche (è possibile) verso il muro di cinta dietro gli stabbi, da dove ho dedotto debba essersi gettato nel dirupo. E si è gettato prima che sopravvenisse la tempesta, è morto ai piedi del muro, e solo dopo la frana ha portato il suo cadavere tra la torre settentrionale e quella orientale.''

"Ma la goccia di sudore infuocato?"

"Stava già nella storia che lui ha udito e ha ripetuto, o che Berengario si è figurata nella sua eccitazione e nel suo rimorso. Perché vi è, in antistrofe al rimorso di Adelmo, un rimorso di Berengario, lo hai sentito. E se Adelmo veniva dal coro portava forse un cero, e la goccia sulla mano dell'amico era solo una goccia di cera. Ma Berengario si è sentito bruciare molto di più perché Adelmo certamente lo ha chiamato suo maestro. Segno dunque che Adelmo lo rimproverava di avergli appreso qualcosa di cui ora egli si disperava a morte. E Berengario lo sa, egli soffre perché sa di avere spinto Adelmo alla morte facendogli fare qualcosa che non doveva. E non è difficile immaginare cosa, mio povero Adso, dopo quello che abbiamo udito sul nostro aiuto bibliotecario.''

"Credo di aver capito cosa è accaduto tra i due," dissi vergognandomi della mia sagacia, "ma non crediamo tutti in un Dio di misericordia? Adelmo, dite, si era probabilmente confessato: perché ha cercato di punire il suo primo peccato con un peccato certo più grande ancora, o almeno di pari gravità?"

"Perché qualcuno gli ha detto parole di disperazione. Ho detto che qualche pagina di predicatore dei giorni nostri deve avere suggerito a qualcuno le parole che hanno spaventato Adelmo e con cui Adelmo ha spaventato Berengario. Mai come in questi ultimi anni i predicatori hanno offerto al popolo, per stimolarne la pietà e il terrore (e il fervore, e l'ossequio alla legge umana e divina), parole truculente, sconvolgenti e macabre. Mai come ai nostri giorni, in mezzo a processioni di flagellanti, si sono udite laudi sacre ispirate ai dolori di Cristo e della Vergine, mai come oggi si è insistito nello stimolare la fede dei semplici attraverso l'evocazione dei tormenti infernali.''

"Forse è bisogno di penitenza,'' dissi.

"Adso, non ho mai udito tanti richiami alla penitenza quanto oggi, in un periodo in cui ormai né predicatori né vescovi, e neppure i miei confratelli spirituali sono più in grado di promuovere una vera penitenza...''

"Ma la terza età, il papa angelico, il capitolo di Perugia...'' dissi smarrito.

"Nostalgie. La grande epoca della penitenza è finita, e per questo può parlare di penitenza anche il capitolo generale dell'ordine. C'è stata, cento, duecento anni fa, una grande ventata di rinnovamento. C'era quando chi ne parlava veniva bruciato, santo o eretico che fosse. Ora ne parlano tutti. In un certo senso ne discute persino il papa. Non fidarti dei rinnovamenti del genere umano quando ne parlano le curie e le corti.''

"Ma fra Dolcino,'' osai, curioso di sapere di più su quel nome che avevo sentito pronunciare più volte il giorno innanzi.

"È morto, e malamente come è vissuto, perché anche lui è venuto troppo tardi. E poi che ne sai tu?''

"Nulla, per questo vi domando...''

"Preferirei non parlarne mai. Ho avuto a che fare con alcuni dei cosiddetti apostoli, e li ho osservati da vicino. Una storia triste. Ti turberebbe. In ogni caso ha turbato me, e ancor più ti turberebbe la mia stessa incapacità di giudicare. È la storia di un uomo che fece cose dissennate perché aveva messo in pratica ciò che gli avevano predicato molti santi. A un certo punto non ho più capito di chi fosse la colpa, sono stato come... come obnubilato da un'aria di famiglia che spirava nei due campi avversi, dei santi che predicavano la penitenza e dei peccatori che la mettevano in pratica, spesso a spese degli altri... Ma stavo parlando d'altro. O forse no, parlavo sempre di questo: finita l'epoca della penitenza, per i penitenti il bisogno di penitenza è divenuto bisogno di morte. E coloro che hanno ucciso i penitenti impazziti, restituendo morte alla morte, per sconfiggere la vera penitenza, che produceva morte, hanno sostituito alla penitenza dell'anima una penitenza dell'immaginazione, un richiamo a visioni soprannaturali di sofferenza e di sangue, chiamandole 'specchio' della vera penitenza. Uno specchio che fa vivere in vita, all'immaginazione dei semplici, e talora anche dei dotti, i tormenti dell'inferno. Affinché — si dice — nessuno pecchi. Sperando di trattenere le anime dal peccato per mezzo della paura, e confidando di sostituire la paura alla ribellione.''

''Ma davvero poi non peccheranno?'' chiesi ansiosamente.

''Dipende da cosa tu intendi per peccare, Adso,'' mi disse il maestro. ''Io non vorrei essere ingiusto con la gente di questo paese in cui vivo da alcuni anni, ma mi sembra che sia tipico della poca virtù delle popolazioni italiane non peccare per paura di qualche idolo, per quanto lo chiamino col nome di un santo. Hanno più paura di san Sebastiano o sant'Antonio che di Cristo. Se uno vuol conservare pulito un posto, qui, perché non ci si pisci, come fanno gli italiani alla maniera dei cani, ci dipingi sopra un'immagine di sant'Antonio con la punta di legno, e questa scaccerà quelli che stan per pisciare. Così gli italiani, e per opera dei loro predicatori, rischiano di tornare alle antiche superstizioni e non credono più alla resurrezione della carne, hanno solo una gran paura delle ferite corporali e delle disgrazie, e perciò han più paura di sant'Antonio che di Cristo.''

''Ma Berengario non è italiano,'' osservai.

''Non importa, sto parlando del clima che la chiesa e gli ordini predicatori han diffuso su questa penisola, e che da qui si diffonde per ogni dove. E raggiunge anche una venerabile abbazia di monaci dotti, come questi.''

''Ma almeno non peccassero,'' insistei, perché ero disposto ad accontentarmi anche solo di questo.

''Se questa abbazia fosse uno speculum mundi, avresti già la risposta.''

''Ma lo è?'' chiesi.

''Perché vi sia specchio del mondo occorre che il mondo abbia una forma,'' concluse Guglielmo, che era troppo filosofo per la mia mente adolescente.

TERZA

Dove si assiste a una rissa tra persone volgari, Aymaro da Alessandria fa alcune allusioni e Adso medita sulla santità e sullo sterco del demonio. Poi Guglielmo e Adso tornano nello scriptorium, Guglielmo vede qualcosa d'interessante, ha una terza conversazione sulla liceità del riso, ma in definitiva non può guardare dove vorrebbe.

Prima di salire allo scriptorium passammo in cucina a rifocillarci, perché non avevamo preso ancora nulla da quando ci eravamo levati. Mi rinfrancai subito prendendo una scodella di latte caldo. Il gran camino meridionale già ardeva come una fucina, mentre nel forno si stava preparando il pane del giorno. Due caprai stavano deponendo le spoglie di una pecora appena uccisa. Vidi tra i cucinieri Salvatore, che mi sorrise con la sua bocca di lupo. E vidi che prendeva da un tavolo un avanzo del pollo della sera prima e lo passava di nascosto ai caprai, che lo nascondevano nelle loro giubbe di pelle ghignando soddisfatti. Ma il capo cuciniere se ne accorse e rimproverò Salvatore: "Cellario, cellario," disse, "tu devi amministrare i beni dell'abbazia, non dissiparli!"

"Filii Dei, sono," disse Salvatore, "Gesù ha detto che facite per lui quello che facite a uno di questi pueri!"

"Fraticello delle mie brache, scoreggione di un minorita!" gli gridò allora il cuciniere. "Non sei più tra i tuoi pitocchi di frati! A dare ai figli di Dio ci penserà la misericordia dell'Abate!"

Salvatore si oscurò in viso e si voltò adiratissimo: "Non sono un fraticello minorita! Sono un monaco Sancti Benedicti! Merdre à toy, bogomilo di merda!"

"Bogomila la baldracca che t'inculi la notte, con la tua verga eretica, maiale!" gridò il cuciniere.

Salvatore fece uscire in fretta i caprai e passandoci vicino ci guardò con preoccupazione: "Frate," disse a Guglielmo, "difendi tu il tuo ordine che non è il mio, digli che i filios Francisci non ereticos esse!" Poi mi sussurrò in un orecchio: "Ille menteur, puah," e sputò per terra.

Il cuciniere venne a spingerlo fuori in malo modo e gli

rinchiuse la porta alle spalle. "Frate," disse a Guglielmo con rispetto, "non parlavo male del vostro ordine e degli uomini santissimi che vi stanno. Parlavo a quel falso minorita e falso benedettino che non è né carne né pesce."

"So da dove viene," disse Guglielmo conciliante. "Ma ora è monaco come te e gli devi rispetto fraterno."

"Ma lui mette il naso dove non deve metterlo perché è protetto dal cellario, e si crede lui il cellario. Usa dell'abbazia come fosse cosa sua, di giorno e di notte!"

"Perché di notte?" chiese Guglielmo. Il cuciniere fece un gesto come per dire che non voleva parlare di cose poco virtuose. Guglielmo non gli chiese altro e terminò di bere il suo latte.

La mia curiosità si stava eccitando sempre di più. L'incontro con Ubertino, le mormorazioni sul passato di Salvatore e del cellario, le allusioni sempre più frequenti ai fraticelli e ai minoriti eretici che udivo fare in quei giorni, la reticenza del maestro nel parlarmi di fra Dolcino... Una serie di immagini cominciava a ricomporsi nella mia mente. Per esempio, mentre compivamo il nostro viaggio avevamo incontrato almeno due volte una processione di flagellanti. Una volta la popolazione del luogo li guardava come santi, un'altra volta cominciava a mormorare che fossero eretici. Eppure si trattava sempre della stessa gente. Andavano in processione a due per due, per le strade della città, coperti solo alle pudenda, avendo superato ogni senso di vergogna. Ciascuno aveva in mano un flagello di cuoio e si colpivano sulle spalle, a sangue, versando abbondanti lacrime come se vedessero coi loro occhi la passione del Salvatore, imploravano con un canto lamentoso la misericordia del Signore e l'aiuto della Madre di Dio. Non solo di giorno, ma anche la notte, con i ceri accesi, nel rigore dell'inverno, in gran folla andavano intorno per le chiese, si prosternavano umilmente davanti agli altari, preceduti da sacerdoti con ceri e vessilli, e non solo uomini e donne del popolo, ma anche nobili matrone, e mercanti... E allora si assisteva a grandi atti di penitenza, coloro che avevano rubato restituivano il maltolto, altri confessavano i loro crimini...

Ma Guglielmo li aveva guardati con freddezza e mi aveva detto che quella non era vera penitenza. Aveva piuttosto parlato come già poco fa quella stessa mattina: il periodo del grande lavacro penitenziale era finito, e quelli erano i modi in cui i predicatori stessi organizzavano la devozione delle folle, proprio perché non cadessero preda di un altro desiderio di penitenza che — quello — era eretico, e faceva paura a tutti. Ma non riuscivo a capire la differenza, se pure ve n'era. Mi pareva che la differenza non venisse dai gesti dell'uno o dell'altro, ma dallo sguardo con cui la chiesa giudicava l'uno e l'altro gesto.

Mi ricordavo della discussione con Ubertino. Guglielmo era stato indubbiamente insinuante, aveva cercato di dirgli che c'era poca differenza tra la sua fede mistica (e ortodossa) e la fede distorta degli eretici. Ubertino se ne era adontato, come chi vedesse bene la differenza. L'impressione che ne avevo tratto era che lui fosse diverso proprio perché era colui che sapeva vedere la diversità. Guglielmo si era sottratto ai doveri della inquisizione perché non sapeva più vederla. Per questo non riusciva a parlarmi di quel misterioso fra Dolcino. Ma allora, evidentemente (mi dicevo) Guglielmo ha perduto l'assistenza del Signore, che non solo insegna a vedere la differenza, ma per così dire investe i suoi eletti di questa capacità di discrezione. Ubertino e Chiara da Montefalco (che pure era attorniata di peccatori) erano rimasti santi proprio perché sapevano discriminare. Questo e non altro è la santità.

Ma perché Guglielmo non sapeva discriminare? Pure era un uomo così acuto, e per quanto riguardava i fatti di natura sapeva scorgere la minima disuguaglianza e la minima parentela tra le cose...

Ero immerso in questi pensieri, e Guglielmo terminava di bere il suo latte, quando ci udimmo salutare. Era Aymaro da Alessandria, che avevamo già conosciuto nello scriptorium, e di cui mi aveva colpito l'espressione del viso, ispirata a un perpetuo sogghigno, come se non riuscisse mai a capacitarsi della fatuità di tutti gli esseri umani, e tuttavia non attribuisse grande importanza a questa tragedia cosmica. "Allora, frate Guglielmo, vi siete già abituato a questa spelonca di dementi?"

"Mi pare un luogo di uomini ammirevoli per santità e dottrina," disse cautamente Guglielmo.

"Lo era. Quando gli abati facevano gli abati e i bibliotecari i bibliotecari. Ora l'avete visto, lassù," e accennava al piano superiore, "quel tedesco mezzo morto con gli occhi da cieco sta a sentire devotamente i vaneggiamenti di quello spagnolo cieco con gli occhi da morto, sembra che debba arrivare l'Anticristo ogni mattina, si grattano le pergamene, ma di libri nuovi ne entrano pochissimi... Noi siamo qua, e laggiù nelle città si agisce... Una volta dalle nostre abbazie si governava il mondo. Oggi lo vedete, l'imperatore ci usa per inviare qui i suoi amici a incontrare i suoi nemici (so qualcosa della vostra missione, i monaci parlano, parlano, non hanno altro da fare), ma se vuole controllare le cose di questo paese sta nelle città. Noi stiamo a raccogliere grano e ad allevar pollame, e laggiù scambiano braccia di seta con pezze di lino, e pezze di lino con sacchi di spezie, e tutto insieme con danaro buono. Noi custodiamo il nostro tesoro, ma laggiù si accumulano tesori. E anche libri. E più belli dei nostri.''

''Nel mondo accadono certo molte cose nuove. Ma perché pensate che la colpa sia dell'Abate?''

''Perché ha dato la biblioteca in mano agli stranieri e conduce l'abbazia come una cittadella eretta in difesa della biblioteca. Un'abbazia benedettina in questa plaga italiana dovrebbe essere un luogo dove degli italiani decidono per cose italiane. Cosa fanno gli italiani, oggi che non hanno neppure più un papa? Commerciano, e fabbricano, e sono più ricchi del re di Francia. E allora, facciamo così anche noi, se sappiamo far bei libri fabbrichiamone per le università, e occupiamoci di quanto avviene giù a valle, non dico dell'imperatore, con tutto il rispetto per la vostra missione, frate Guglielmo, ma di quel che fanno i bolognesi o i fiorentini. Potremmo controllare di qui il passaggio dei pellegrini e dei mercanti, che vanno dall'Italia alla Provenza e viceversa. Apriamo la biblioteca ai testi in volgare, e saliranno quassù anche coloro che non scrivono più in latino. E invece siamo controllati da un gruppo di stranieri che continuano a condurre la biblioteca come se a Cluny fosse ancora abate il buon Odillone...''

''Ma l'Abate è italiano,'' disse Guglielmo.

''L'Abate qui non conta nulla,'' disse sempre sogghignando Aymaro. ''Al posto della testa ha un armadio della biblioteca. È tarlato. Per far dispetto al papa lascia che l'abbazia sia invasa di fraticelli... dico quelli eretici, frate, i transfughi del vostro ordine santissimo... e per far cosa grata all'imperatore chiama qui monaci da tutti i monasteri del nord, come se da noi non avessimo bravi copisti, e uomini che sanno il greco e l'arabo, e non ci fossero a Firenze o a Pisa figli di mercanti, ricchi e generosi, che entrerebbero volentieri nell'ordine, se l'ordine offrisse la possibilità d'incrementare la potenza e il prestigio del padre. Ma qui, l'indulgenza alle cose del secolo la si riconosce solo quando si tratta di permettere ai tedeschi di... oh buon Signore fulminate la mia lingua ché sto per dire cose poco convenienti!"

"Nell'abbazia avvengono cose poco convenienti?" domandò distrattamente Guglielmo, versandosi ancora un poco di latte.

"Anche il monaco è un uomo," sentenziò Aymaro. Poi aggiunse: "Ma qui sono meno uomini che altrove. E quello che ho detto, sia chiaro che non l'ho detto."

"Molto interessante," disse Guglielmo. "E queste sono opinioni vostre o di molti che pensano come voi?"

"Di molti, di molti. Di molti che adesso si dolgono per la sventura del povero Adelmo, ma se nel precipizio fosse caduto qualcun altro, che gira per la biblioteca più di quanto dovrebbe, non sarebbero stati scontenti."

"Cosa intendete dire?"

"Ho parlato troppo. Qui parliamo troppo, ve ne sarete già accorto. Qui il silenzio non lo rispetta più nessuno, da un lato. Dall'altro lo si rispetta troppo. Qui invece di parlare o di tacere si dovrebbe agire. Ai tempi d'oro del nostro ordine, se un abate non aveva una tempra da abate, una bella coppa di vino attoscato, ed ecco aperta la successione. Vi ho detto queste cose, s'intende frate Guglielmo, non per mormorare nei confronti dell'Abate o di altri confratelli. Dio me ne guardi, per fortuna non ho il brutto vizio della mormorazione. Ma non vorrei che l'Abate vi avesse pregato di investigare su di me o su qualcun altro come Pacifico da Tivoli o Pietro da Sant'Albano. Noi con le storie della biblioteca non c'entriamo. Ma vorremmo entrarci un poco di più. E allora scoperchiate questo nido di serpenti, voi che avete bruciato tanti eretici."

"Io non ho mai bruciato nessuno," rispose seccamente Guglielmo.

"Dicevo così per dire," ammise Aymaro con un gran sorriso. "Buona caccia, frate Guglielmo, ma fate attenzione di notte."

"Perché non di giorno?"

"Perché di giorno qui si cura il corpo con le erbe buone e di notte si ammala la mente con le erbe cattive. Non crediate che Adelmo sia stato precipitato nell'abisso dalle mani di qualcuno o che le mani di qualcuno abbiano messo Venanzio nel sangue. Qui qualcuno non vuole che i monaci decidano da soli dove andare, cosa fare e cosa leggere. E si usano le forze dell'inferno, o dei negromanti amici dell'inferno, per sconvolgere le menti dei curiosi..."

"Parlate del padre erborista?"

"Severino da Sant'Emmerano è una brava persona. Naturalmente, tedesco lui, tedesco Malachia..." E dopo aver dimostrato ancora una volta di non essere disposto alla mormorazione, Aymaro salì a lavorare.

"Cosa avrà voluto dirci?" chiesi.

"Tutto e nulla. Una abbazia è sempre un luogo dove i monaci sono in lotta tra loro per assicurarsi il governo della comunità. Anche a Melk, ma forse come novizio non avrai avuto modo di rendertene conto. Ma nel tuo paese conquistare il governo di una abbazia significa conquistarsi un luogo da cui si tratta direttamente coll'imperatore. In questo paese invece la situazione è diversa, l'imperatore è lontano, anche quando scende sino a Roma. Non c'è una corte, neppure quella papale, ormai. Ci sono le città, te ne sarai accorto."

"Certo, e ne sono stato colpito. La città in Italia è una cosa diversa che dalle mie parti... Non è solo un luogo per abitare: è un luogo per decidere, sono sempre tutti in piazza, contano più i magistrati cittadini che l'imperatore o il papa. Sono... come tanti regni..."

"E i re sono i mercanti. E la loro arma è il danaro. Il danaro ha una funzione, in Italia, diversa che nel tuo paese, o nel mio. Dappertutto circola danaro, ma gran parte della vita è ancora dominata e regolata dallo scambio di beni, polli o covoni di grano, o un falcetto, o un carro, e il danaro serve a procurarsi questi beni. Avrai notato che nella città italiana, invece, i beni servono a procurarsi danaro. E anche i preti, e i vescovi, e persino gli ordini religiosi, devono fare i conti col danaro. È per questo, naturalmente, che la ribellione al potere si manifesta come richiamo alla povertà, e si ribellano al potere coloro che sono esclusi dal rapporto col danaro, e ogni richiamo alla povertà suscita tanta tensione e tanti dibattiti, e la città intera, dal vescovo al magistrato, sente come proprio nemico chi predica troppo la povertà. Gli inquisitori sentono puzza di demonio dove qualcuno ha reagito alla puzza dello sterco del demonio. E allora capirai anche a cosa sta pensando Aymaro. Un'abbazia benedettina, ai tempi aurei dell'ordine, era il luogo da cui i pastori controllavano il gregge dei fedeli. Aymaro vuole che si torni alla tradizione. Solo che la vita del gregge è cambiata, e l'abbazia può tornare alla tradizione (alla sua gloria, al suo potere di un tempo) solo se accetta il nuovo costume del gregge, diventando diversa. E siccome oggi qui si domina il gregge non con le armi o con lo splendore dei riti, ma con il controllo del danaro, Aymaro vuole che la fabbrica tutta dell'abbazia, e la stessa biblioteca, diventino opificio, e fabbrica di danaro.''

"E cosa c'entra questo coi delitti, o col delitto?''

"Non lo so ancora. Ma ora vorrei salire. Vieni.''

I monaci erano già al lavoro. Nello scriptorium regnava il silenzio ma non era quel silenzio che consegue alla pace operosa dei cuori. Berengario, che ci aveva preceduto di poco, ci accolse con imbarazzo. Gli altri monaci levarono il capo dal loro lavoro. Sapevano che eravamo lì per scoprire qualcosa intorno a Venanzio, e la direzione stessa dei loro sguardi fissò la nostra attenzione su un posto vuoto, sotto una finestra che si apriva all'interno sull'ottagono centrale.

Benché la giornata fosse molto fredda la temperatura nello scriptorium era abbastanza mite. Non a caso era stato disposto sopra le cucine da cui proveniva abbastanza calore, anche perché le canne fumarie dei due forni sottostanti passavano dentro i pilastri che sostenevano le due scale a chiocciola poste nei torrioni occidentale e meridionale. Quanto al torrione settentrionale, dalla parte opposta della grande sala, non aveva scala, ma un grande camino che ardeva diffondendo un lieto tepore. Inoltre il pavimento era stato ricoperto di paglia, che rendeva i nostri passi silenziosi. Insomma, l'angolo meno riscaldato era quello del torrione orientale e infatti notai che, poiché rimanevano posti liberi rispetto al numero di monaci al lavoro, tutti tendevano a evitare i tavoli collocati in quella direzione. Quando più tardi mi resi conto che la scala a chiocciola del torrione orientale era l'unica che conduceva, oltre che in basso al refettorio, anche in alto alla biblioteca, mi domandai se un calcolo sapiente non avesse regolato il riscaldamento della sala, in modo che i monaci fossero distolti dal curiosare da quella parte e fosse più facile al bibliotecario controllare l'accesso alla biblioteca. Ma forse esageravo nei miei sospetti, diventando povera scimmia del mio maestro, perché subito pensai che questo calcolo non avrebbe dato gran frutto d'estate — a meno (mi dissi) che d'estate quello non fosse stato proprio il lato più assolato e quindi ancora una volta il più evitato.

Il tavolo del povero Venanzio dava di spalle al grande camino, ed era probabilmente uno dei più ambiti. Avevo allora passato piccola parte della mia vita in uno scriptorium, ma molta ne passai in seguito e so quanta sofferenza costi allo scriba, al rubricatore e allo studioso trascorrere al proprio tavolo le lunghe ore invernali, con le dita che si rattrappiscono sullo stilo (quando già con una temperatura normale, dopo sei ore di scrittura, prende alle dita il terribile crampo del monaco e il pollice duole come se fosse stato pestato). E questo spiega perché sovente troviamo in margine ai manoscritti frasi lasciate dallo scriba come testimonianza di sofferenza (e di insofferenza) quali ''Grazie a Dio presto si fa buio'', oppure ''Oh, avessi un bel bicchiere di vino!'', o ancora ''Oggi fa freddo, la luce è tenue, questo vello è peloso, qualcosa non va''. Come dice un antico proverbio, tre dita tengono la penna, ma il corpo intero lavora. E dolora.

Ma dicevo del tavolo di Venanzio. Più piccolo di altri, come del resto quelli posti intorno al cortile ottagonale, destinati a studiosi, mentre più ampi erano quelli sotto alle finestre delle pareti esterne, destinati a miniatori e copisti. Peraltro anche Venanzio lavorava con un leggìo, perché probabilmente consultava manoscritti in prestito all'abbazia, di cui si faceva copia. Sotto al tavolo era disposta una scaffalatura bassa, dove erano ammucchiati fogli non rilegati, e poiché erano tutti in latino ne dedussi che erano le sue traduzioni più recenti. Erano scritti in modo affrettato, non costituivano pagine di libro e avrebbero dovuto essere affidati poi a un copista e a un miniatore. Per questo erano difficilmente leggibili. Tra i fogli, qualche libro, in greco. Un altro libro greco era aperto sul leggìo, l'opera su cui Venanzio stava compiendo nei giorni scorsi il suo lavoro di traduttore. Io allora non conoscevo ancora il greco, ma il mio maestro disse che era di un tale Luciano e narrava di un uomo trasformato in asino. Ricordai allora una favola analoga di Apuleio, che ai novizi era di solito severamente sconsigliata.

''Come mai Venanzio faceva questa traduzione?'' chiese Guglielmo a Berengario che ci stava accanto.

''È stata chiesta all'abbazia dal signore di Milano e l'abbazia ne ricaverà un diritto di prelazione sulla produzione di vino di alcuni poderi che stanno a oriente,'' Berengario indicò con la mano lontano. Ma subito aggiunse: ''Non è che l'abbazia si presti a lavori venali per i laici. Ma il committente si è adoperato affinché questo prezioso manoscritto greco ci fosse dato in prestito dal doge di Venezia che lo ebbe dall'imperatore di Bisanzio, e quando Venanzio avesse terminato il suo lavoro ne avremmo fatto due copie, una per il committente e una per la nostra biblioteca.''

''Che quindi non disdegna raccogliere anche favole pagane,'' disse Guglielmo.

''La biblioteca è testimonianza della verità e dell'errore,'' disse allora una voce alle nostre spalle. Era Jorge. Ancora una volta mi stupii (ma molto avrei dovuto stupirmi ancora nei giorni seguenti) per il modo inopinato in cui quel vecchio appariva d'improvviso, come se noi non vedessimo lui e lui vedesse noi. Mi chiesi anche cosa mai facesse un cieco nello scriptorium, ma mi resi conto in seguito che Jorge era onnipresente in tutti i luoghi dell'abbazia. E sovente stava nello scriptorium, seduto su uno scranno presso al camino, e pareva seguisse tutto quello che avveniva nella sala. Una volta lo udii dal suo posto domandare ad alta voce: ''Chi sale?'' e si rivolgeva a Malachia che, i passi attutiti dalla paglia, stava avviandosi alla biblioteca. I monaci tutti lo avevano in grande stima e si rivolgevano sovente a lui leggendogli brani di difficile comprensione, consultandolo per uno scolio o chiedendogli lumi sul come rappresentare un animale o un santo. Ed egli guardava nel vuoto coi suoi occhi spenti, come fissasse pagine che aveva vivide nella memoria e rispondeva che i falsi profeti sono abbigliati come vescovi e le rane escono loro dalla bocca, o quali erano le pietre che dovevano adornare le mura della Gerusalemme celeste, o che gli arimaspi van rappresentati nelle mappe presso alla terra del prete Gianni — raccomandando di non eccedere nel farli seducenti nella loro mostruosità, ché bastava fossero rappresentati in modo di emblema, riconoscibili ma non concupiscibili, o repellenti sino al riso.

Una volta lo udii consigliare uno scoliaste su come interpretare la recapitulatio nei testi di Ticonio giusta la mente di santo Agostino, acché si evitasse l'eresia donatista. Un'altra volta lo udii dar consigli sul come, commentando, distinguere gli eretici dagli scismatici. O ancora, a uno studioso perplesso, dire quale libro avrebbe dovuto cercare nel catalogo della biblioteca, e pressappoco in quale foglio ne avrebbe trovato menzione, assicurandogli che il bibliotecario glielo avrebbe certo consegnato, perché si trattava di opera ispirata da Dio. Infine un'altra volta lo udii dire che un tale libro non andava ricercato, perché esisteva, è vero, nel catalogo, ma era stato rovinato dai topi cinquant'anni prima, e si polverizzava sotto le dita di chi ormai lo toccasse. Egli era insomma la memoria stessa della biblioteca e l'anima dello scriptorium. Talora ammoniva i monaci che udiva chiacchierare tra loro: "Affrettatevi a lasciare testimonianza della verità, ché i tempi sono vicini!" e alludeva alla venuta dell'Anticristo.

"La biblioteca è testimonianza della verità e dell'errore," disse dunque Jorge.

"Certo, Apuleio e Luciano erano colpevoli di molti errori," disse Guglielmo. "Ma questa favola contiene sotto il velame delle proprie finzioni anche una buona morale, perché insegna quanto si paghino i propri errori e inoltre credo che la storia dell'uomo trasformato in asino alluda alla metamorfosi dell'anima che cade nel peccato."

"Può darsi," disse Jorge.

"Però adesso capisco perché Venanzio durante quella conversazione di cui mi disse ieri fosse così interessato ai problemi della commedia; infatti anche le favole di questo tipo possono essere assimilate alle commedie degli antichi. Entrambe non narrano di uomini che esistettero veramente, come le tragedie ma, dice Isidoro, sono finzioni: 'fabulae poetae a *fando* nominaverunt quia non sunt *res factae* sed tantum loquendo *fictae*'..."

A tutta prima non capii perché Guglielmo si fosse inoltrato in quella dotta discussione e proprio con un uomo che pareva non amare simili argomenti, ma la risposta di Jorge mi disse quanto il mio maestro fosse stato sottile.

"Quel giorno non si discuteva di commedie, ma solo della liceità del riso," disse accigliato Jorge. E io mi ricordavo benissimo che quando Venanzio aveva accennato a quella discussione, proprio il giorno prima, Jorge aveva asserito di non ricordarsene.

"Ah," disse con noncuranza Guglielmo, "credevo aveste parlato delle menzogne dei poeti e degli enigmi arguti..."

"Si parlava del riso," disse seccamente Jorge. "Le commedie erano scritte dai pagani per muovere gli spettatori al riso, e male facevano. Gesù Nostro Signore non raccontò mai commedie né favole, ma solo limpide parabole che allegoricamente ci istruiscono su come guadagnarci il paradiso, e così sia."

"Mi chiedo," disse Guglielmo, "perché siate tanto contrario a pensare che Gesù abbia mai riso. Io credo che il riso sia una buona medicina, come i bagni, per curare gli umori e le altre affezioni del corpo, in particolare la melanconia."

"I bagni sono cosa buona," disse Jorge, "e lo stesso Aquinate li consiglia per rimuovere la tristezza, che può essere passione cattiva quando non si rivolga a un male che possa essere rimosso attraverso l'audacia. I bagni restituiscono l'equilibrio degli umori. Il riso squassa il corpo, deforma i lineamenti del viso, rende l'uomo simile alla scimmia.''

"Le scimmie non ridono, il riso è proprio dell'uomo, è segno della sua razionalità,'' disse Guglielmo.

"È segno della razionalità umana anche la parola e con la parola si buò bestemmiare Dio. Non tutto ciò che è proprio dell'uomo è necessariamente buono. Il riso è segno di stoltezza. Chi ride non crede in ciò di cui si ride, ma neppure lo odia. E dunque ridere del male significa non disporsi a combatterlo e ridere del bene significa disconoscere la forza per cui il bene è diffusivo di sé. Per questo la Regola dice: 'decimus humilitatis gradus est si non sit facilis ac promptus in risu, quia scriptum est: stultus in risu exaltat vocem suam.'''

"Quintiliano,'' interruppe il mio maestro, "dice che il riso è da reprimere nel panegirico, per dignità, ma è da incoraggiare in molti altri casi. Tacito loda l'ironia di Calpurnio Pisone, Plinio il giovane scrisse: 'aliquando praeterea rideo, jocor, ludo, homo sum.'''

"Erano pagani,'' replicò Jorge. "La Regola dice: 'scurrilitates vero vel verba otiosa et risum moventia aeterna clausura in omnibus locis damnamus, et ad talia eloquia discipulum aperire os non permittimus.'''

"Però quando già il verbo di Cristo aveva trionfato sulla terra, Sinesio di Cirene dice che la divinità ha saputo combinare armoniosamente comico e tragico, ed Elio Sparziano dice dell'imperatore Adriano, uomo di elevati costumi e di animo naturaliter cristiano, che seppe mescolare momenti di gaiezza a momenti di gravità. E infine Ausonio raccomanda di dosare con moderazione il serio e il giocoso.''

"Ma Paolino da Nola e Clemente di Alessandria ci misero in guardia contro queste stoltezze, e Sulpicio Severo dice che san Martino non fu mai visto da alcuno né in preda all'ira né in preda all'ilarità.''

"Però ricorda del santo alcune risposte spiritualiter salsa,'' disse Guglielmo.

"Erano pronte e sapienti, non ridicole. San Ephraim ha scritto una parenesi contro il riso dei monaci, e nel *De habitu et conversatione monachorum* si raccomanda di evitare oscenità e lepidezze come fossero il veleno degli aspidi!''

"Ma Ildeberto disse: 'admittenda tibi joca sunt post seria quaedam, sed tamen et dignis ipsa gerenda modis.' E

138

Giovanni di Salisbury ha autorizzato una modesta ilarità. E infine l'Ecclesiastico, di cui avete citato il passo a cui si riferisce la vostra Regola, dove si dice che il riso è proprio dello stolto, ammette almeno un riso silenzioso, dell'animo sereno."

"L'animo è sereno solo quando contempla la verità e si diletta del bene compiuto, e della verità e del bene non si ride. Ecco perché Cristo non rideva. Il riso è fomite di dubbio."

"Ma talora è giusto dubitare."

"Non ne vedo la ragione. Quando si dubita occorre rivolgersi a un'autorità, alle parole di un padre o di un dottore, e cessa ogni ragione di dubbio. Mi sembrate imbevuto di dottrine discutibili, come quelle dei logici di Parigi. Ma san Bernardo seppe bene intervenire contro il castrato Abelardo che voleva sottomettere tutti i problemi al vaglio freddo e senza vita di una ragione non illuminata dalle scritture, pronunciando il suo è così e non è così. Certo colui che accetti queste idee pericolosissime può anche apprezzare il gioco dell'insipiente che ride di ciò di cui solo si deve sapere l'unica verità, che è già stata detta una volta per tutte. Così ridendo l'insipiente dice implicitamente 'Deus non est'."

"Venerabile Jorge, mi sembrate ingiusto quando trattate da castrato Abelardo, perché sapete che incorse in tale triste condizione per la nequizia altrui..."

"Per i suoi peccati. Per l'albagia della sua fiducia nella ragione dell'uomo. Così la fede dei semplici venne irrisa, i misteri di Dio furono sviscerati (o si tentò, stolti coloro che lo tentarono), questioni che riguardavano le cose altissime vennero trattate temerariamente, si irrise ai padri perché avevano ritenuto che tali questioni andavano piuttosto sopite che sciolte."

"Non sono d'accordo, venerabile Jorge. Dio vuole da noi che esercitiamo la nostra ragione su molte cose oscure su cui la scrittura ci ha lasciato liberi di decidere. E quando qualcuno vi propone di credere a una proposizione voi dovete prima esaminare se essa è accettabile, perché la nostra ragione è stata creata da Dio, e ciò che piace alla nostra ragione non può non piacere alla ragione divina, sulla quale peraltro sappiamo solo quello che, per analogia e spesso per negazione, ne inferiamo dai procedimenti della nostra ragione. E allora vedete che talora, per minare la falsa autorità di una proposizione assurda che ripugna alla ragione, anche il riso può essere uno strumento giusto. Spesso il riso serve anche a confondere i malvagi e far rifulgere la loro stoltezza. Si racconta di san Mauro che i pagani lo posero nell'acqua bollente ed egli si lamentò che il bagno fosse troppo freddo; il governatore pagano mise stoltamente la mano nell'acqua per controllare, e si ustionò. Bella azione di quel santo martire che ridicolizzò i nemici della fede.''

Jorge sogghignò: ''Anche negli episodi che raccontano i predicatori si trovano molte fole. Un santo immerso nell'acqua bollente soffre per Cristo e trattiene le sue grida, non gioca tiri da bambini ai pagani!''

''Vedete?'' disse Guglielmo, ''questa storia vi pare ripugnare alla ragione e l'accusate di essere ridicola! Sia pure tacitamente e controllando le vostre labbra, voi state ridendo di qualcosa e volete che anch'io non la prenda sul serio. Ridete del riso, ma ridete.''

Jorge ebbe un gesto di fastidio: ''Giocando sul riso mi trascinate in discorsi vani. Ma voi sapete che Cristo non rideva.''

''Non ne sono sicuro. Quando invita i farisei a gettare la prima pietra, quando chiede di chi sia l'effige sulla moneta da pagare in tributo, quando gioca con le parole e dice 'Tu es petrus', io credo che egli dicesse cose argute, per confondere i peccatori, per sostenere l'animo dei suoi. Parla con arguzia anche quando dice a Caifa: 'Tu l'hai detto.' E Gerolamo quando commenta Geremia, dove Dio dice a Gerusalemme 'nudavi femora contra faciem tuam', spiega: 'sive nudabo et relevabo femora et posteriora tua.' Persino Dio dunque si esprime per arguzie per confondere coloro che vuol punire. E sapete benissimo che nel momento più acceso della lotta tra cluniacensi e cistercensi i primi accusarono i secondi, per renderli ridicoli, di non portar brache. E nello *Speculum Stultorum* si racconta dell'asino Brunello che si chiede cosa accadrebbe se di notte il vento sollevasse le coperte e il monaco si vedesse le pudenda...''

I monaci intorno risero e Jorge si infuriò: ''Mi state trascinando questi confratelli in una festa dei folli. Lo so che è uso tra i francescani accattivarsi le simpatie del popolo con stoltezze di questo genere, ma di questi ludi vi dirò quello che dice un verso che udii da uno dei vostri predicatori: tum podex carmen extulit horridulum.''

La reprimenda era un po' troppo forte, Guglielmo era stato impertinente, ma ora Jorge lo accusava di emettere peti dalla bocca. Mi chiesi se questa risposta severa non doveva significare un invito, da parte del monaco anziano, a uscire dallo scriptorium. Ma vidi Guglielmo, così combattivo poco prima, farsi mansuetissimo.

"Vi chiedo perdono, venerabile Jorge," disse. "La mia bocca ha tradito i miei pensieri, non volevo mancarvi di rispetto. Forse quello che dite è giusto, e io mi sbagliavo."

Jorge, di fronte a quest'atto di squisita umiltà, emise un grugnito che poteva esprimere sia soddisfazione che perdono, e non poté far altro che tornare al suo posto, mentre i monaci, che durante la discussione si erano via via avvicinati, rifluivano ai loro tavoli da lavoro. Guglielmo si inginocchiò di nuovo davanti al tavolo di Venanzio e riprese a frugare tra le carte. Con la sua risposta umilissima Guglielmo si era guadagnato alcuni secondi di tranquillità. E quello che vide in quei pochi secondi ispirò le sue ricerche della notte che doveva venire.

Furono però davvero pochi secondi. Bencio si avvicinò subito fingendo di aver dimenticato il suo stilo sul tavolo quando si era avvicinato a sentire la conversazione con Jorge, e sussurrò a Guglielmo che aveva urgenza di parlargli, dandogli convegno dietro i balnea. Gli disse di allontanarsi per primo, che egli lo avrebbe raggiunto entro breve.

Guglielmo esitò qualche istante, poi chiamò Malachia, che dal suo tavolo di bibliotecario, presso al catalogo, aveva seguito tutto quanto era avvenuto e lo pregò, in virtù del mandato ricevuto dall'Abate (e calcò molto su questo suo privilegio) di porre qualcuno a guardia del tavolo di Venanzio, perché reputava utile alla sua inchiesta che nessuno vi si avvicinasse durante tutto il giorno, sino a che egli non avesse potuto tornare. Lo disse ad alta voce, perché in tal senso impegnava non solo Malachia a sorvegliare i monaci ma i monaci stessi a sorvegliare Malachia. Il bibliotecario non poté che acconsentire e Guglielmo si allontanò con me.

Mentre attraversavamo l'orto e ci portavamo presso i balnea, che erano a ridosso della costruzione dell'ospedale, Guglielmo osservò:

"Pare che a molti dispiaccia che io metta le mani su qualcosa che sta sopra o sotto il tavolo di Venanzio."

"E cosa sarà?"

"Ho l'impressione che non lo sappiano neppure quelli a cui dispiace."

"Dunque Bencio non ha nulla da dirci e ci sta solo attirando lontano dallo scriptorium?"

"Questo lo sapremo subito," disse Guglielmo. Infatti dopo poco Bencio ci raggiunse.

SESTA

Dove Bencio fa uno strano racconto da cui si apprendono cose poco edificanti sulla vita dell'abbazia.

Quello che Bencio ci disse fu alquanto confuso. Sembrava veramente che egli ci avesse attirato laggiù solo per allontanarci dallo scriptorium, ma pareva anche che, incapace di inventare un pretesto attendibile, egli ci dicesse anche frammenti di una verità più vasta che egli conosceva.

Egli ci disse che al mattino era stato reticente, ma che ora, dopo matura riflessione, riteneva che Guglielmo dovesse sapere tutta la verità. Durante la famosa conversazione sul riso, Berengario aveva accennato al "finis Africae". Cos'era? La biblioteca era piena di segreti, e specialmente di libri che non erano mai stati dati in lettura ai monaci. Bencio era stato colpito dalle parole di Guglielmo sull'esame razionale delle proposizioni. Egli riteneva che un monaco studioso avesse il diritto di conoscere tutto quello che la biblioteca custodiva, disse parole di fuoco contro il concilio di Soissons che aveva condannato Abelardo, e mentre parlava ci rendemmo conto che questo monaco ancora giovane, che si dilettava di retorica, era agitato da fremiti di indipendenza e faticava ad accettare i vincoli che la disciplina dell'abbazia poneva alla curiosità del suo intelletto. Io ho sempre appreso a diffidare di tali curiosità, ma so bene che al mio maestro questo atteggiamento non dispiaceva, e mi avvidi che simpatizzava con Bencio e gli prestava fede. In breve, Bencio ci disse che non sapeva di che segreti Adelmo, Venanzio e Berengario avessero parlato, ma che non gli sarebbe dispiaciuto che da quella triste storia ne addivenisse un po' di luce sul modo in cui la biblioteca era amministrata, e che non disperava che il mio maestro, comunque avesse dipanato la matassa dell'inchiesta, ne traesse elementi per stimolare l'Abate ad allentare la disciplina intellettuale che pesava sui monaci

— venuti da tanto lontano, come lui, aggiunse, proprio per nutrire la loro mente con le meraviglie celate nell'ampio ventre della biblioteca.

Io credo che Bencio fosse sincero nell'attendersi dall'inchiesta quello che diceva. Probabilmente però voleva al tempo stesso, come Guglielmo aveva previsto, riservarsi di frugare nel tavolo di Venanzio per primo, divorato com'era dalla curiosità, e per tenercene lontani era disposto a darci in cambio altre informazioni. Ed ecco quali furono.

Berengario era consumato, ormai molti tra i monaci lo sapevano, da un'insana passione per Adelmo, la stessa passione i cui nefasti la collera divina aveva colpito a Sodoma e Gomorra. Così Bencio si espresse, forse per riguardo alla mia giovane età. Ma chi ha vissuto la propria adolescenza in un monastero sa che, ancorché si sia mantenuto casto, di tali passioni ha ben sentito parlare, e talora ha dovuto guardarsi dalle insidie di chi ne era schiavo. Monacello com'ero non avevo già ricevuto io stesso, a Melk, da un monaco anziano, cartigli con versi che di solito un laico dedica a una donna? I voti monacali ci tengono lontani da quella sentina di vizi che è il corpo della femmina, ma spesso ci conducono vicinissimi ad altri errori. Posso infine nascondermi che la mia stessa vecchiaia è ancora oggi agitata dal demone meridiano quando mi accade di attardare il mio sguardo, in coro, sul volto imberbe di un novizio, puro e fresco come fanciulla?

Dico queste cose non per mettere in dubbio la scelta che ho fatto di dedicarmi alla vita monastica, ma per giustificare l'errore di molti a cui questo santo fardello risulta pesante. Forse per giustificare il delitto orribile di Berengario. Ma pare, secondo Bencio, che questo monaco coltivasse il suo vizio in modo ancora più ignobile, e cioè usando le armi del ricatto per ottenere da altri quanto la virtù e il decoro avrebbero dovuto sconsigliar loro di donare.

Dunque da tempo i monaci ironizzavano sugli sguardi teneri che Berengario lanciava ad Adelmo, che pare fosse di grande avvenenza. Mentre Adelmo, totalmente innamorato del suo lavoro, dal quale soltanto pareva trarre diletto, poco si prendeva cura della passione di Berengario. Ma forse, chi sa, egli ignorava che l'animo suo, nel profondo, lo inclinava alla stessa ignominia. Fatto sta che Bencio disse di aver sorpreso un dialogo tra Adelmo e Berengario, in cui Berengario, alludendo a un segreto che Adelmo gli chiedeva di svelargli, gli proponeva il turpe mercato che anche il lettore più innocente può immaginare. E pare che Bencio udisse dalle labbra di Adelmo parole di consenso, quasi dette con sollievo. Come se, ardiva Bencio, Adelmo altro in fondo non desiderasse, e gli fosse bastato trovare una ragione diversa dal desiderio carnale per acconsentire. Segno, argomentava Bencio, che il segreto di Berengario doveva riguardare arcani della sapienza, così che Adelmo potesse nutrire l'illusione di piegarsi a un peccato della carne per accontentare una voglia dell'intelletto. E, aggiunse Bencio con un sorriso, quante volte lui stesso non era agitato da voglie dell'intelletto così violente che per accontentarle avrebbe acconsentito ad assecondare voglie carnali non sue, anche contro la voglia carnale sua stessa.

"Non ci sono momenti," chiese a Guglielmo, "in cui voi fareste anche cose riprovevoli per avere tra le mani un libro che cercate da anni?"

"Il saggio e virtuosissimo Silvestro II, secoli fa, diede in dono una sfera armillare preziosissima per un manoscritto, credo, di Stazio o Lucano," disse Guglielmo. Aggiunse poi, prudentemente: "Ma si trattava di una sfera armillare, non della propria virtù."

Bencio ammise che il suo entusiasmo lo aveva trascinato oltre, e riprese il racconto. La notte prima che Adelmo morisse, egli aveva seguito i due, mosso dalla curiosità. E li aveva visti, dopo compieta, avviarsi insieme al dormitorio. Aveva atteso a lungo tenendo socchiusa la porta della sua cella, non lontana dalla loro, e aveva visto chiaramente Adelmo scivolare, quando il silenzio era calato sul sonno dei monaci, nella cella di Berengario. Aveva ancora vegliato, senza poter prendere sonno, sino a che aveva udito la porta di Berengario che si apriva, e Adelmo che ne fuggiva quasi di corsa, con l'amico che cercava di trattenerlo. Berengario lo aveva seguito mentre Adelmo scendeva al piano inferiore. Bencio li aveva seguiti cautamente e all'imbocco del corridoio inferiore aveva visto Berengario, quasi tremante, che schiacciato in un angolo fissava la porta della cella di Jorge. Bencio aveva intuito che Adelmo si era gettato ai piedi del vecchio confratello per confessargli il suo peccato. E Berengario tremava, sapendo che il suo segreto veniva svelato, sia pure sotto il sigillo del sacramento.

Poi Adelmo era uscito, pallidissimo in viso, aveva allontanato da sé Berengario che cercava di parlargli, e si era precipitato fuori dal dormitorio, girando intorno all'abside della chiesa ed entrando in coro dal portale settentrionale (che di notte rimane sempre aperto). Probabilmente voleva pregare.

Berengario lo aveva seguito, ma senza entrare in chiesa, e si aggirava per le tombe del cimitero torcendosi le mani.

Bencio non sapeva che fare quando si era accorto che una quarta persona si muoveva nei pressi. Anch'essa aveva seguito i due e certo non si era avveduta della presenza di Bencio, che si teneva ritto contro il tronco di una quercia piantata ai limiti del cimitero. Era Venanzio. Alla sua vista Berengario si era acquattato tra le tombe e Venanzio era entrato anch'esso in coro. A questo punto Bencio, temendo di essere scoperto, aveva fatto ritorno al dormitorio. Il mattino dopo il cadavere di Adelmo era stato trovato ai piedi della scarpata. E altro, Bencio, non sapeva.

Si appressava ormai l'ora del desinare. Bencio ci lasciò e il mio maestro non gli chiese altro. Noi rimanemmo per un poco dietro i balnea, poi passeggiammo per qualche minuto nell'orto, meditando su quelle singolari rivelazioni.

"Frangula," disse a un tratto Guglielmo chinandosi a osservare una pianta, che in quel giorno di inverno riconobbe dall'arbusto. "Buono l'infuso di corteccia per le emorroidi. E quello è arctium lappa, un buon cataplasma di radici fresche cicatrizza gli eczemi della pelle."

"Siete più bravo di Severino," gli dissi, "ma ora fatemi sentire cosa pensate di ciò che abbiamo udito!"

"Caro Adso, dovresti imparare a ragionare con la tua testa. Bencio ci ha detto probabilmente la verità. Il suo racconto coincide con quello, peraltro così frammisto ad allucinazioni, di Berengario, questa mattina presto. Prova a ricostruire. Berengario e Adelmo fanno insieme una gran brutta cosa, lo avevamo già intuito. E Berengario deve aver svelato ad Adelmo quel segreto che rimane ahimè un segreto. Adelmo, dopo aver commesso il suo delitto contro la castità e le regole della natura, pensa solo a confidarsi con qualcuno che possa assolverlo, e corre da Jorge. Il quale ha carattere molto austero, ne abbiamo avuto le prove, e certo assale Adelmo con angoscianti reprimende. Forse non gli dà l'assoluzione, forse gli impone un'impossibile penitenza, non lo sappiamo, né Jorge ce lo dirà mai. Fatto sta che Adelmo corre in chiesa a prosternarsi davanti all'altare, ma non placa il suo rimorso. A questo punto viene avvicinato da Venanzio. Non sappiamo cosa si dicano. Forse Adelmo confida a Venanzio il segreto avuto in dono (o in pagamento) da Berengario, e che ormai non gli importa più nulla, dappoiché egli ha ormai un suo segreto ben più terribile e bruciante. Cosa accade a Venanzio? Forse, preso dalla stessa ardente curiosità che muoveva oggi anche il nostro Bencio, pago di ciò che ha saputo, lascia Adelmo ai suoi rimorsi. Adelmo si vede abbandonato, progetta di uccidersi, esce disperato nel cimitero e ivi incontra Berengario. Gli dice parole tremende, gli rinfaccia la sua responsabilità, lo chiama suo maestro di turpitudine. Credo proprio che il racconto di Berengario, spogliato di ogni allucinazione, fosse esatto. Adelmo gli ripete le stesse parole di disperazione che deve aver udito da Jorge. Ed ecco che Berengario se ne va sconvolto da una parte, e Adelmo va a uccidersi dall'altra. Poi viene il resto, di cui siamo stati quasi testimoni. Tutti credono che Adelmo sia stato ucciso, Venanzio ne trae l'impressione che il segreto della biblioteca sia ancor più importante di quanto non credesse, e continua la ricerca per conto proprio. Sino a che qualcuno non lo ferma, prima o dopo che egli abbia scoperto ciò che voleva.''

''Chi lo uccide? Berengario?''

''Può essere. O Malachia, che deve custodire l'Edificio. O un altro. Berengario è sospettabile proprio perché è spaventato, e sapeva che ormai Venanzio possedeva il suo segreto. Malachia è sospettabile: custode dell'integrità della biblioteca, scopre che qualcuno l'ha violata, e uccide. Jorge sa tutto di tutti, possiede il segreto di Adelmo, non vuole che io scopra cosa Venanzio potrebbe aver trovato... Molti fatti consiglierebbero di sospettarlo. Ma dimmi tu come un uomo cieco può ucciderne un altro nel pieno delle forze, e come un vecchio, benché robusto, abbia potuto trasportare il cadavere nella giara. Ma infine, perché l'assassino non potrebbe essere lo stesso Bencio? Potrebbe averci mentito, essere mosso da fini inconfessabili. E perché limitare i sospetti ai soli che parteciparono alla conversazione sul riso? Forse il delitto ha avuto altri moventi, che non hanno nulla a che fare con la biblioteca. In ogni caso occorrono due cose: sapere come si entra in biblioteca di notte, e avere un lume. Per il lume pensaci tu. Gira in cucina all'ora di pranzo, prendine uno...''

''Un furto?''

''Un prestito, alla maggior gloria del Signore.''

''Se è così, contate su di me.''

''Bravo. Quanto a entrare nell'Edificio, abbiamo visto da dove è apparso Malachia ieri notte. Oggi farò una visita alla chiesa e a quella cappella in particolare. Tra un'ora andremo a mensa. Dopo abbiamo una riunione con l'Abate. Vi sarai ammesso, perché ho chiesto di avere un segretario che prenda nota di quanto diremo.''

Secondo giorno

NONA

Dove l'Abate si mostra fiero delle ricchezze della sua abbazia e timoroso degli eretici, e alla fine Adso dubita di aver fatto male ad andare per il mondo.

Trovammo l'Abate in chiesa, davanti all'altar maggiore. Stava seguendo il lavoro di alcuni novizi che avevano tratto da qualche penetrale una serie di vasi sacri, calici, patene, ostensori, e un crocifisso che non avevo visto durante la funzione della mattina. Non potei trattenere un'esclamazione di meraviglia di fronte alla sfolgorante bellezza di quelle sacre suppellettili. Era pieno mezzogiorno e la luce entrava a fiotti dalle finestre del coro, e di più ancora da quelle delle facciate, formando bianche cascate che, come mistici torrenti di divina sostanza, andavano a incrociarsi in vari punti della chiesa, inondando lo stesso altare.

I vasi, i calici, tutto rivelava la propria materia preziosa: tra il giallo dell'oro, il biancore immacolato degli avori e la trasparenza del cristallo, vidi rilucere gemme di ogni colore e dimensione, e riconobbi il giacinto, il topazio, il rubino, lo zaffiro, lo smeraldo, il crisolite, l'onice, il carbonchio e il diaspro e l'agata. E al tempo stesso mi avvidi di quanto al mattino, rapito prima nella preghiera, e poi sconvolto dal terrore, non avevo notato: il paliotto dell'altare e altri tre pannelli che gli facevano corona, erano interamente d'oro, e infine l'intero altare appariva d'oro da qualunque parte lo si guardasse.

L'Abate sorrise al mio stupore: "Queste ricchezze che vedete," disse rivolto a me e al mio maestro, "e altre che vedrete ancora, sono il retaggio di secoli di pietà e devozione, e testimonio della potenza e santità di questa abbazia. Principi e potenti della terra, arcivescovi e vescovi hanno sacrificato a questo altare e agli oggetti che vi sono destinati gli anelli delle loro investiture, gli ori e le pietre che erano segno della loro grandezza, e li hanno voluti qui rifusi per la maggiore gloria del Signore e di questo suo luogo. Malgrado oggi l'abbazia sia stata funestata da un altro evento luttuoso, non possiamo dimenticare di fronte alla nostra fragilità la forza e la potenza dell'Altissimo. Si avvicinano le festività del Santo Natale, e stiamo cominciando a pulire gli arredi sacri, in modo che la nascita del Salvatore venga poi festeggiata con tutto lo sfarzo e la magnificenza che merita e vuole. Tutto dovrà apparire nel pieno del suo fulgore..." aggiunse guardando fissamente Guglielmo, e capii dopo perché insisteva così orgogliosamente a giustificare il suo operato, "perché pensiamo che sia utile e conveniente non nascondere, ma al contrario proclamare le divine elargizioni."

"Certo," disse Guglielmo con cortesia, "se la sublimità vostra ritiene che il Signore debba essere così glorificato, la vostra abbazia ha raggiunto la più grande eccellenza in questo contributo di lode."

"E così si deve," disse l'Abate. "Se anfore e fiale d'oro e piccoli mortai aurei era d'uso servissero per volere di Dio o ordine dei profeti a raccogliere il sangue di capre o di vitelli o della giovenca nel tempio di Salomone, tanto più vasi d'oro e pietre preziose, e tutto ciò che ha più valore tra le cose create, devono essere usati con continua reverenza e piena devozione per accogliere il sangue di Cristo! Se per una seconda creazione la nostra sostanza venisse a essere la stessa dei cherubini e dei serafini, sarebbe ancora indegno il servizio che essa potrebbe prestare a una vittima così ineffabile..."

"Così sia," dissi.

"Molti obbiettano che una mente santamente ispirata, un puro cuore, un'intenzione piena di fede dovrebbero bastare per questa sacra funzione. Noi siamo i primi ad affermare esplicitamente e risolutamente che questa è la cosa essenziale: ma siamo convinti che si debba rendere l'omaggio anche attraverso l'esteriore ornamento della sacra suppellettile, perché è sommamente giusto e conveniente che noi serviamo il nostro Salvatore in tutte le cose, integralmente, Lui che non si è rifiutato di provvedere a noi in tutte le cose integralmente e senza eccezioni."

"Questa è sempre stata l'opinione dei grandi del vostro ordine," consentì Guglielmo, "e ricordo cose bellissime scritte sugli ornamenti delle chiese dal grandissimo e venerabile abate Sugero."

"Così è," disse l'Abate. "Vedete questo crocifisso. Non è ancora completo..." Lo prese in mano con infinito amore e lo considerò col volto illuminato di beatitudine. "Mancano qui ancora alcune perle, né le ho trovate della giusta misura. Un tempo il santo Andrea si rivolse alla croce del Golgota dicendola adorna delle membra di Cristo come di perle. E di perle deve essere adorno questo umile simulacro di quel gran prodigio. Anche se ho ritenuto opportuno farvi incastonare, in questo punto, sopra il capo stesso del Salvatore, il più bel diamante che mai abbiate visto." Accarezzò con mani devote, con le sue lunghe dita bianche, le parti più preziose del sacro legno, ovvero del sacro avorio, ché di questa splendida materia erano fatte le braccia della croce.

"Quando, mentre mi diletto di tutte le bellezze di questa casa di Dio, l'incanto delle pietre multicolori mi ha strappato alle cure esterne, e una degna meditazione mi ha indotto a riflettere, trasferendo ciò che è materiale a ciò che è immateriale, sulla diversità delle sacre virtù, allora mi sembra di trovarmi, per così dire, in una strana regione dell'universo che non sta più del tutto chiusa nel fango della terra né del tutto libera nella purezza del cielo. E mi sembra che, per grazia di Dio, io possa essere trasportato da questo mondo inferiore a quello superiore per via anagogica..."

Parlava, e aveva rivolto il viso alla navata. Un fiotto di luce che penetrava dall'alto lo stava, per una particolare benevolenza dell'astro diurno, illuminando nel volto, e nelle mani che aveva aperte in forma di croce, rapito com'era dal fervore suo. "Ogni creatura," disse, "sia essa visibile o invisibile, è una luce, portata all'essere dal padre delle luci. Questo avorio, quest'onice, ma anche la pietra che ci circonda sono una luce, perché io percepisco che sono buoni e belli, che esistono secondo le proprie regole di proporzione, che differiscono per genere e specie da tutti gli altri generi e specie, che sono definiti dal proprio numero, che non vengono meno al loro ordine, che cercano il loro luogo specifico conformemente alla loro gravità. E tanto più queste cose mi vengono rivelate quanto più la materia che io guardo è per sua natura preziosa, e tanto meglio si fa luce della potenza creatrice divina, in quanto se devo risalire alla sublimità della causa, inaccessibile nella sua pienezza, dalla sublimità dell'effetto, quanto meglio non mi parla della divina causalità un effetto mirabile quale l'oro o il diamante, se già di essa riescono a parlarmi financo lo sterco e l'insetto! E allora, quando in queste pietre percepisco tali cose superiori, l'anima piange, di gioia commossa, e non per vanità terrena o amore delle ricchezze, ma per amore purissimo della causa prima non causata."

"Davvero questa è la più dolce delle teologie," disse Guglielmo con perfetta umiltà, e pensai che usasse quella insidiosa figura di pensiero che i retori chiamano ironia; la quale si deve usare sempre facendola precedere dalla pronunciatio, che ne costituisce il segnale e la giustificazione; cosa che Guglielmo non faceva mai. Ragione per cui l'Abate, più incline all'uso delle figure di discorso, prese Guglielmo alla lettera e aggiunse, ancora in preda al suo mistico rapimento: "È la più immediata delle vie che ci pongono in contatto con l'Altissimo, materiale teofania."

Guglielmo tossì educatamente: "Eh... oh..." disse. Così faceva quando voleva introdurre un altro argomento. Gli riuscì di farlo con buona grazia perché era suo costume — e credo sia tipico degli uomini della sua terra — iniziare ogni suo intervento con lunghi gemiti preliminari, come se avviare l'esposizione di un pensiero compiuto gli costasse un grande sforzo della mente. Mentre, mi ero ormai convinto, quanti più gemiti egli anteponeva al suo asserto, tanto più egli era sicuro della bontà della proposizione che esso esprimeva.

"Eh... oh..." disse dunque Guglielmo. "Dovremmo parlare dell'incontro e del dibattito sulla povertà..."

"La povertà..." disse ancora assorto l'Abate, come se faticasse a discendere da quella bella regione dell'universo in cui lo avevano rapito le sue gemme. "È vero, l'incontro..."

E incominciarono a discutere fittamente di cose che in parte già sapevo e in parte riuscii a capire ascoltando il loro colloquio. Si trattava, come ho già detto sin dall'inizio di questa mia cronaca fedele, della duplice querela che opponeva da un lato l'imperatore al papa, e dall'altro il papa ai francescani che nel capitolo di Perugia, sia pure con molti anni di ritardo, avevano fatte proprie le tesi degli spirituali sulla povertà di Cristo; e dell'intrico che si era formato unendo i francescani all'impero, intrico che — da triangolo di opposizioni e alleanze — si era ormai trasformato in un quadrato per l'intervento, ancora a me oscurissimo, degli abati dell'ordine di san Benedetto.

Io non colsi mai con chiarezza la ragione per cui gli abati benedettini avevano dato protezione e ricetto ai francescani spirituali, prima ancora che il loro stesso ordine ne condividesse in certo qual modo le opinioni. Perché se gli spirituali predicavano la rinuncia a ogni bene terreno, gli abati del mio ordine, ne avevo avuto quel giorno stesso la luminosa conferma, seguivano una via non meno virtuosa ma del tutto opposta. Ma credo che gli abati ritenessero che un eccessivo potere del papa significasse un eccessivo potere dei vescovi e delle città, mentre l'ordine mio aveva conservato intatta la sua potenza nei secoli proprio in lotta col clero secolare e i mercanti cittadini, ponendosi come diretto mediatore tra il cielo e la terra, e consigliere dei sovrani.

Avevo sentito tante volte ripetere la frase secondo cui il popolo di Dio si divideva in pastori (ovvero i chierici), cani (ovvero i guerrieri) e pecore, il popolo. Ma ho imparato in seguito che questa frase può essere ridetta in vari modi. I benedettini avevano sovente parlato non di tre ordini, ma di due grandi divisioni, una che riguardava l'amministrazione delle cose terrene e l'altra che riguardava l'amministrazione delle cose celesti. Per quanto riguardava le cose terrene valeva la divisione tra clero, signori laici e popolo, ma su questa tripartizione dominava la presenza dell'ordo monachorum, legame diretto tra il popolo di Dio e il cielo, e i monaci non avevano nulla a che vedere con quei pastori secolari che erano i preti e i vescovi, ignoranti e corrotti, proni ormai agli interessi delle città, dove le pecore non erano più ormai tanto i buoni e fedeli contadini, bensì i mercanti e gli artigiani. All'ordine benedettino non spiaceva che il governo dei semplici fosse affidato ai chierici secolari, purché lo stabilire la regola definitiva di questo rapporto competesse ai monaci, in diretto contatto con la sorgente di ogni potere terrestre, l'impero, così come lo erano con la sorgente di ogni potere celeste. Ecco perché, credo, molti abati benedettini, per restituire dignità all'impero contro il governo delle città (vescovi e mercanti uniti) accettarono anche di proteggere i francescani spirituali, di cui non condividevano le idee, ma la cui presenza faceva loro comodo, in quanto offriva all'impero buoni sillogismi contro lo strapotere del papa.

Queste erano le ragioni, ne arguii, per cui ora Abbone stava disponendosi a collaborare con Guglielmo, inviato dall'imperatore, per far da mediatore tra l'ordine francescano e la sede pontificia. Infatti, pur nella violenza della disputa che tanto faceva periclitare l'unità della chiesa, Michele da Cesena, più volte chiamato ad Avignone da papa Giovanni, si era finalmente disposto ad accettare l'invito, perché non voleva che il suo ordine si ponesse in urto definitivo col pontefice. Quale generale dei francescani voleva a un tempo e far trionfare le loro posizioni e ottenere il consenso papale, anche perché intuiva che senza il consenso del papa non avrebbe potuto rimanere a lungo alla testa dell'ordine.

Ma molti gli avevano fatto osservare che il papa lo avrebbe atteso in Francia per tendergli un tranello, imputarlo di eresia e processarlo. E perciò consigliavano che l'andata di Michele ad Avignone fosse preceduta da alcune trattative. Marsilio aveva avuto un'idea migliore: inviare con Michele anche un legato imperiale che presentasse al papa il punto di vista dei sostenitori dell'imperatore. Non tanto per convincere il vecchio Cahors ma per rafforzare la posizione di Michele che, facendo parte di una legazione imperiale, non avrebbe potuto cadere così facilmente preda della vendetta pontificia.

Anche questa idea presentava tuttavia numerosi inconvenienti e non era realizzabile immantinenti. Di lì era venuta l'idea di un incontro preliminare tra i membri della legazione imperiale e alcuni inviati del papa, per provare le rispettive posizioni e stilare gli accordi per un incontro in cui la sicurezza dei visitatori italiani fosse garantita. Di organizzare questo primo incontro era stato appunto incaricato Guglielmo da Baskerville. Il quale avrebbe poi dovuto rappresentare il punto di vista dei teologi imperiali ad Avignone, se avesse ritenuto che il viaggio era possibile senza pericolo. Impresa non facile perché si supponeva che il papa, che voleva Michele da solo per poterlo ridurre più facilmente all'obbedienza, avrebbe inviato in Italia una legazione istruita in modo da far fallire, per quanto possibile, il viaggio degli inviati imperiali alla sua corte. Guglielmo si era mosso sino ad allora con grande abilità. Dopo lunghe consultazioni con vari abati benedettini (ecco la ragione delle molte tappe del nostro viaggio) aveva scelto l'abbazia dove eravamo proprio perché si sapeva che l'Abate era devotissimo all'impero e tuttavia, per la sua gran abilità diplomatica, non inviso alla corte pontificia. Territorio neutro, dunque, l'abbazia, dove i due gruppi avrebbero potuto incontrarsi.

Ma le resistenze del pontefice non erano finite. Egli sapeva che, una volta sul terreno dell'abbazia, la sua legazione sarebbe stata sottomessa alla giurisdizione dell'Abate: e siccome di essa avrebbero fatto parte anche membri del clero secolare, non accettava questa clausola, accampando timori di un tranello imperiale. Aveva posto quindi la condizione che l'incolumità dei suoi inviati fosse stata affidata a una compagnia di arcieri del re di Francia agli ordini di persona di sua fiducia. Di questo avevo vagamente udito Guglielmo discorrere con un ambasciatore del papa a Bobbio: si era trattato di definire la formula con cui designare i compiti di questa compagnia, ovvero cosa si intendesse per salvaguardia dell'incolumità dei legati pontifici. Si era accettata finalmente una formula proposta dagli avignonesi e che era parsa ragionevole: gli armati e chi li comandava avrebbero avuto giurisdizione "su tutti coloro che in qualche modo cercavano di attentare alla vita dei membri della legazione pontificia e di influenzarne il comportamento e il giudizio con atti violenti". Allora il patto era parso ispirato a pure preoccupazioni formali. Ora, dopo i recenti fatti avvenuti all'abbazia, l'Abate era inquieto e manifestò i suoi dubbi a Guglielmo. Se la legazione arrivava all'abbazia mentre era ancora ignoto l'autore di due delitti (il giorno dopo le preoccupazioni dell'Abate avrebbero dovuto aumentare, perché i delitti sarebbero stati tre) si sarebbe dovuto ammettere che circolava entro quelle mura qualcuno capace di influenzare con atti violenti il giudizio e il comportamento dei legati pontifici.

A nulla valeva cercare di celare i crimini che erano stati commessi, perché se qualcosa d'altro fosse ancora avvenuto, i legati pontifici avrebbero pensato a un complotto ai loro danni. E dunque le soluzioni erano solo due. O Guglielmo scopriva l'assassino prima dell'arrivo della legazione (e qui l'Abate lo guardò fissamente come a rimproverarlo tacitamente di non essere ancora venuto a capo della faccenda) oppure occorreva avvertire lealmente il rappresentante del papa di quanto stava avvenendo e chiedere la sua collaborazione perché l'abbazia fosse posta sotto attenta sorveglianza durante il corso dei lavori. Cosa che all'Abate dispiaceva, perché significava rinunciare a parte della sua sovranità e porre i suoi stessi monaci sotto il controllo dei francesi. Ma non si poteva rischiare. Guglielmo e l'Abate erano entrambi contrariati per la piega che prendevano le cose, ma avevano poche alternative. Si ripromisero pertanto di prendere una decisione definitiva entro il giorno seguente. Per intanto non restava che affidarsi alla misericordia divina e alla sagacia di Guglielmo.

"Farò il possibile, vostra sublimità," disse Guglielmo. "Ma d'altra parte non vedo come la cosa possa compromettere davvero l'incontro. Anche il rappresentante pontificio vorrà comprendere che c'è differenza tra l'opera di un pazzo, o di un sanguinario, o forse soltanto di un'anima smarrita, e i gravi problemi che uomini probi verranno a discutere."

"Credete?" chiese l'Abate, guardando Guglielmo fissamente. "Non dimenticate che gli avignonesi sanno di incontrarsi con dei minoriti, e quindi con persone pericolosamente vicine ai fraticelli e ad altri più dissennati ancora dei fraticelli, a eretici pericolosi che si sono macchiati di delitti,'' e qui l'Abate abbassò la voce, ''rispetto ai quali i fatti, peraltro orribili, che sono accaduti qui impallidiscono come nebbia al sole.''

''Non si tratta della stessa cosa!'' esclamò Guglielmo con vivacità. ''Non potete mettere alla stessa stregua i minoriti del capitolo di Perugia e qualche banda di eretici che hanno frainteso il messaggio del vangelo trasformando la lotta contro le ricchezze in una serie di vendette private o di follie sanguinarie...''

''Non sono passati molti anni da che, non molte miglia da qui, una di queste bande, come voi le chiamate, ha messo a ferro e fuoco le terre del vescovo di Vercelli e le montagne del novarese,'' disse seccamente l'Abate.

''Parlate di fra Dolcino e degli apostolici...''

''Degli pseudo apostoli,'' corresse l'Abate. E ancora una volta sentivo citare fra Dolcino e gli pseudo apostoli, e ancora una volta con tono circospetto, e quasi una sfumatura di terrore.

''Degli pseudo apostoli,'' ammise volentieri Guglielmo. ''Ma essi non avevano nulla a che vedere coi minoriti...''

''Dei quali professavano la stessa reverenza per Gioacchino di Calabria,'' incalzò l'Abate, ''e potete chiederlo al vostro confratello Ubertino.''

''Faccio rilevare a vostra sublimità che ora è confratello vostro,'' disse Guglielmo, con un sorriso e con una specie di inchino, come per complimentarsi con l'Abate per l'acquisto che il suo ordine aveva fatto accogliendo un uomo di tanta reputazione.

''Lo so, lo so,'' sorrise l'Abate. ''E voi sapete con quanta fraterna sollecitudine il nostro ordine ha accolto gli spirituali quando sono incorsi nelle ire del papa. Non parlo solo di Ubertino ma anche di molti altri fratelli più umili, dei quali poco si sa, e dei quali forse si dovrebbe sapere di più. Perché è accaduto che noi accogliessimo transfughi che si sono presentati vestiti del saio dei minoriti, e dopo ho appreso che le varie vicende della loro vita li avevano portati, per un tratto, assai vicini ai dolciniani...''

''Anche qui?'' domandò Guglielmo.

''Anche qui. Vi sto rivelando qualcosa di cui in verità so molto poco, e in ogni caso non abbastanza per formulare accuse. Ma visto che state indagando sulla vita di questa abbazia è bene che anche voi conosciate queste cose. Vi dirò allora che sospetto, badate, sospetto in base a cose che ho udito o indovinato, che ci sia stato un momento molto buio nella vita del nostro cellario, che appunto arrivò qui anni fa seguendo l'esodo dei minoriti."

"Il cellario? Remigio da Varagine un dolciniano? Mi pare l'essere più mite e in ogni caso meno preoccupato da madonna povertà che io abbia mai visto..." disse Guglielmo.

"E infatti non posso dire nulla di lui, e mi avvalgo dei suoi buoni servizi, per cui tutta la comunità gli va riconoscente. Ma dico questo, per farvi capire come sia facile trovare connessioni tra un frate e un fraticello."

"Ancora una volta la vostra magnitudine è ingiusta, se così posso dire," interloquì Guglielmo. "Stavamo parlando dei dolciniani, non dei fraticelli. Dei quali molto si potrà dire, senza neppur sapere di chi si parla, perché ve ne sono di molte sorte, ma non che siano dei sanguinari. Li si potrà al massimo rimproverare di mettere in pratica senza troppo senno cose che gli spirituali hanno predicato con maggior misura e animati da vero amor di Dio, e in questo convengo che esistono confini assai esili tra gli uni e gli altri..."

"Ma i fraticelli sono eretici!" interruppe seccamente l'Abate. "Non si limitano a sostenere la povertà di Cristo e degli apostoli, dottrina che, anche se non mi sento di condividere, può essere utilmente opposta all'albagìa avignonese. I fraticelli traggono da tale dottrina un sillogismo pratico, ne inferiscono un diritto alla rivolta, al saccheggio, alla perversione dei costumi."

"Ma quali fraticelli?"

"Tutti, in genere. Lo sapete che si sono macchiati di delitti innominabili, che non riconoscono il matrimonio, che negano l'inferno, che commettono sodomia, che abbracciano l'eresia bogomila dell'ordo Bulgarie e dell'ordo Drygonthie..."

"Vi prego," disse Guglielmo, "non confondete cose diverse! Voi parlate come se fraticelli, patarini, valdesi, catari, e tra questi bogomili di Bulgaria ed eretici di Dragovitsa fossero tutti la stessa cosa!"

"Lo sono," disse seccamente l'Abate, "lo sono perché sono eretici e lo sono perché mettono a repentaglio l'ordine stesso del mondo civile, anche l'ordine dell'impero che voi mi sembrate auspicare. Cento e più anni fa i seguaci di Arnaldo da Brescia incendiarono le case dei nobili e dei cardinali, e questi furono i frutti dell'eresia lombarda dei patarini. So delle storie terribili su questi eretici, e le lessi in Cesario di Eisterbach. A Verona il canonico di san Gedeone, Everardo, notò una volta che colui che lo ospitava ogni notte usciva di casa con la moglie e la figlia. Interrogò non so chi dei tre per sapere dove andassero e che facessero. Vieni e vedrai, gli fu risposto ed egli li seguì in una casa sotterranea, molto ampia, dove c'erano raccolte persone di entrambi i sessi. Un eresiarca, mentre tutti stavano in silenzio, tenne un discorso pieno di bestemmie, con il proposito di corrompere la loro vita e i loro costumi. Poi, spenta la candela, ciascuno si gettò sulla sua vicina, senza far differenza tra la sposa legittima e la nubile, tra vedova e vergine, tra padrona e serva, né (ciò che era peggio, il Signore mi perdoni mentre dico cose così orribili) tra figlia e sorella. Everardo, vedendo tutto ciò, da giovane leggero e lussurioso quale era, fingendosi un discepolo, si accostò non so se alla figlia del suo ospite o a un'altra fanciulla, e dopo che fu spenta la candela, peccò con lei. Fece purtroppo questo per più di un anno, e alla fine il maestro disse che quel giovane frequentava con tanto profitto le loro sedute che presto sarebbe stato in grado di istruire i neofiti. A quel punto Everardo comprese l'abisso in cui era caduto e riuscì a sfuggire alla loro seduzione dicendo che aveva frequentato quella casa non perché era attratto dall'eresia ma perché era attratto dalle fanciulle. Quelli lo scacciarono. Ma tale, lo vedete, è la legge e la vita degli eretici, patarini, catari, gioachimiti, spirituali d'ogni risma. Né c'è da meravigliarsi: non credono nella risurrezione della carne e nell'inferno come castigo dei malvagi, e ritengono di poter fare impunemente qualsiasi cosa. Essi infatti si dicono *catharoi* e cioè puri.''

''Abbone,'' disse Guglielmo, ''voi vivete isolato in questa splendida e santa abbazia, lontana dalle nequizie del mondo. La vita nelle città è molto più complessa di quanto credete e ci sono gradazioni, lo sapete, anche nell'errore e nel male. Lot fu molto meno peccatore dei suoi concittadini che concepirono pensieri immondi anche sugli angeli inviati da Dio, e il tradimento di Pietro fu nulla rispetto al tradimento di Giuda, infatti uno fu perdonato e l'altro no. Non potete considerare patarini e catari la stessa cosa. I patarini sono un movimento di riforma dei costumi interno alle leggi di santa madre chiesa. Essi vollero sempre migliorare il modo di vita degli ecclesiastici.''

''Sostenendo che non si dovevano prendere i sacramenti dai sacerdoti impuri...''

"E sbagliarono, ma fu l'unico loro errore di dottrina. Non si proposero mai di alterare la legge di Dio..."

"Ma la predicazione patarina di Arnaldo da Brescia, a Roma, più di duecento anni fa, spinse la turba dei rustici a incendiare le case dei nobili e dei cardinali."

"Arnaldo cercò di trascinare nel suo movimento di riforma i magistrati della città. Quelli non lo seguirono, e trovò consenso tra le turbe dei poveri e dei diseredati. Non fu responsabile dell'energia e della rabbia con cui quelli risposero ai suoi appelli per una città meno corrotta."

"La città è sempre corrotta."

"La città è il luogo dove oggi vive il popolo di Dio, di cui voi, di cui noi siamo i pastori. È il luogo dello scandalo in cui il prelato ricco predica la virtù al popolo povero e affamato. I disordini dei patarini nascono da questa situazione. Sono tristi, non sono incomprensibili. I catari sono altra cosa. È un'eresia orientale, al di fuori della dottrina della chiesa. Io non so se veramente commettano o abbiano commesso i delitti che vengono loro imputati. So che rifiutano il matrimonio, che negano l'inferno. Mi chiedo se molti degli atti che non hanno commesso non siano stati loro attribuiti solo in virtù delle idee (certo nefande) che hanno sostenuto."

"E voi mi dite che i catari non si sono mescolati ai patarini, e che entrambi non siano altro che due delle facce, innumerevoli, della stessa manifestazione demoniaca?"

"Dico che molte di queste eresie, indipendentemente dalle dottrine che sostengono, trovano successo tra i semplici, perché suggeriscono loro la possibilità di una vita diversa. Dico che molto spesso i semplici non sanno molto di dottrina. Dico che è accaduto sovente che turbe di semplici abbiano confuso la predicazione catara con quella dei patarini, e questa in generale con quella degli spirituali. La vita dei semplici, Abbone, non è illuminata dalla sapienza e dal senso vigile delle distinzioni che ci fa saggi. Ed è ossessionata dalla malattia, dalla povertà, fatta balbuziente dall'ignoranza. Spesso per molti di essi l'adesione a un gruppo eretico è solo un modo come un altro di gridare la propria disperazione. Si può bruciare la casa di un cardinale sia perché si vuole perfezionare la vita del clero, sia perché si ritiene che l'inferno, che lui predica, non esista. Lo si fa sempre perché esiste l'inferno terreno, in cui vive il gregge di cui noi siamo pastori. Ma voi sapete benissimo che, come essi non distinguono tra chiesa bulgara e seguaci di prete Liprando, spesso anche le autorità imperiali e i loro sostenitori non distinsero tra spirituali ed eretici. Non di rado gruppi ghibellini, per battere il loro avversario, sostennero tra il popolo tendenze catare. A mio parere fecero male. Ma quello che ora so è che gli stessi gruppi, sovente, per sbarazzarsi di questi inquieti e pericolosi avversari troppo 'semplici', attribuirono agli uni le eresie degli altri, e spinsero tutti sul rogo. Ho visto, vi giuro Abbone, ho visto coi miei occhi, uomini di vita virtuosa, sinceramente seguaci della povertà e della castità, ma nemici dei vescovi, che i vescovi spinsero nelle mani del braccio secolare, fosse esso al servizio dell'impero o delle città libere, accusandoli di promiscuità sessuale, sodomia, pratiche nefande — di cui forse altri ma non loro si erano resi colpevoli. I semplici sono carne da macello, da usare quando servono a mettere in crisi il potere avverso, e da sacrificare quando non servono più.''

''Quindi,'' disse l'Abate con evidente malizia, ''fra Dolcino e i suoi forsennati, e Gherardo Segalelli e quei turpi assassini furono catari malvagi o fraticelli virtuosi, bogomili sodomiti o patarini riformatori? Mi volete allora dire, Guglielmo, voi che sapete tutto degli eretici, tanto da sembrare uno dei loro, dove sta la verità?''

''Da nessuna parte, talora,'' disse con tristezza Guglielmo.

''Vedete che anche voi non sapete più distinguere tra eretico ed eretico? Io ho almeno una regola. So che eretici sono coloro che mettono a repentaglio l'ordine su cui si regge il popolo di Dio. E difendo l'impero perché mi garantisce quest'ordine. Combatto il papa perché sta consegnando il potere spirituale ai vescovi delle città, che si alleano ai mercanti e alle corporazioni, e non sapranno mantenere quest'ordine. Noi lo abbiamo mantenuto per secoli. E quanto agli eretici ho pure una regola, e si riassume nella risposta che diede Arnaldo Amalrico, abate di Citeaux, a chi gli chiedeva cosa fare dei cittadini di Béziers, città sospetta di eresia: uccideteli tutti, Dio riconoscerà i suoi.''

Guglielmo abbassò gli occhi e stette alquanto in silenzio. Poi disse: ''La città di Béziers fu presa e i nostri non guardarono né a dignità né a sesso né a età e quasi ventimila uomini morirono di spada. Fatta così la strage, la città fu saccheggiata e arsa.''

''Anche una guerra santa è una guerra.''

''Anche una guerra santa è una guerra. Per questo forse non dovrebbero esserci guerre sante. Ma cosa dico, sono qui a sostenere i diritti di Ludovico, che pure sta mettendo a fuoco l'Italia. Mi trovo anch'io preso in un gioco di strane alleanze. Strana l'alleanza degli spirituali con l'impero, strana quella dell'impero con Marsilio, che chiede la sovranità per il popolo. E strana quella tra noi due, così diversi per propositi e tradizione. Ma abbiamo due compiti in comune. Il successo dell'incontro, e la scoperta di un assassino. Cerchiamo di procedere in pace.''

L'Abate aprì le braccia. ''Datemi il bacio della pace, frate Guglielmo. Con un uomo del vostro sapere potremmo discutere a lungo su sottili questioni di teologia e di morale. Ma non dobbiamo cedere al gusto della disputa come fanno i maestri di Parigi. È vero, abbiamo un compito importante che ci attende, e dobbiamo procedere di comune accordo. Ma ho parlato di queste cose perché credo che vi sia un rapporto, capite?, un rapporto possibile, ovvero che altri possano porre un rapporto tra i delitti che qui sono avvenuti e le tesi dei vostri confratelli. Per questo vi ho avvertito, per questo dobbiamo prevenire ogni sospetto o insinuazione da parte degli avignonesi.''

''Non dovrei supporre che la vostra sublimità mi ha suggerito anche una traccia per la mia indagine? Ritenete che all'origine degli eventi recenti possa esserci qualche oscura storia che risale al passato ereticale di qualche monaco?''

L'Abate tacque per alcuni istanti, guardando Guglielmo senza che nessuna espressione trasparisse dal suo viso. Poi disse: ''In questa triste vicenda l'inquisitore siete voi. A voi compete essere sospettoso e persino rischiare un sospetto ingiusto. Io sono qui soltanto il padre comune. E, aggiungo, se avessi saputo che il passato di uno dei miei monaci si presta a sospetti veritieri, avrei proceduto già io a sradicare la mala pianta. Quello che so, lo sapete. Quello che non so, è giusto che venga alla luce grazie alla vostra sagacia. Ma in ogni caso informatene sempre e anzitutto me.'' Salutò e uscì dalla chiesa.

''La storia diventa più complicata, caro Adso,'' disse Guglielmo scuro in volto. ''Noi corriamo dietro a un manoscritto, ci interessiamo alle diatribe di alcuni monaci troppo curiosi e alla vicenda di altri monaci troppo lussuriosi, ed ecco che si profila sempre più insistentemente anche un'altra traccia, tutta diversa. Il cellario, dunque... E col cellario è venuto qui quello strano animale di Salvatore... Ma ora dovremo andare a riposare, perché abbiamo progettato di star svegli durante la notte.''

''Ma allora progettate ancora di penetrare in biblioteca, stanotte? Non abbandonate questa prima traccia?''

''Per nulla. E poi chi ha detto che si tratti di due tracce diverse? E infine, questa storia del cellario potrebbe essere solo un sospetto dell'Abate.''

Si mosse verso l'albergo dei pellegrini. Giunto alla soglia si arrestò e parlò come se continuasse il discorso di prima.

''In fondo l'Abate mi ha chiesto di indagare sulla morte di Adelmo quando pensava che accadesse qualcosa di torbido tra i suoi giovani monaci. Ma ora la morte di Venanzio fa nascere altri sospetti, forse l'Abate ha intuito che la chiave del mistero sta nella biblioteca, e su quello non vuole che io indaghi. Ed ecco allora che mi offrirebbe la traccia del cellario per distogliere la mia attenzione dall'Edificio...''

''Ma perché non dovrebbe volere che...''

''Non fare troppe domande. L'Abate mi ha detto sin dall'inizio che la biblioteca non si tocca. Avrà le sue buone ragioni. Potrebbe darsi che anche lui sia coinvolto in qualche vicenda che egli non pensava potesse aver rapporto con la morte di Adelmo, e ora si rende conto che lo scandalo si allarga e può coinvolgere anche lui. E non vuole che si scopra la verità, o almeno non vuole che la scopra io...''

''Ma allora viviamo in un luogo abbandonato da Dio,'' dissi sconfortato.

''Ne hai trovati di quelli in cui Dio si sarebbe sentito a proprio agio?'' mi domandò Guglielmo guardandomi dall'alto della sua statura.

Poi mi mandò a riposare. Mentre mi coricavo conclusi che mio padre non avrebbe dovuto mandarmi per il mondo, che era più complicato di quanto pensassi. Stavo imparando troppe cose.

''Salva me ab ore leonis,'' pregai addormentandomi.

DOPO VESPRI

Dove, malgrado il capitolo sia breve, il vegliardo Alinardo dice cose assai interessanti sul labirinto e sul modo di entrarvi.

Mi risvegliai che suonava quasi l'ora della mensa serale. Mi sentivo intorpidito dal sonno, perché il sonno diurno è come il peccato della carne: più se ne è avuto più se ne vorrebbe, eppure ci si sente infelici, sazi e insaziati allo stesso tempo. Guglielmo non era nella sua cella, evidentemente si era levato molto prima. Lo trovai, dopo un breve errare, che usciva dall'Edificio. Mi disse che era stato allo scriptorium, sfogliando il catalogo e osservando il lavoro dei monaci nel tentativo di avvicinarsi al tavolo di Venanzio per riprendere l'ispezione. Ma che per un motivo o per l'altro, ciascuno pareva intenzionato a non lasciarlo curiosare tra quelle carte. Prima gli si era avvicinato Malachia, per mostrargli alcune miniature di pregio. Poi Bencio lo aveva tenuto occupato con pretesti di nessun valore. Dopo ancora, quando si era chinato per riprendere la sua ispezione, Berengario si era messo a girargli intorno offrendo la sua collaborazione.

Infine Malachia, vedendo che il mio maestro pareva seriamente intenzionato a occuparsi delle cose di Venanzio, gli aveva detto chiaro e tondo che forse, prima di frugare tra le carte del morto, era meglio ottenere l'autorizzazione dell'Abate; che lui stesso, pur essendo il bibliotecario, se ne era astenuto, per rispetto e disciplina; e che in ogni caso nessuno si era avvicinato a quel tavolo, come Guglielmo gli aveva chiesto, e nessuno vi si sarebbe avvicinato sino a che l'Abate non fosse intervenuto. Guglielmo gli aveva fatto notare che l'Abate gli aveva dato licenza di indagare per tutta l'abbazia, Malachia aveva domandato non senza malizia se l'Abate gli aveva anche dato licenza di muoversi liberamente per lo scriptorium o, Dio non volesse, la biblioteca. Guglielmo aveva capito che non era il caso di impegnarsi in una prova di forza con Malachia, anche se tutti quei movimenti e quei timori intorno alle carte di Venanzio gli avevano naturalmente fortificato il desiderio di prenderne conoscenza. Ma tale era la sua determinazione di ritornare colà di notte, non sapeva ancora come, che aveva deciso di non creare incidenti. Covava però evidenti pensieri di rivincita che, se non fossero stati ispirati come erano alla sete di verità, sarebbero apparsi molto ostinati e forse riprovevoli.

Prima di entrare in refettorio, facemmo ancora una piccola passeggiata nel chiostro, per dissolvere i fumi del sonno all'aria fredda della sera. Vi si aggiravano ancora alcuni monaci in meditazione. Nel giardino prospiciente il chiostro scorgemmo il vecchissimo Alinardo da Grottaferrata, che ormai imbecille nel corpo, trascorreva gran parte della propria giornata tra le piante, quando non era a pregare in chiesa. Sembrava non sentire freddo, e sedeva lungo la parte esterna del porticato.

Guglielmo gli rivolse alcune parole di saluto e il vecchio parve lieto che qualcuno si intrattenesse con lui.

"Giornata serena," disse Guglielmo.

"Per grazia di Dio," rispose il vecchio.

"Serena nel cielo, ma scura in terra. Conoscevate bene Venanzio?"

"Venanzio chi?" disse il vecchio. Poi una luce si accese nei suoi occhi. "Ah, il ragazzo morto. La bestia si aggira per l'abbazia..."

"Quale bestia?"

"La grande bestia che viene dal mare... Sette teste e dieci corna e sulle corna dieci diademi e sulle teste tre nomi di bestemmia. La bestia che pare un leopardo, coi piedi come quelli dell'orso e la bocca come quella del leone... Io l'ho vista."

"Dove l'avete vista? In biblioteca?"

"Biblioteca? Perché? Sono anni che non vado più nello scriptorium e non ho mai visto la biblioteca. Nessuno va in biblioteca. Io conobbi coloro che salivano alla biblioteca..."

"Chi, Malachia, Berengario?"

"Oh no..." il vecchio rise con voce chioccia. "Prima. Il bibliotecario che venne prima di Malachia, tanti anni fa..."

"Chi era?"

"Non mi ricordo, è morto, quando Malachia era ancora giovane. E quello che venne prima del maestro di Malachia ed era aiuto bibliotecario giovane quando io ero giovane... Ma nella biblioteca io non misi mai piede. Labirinto..."

"La biblioteca è un labirinto?"

"Hunc mundum tipice laberinthus denotat ille," recitò assorto il vegliardo. "Intranti largus, redeunti sed nimis artus. La biblioteca è un gran labirinto, segno del labirinto del mondo. Entri e non sai se uscirai. Non bisogna violare le colonne d'Ercole..."

"Quindi non sapete come si entra nella biblioteca quando le porte dell'Edificio sono chiuse?"

"Oh sì," rise il vecchio, "molti lo sanno. Passi per l'ossario. Puoi passare per l'ossario, ma non vuoi passare per l'ossario. I monaci morti vegliano."

"Sono quelli i monaci morti che vegliano, non quelli che si aggirano di notte con un lume per la biblioteca?"

"Con un lume?" Il vecchio parve stupito. "Non ho mai sentito questa storia. I monaci morti stanno nell'ossario, le ossa calano a poco a poco dal cimitero e si radunano lì a custodire il passaggio. Non hai mai visto l'altare della cappella che reca all'ossario?"

"È la terza a sinistra dopo il transetto, è vero?"

"La terza? Forse. È quella con la pietra dell'altare scolpita con mille scheletri. Il quarto teschio a destra, spingi negli occhi... E sei nell'ossario. Ma non ci vai, io non ci sono mai andato. L'Abate non vuole."

"E la bestia, dove avete visto la bestia?"

"La bestia? Ah, l'Anticristo... Egli sta per venire, il millennio è scaduto, lo attendiamo..."

"Ma il millennio è scaduto da trecento anni, e allora non venne..."

"L'Anticristo non viene dopo che sono scaduti i mille anni. Scaduti i mille anni inizia il regno dei giusti, poi viene l'Anticristo a confondere i giusti, e poi sarà la battaglia finale..."

"Ma i giusti regneranno per mille anni," disse Guglielmo. "O hanno regnato dalla morte di Cristo sino alla fine del primo millennio, e quindi è allora che doveva venire l'Anticristo o non hanno ancora regnato, e l'Anticristo è lontano."

"Il millennio non si computa dalla morte di Cristo ma dalla donazione di Costantino. Ora sono i mille anni..."

"E allora finisce il regno dei giusti?"

"Non lo so, non lo so più... Sono stanco. Il calcolo è difficile. Beato di Liébana lo fece, chiedi a Jorge, egli è giovane, ricorda bene... Ma i tempi sono maturi. Non hai udito le sette trombe?"

"Perché le sette trombe?"

"Non hai sentito come è morto l'altro ragazzo, il miniatore? Il primo angelo ha dato fiato alla prima tromba e ne
venne grandine e fuoco misto a sangue. E il secondo angelo
ha dato fiato alla seconda tromba e la terza parte del mare
divenne sangue... Non è morto nel mare di sangue il secondo ragazzo? Attenti alla terza tromba! Morirà la terza parte
delle creature viventi nel mare. Dio ci punisce. Il mondo
tutto intorno all'abbazia è infestato dall'eresia, mi han detto
che è sul trono di Roma un papa perverso che usa delle ostie
per pratiche di negromanzia, e ne nutre le sue murene... E
da noi qualcuno ha violato l'interdetto, ha rotto i sigilli del
labirinto..."

"Chi ve lo ha detto?"

"L'ho udito, tutti sussurrano che il peccato è entrato nel-
l'abbazia. Hai ceci?"

La domanda, diretta a me, mi sorprese. "No, non ho ceci," dissi confuso.

"La prossima volta portami dei ceci. Li tengo in bocca,
vedi la mia povera bocca senza denti, sinché non si ammol-
lano tutti. Stimolano la saliva, aqua fons vitae. Domani mi
porterai dei ceci?"

"Domani vi porterò dei ceci," gli dissi. Ma si era assopi-
to. Lo lasciammo per andare in refettorio.

"Cosa pensate di ciò che ha detto?" domandai al mio
maestro.

"Egli gode della divina follia dei centenari. Difficile distinguere il vero dal falso nelle sue parole. Ma credo che ci
abbia detto qualcosa sul modo di penetrare nell'Edificio. Ho
visto la cappella da cui è uscito Malachia la notte scorsa. Vi è
davvero un altare di pietra, e sulla base sono scolpiti dei teschi, stasera proveremo."

COMPIETA

Dove si entra nell'Edificio, si scopre un visitatore misterioso, si trova un messaggio segreto con segni da negromante, e scompare, appena trovato, un libro che poi sarà ricercato per molti altri capitoli, né ultima vicissitudine è il furto delle preziose lenti di Guglielmo.

La cena fu mesta e silenziosa. Erano passate poco più di dodici ore da quando si era scoperto il cadavere di Venanzio. Tutti guardavano di sottecchi il suo posto vuoto a tavola. Quando fu l'ora di compieta il corteo che si recò in coro pareva una sfilata funebre. Partecipammo all'ufficio stando nella navata e tenendo d'occhio la terza cappella. La luce era poca, e quando vedemmo Malachia emergere dal buio per raggiungere il suo stallo, non potemmo capire di dove esattamente uscisse. A ogni buon conto ci facemmo nell'ombra, nascondendoci nella navata laterale, perché nessuno vedesse che restavamo lì a ufficio terminato. Io avevo nel mio scapolare il lume che avevo sottratto in cucina durante la cena. L'avremmo acceso poi al gran tripode di bronzo che restava vivo tutta la notte. Avevo uno stoppino nuovo, e molto olio. Avremmo avuto luce per molto tempo.

Ero troppo eccitato da quanto ci apprestavamo a fare per prestar attenzione al rito, il quale finì senza che quasi me ne accorgessi. I monaci si abbassarono i cappucci sul viso e uscirono in lenta fila per recarsi alle loro celle. La chiesa rimase deserta, illuminata dai bagliori del tripode.

"Orsù," disse Guglielmo. "Al lavoro."

Ci appressammo alla terza cappella. La base dell'altare era veramente simile a un ossario, una serie di teschi dalle occhiaie vuote e profonde incutevano timore ai riguardanti, posati come apparivano nel mirabile rilievo su un ammasso di tibie. Guglielmo ripeté a bassa voce le parole che aveva udito da Alinardo (quarto teschio a destra, spingi gli occhi). Introdusse le dita nelle occhiaie di quel volto scarnificato, e subito udimmo come un cigolio roco. L'altare si mosse, girando su un pernio occulto, lasciando intravvedere una apertura buia. Illuminandola col mio lume levato, scorgemmo degli scalini umidi. Decidemmo di scenderli, dopo aver discusso se dovevamo richiuderci il passaggio dietro le nostre spalle. Meglio di no, disse Guglielmo, non sapevamo se avremmo poi potuto riaprirlo. E quanto al rischio di essere scoperti, se qualcuno arrivava a quell'ora a manovrare lo stesso meccanismo, era perché sapeva come entrare e non sarebbe stato arrestato da un passaggio chiuso.

Scendemmo una decina e più di scalini e penetrammo in un corridoio sui cui lati si aprivano delle nicchie orizzontali, come più tardi mi accadde di vedere in molte catacombe. Ma era la prima volta che penetravo in un ossario, e ne provai molta paura. Le ossa dei monaci erano state raccolte lì nel corso dei secoli, disseppellite dalla terra, e ammassate nelle nicchie senza tentare di ricomporre la figura dei loro corpi. Però alcune nicchie avevano solo ossa minute, altre solo teschi, ben disposti quasi a piramide, in modo da non precipitare l'uno sull'altro, ed era spettacolo invero terrorizzante, specie con il gioco d'ombre e di luci che il lume creava lungo il nostro cammino. In una nicchia vidi solo mani, tante mani, ormai irrimediabilmente intrecciate l'una con l'altra, in un intrico di dita morte. Lanciai un urlo, in quel luogo di morti, provando per un momento l'impressione che vi fosse qualcosa di vivo, uno squittio, e un rapido movimento nell'ombra.

"Topi," mi rassicurò Guglielmo.

"Cosa fanno i topi qui?"

"Passano, come noi, perché l'ossario conduce all'Edificio, e quindi alla cucina. E ai buoni libri della biblioteca. E adesso capisci perché Malachia ha il volto così austero. Il suo ufficio lo obbliga a passare di qui due volte al giorno, alla sera e al mattino. Lui sì che non ha di che ridere."

"Ma perché il vangelo non dice mai che Cristo ridesse?" chiesi senza una buona ragione. "È davvero come dice Jorge?"

"Sono state legioni a domandarsi se Cristo abbia riso. La cosa non mi interessa gran che. Credo che non abbia mai riso perché, onnisciente come doveva essere il figlio di Dio, sapeva cosa avremmo fatto noi cristiani. Ma ecco che siamo arrivati."

E infatti, grazie a Dio, il corridoio era finito, iniziava una nuova serie di scalini, percorsi i quali non avemmo che spingere una porta di legno duro rinforzata di ferro, e ci trovammo dietro al camino della cucina, proprio sotto la scala a chiocciola che montava allo scriptorium. Mentre salivamo ci parve di udire un rumore di sopra.

Ristemmo un attimo in silenzio, poi dissi: "È impossibile. Nessuno è entrato prima di noi..."

"Ammesso che questa fosse la sola via d'accesso all'Edificio. Nei secoli passati questa era una rocca, e deve avere più accessi segreti di quanto non sappiamo. Saliamo adagio. Ma abbiamo poco da scegliere. Se spegniamo il lume non sappiamo dove andiamo, se lo teniamo acceso diamo l'allarme a chi si trova di sopra. L'unica speranza è che, se c'è qualcuno, abbia più paura di noi."

Arrivammo nello scriptorium, emergendo dal torrione meridionale. Il tavolo di Venanzio stava proprio dalla parte opposta. Muovendoci non illuminavamo più di poche braccia di parete alla volta, perché la sala era troppo ampia. Sperammo che nessuno fosse nella corte e vedesse la luce trasparire dalle finestre. Il tavolo sembrava in ordine, ma Guglielmo si chinò subito a esaminare i fogli nello scaffale sottostante ed ebbe una esclamazione di disappunto.

"Manca qualcosa?" chiesi.

"Oggi ho visto qui due libri, e uno era in greco. Ed è quest'ultimo che manca. Qualcuno lo ha tolto, e in gran fretta, perché una pergamena è caduta qui a terra."

"Ma il tavolo era guardato..."

"Certo. Forse qualcuno vi ha messo le mani solo poco fa. Forse è ancora qui." Si voltò verso le ombre e la sua voce risuonò tra le colonne: "Se sei qui bada a te!" Mi parve una buona idea: come Guglielmo aveva già detto, è sempre meglio che chi ci incute paura abbia più paura di noi.

Guglielmo posò il foglio che aveva trovato ai piedi del tavolo e vi avvicinò il volto. Mi chiese di fargli luce. Appressai il lume e scorsi una pagina bianca per la prima metà, e nella seconda coperta di caratteri minutissimi di cui riconobbi a fatica l'origine.

"È greco?" chiesi.

"Sì, ma non capisco bene." Trasse dal saio le sue lenti e le pose saldamente in sella al proprio naso, poi avvicinò ancora di più il volto.

"È greco, scritto molto piccolo, e tuttavia disordinatamente. Anche con le lenti leggo a fatica, occorrerebbe più luce. Avvicinati..."

Aveva preso il foglio tenendolo davanti al volto, e io stolidamente invece di passargli dietro alle spalle tenendo il lume alto sulla sua testa, mi misi proprio davanti a lui. Egli mi chiese di spostarmi di lato, e nel farlo sfiorai con la fiamma il retro del foglio. Guglielmo mi cacciò con una spinta, dicendomi se volevo bruciargli il manoscritto, poi ebbe una esclamazione. Vidi chiaramente che sulla parte superiore della pagina erano apparsi alcuni segni imprecisi di un colore giallo bruno. Guglielmo si fece dare il lume e lo mosse dietro il foglio, tenendo la fiamma abbastanza vicina alla superficie della pergamena, così da scaldarla senza lambirla. Lentamente, come se una mano invisibile stesse tracciando "Mane, Tekel, Fares", vidi disegnarsi sul verso bianco del foglio, a uno a uno, mano a mano che Guglielmo muoveva il lume, e mentre il fumo che scaturiva dal culmine della fiamma anneriva il recto, dei tratti che non assomigliavano a quelli di nessun alfabeto, se non a quello dei negromanti.

"Fantastico!" disse Guglielmo. "Sempre più interessante!" Si guardò intorno: "Ma sarà meglio non esporre questa scoperta alle insidie del nostro ospite misterioso, se ancora è qui..." Si tolse le lenti e le posò sul tavolo, poi arrotolò con cura la pergamena e la nascose nel saio. Ancora sbalordito da quella sequenza di eventi a dir poco miracolosi, stavo per chiedergli altre spiegazioni, quando un rumore improvviso e secco ci distolse. Proveniva dai piedi della scala orientale che portava alla biblioteca.

"Il nostro uomo è là, prendilo!" gridò Guglielmo e ci buttammo in quella direzione, lui più rapido, io più lentamente perché portavo il lume. Udii un fracasso di persona che incespica e cade, accorsi, trovai Guglielmo ai piedi della scala che osservava un pesante volume dalla coperta rinforzata di borchie metalliche. Nello stesso istante udimmo un altro rumore dalla direzione da cui eravamo venuti. "Stolto che sono!" gridò Guglielmo, "presto, al tavolo di Venanzio!"

Capii, qualcuno che stava nell'ombra dietro di noi aveva gettato il volume per attirarci lontano.

Ancora una volta Guglielmo fu più rapido di me e raggiunse il tavolo. Io seguendolo intravvidi tra le colonne un'ombra che fuggiva, infilando la scala del torrione occidentale.

Preso da ardore guerriero, misi il lume in mano a Guglielmo e mi buttai alla cieca verso la scala da cui era sceso il fuggiasco. In quel momento mi sentivo come un soldato di Cristo in lotta con le legioni infernali tutte, e ardevo dal desiderio di mettere le mani sullo sconosciuto per consegnarlo al mio maestro. Ruzzolai quasi lungo le scale a chiocciola inciampando nei lembi della mia veste (quello fu l'unico momento della mia vita, lo giuro, che rimpiansi di essere entrato in un ordine monastico!) ma in quello stesso istante, e fu pensiero di un lampo, mi consolai all'idea che anche il mio avversario doveva soffrire dello stesso impaccio. E in più, se aveva sottratto il libro, doveva avere le mani occupate. Precipitai quasi nella cucina dietro il forno del pane e, alla luce della notte stellata che illuminava pallidamente il vasto androne, vidi l'ombra che inseguivo, che infilava la porta del refettorio tirandola dietro di sé. Mi precipitai verso di quella, faticai qualche secondo ad aprirla, entrai, mi guardai attorno, e non vidi più nessuno. La porta che dava sull'esterno era ancora sprangata. Mi voltai. Ombra e silenzio. Scorsi un bagliore venire dalla cucina e mi addossai a un muro. Sulla soglia di passaggio tra i due ambienti apparve una figura illuminata da un lume. Gridai. Era Guglielmo.

"Non c'è più nessuno? Lo prevedevo. Colui non è uscito da una porta. Non ha infilato il passaggio dell'ossario?"

"No, è uscito di qui, ma non so da dove!"

"Te l'ho detto, ci sono altri passaggi, ed è inutile che li cerchiamo. Magari il nostro uomo sta riemergendo da qualche parte lontana. E con lui le mie lenti."

"Le vostre lenti?"

"Proprio così. Il nostro amico non ha potuto sottrarmi il foglio ma, con grande presenza di spirito, passando ha afferrato dal tavolo i miei vetri."

"E perché?"

"Perché non è uno sciocco. Mi ha sentito parlare di questi appunti, ha capito che erano importanti, ha pensato che senza le lenti non sarò in grado di decifrarli e sa per certo che non mi fiderò di mostrarli a nessuno. Infatti, ora è come se non li avessi."

"Ma come faceva a sapere delle vostre lenti?"

"Suvvia, a parte il fatto che ne abbiamo parlato ieri col maestro vetraio, stamane nello scriptorium me le sono inforcate per frugare tra le carte di Venanzio. Quindi ci sono molte persone che potrebbero sapere quanto quegli oggetti fossero preziosi. E infatti potrei anche leggere un manoscritto normale, ma non questo," e stava srotolando di nuovo la misteriosa pergamena, "dove la parte in greco è troppo piccola, e la parte superiore troppo incerta..."

Mi mostrò i segni misteriosi che erano apparsi come d'incanto al calore della fiamma: "Venanzio voleva celare un segreto importante e ha usato uno di quegli inchiostri che scrivono senza lasciar traccia e riappaiono al calore. Oppure ha usato del succo di limone. Ma siccome non so che sostanza abbia usato e i segni potrebbero riscomparire, presto, tu che hai gli occhi buoni, ricopiali subito nel modo più fedele che puoi, e magari un poco più grandi." E così feci, senza sapere cosa copiassi. Si trattava di una serie di quattro o cinque linee invero stregonesche, e riporto ora solo i primissimi segni, per dare al lettore una idea dell'enigma che avevamo davanti agli occhi:

Quando ebbi copiato Guglielmo guardò, purtroppo senza lenti, tenendo la mia tavoletta a una buona distanza dal naso. "È certamente un alfabeto segreto che occorrerà decifrare," disse. "I segni sono tracciati male, e forse tu li hai ricopiati peggio, ma si tratta certamente di un alfabeto zodiacale. Vedi? Nella prima linea abbiamo..." allontanò ancora il foglio da sé, strinse gli occhi, con uno sforzo di concentrazione: "Sagittario, Sole, Mercurio, Scorpione..."

"E cosa significano?"

"Se Venanzio fosse stato un ingenuo avrebbe usato l'alfabeto zodiacale più comune: A uguale a Sole, B uguale a Giove... La prima linea si leggerebbe allora... prova a trascrivere: RAIQASVL..." S'interruppe. "No, non vuole dire nulla, e Venanzio non era ingenuo. Ha riformulato l'alfabeto secondo un'altra chiave. Dovrò scoprirla."

"È possibile?" domandai ammirato.

"Sì, se si conosce un poco della sapienza degli arabi. I migliori trattati di criptografia sono opera di sapienti infedeli, e a Oxford ho potuto farmene leggere qualcuno. Bacone aveva ragione a dire che la conquista del sapere passa attraverso la conoscenza delle lingue. Abu Bakr Ahmad ben Ali ben Washiyya an-Nabati ha scritto secoli fa un *Libro del frenetico desiderio del devoto di apprendere gli enigmi delle antiche scritture* e ha esposto molte regole per comporre e decifrare alfabeti misteriosi, buoni per pratiche di magia, ma anche per la corrispondenza tra gli eserciti, o tra un re e i propri ambasciatori. Ho visto altri libri arabi che elencano una serie di artifici assai ingegnosi. Puoi per esempio sostituire una lettera con un'altra, puoi scrivere una parola a rovescio, puoi mettere le lettere in ordine inverso, ma prendendone una sì e una no, e poi ricominciando da capo, puoi come in questo caso sostituire le lettere con segni zodiacali, ma attribuendo alle lettere nascoste il loro valore numerico e poi, secondo un altro alfabeto, convertire i numeri in altre lettere..."

"E quale di questi sistemi avrà usato Venanzio?"

"Bisognerebbe provarli tutti, e altri ancora. Ma la prima regola per decifrare un messaggio è indovinare cosa voglia dire."

"Ma allora non c'è più bisogno di decifrarlo!" risi.

"Non in questo senso. Si possono però formulare delle ipotesi su quelle che potrebbero essere le prime parole del messaggio, e poi vedere se la regola che se ne inferisce vale per tutto il resto dello scritto. Per esempio, qui Venanzio ha certamente annotato la chiave per penetrare nel finis Africae. Se io provo a pensare che il messaggio parli di questo, ecco che sono illuminato all'improvviso da un ritmo... Prova a guardare le prime tre parole, non considerare le lettere, considera solo il numero dei segni... IIIIIII IIII IIIIIII... Ora prova a dividere in sillabe di almeno due segni ciascuna, e recita ad alta voce: ta-ta-ta, ta-ta, ta-ta-ta... Non ti viene in mente nulla?"

"A me no."

"E a me sì. *Secretum finis Africae*... Ma se così fosse l'ultima parola dovrebbe avere la prima e la sesta lettera uguali, e così infatti è, ecco due volte il simbolo della Terra. E la prima lettera della prima parola, la S, dovrebbe essere uguale all'ultima della seconda: e infatti ecco ripetuto il segno della Vergine. Forse è la strada buona. Però potrebbe trattarsi solo di una serie di coincidenze. Occorre trovare una regola di corrispondenza..."

"Trovarla dove?"

"Nella testa. Inventarla. E poi vedere se è quella vera. Ma tra una prova e l'altra il gioco potrebbe portarmi via una giornata intera. Non di più perché — ricordalo — non c'è scrittura segreta che non possa essere decifrata con un po' di pazienza. Ma ora rischiamo di far tardi e vogliamo visitare la biblioteca. Tanto più che senza lenti non riuscirò mai a leggere la seconda parte del messaggio, e tu non mi puoi aiutare perché questi segni, ai tuoi occhi..."

"Graecum est, non legitur," completai umiliato.

"Appunto, e vedi che aveva ragione Bacone. Studia! Ma non perdiamoci d'animo. Riponiamo la pergamena e i tuoi appunti, e saliamo in biblioteca. Perché questa sera nemmeno dieci legioni infernali riusciranno a trattenerci."

Mi segnai. "Ma chi può essere stato a precederci qui? Bencio?"

"Bencio ardeva dalla voglia di sapere cosa ci fosse tra le carte di Venanzio, ma non mi pareva nello spirito di giocarci tiri così maliziosi. In fondo ci aveva proposto un'alleanza, e poi mi aveva l'aria di non avere il coraggio di entrare di notte nell'Edificio."

"Allora Berengario? O Malachia?"

"Berengario mi sembra aver l'animo di far cose del genere. In fondo è corresponsabile della biblioteca, è roso dal rimorso di averne tradito qualche segreto, riteneva che Venanzio avesse sottratto quel libro e voleva forse riportarlo al posto da cui viene. Non è riuscito a salire, ora sta nascondendo il volume da qualche parte e potremo coglierlo sul fatto, se Dio ci assiste, quando tenterà di rimetterlo a posto."

"Ma potrebbe anche essere Malachia, mosso dalle stesse intenzioni."

"Direi di no. Malachia aveva avuto tutto il tempo che voleva per frugare nel tavolo di Venanzio quando è rimasto solo per chiudere l'Edificio. Lo sapevo benissimo e non avevo modo di evitarlo. Ora sappiamo che non l'ha fatto. E se ben rifletti, non abbiamo motivo per sospettare che Malachia sapesse che Venanzio era entrato in biblioteca sottraendo qualcosa. Questo lo sanno Berengario e Bencio e lo sappiamo tu e io. In seguito alla confessione di Adelmo potrebbe saperlo Jorge, ma non era certo lui l'uomo che si precipitava con tanta foga dalla scala a chiocciola..."

"Allora o Berengario o Bencio..."

"E perché no Pacifico da Tivoli o un altro dei monaci che abbiamo visto qui oggi? O Nicola il vetraio, che sa dei miei occhiali? O quel bizzarro personaggio di Salvatore, che ci han detto girar di notte per chissà quali faccende? Dobbiamo stare attenti a non restringere il campo dei sospetti solo perché le rivelazioni di Bencio ci hanno orientato in una sola direzione. Bencio forse voleva confonderci."

"Ma vi è parso sincero."

"Certo. Ma ricordati che il primo dovere di un buon inquisitore è quello di sospettare per primi coloro che ti paiono sinceri."

"Brutto lavoro quello dell'inquisitore," dissi.

"Per questo l'ho abbandonato. E come vedi mi tocca riprenderlo. Ma orsù, alla biblioteca."

Secondo giorno
NOTTE

Dove si penetra finalmente nel labirinto, si hanno strane visioni e, come accade nei labirinti, ci si perde.

Rimontammo allo scriptorium, questa volta per la scala o-
rientale, che saliva anche al piano proibito, il lume alto davanti a noi. Io pensavo alle parole di Alinardo sul labirinto e
mi attendevo cose spaventevoli.

Fui sorpreso, come emergemmo nel luogo in cui non a-
vremmo dovuto entrare, di trovarmi in una sala a sette lati,
non molto ampia, priva di finestre, in cui regnava, come del
resto in tutto il piano, un forte odore di stantio o di muffa.
Nulla di terrificante.

La sala, dissi, aveva sette pareti, ma solo su quattro di esse
si apriva, tra due colonnine incassate nel muro, un varco, un
passaggio abbastanza ampio sormontato da un arco a tutto
sesto. Lungo le pareti chiuse si addossavano enormi armadi,
carichi di libri disposti con regolarità. Gli armadi portavano
un cartiglio numerato e così pure ogni loro singolo ripiano:
chiaramente gli stessi numeri che avevamo visto nel catalogo.
In mezzo alla stanza un tavolo, anch'esso ripieno di libri. Su
tutti i volumi un velo abbastanza leggero di polvere, segno
che i libri venivano puliti con una certa frequenza. E anche
per terra non vi era lordura di sorta. Sopra all'arco di una
delle porte, un grande cartiglio, dipinto sul muro che recava
le parole: *Apocalypsis Iesu Christi*. Non pareva sbiadito, anche se i caratteri erano antichi. Ci avvedemmo dopo, anche
nelle altre stanze, che questi cartigli erano in verità incisi
nella pietra, e abbastanza profondamente, e poi le cavità e-
rano state riempite con della tinta, come si usa per affrescare
le chiese.

Passammo per uno dei varchi. Ci trovammo in un'altra
stanza, dove si apriva una finestra, che in luogo dei vetri
portava lastre di alabastro, con due pareti piene e un varco,

dello stesso tipo di quello da cui eravamo appena passati, che dava su un'altra stanza, la quale aveva due pareti piene anch'esse, una con finestra, e un'altra porta che si apriva davanti a noi. Nelle due stanze due cartigli simili nella forma al primo che avevamo visto, ma con altre parole. Il cartiglio della prima diceva: *Super thronos viginti quatuor*, e quello della seconda: *Nomen illi mors*. Per il resto, anche se le due stanze erano più piccole di quella da cui eravamo entrati in biblioteca (infatti quella era eptagonale e queste due rettangolari) l'arredo era lo stesso: armadi con libri e tavolo centrale.

Accedemmo alla terza stanza. Essa era vuota di libri e senza cartiglio. Sotto alla finestra un altare di pietra. Vi erano tre porte, una da cui eravamo entrati, l'altra che dava sulla stanza eptagonale già visitata, una terza che ci immise in una nuova stanza, non dissimile dalle altre, salvo che per il cartiglio che diceva: *Obscuratus est sol et aer*. Di qui si passava a una nuova stanza, il cui cartiglio diceva *Facta est grando et ignis*; era priva di altre porte, ovvero, arrivati a quella stanza non si poteva procedere e occorreva tornare indietro.

"Ragioniamo," disse Guglielmo. "Cinque stanze quadrangolari o vagamente trapezoidali, con una finestra ciascuna, che girano intorno a una stanza eptagonale senza finestre a cui sale la scala. Mi pare elementare. Siamo nel torrione orientale, ogni torrione dall'esterno presenta cinque finestre e cinque lati. Il conto torna. La stanza vuota è proprio quella che guarda a oriente, nella stessa direzione del coro della chiesa, la luce del sole all'alba illumina l'altare, il che mi sembra giusto e pio. L'unica idea astuta mi pare quella delle lastre di alabastro. Di giorno filtrano una bella luce, di notte non lasciano trasparire neppure i raggi lunari. Non è poi un gran labirinto. Ora vediamo dove portano le altre due porte della stanza eptagonale. Credo che ci orienteremo facilmente."

Il mio maestro si sbagliava e i costruttori della biblioteca erano stati più abili di quanto credessimo. Non so bene spiegare cosa avvenne, ma come abbandonammo il torrione, l'ordine delle stanze si fece più confuso. Alcune avevano due, altre tre porte. Tutte avevano una finestra, anche quelle che imboccavamo partendo da una stanza con finestra e pensando di andare verso l'interno dell'Edificio. Ciascuna aveva sempre lo stesso tipo di armadi e di tavoli, i volumi in bell'ordine ammassati sembravano tutti uguali e non ci aiutavano certo a riconoscere il luogo con un colpo d'occhio. Tentammo di orientarci coi cartigli. Una volta avevamo attraversato una stanza in cui era scritto *In diebus illis* e dopo alcuni giri ci parve di essere tornati laggiù. Ma ricordavamo che la porta davanti alla finestra immetteva in una stanza in cui era scritto *Primogenitus mortuorum*, mentre ora ne trovavamo un'altra che diceva di nuovo *Apocalypsis Iesu Christi*, e non era la sala eptagonale da cui eravamo partiti. Questo fatto ci convinse che talora i cartigli si ripetevano uguali in stanze diverse. Trovammo due stanze con *Apocalypsis* una appresso all'altra, e subito dopo una con *Cecidit de coelo stella magna*.

Da dove provenissero le frasi dei cartigli era evidente, si trattava di versetti dell'Apocalisse di Giovanni, ma non era affatto chiaro né perché fossero dipinti sui muri, né secondo quale logica fossero disposti. Ad accrescere la nostra confusione, rilevammo che alcuni cartigli, non molti, erano in color rosso anziché in nero.

A un certo punto ci ritrovammo nella sala eptagonale di partenza (quella era riconoscibile perché vi si apriva l'imbocco della scala), e riprendemmo a muoverci verso la nostra destra cercando di andare diritti di stanza in stanza. Passammo per tre stanze e poi ci trovammo di fronte a una parete chiusa. L'unico passaggio immetteva in una nuova stanza che aveva solo un'altra porta, uscendo dalla quale percorremmo altre quattro stanze e ci trovammo di nuovo di fronte a una parete. Tornammo alla stanza precedente che aveva due uscite, imboccammo quella non ancora tentata, passammo in una nuova stanza, e ci ritrovammo nella sala eptagonale di partenza.

"Come si chiamava l'ultima stanza da cui siamo tornati indietro?" chiese Guglielmo.

Feci uno sforzo di memoria: "*Equus albus.*"

"Bene, ritroviamola." E fu facile. Di lì, se non si voleva tornare sui propri passi, non c'era che da passare alla stanza detta *Gratia vobis et pax*, e di lì a destra ci parve di trovare un nuovo passaggio che non ci riportasse indietro. In effetti trovammo ancora *In diebus illis* e *Primogenitus mortuorum* (erano le stesse stanze di poco prima?) ma infine giungemmo in una stanza che non ci pareva di aver ancora visitato: *Tertia pars terrae combusta est*. Ma a quel punto non sapevamo più dove eravamo rispetto al torrione orientale.

Protendendo il lume in avanti mi spinsi nelle stanze seguenti. Un gigante di proporzioni minacciose, dal corpo ondulato e fluttuante come quello di un fantasma, mi venne incontro.

"Un diavolo!" gridai e poco mancò mi cadesse il lume, mentre mi voltavo di colpo e mi rifugiavo tra le braccia di Guglielmo. Questi mi prese il lume dalle mani e scostandomi si fece avanti con una decisione che mi parve sublime. Vide anch'egli qualcosa, perché arretrò bruscamente. Poi si protese di nuovo in avanti e alzò la lucerna. Scoppiò a ridere.

"Veramente ingegnoso. Uno specchio!"

"Uno specchio?"

"Sì, mio prode guerriero. Ti sei lanciato con tanto coraggio su un nemico vero, poco fa nello scriptorium, e ora ti spaventi di fronte alla tua immagine. Uno specchio, che ti rimanda la tua immagine ingrandita e distorta."

Mi prese per mano e mi condusse di fronte alla parete che fronteggiava l'ingresso della stanza. In una lastra di vetro ondulata, ora che il lume l'illuminava più da vicino, vidi le nostre due immagini, grottescamente deformate, che mutavano di forma e di altezza a seconda di quanto ci approssimassimo o ci allontanassimo.

"Devi leggerti qualche trattato di ottica," disse Guglielmo divertito, "come certo l'hanno letto i fondatori della biblioteca. I migliori sono quelli degli arabi. Alhazen compose un trattato *De aspectibus* in cui, con precise dimostrazioni geometriche, ha parlato della forza degli specchi. Alcuni dei quali, a seconda di come è modulata la loro superficie, possono ingrandire le cose più minuscole (e che altro sono le mie lenti?), altri fanno apparire le immagini rovesciate, o oblique, o mostrano due oggetti in luogo di uno, e quattro in luogo di due. Altri ancora, come questo, fanno di un nano un gigante o di un gigante un nano."

"Gesù Signore!" dissi. "Sono dunque queste le visioni che qualcuno dice di aver avuto in biblioteca?"

"Forse. Un'idea davvero ingegnosa." Lesse il cartiglio sul muro, sopra lo specchio: *Super thronos viginti quatuor*. "L'abbiamo già trovato, ma era una sala senza specchio. E questa tra l'altro non ha finestre, eppure non è eptagonale. Dove siamo?" Si guardò intorno e si avvicinò a un armadio: "Adso, senza quei benedetti oculi ad legendum non riesco a capire cosa ci sia scritto su questi libri. Leggimi qualche titolo."

Presi un libro a caso: "Maestro non è scritto!"

"Come? Vedo che è scritto, cosa leggi?"

"Non leggo. Non sono lettere dell'alfabeto e non è greco, lo riconoscerei. Sembrano vermi, serpentelli, caccole di mosche..."

"Ah, è arabo. Ce ne sono altri così?"

"Sì, alcuni. Ma eccone uno in latino, se Dio vuole. Al... Al Kuwarizmi, *Tabulae*."

"Le tavole astronomiche di Al Kuwarizmi, tradotte da Adelardo da Bath! Opera rarissima! Va avanti."

"Isa ibn Ali, *De oculis*, Alkindi, *De radiis stellatis*..."

"Guarda ora sul tavolo."

Aprii un grande volume che giaceva sul tavolo, un *De bestiis*. Capitai su una pagina finemente miniata dove era rappresentato un bellissimo unicorno.

"Bella fattura," commentò Guglielmo che riusciva a vedere bene le immagini. "E quello?"

Lessi: "*Liber monstrorum de diversis generibus*. Anche questo con belle immagini, ma mi paiono più antiche."

Guglielmo piegò il volto sul testo: "Miniato da monaci irlandesi, almeno cinque secoli fa. Il libro dell'unicorno è invece molto più recente, mi pare fatto al modo dei francesi." Ancora una volta ammirai la dottrina del mio maestro. Entrammo nella stanza successiva e percorremmo le quattro stanze seguenti, tutte con finestre, e tutte piene di volumi in lingue ignote, più alcuni testi di scienze occulte, e arrivammo a una parete che ci costrinse a tornare indietro perché le ultime cinque stanze penetravano le une nelle altre senza consentire altre uscite.

"Dall'inclinazione dei muri, dovremmo essere nel pentagono di un altro torrione," disse Guglielmo, "ma non c'è la sala eptagonale centrale, forse ci sbagliamo."

"Ma le finestre?" dissi. "Come possono esserci tante finestre? Impossibile che tutte le stanze diano sull'esterno."

"Dimentichi il pozzo centrale, molte di quelle che abbiamo visto sono finestre che danno sull'ottagono del pozzo. Se fosse giorno, la differenza della luce ci direbbe quali sono le finestre esterne e quali le interne, e forse persino ci rivelerebbe la posizione della stanza rispetto al sole. Ma di sera non si avverte nessuna differenza. Torniamo indietro."

Ritornammo nella stanza dello specchio e piegammo verso la terza porta dalla quale ci pareva di non essere ancora passati. Vedemmo davanti a noi una fuga di tre o quattro stanze, e verso l'ultima intravvedemmo un chiarore.

"C'è qualcuno!" esclamai con voce soffocata.

"Se c'è, si è già accorto del nostro lume," disse Guglielmo coprendo tuttavia la fiamma con la mano. Ristemmo per un minuto o due. Il chiarore continuava a oscillare lievemente, ma senza che si facesse più forte o più debole.

"Forse è solo una lampada," disse Guglielmo, "di quelle poste per convincere i monaci che la biblioteca è abitata dalle anime dei trapassati. Ma bisogna sapere. Tu stai qui coprendo il lume, io vado avanti con cautela."

Ancora vergognoso per la povera figura fatta avanti allo specchio, volli redimermi agli occhi di Guglielmo: "No, vado io," dissi, "voi restate qui. Procederò cauto, sono più piccolo e più leggero. Appena mi renderò conto che non c'è rischio vi chiamerò."

E così feci. Procedetti per tre stanze camminando rasente i muri, leggero come un gatto (o come un novizio che scenda in cucina a rubar del cacio in dispensa, impresa in cui eccellevo a Melk). Arrivai alla soglia della stanza da cui proveniva il chiarore, assai debole, strisciando lungo il muro a ridosso della colonna che faceva da stipite destro e sbirciai nella stanza. Non c'era nessuno. Una specie di lampada era posata sul tavolo, accesa, e fumigava stentata. Non era una lucerna come la nostra, sembrava piuttosto un turibolo scoperto, non fiammeggiava, ma una cenere lieve covava bruciando qualcosa. Mi feci coraggio ed entrai. Sul tavolo accanto al turibolo giaceva aperto un libro dai colori vivaci. Mi appressai e scorsi sulla pagina quattro strisce di diverso colore, giallo, cinabro, turchese e terra bruciata. Vi campiva una bestia, orribile a vedersi, un gran dragone con dieci teste che con la coda si traeva dietro le stelle del cielo e le faceva precipitare sulla terra. E improvvisamente vidi che il dragone si moltiplicava, e le squame della sua pelle diventavano come una selva di scaglie rutilanti che si staccarono dal foglio e vennero a rotarmi intorno al capo. Mi arrovesciai indietro e vidi il soffitto della stanza che si inclinava e scendeva sopra di me, poi udii come un sibilo di mille serpenti, ma non spaventoso, quasi seducente, e apparve una donna circonfusa di luce che avvicinò il suo volto al mio alitandomi sul viso. L'allontanai con le mani tese e mi parve che le mie mani toccassero i libri dell'armadio di fronte, o che essi ingrandissero a dismisura. Non mi rendevo più conto di dove fossi, e dove fosse la terra e dove il cielo. Vidi al centro della stanza Berengario che mi fissava con un sorriso odioso, grondante di lussuria. Mi coprii il volto con le mani e le mie mani mi parvero gli arti di un rospo, viscide e palmate. Gridai, credo, sentii un sapore acidulo in bocca, poi sprofondai in un buio infinito, che sembrava si aprisse sempre di più sotto di me e non seppi più nulla.

Mi risvegliai dopo un periodo che io reputai di secoli, sentendo dei colpi che mi rintronavano nella testa. Ero sdraiato al suolo e Guglielmo mi stava dando schiaffi sulle guance. Non ero più in quella stanza e i miei occhi scorsero un cartiglio che diceva *Requiescant a laboribus suis*.

"Su su, Adso," mi sussurrava Guglielmo. "Non è nulla..."

"Le cose..." dissi ancora vaneggiando. "Laggiù, la bestia..."

"Nessuna bestia. Ti ho trovato che deliravi ai piedi di un tavolo con sopra una bella apocalisse mozarabica, aperta sulla pagina della mulier amicta sole che fronteggia il dragone. Ma mi sono accorto dall'odore che tu avevi respirato qualcosa di cattivo e ti ho subito portato via. Anche a me duole il capo."

"Ma cosa ho visto?"

"Non hai visto nulla. È che laggiù bruciavano delle sostanze capaci di dar visioni, ho riconosciuto l'odore, è una cosa degli arabi, forse la stessa che il Veglio della Montagna dava ad aspirare ai suoi assassini prima di spingerli alle loro imprese. E così abbiamo spiegato il mistero delle visioni. Qualcuno pone erbe magiche durante la notte per convincere i visitatori inopportuni che la biblioteca è protetta da presenze diaboliche. Cosa hai provato, infine?"

Confusamente, per quel che ricordavo, gli raccontai della mia visione e Guglielmo rise: "Per metà stavi ampliando quel che avevi scorto nel libro e per l'altra metà lasciavi parlare i tuoi desideri e le tue paure. Questa è l'operazione che attivano tali erbe. Domani bisognerà parlarne con Severino, credo che ne sappia più di quel che vuol farci credere. Sono erbe, solo erbe, senza bisogno di quelle preparazioni negromantiche di cui ci parlava il vetraio. Erbe, specchi... Questo luogo della sapienza interdetta è difeso da molti e sapientissimi ritrovati. La scienza usata per occultare anziché per illuminare. Non mi piace. Una mente perversa presiede alla santa difesa della biblioteca. Ma è stata una nottata pesante, bisognerà uscire, per ora. Tu sei sconvolto e hai bisogno di acqua e di aria fresca. Inutile cercare di aprire queste finestre, troppo alte e forse chiuse da decenni. Come han potuto pensare che Adelmo si sia gettato da qui?"

Uscire, disse Guglielmo. Come se fosse stato facile. Sapevamo che la biblioteca era accessibile da un solo torrione, quello orientale. Ma dove eravamo in quel momento? Avevamo completamente perso l'orientamento. L'errare che facemmo, col timore di non uscire mai più da quel luogo, io sempre vacillante e colto da conati di vomito, Guglielmo abbastanza preoccupato per me, e indispettito per la pochezza della sua scienza, ci diede, ovvero diede a lui, un'idea per il giorno seguente. Avremmo dovuto tornare nella biblioteca, ammesso che mai ne uscissimo fuori, con un tizzone di legno bruciato, o un'altra sostanza capace di lasciare segni sui muri.

"Per trovare la via di uscita da un labirinto," recitò infatti Guglielmo, "non vi è che un mezzo. A ogni nodo nuovo, ossia mai visitato prima, il percorso di arrivo sarà contraddistinto con tre segni. Se, a causa di segni precedenti su qualcuno dei cammini del nodo, si vedrà che quel nodo è già stato visitato, si porrà un solo segno sul percorso di arrivo. Se tutti i varchi sono già stati segnati allora bisognerà rifare la strada, tornando indietro. Ma se uno o due varchi del nodo sono ancora senza segni, se ne sceglierà uno qualsiasi, apponendovi due segni. Incamminandosi per un varco che porta un solo segno, ve ne apporremo altri due, in modo che ora quel varco ne porti tre. Tutte le parti del labirinto dovrebbero essere state percorse se, arrivando a un nodo, non si prenderà mai il varco con tre segni, a meno che nessuno degli altri varchi sia ormai privo di segni."

"Come lo sapete? Siete esperto di labirinti?"

"No, recito da un testo antico che una volta ho letto."

"E secondo questa regola si esce?"

"Quasi mai, che io sappia. Ma tenteremo lo stesso. E poi nei prossimi giorni avrò delle lenti e avrò tempo a soffermarmi meglio sui libri. Può darsi che là dove il percorso dei cartigli ci confonde, quello dei libri ci dia una regola."

"Avrete le lenti? Come farete a ritrovarle?"

"Ho detto che avrò delle lenti. Ne farò delle altre. Credo che il vetraio non attenda altro che un'occasione del genere per fare una nuova esperienza. Se avrà gli arnesi giusti per molare i cocci. Quanto ai cocci, in quella bottega ne ha molti."

Mentre vagavamo cercando la strada, a un tratto, nel centro di una stanza, mi sentii accarezzare sul volto da una mano invisibile, mentre un gemito, che non era umano e non era animale, echeggiava e in quel vano e in quello vicino, come se uno spettro vagasse di sala in sala. Avrei dovuto essere preparato alle sorprese della biblioteca, ma ancora una volta mi terrorizzai e feci un balzo indietro. Anche Gugliel-mo doveva aver avuto un'esperienza simile alla mia, perché si stava toccando la guancia, levando in alto il lume e guar-dandosi intorno.

Egli alzò una mano, poi esaminò la fiamma che pareva o-ra più vivace, quindi si umettò un dito e lo tenne dritto da-vanti a sé.

"È chiaro," disse poi, e mi mostrò due punti, su due op-poste pareti, ad altezza d'uomo. Si aprivano ivi due strette feritoie, avvicinando la mano alle quali si poteva sentire l'a-ria fredda che proveniva dall'esterno. Avvicinandovi poi l'o-recchio si sentiva uno stormire, come se di fuori ora tirasse vento.

"La biblioteca doveva pur avere un sistema di aerazione," disse Guglielmo, "altrimenti l'atmosfera sarebbe irrespirabi-le, specie d'estate. Inoltre queste feritoie provvedono anche una giusta dose di umidità, affinché le pergamene non si secchino. Ma l'accortezza dei fondatori non si è fermata qui. Disponendo le feritoie secondo certi angoli, si sono garantiti che nelle notti di vento i soffi che penetrano da questi meati si incrocino con altri soffi, e si ingorghino entro la fuga delle stanze, producendo i suoni che abbiamo udito. I quali, uniti agli specchi e alle erbe, aumentano il timore degli incauti che qui penetrassero, come noi, senza conoscere bene il luo-go. E noi stessi abbiamo pensato per un attimo che dei fan-tasmi ci alitassero sul viso. Ce ne siamo resi conto solo ora perché solo ora si è levato il vento. E anche questo mistero è risolto. Ma con tutto ciò non sappiamo ancora come uscire!"

Così parlando girovagavamo a vuoto, ormai smarriti, tra-scurando di leggere i cartigli che apparivano tutti uguali. In-cappammo in una nuova sala eptagonale, girammo per le stanze vicine, non trovammo alcuna uscita. Tornammo sui nostri passi, camminammo per quasi un'ora, rinunciando a sapere dove eravamo. A un certo punto Guglielmo decise che eravamo sconfitti, non rimaneva che metterci a dormire in qualche sala e sperare che il giorno dopo Malachia ci tro-vasse. Mentre ci lamentavamo per la miserevole fine della nostra bella impresa, ritrovammo inopinatamente la sala da cui partiva la scala. Ringraziammo con fervore il cielo e scendemmo con grande allegrezza.

Una volta in cucina, ci buttammo verso il camino, en-trammo nel corridoio dell'ossario e giuro che il ghigno mor-tifero di quelle teste nude mi parve il sorriso di persone ca-re. Rientrammo in chiesa e uscimmo dal portale settentrionale, sedendoci infine felici sulle lastre di pietra delle tombe. L'aria bellissima della notte mi parve un balsamo divino. Le stelle brillavano intorno a noi e le visioni della biblioteca mi parvero assai lontane.

"Com'è bello il mondo e come sono brutti i labirinti!" dissi sollevato.

"Come sarebbe bello il mondo se ci fosse una regola per girare nei labirinti," rispose il mio maestro.

"Che ora sarà?" domandai.

"Ho perso il senso del tempo. Ma sarà bene trovarci nelle nostre celle prima che suoni mattutino."

Costeggiammo il lato sinistro della chiesa, passammo davanti al portale (mi girai dall'altra parte per non vedere i seniori dell'Apocalisse, super thronos viginti quatuor!) e attraversammo il chiostro per raggiungere l'albergo dei pellegrini.

Sulla soglia della costruzione stava l'Abate, che ci guardò con severità. "È tutta la notte che vi cerco," disse a Guglielmo. "Non vi ho trovato in cella, non vi ho trovato in chiesa..."

"Seguivamo una traccia..." disse vagamente Guglielmo, con visibile imbarazzo. L'Abate lo fissò a lungo, poi disse con voce lenta e severa: "Vi ho cercato subito dopo compieta. Berengario non era in coro."

"Cosa mi dite mai!" fece Guglielmo con aria ilare. Infatti gli era ora chiaro chi si fosse annidato nello scriptorium.

"Non era in coro a compieta," ripeté l'Abate, "e non è tornato nella sua cella. Sta per suonare mattutino, e controlleremo ora se riappare. Altrimenti pavento qualche nuova sciagura."

A mattutino Berengario non c'era.

TERZO GIORNO

Terzo giorno
DA LAUDI A PRIMA

*Dove si trova un panno sporco di sangue nella cella
di Berengario scomparso, ed è tutto.*

Mentre scrivo mi sento stanco come mi sentivo quella notte, ovvero quella mattina. Che dire? Dopo l'ufficio l'Abate mosse la maggior parte dei monaci, ormai in allarme, a cercare dappertutto, senza risultato.

Verso laudi, cercando nella cella di Berengario, un monaco trovò sotto il pagliericcio un panno bianco sporco di sangue. Lo mostrarono all'Abate che ne trasse foschi auspici. Era presente Jorge che, come ne fu informato, disse: "Sangue?" come se la cosa gli sembrasse inverosimile. Lo dissero ad Alinardo, che scosse la testa e disse: "No, no, alla terza tromba la morte viene per acqua..."

Guglielmo osservò il panno e poi disse: "Ora tutto è chiaro."

"Dov'è allora Berengario?" gli chiesero.

"Non lo so," rispose. Lo udì Aymaro che alzò gli occhi al cielo e sussurrò a Pietro da Sant'Albano: "Gli inglesi sono fatti così."

Verso prima, quando già c'era il sole, furono inviati dei servi a esplorare i piedi della scarpata, tutto intorno alle mura. Tornarono a terza, non avendo trovato nulla.

Guglielmo mi disse che non avremmo potuto far meglio. Occorreva attendere gli eventi. E si recò alle fucine, intrattenendosi in fitto conversare con Nicola, il maestro vetraio.

Io mi sedetti in chiesa, presso il portale centrale, mentre venivano celebrate le messe. Così devotamente mi addormentai, e a lungo, perché pare che i giovani abbiano bisogno di sonno più dei vecchi, i quali hanno già tanto dormito e si apprestano a dormire per l'eternità.

Terzo giorno

TERZA

*Dove Adso nello scriptorium riflette sulla storia del
suo ordine e sul destino dei libri.*

Uscii di chiesa meno stanco ma con la mente confusa,
perché il corpo non gode di un riposo tranquillo se non nelle ore notturne. Salii nello scriptorium, chiesi licenza a Malachia e cominciai a sfogliare il catalogo. E mentre gettavo
sguardi distratti ai fogli che mi passavano sotto gli occhi, osservavo in realtà i monaci.

Fui colpito dalla calma e dalla serenità con cui costoro e-
rano intesi al loro lavoro, come se un loro confratello non
fosse affannosamente ricercato per tutta la cinta e altri due
non fossero già scomparsi in circostanze spaventose. Ecco, mi
dissi, la grandezza del nostro ordine: per secoli e secoli uomini come questi hanno visto irrompere le turbe dei barbari,
saccheggiare le loro abbazie, precipitare i regni in vortici di
fuoco, eppure hanno continuato ad amare le pergamene e
gli inchiostri e hanno continuato a leggere a fior di labbro
parole che si tramandavano da secoli e che essi tramandavano ai secoli a venire. Hanno continuato a leggere e a copiare
mentre si appressava il millennio, perché non dovevano continuare a farlo ora?

Il giorno prima Bencio aveva detto che sarebbe stato disposto a commettere peccato pur di avere un libro raro. Non
mentiva e non celiava. Un monaco dovrebbe certo amare i
suoi libri con umiltà, volendo il bene loro e non la gloria
della propria curiosità: ma quello che per i laici è la tentazione dell'adulterio e per gli ecclesiastici secolari è la brama
di ricchezze, questa per i monaci è la seduzione della conoscenza.

Sfogliai il catalogo e mi danzò davanti agli occhi una festa
di titoli misteriosi: *Quinti Sereni de medicamentis, Phaeno-
mena, Liber Aesopi de natura animalium, Liber Aethici pe-*

ronymi de cosmographia, Libri tres quos Arculphus episco-
pus Adamnano escipiente de locis sanctis ultramarinis desi-
gnavit conscribendos, Libellus Q. Iulii Hilarionis de origine
mundi, Solini Polyshistor de situ orbis terrarum et mirabili-
bus, Almagesthus... Non mi stupivo che il mistero dei delitti ruotasse intorno alla biblioteca. Per questi uomini votati
alla scrittura la biblioteca era al tempo stesso la Gerusalemme celeste e un mondo sotterraneo al confine tra la terra incognita e gli inferi. Essi erano dominati dalla biblioteca,
dalle sue ·promesse e dai suoi interdetti. Vivevano con essa,
per essa e forse contro di essa, sperando colpevolmente di
violarne un giorno tutti i segreti. Perché non avrebbero dovuto rischiare la morte per soddisfare una curiosità della loro
mente, o uccidere per impedire che qualcuno si appropriasse
di un loro segreto geloso?

Tentazioni, certo, superbia della mente. Ben diverso era il
monaco scrivano immaginato dal nostro santo fondatore, capace di copiare senza capire, abbandonato alla volontà di
Dio, scrivente perché orante e orante in quanto scrivente.
Perché non era più così? Oh, non erano certo soltanto quelle
le degenerazioni dell'ordine nostro! Era diventato troppo
potente, i suoi abati gareggiavano coi re, non avevo forse in
Abbone l'esempio di un monarca che con piglio di monarca
cercava di dirimere controversie tra monarchi? Lo stesso sapere che le abbazie avevano accumulato era ora usato come
merce di scambio, ragione di superbia, motivo di vanto e
prestigio; così come i cavalieri ostentavano armature e stendardi, i nostri abati ostentavano codici miniati... E tanto più
(follia!) quanto ormai i nostri monasteri avevano perduto
anche la palma della saggezza: ormai le scuole cattedrali, le
corporazioni urbane, le università copiavano libri, forse più e
meglio di noi, e ne producevano di nuovi — e forse questa
era la causa di tante sventure.

L'abbazia in cui mi trovavo era forse ancora l'ultima a
vantare una eccellenza nella produzione e riproduzione della
sapienza. Ma forse proprio per questo i suoi monaci non si
appagavano più nell'opera santa della copia, volevano anch'essi produrre nuovi complementi della natura, spinti dalla cupidità di cose nuove. E non si avvedevano, intuii confusamente in quel momento (e so bene oggi, ormai canuto
d'anni e di esperienza), che così facendo essi sancivano la
rovina della loro eccellenza. Perché se quel nuovo sapere che
essi volevano produrre fosse rifluito liberamente fuori da
quelle mura, nulla più avrebbe distinto quel sacro luogo da

una scuola cattedrale o da una università cittadina. Rimanendo celato, invece esso manteneva intatti il suo prestigio e la sua forza, non era corrotto dalla disputa, dalla albagìa quodlibetale che vuole sottoporre al vaglio del *sic et non* ogni mistero e ogni grandezza. Ecco, mi dissi, le ragioni del silenzio e del buio che circondano la biblioteca, essa è riserva di sapere ma può mantenere questo sapere intatto solo se impedisce che giunga a chiunque, persino ai monaci stessi. Il sapere non è come la moneta, che rimane fisicamente integra anche attraverso i più infami baratti: esso è piuttosto come un abito bellissimo, che si consuma attraverso l'uso e l'ostentazione. Non è così infatti il libro stesso, le cui pagine si sbriciolano, gli inchiostri e gli ori si fanno opachi, se troppe mani lo toccano? Ecco, vedevo a poca distanza da me Pacifico da Tivoli che sfogliava un volume antico, i cui fogli si erano come attaccati l'uno all'altro a causa dell'umidità. Egli bagnava l'indice e il pollice con la lingua per sfogliare il suo libro, e a ogni tocco della sua saliva quelle pagine perdevano di vigore, aprirle voleva dire piegarle, offrirle alla severa azione dell'aria e della polvere, che avrebbero roso le sottili venature di cui la pergamena si increspava nello sforzo, avrebbero prodotto nuove muffe là dove la saliva aveva ammorbidito ma indebolito l'angolo del foglio. Come un eccesso di dolcezza rende molle e inabile il guerriero, questo eccesso di amore possessivo e curioso avrebbe predisposto il libro alla malattia destinata a ucciderlo.

Cosa si sarebbe dovuto fare? Cessare di leggere, soltanto conservare? Erano giusti i miei timori? Cosa avrebbe detto il mio maestro?

Vidi poco lontano un rubricatore, Magnus da Iona, che aveva terminato di sfregare il suo vello con la pietrapomice e lo ammorbidiva col gesso, per poi levigarne la superficie con la plana. Un altro accanto a lui, Rabano da Toledo, aveva fissato la pergamena alla tavola, segnandone i margini con dei leggeri buchi laterali da ambo le parti, tra cui ora tirava con uno stilo metallico linee orizzontali sottilissime. Tra poco i due fogli si sarebbero riempiti di colori e di forme, la pagina sarebbe divenuta come un reliquiario, fulgida di gemme incastonate in quello che sarebbe poi stato il tessuto devoto della scrittura. Quei due confratelli, mi dissi, stanno vivendo le loro ore di paradiso in terra. Stavano producendo nuovi libri, eguali a quelli che il tempo avrebbe poi inesorabilmente distrutto... Dunque la biblioteca non poteva essere minacciata da nessuna forza terrena, dunque era una cosa viva... Ma se era viva, perché non doveva aprirsi al rischio della conoscenza? Era questo che voleva Bencio e che forse aveva voluto Venanzio?

Mi sentii confuso e timoroso dei miei pensieri. Forse essi non si addicevano a un novizio che doveva solo seguire con scrupolo e umiltà la regola, per tutti gli anni a venire — ciò che poi ho fatto, senza pormi altre domande, mentre intorno a me sempre più il mondo sprofondava in una tempesta di sangue e follia.

Era l'ora del pasto mattutino, e mi recai in cucina, dove ormai ero divenuto amico dei cuochi, ed essi mi diedero alcuni dei bocconi migliori.

SESTA

Dove Adso riceve le confidenze di Salvatore, che non si pos-
sono riassumere in poche parole, ma che gli ispirano molte
preoccupate meditazioni.

Mentre mangiavo vidi in un angolo Salvatore, evidentemente riappacificatosi col cuciniere, che divorava con allegrezza un pasticcio di carne di pecora. Mangiava come non
avesse mai mangiato in vita sua, non lasciando cadere neppure una briciola, e pareva rendesse grazie a Dio per quel-
l'evento straordinario.

Mi ammiccò e mi disse, in quel suo bizzarro linguaggio,
che mangiava per tutti gli anni in cui aveva digiunato. Lo
interrogai. Mi raccontò di una infanzia dolorosissima in un
villaggio dove l'aria era cattiva, le piogge frequentissime, e i
campi marcivano mentre tutto era viziato da mortiferi mia-
smi. Ci furono, così capii, delle alluvioni per stagioni e stagioni, che i campi non avevano più solchi e con un moggio
di semi facevi un sestario, e poi il sestario si riduceva ancora
a nulla. Anche i signori avevano visi bianchi come i poveri
benché, osservò Salvatore, i poveri morissero più dei signori,
forse (osservò con un sorriso) perché erano in maggior numero... Un sestario costava quindici soldi, un moggio sessanta soldi, i predicatori annunciavano la fine dei tempi, ma
i genitori e gli avi di Salvatore si ricordavano che era stato
così anche altre volte, sì che ne avevan tratto la conclusione
che i tempi fossero sempre per finire. E così quando ebbero
mangiato tutte le carogne degli uccelli, e tutti gli animali
immondi che si potessero trovare, corse voce che qualcuno
nel villaggio cominciava a dissotterrare i morti. Salvatore
spiegava con molta bravura, come se fosse un istrione, come
usavan fare quegli "homeni malissimi" che scavavan con le
dita sotto la terra nei cimiteri, il giorno dopo le esequie di
qualcuno. "Gnam!" diceva, e addentava il suo pasticcio di
pecora, ma io vedevo nel suo volto la smorfia del disperato

che mangiava il cadavere. E poi, non contenti di scavare in terra consacrata, alcuni peggiori degli altri, come ladroni da strada, si acquattavano nella foresta e sorprendevano i viandanti. ''Zac!'' diceva Salvatore, il coltello alla gola e ''Gnam!'' E i peggiori tra i peggiori adescavano i fanciulli, con un uovo o una mela, e ne facevano scempio ma, come Salvatore mi precisò con molta serietà, cuocendoli prima. Raccontò di un uomo che venne al villaggio vendendo carne cotta per pochi soldi e tutti non sapevano capacitarsi di quella fortuna, poi il prete disse che si trattava di carne umana, e l'uomo fu fatto a pezzi dalla folla inferocita. Ma la notte stessa un tale del villaggio andò a scavare la fossa dell'ucciso e mangiò delle carni del cannibale, così che, quando fu scoperto, il villaggio condannò a morte anche lui.

Ma Salvatore non mi raccontò solo questa storia. A parole mozze, impegnandomi a ricordare quel poco che sapevo di provenzale e di dialetti italiani, mi raccontò la storia della sua fuga dal villaggio natio, e il suo girovagare per il mondo. E nel suo racconto riconobbi molti che avevo già conosciuto o incontrato lungo la strada, e molti altri che conobbi dopo ne riconosco ora, sì che non sono sicuro di non attribuirgli, a distanza di tempo, avventure e delitti che furono di altri, prima di lui e dopo di lui, e che ora nella mia mente stanca si appiattiscono a disegnare una sola immagine, per la forza appunto della immaginazione che, unendo il ricordo dell'oro a quello del monte, sa comporre l'idea di una montagna d'oro.

Spesso durante il viaggio avevo udito nominare da Guglielmo i semplici, termine con cui taluni suoi confratelli designavano non solo il popolo, ma al tempo stesso gli indotti. Espressione che mi parve sempre generica, perché nelle città italiane avevo incontrato uomini di mercatura e artigiani che non erano chierici ma che non erano indotti, anche se le loro conoscenze si manifestavano attraverso l'uso del volgare. E, per dire, alcuni dei tiranni che governavano in quel tempo la penisola, erano ignari di scienza teologica, e medica, e di logica, e di latino, ma non erano certo dei semplici o degli sprovveduti. Perciò credo che anche il mio maestro, quando parlava dei semplici, usasse un concetto piuttosto semplice. Ma indubbiamente Salvatore era un semplice, veniva da una campagna provata, da secoli, dalla carestia e dalle prepotenze dei signori feudali. Era un semplice ma non era uno sciocco. Aspirava a un mondo diverso, che, nei tempi in cui fuggì dalla casa dei suoi, a quel che mi disse, prendeva l'aspetto del paese di Cuccagna, dove dagli alberi, che trasudano miele, crescono forme di cacio e salsicciotti profumati.

Spinto da questa speranza, quasi rifiutando di riconoscere questo mondo come una valle di lacrime, in cui (come mi hanno insegnato) anche l'ingiustizia è stata predisposta dalla provvidenza per mantenere l'equilibrio delle cose, onde il disegno spesso ci sfugge, Salvatore viaggiò per varie terre, dal suo Monferrato nativo verso la Liguria, e poi su dalla Provenza alle terre del re di Francia.

Salvatore vagò per il mondo, questuando, rubacchiando, fingendosi ammalato, ponendosi al servizio transitorio di qualche signore, di nuovo prendendo la via della foresta, della strada maestra. Dal racconto che mi fece me lo vidi associato a quelle bande di vaganti che poi, negli anni che seguirono, sempre più vidi aggirarsi per l'Europa: falsi monaci, ciarlatani, giuntatori, arcatori, pezzenti e straccioni, lebbrosi e storpiati, ambulanti, girovaghi, cantastorie, chierici senza patria, studenti itineranti, bari, giocolieri, mercenari invalidi, giudei erranti, scampati dagli infedeli con lo spirito distrutto, folli, fuggitivi colpiti da bando, malfattori con le orecchie mozzate, sodomiti, e tra loro artigiani ambulanti, tessitori, calderai, seggiolai, arrotini, impagliatori, muratori, e ancora manigoldi di ogni risma, bari, birboni, baroni, bricconi, gaglioffi, guidoni, trucconi, calcanti, protobianti, paltonieri, e canonici e preti simoniaci e barattieri, e gente che viveva ormai sulla credulità altrui, falsari di bolle e sigilli papali, venditori di indulgenze, falsi paralitici che si sdraiavano alle porte delle chiese, vaganti in fuga dai conventi, venditori di reliquie, perdonatori, indovini e chiromanti, negromanti, guaritori, falsi questuanti, e fornicatori di ogni risma, corruttori di monache e di fanciulle con inganni e violenze, simulatori di idropisia, epilessia, emorroidi, gotta e piaghe, nonché follia melanconica. Ve n'erano che si applicavano impiastri sul corpo per fingere ulcere inguaribili, altri che si riempivano la bocca di una sostanza color sangue per simulare sbocchi di mal sottile, bricconi che fingevano d'esser deboli d'un dei loro membri, portando bastoni senza necessità e contraffacendo il mal caduco, rogne, bubboni, gonfiori, applicando bende, tinture di zafferano, portando ferri alle mani, fasce alla testa, intrufolandosi puzzolenti nelle chiese e lasciandosi cadere di colpo nelle piazze, sputando bava e strabuzzando gli occhi, gettando dalle narici sangue fatto di succo di more e vermiglione, per strappare cibo o danaro alle genti timorate che ricordavano gli inviti dei santi padri all'elemosina: dividi con l'affamato il tuo pane, conduci in casa chi non ha tetto, visitiamo Cristo, accogliamo Cristo, vestiamo Cristo perché come l'acqua purga il fuoco così l'elemosina purga i nostri peccati.

Anche dopo i fatti che narro, lungo il corso del Danubio molti ne vidi e ancora ne vedo di questi ciarlatani che avevano loro nomi e loro suddivisioni in legioni, come i demoni: accapponi, lotori, protomedici, pauperes verecundi, morghigeri, affamiglioli, crociarii, alacerbati, reliquiari, affarinati, falpatori, iucchi, spectini, cochini, appezzenti e attarantati, acconi e admiracti, mutuatori, attrementi, cagnabaldi, falsibordoni, accadenti, alacrimanti e affarfanti.

Era come una melma che scorreva per i sentieri del nostro mondo, e fra essi si insinuavano predicatori in buona fede, eretici in cerca di nuove prede, agitatori di discordia. Era stato proprio papa Giovanni, sempre timoroso dei movimenti dei semplici che predicassero e praticassero la povertà, a scagliarsi contro i predicatori questuanti che, a suo dire, attiravano i curiosi inalberando vessilli dipinti a figure, predicavano ed estorcevano danaro. Era nel vero il papa simoniaco e corrotto equiparando frati questuanti che predicavano la povertà con queste bande di diseredati e di rapinatori? Io in quei giorni, dopo aver un poco viaggiato per la penisola italiana, non avevo più le idee chiare: avevo sentito dei frati di Altopascio che predicando minacciavano scomuniche e promettevano indulgenze, assolvevano da rapine e fratricidi, da omicidi e spergiuri dietro sborso di danaro, davano a intendere che nel loro ospedale si celebravano ogni giorno sino a cento messe, per cui raccoglievano donazioni, e che coi loro beni si dotavano duecento fanciulle povere. E avevo sentito parlare di frate Paolo Zoppo che nella foresta di Rieti viveva in romitorio e si vantava di aver avuto direttamente dallo Spirito Santo la rivelazione che l'atto carnale non era peccato: così seduceva le sue vittime che chiamava sorelle obbligandole a darsi alla sferza sulla nuda carne, facendo in terra cinque genuflessioni in forma di croce, prima che egli presentasse le sue vittime a Dio e pretendesse da loro quello che chiamava il bacio della pace. Ma era vero? E cosa legava questi romiti che si dicevano illuminati ai frati dalla povera vita che percorrevano le vie della penisola facendo veramente penitenza, invisi al clero e ai vescovi di cui flagellavano i vizi e le rapine?

Dal racconto di Salvatore, così come si mescolava alle cose

che io già sapevo per mia scienza, queste distinzioni non apparivano alla luce del giorno: tutto sembrava uguale a tutto. Talora mi pareva uno di quegli storpi accattoni di Turenna di cui narra la favola, che all'avvicinarsi della salma miracolosa di san Martino si diedero alla fuga temendo che il santo li guarisse togliendo così loro la fonte dei loro guadagni, e il santo spietatamente li graziò prima che raggiungessero il confine, punendoli della loro malvagità col restituire loro l'uso degli arti. Talora invece il volto ferino del monaco si illuminava di luce dolcissima quando mi raccontava come, vivendo tra quelle bande, aveva ascoltato la parola di predicatori francescani, quanto lui alla macchia, e aveva capito che la vita povera ed errabonda che conduceva non doveva essere presa come una cupa necessità, ma come un gesto gioioso di dedicazione, ed era entrato a far parte di sette e gruppi penitenziali di cui egli storpiava i nomi e definiva in modo assai improprio la dottrina. Ne dedussi che aveva incontrato patarini e valdesi, e forse catari, arnaldisti e umiliati, e che vagando per il mondo era passato di gruppo in gruppo, gradatamente assumendo come missione la sua condizione di vagante, e facendo per il Signore quello che prima faceva per il suo ventre.

Ma come, e sino a quando? A quanto capii, una trentina di anni innanzi, egli si era aggregato a un convento di minoriti in Toscana e ivi aveva indossato il saio di san Francesco, senza prendere gli ordini. Lì, credo, aveva appreso quel tanto di latino che parlava, mescolandolo con le parlate di tutti i posti in cui, povero senza patria, era stato, e di tutti i compagni di vagabondaggio che aveva incontrato, dai mercenari delle mie terre ai bogomili dalmati. Lì si era dato a vita di penitenza, diceva (penitenziagite, mi citava con occhi ispirati, e di nuovo udii la formula che aveva incuriosito Guglielmo), ma a quanto pare anche i minori presso cui stava avevano idee confuse perché, in ira verso il canonico della chiesa vicina, accusato di rapine e altre nefandezze, gli invasero un giorno la casa e lo fecero rotolar dalle scale, sì che il peccatore ne morì, poi saccheggiarono la chiesa. Per il che il vescovo inviò degli armati, i frati si dispersero e Salvatore vagò a lungo nell'alta Italia con una banda di fraticelli, ovvero di minoriti questuanti senza più legge e disciplina.

Di qui riparò nel Tolosano, dove gli avvenne una strana storia, mentre si infiammava al racconto, che udiva, delle grandi imprese dei crociati. Una massa di pastori e di umili, in grande schiera, si riunì un giorno per passare il mare e

combattere contro i nemici della fede. Li chiamarono pastorelli. In effetti essi volevano sfuggire alla loro terra maledetta. C'erano due capi, che ispirarono loro delle false teorie,
un sacerdote che era stato privato della sua chiesa per la sua
condotta e un monaco apostata dell'ordine di san Benedetto. Costoro avevano fatto uscire a tal punto di senno quegli
sprovveduti che, correndo a frotte dietro di loro, anche ra-
gazzi di sedici anni, contro il volere dei genitori, portando
con sé solo una bisaccia e un bastone, senza danaro, lasciati i
loro campi, li seguivano come un gregge, e formavano una
gran massa. Ormai non seguivano più né ragione né giustizia, ma solo la forza e la loro volontà. Il trovarsi tutti insieme, finalmente liberi e con una oscura speranza di terre
promesse, li rese come ebbri. Percorrevano i villaggi e le città prendendosi tutto, e se uno di essi veniva arrestato essi
assalivano le prigioni e lo liberavano. Quando entrarono nella fortezza di Parigi per far uscire alcuni loro compagni che i
signori avevano fatto arrestare, poiché il prevosto di Parigi
tentava di opporre resistenza, lo colpirono e lo gettarono giù
per i gradini della fortezza e infransero le porte del carcere.
Poi si schierarono a battaglia nel prato di san Germano. Ma
nessuno ardì farsi contro di loro, e uscirono da Parigi diri-
gendosi verso l'Aquitania. E uccidevano tutti gli ebrei che
incontravano qua e là e li spogliavano dei loro beni...

"Perché gli ebrei?" chiesi a Salvatore. E mi rispose: "E
perché no?" E mi spiegò che per tutta la vita avevano appreso dai predicatori che gli ebrei erano i nemici della cristianità e accumulavano quei beni che a essi erano negati.
Gli chiesi se non era però vero che i beni venivano accumulati dai signori e dai vescovi, attraverso le decime, e che
quindi i pastorelli non combattevano i loro veri nemici. Mi
rispose che, quando i veri nemici sono troppo forti, bisogna
pur scegliere dei nemici più deboli. Riflettei che per questo i
semplici son detti tali. Solo i potenti sanno sempre con
grande chiarezza chi siano i loro nemici veri. I signori non
volevano che i pastorelli mettessero a repentaglio i loro beni
e fu una grande fortuna per loro che i capi dei pastorelli in-
sinuassero l'idea che molte delle ricchezze stavano presso gli
ebrei.

Chiesi chi aveva messo in capo alla folla che bisognava attaccare gli ebrei. Salvatore non ricordava. Credo che quando
si radunano tante folle seguendo una promessa e chiedendo
subito qualcosa, non si sappia mai chi parla tra di loro. Pensai che i loro capi si erano educati nei conventi e nelle scuole

vescovili, e parlavano il linguaggio dei signori, anche se lo traducevano in termini comprensibili a pastori. E i pastori non sapevano dove stesse il papa, ma sapevano dove stavano gli ebrei. Insomma, presero d'assedio un'alta e massiccia torre del re di Francia, dove gli ebrei spaventati erano corsi in massa a rifugiarsi. E gli ebrei usciti sotto le mura della torre si difendevano coraggiosamente e spietatamente, lanciando legna e pietre. Ma i pastorelli appiccarono il fuoco alla porta della torre, tormentando gli ebrei asserragliati col fumo e col fuoco. E gli ebrei non potendo salvarsi, preferendo uccidersi piuttosto che morire per mano dei non circoncisi, chiesero a uno di loro, che sembrava il più coraggioso, di ucciderli con la spada. Egli acconsentì, e ne uccise quasi cinquecento. Poi uscì dalla torre coi figli degli ebrei, e chiese ai pastorelli di essere battezzato. Ma i pastorelli gli dissero: tu hai fatto una tale strage della tua gente e ora pretendi di sottrarti alla morte? e lo fecero a pezzi, risparmiando i bambini, che fecero battezzare. Poi si diressero verso Carcassone, compiendo molte sanguinose rapine durante il loro cammino. Allora il re di Francia avvertì che essi avevano passato il limite e ordinò che si opponesse loro resistenza in ogni città in cui passavano e si difendessero persino gli ebrei come fossero uomini del re...

Perché il re divenne così sollecito degli ebrei, a quel punto? Forse perché divenne sospettoso di quello che i pastorelli avrebbero potuto fare in tutto il regno, e che il loro numero crescesse troppo. Allora sentì tenerezza anche per gli ebrei, sia perché gli ebrei erano utili ai commerci del regno, sia perché occorreva ora distruggere i pastorelli, e bisognava che i buoni cristiani tutti trovassero ragione di piangere sui loro delitti. Ma molti cristiani non obbedirono al re, pensando che non era giusto difendere gli ebrei, che erano sempre stati nemici della fede cristiana. E in molte città la gente del popolo che aveva dovuto pagare usura agli ebrei, era felice che i pastorelli li punissero per la loro ricchezza. Allora il re comandò sotto pena di morte di non dare aiuto ai pastorelli. Raccolse un numeroso esercito e li attaccò e molti di loro furono uccisi, altri si sottrassero con la fuga e si rifugiarono nelle foreste dove perirono di stenti. In breve tutti quanti furono annientati. E l'incaricato del re li catturò e li impiccò a venti o trenta per volta agli alberi più grandi, perché la vista dei loro cadaveri servisse di esempio eterno e nessuno ardisse più turbare la pace del regno.

Il fatto singolare è che Salvatore mi raccontò questa storia come se si trattasse di una virtuosissima impresa. E infatti rimaneva convinto che la folla dei pastorelli si era mossa per conquistare il sepolcro di Cristo e liberarlo dagli infedeli, e non mi fu possibile fargli credere che questa bellissima conquista era già stata fatta, ai tempi di Pietro l'Eremita e di santo Bernardo, e sotto il regno di Luigi il santo di Francia. Comunque Salvatore non andò dagli infedeli perché dovette allontanarsi al più presto dalle terre francesi. Passò nel novarese, mi disse, ma su quanto avvenne a questo punto fu molto vago. E infine arrivò a Casale, dove si fece accogliere nel convento dei minoriti (e qui credo avesse incontrato Remigio), proprio ai tempi in cui molti di essi, perseguitati dal papa, cambiavano di saio e cercavano rifugio presso monasteri d'altro ordine, per non finir bruciati. Come infatti ci aveva raccontato Ubertino. A causa delle sue lunghe esperienze in molti lavori manuali (che aveva fatte e per fini disonesti quando vagava libero e per fini santi quando vagava per amor di Cristo), Salvatore fu subito preso dal cellario come proprio aiutante. Ed ecco perché da molti anni stava colaggiù, poco interessato ai fasti dell'ordine, molto all'amministrazione della cantina e della dispensa, libero di mangiare senza rubare e di lodare il Signore senza essere bruciato.

Questa fu la storia che appresi da lui, tra un boccone e l'altro, e mi chiesi cosa avesse inventato e cosa avesse taciuto.

Lo guardai con curiosità, non per la singolarità della sua esperienza, ma anzi proprio perché quanto gli era avvenuto mi pareva epitome splendida di tanti eventi e movimenti che rendevano affascinante e incomprensibile l'Italia di quel tempo.

Cosa era emerso da quei discorsi? L'immagine di un uomo dalla vita avventurosa, capace anche di uccidere un proprio simile senza rendersi conto del proprio delitto. Ma, benché a quel tempo ogni offesa alla legge divina mi sembrasse uguale a un'altra, cominciavo già a capire alcuni dei fenomeni di cui udivo parlare, e comprendevo che un conto è il massacro che una folla, presa da rapimento quasi estatico, e scambiando le leggi del diavolo con quelle del Signore, poteva compiere, e un altro conto è il delitto individuale perpetrato a sangue freddo, nel silenzio e nell'astuzia. E non mi pareva che Salvatore potesse essersi macchiato di un crimine siffatto.

D'altra parte volevo scoprire qualcosa sulle insinuazioni fatte dall'Abate, ed ero ossessionato dall'idea di fra Dolcino, di cui non sapevo quasi nulla. E pure il suo fantasma pareva aleggiare su molte conversazioni che avevo udito in quei due giorni.

Così gli domandai a bruciapelo: "Nei tuoi viaggi non hai mai conosciuto fra Dolcino?"

La reazione di Salvatore fu singolare. Sbarrò gli occhi, se mai avesse potuto averli ancora più sbarrati, si segnò ripetutamente, mormorò alcune frasi rotte, in un linguaggio che quella volta veramente non capii. Ma mi parvero frasi di diniego. Sino ad allora mi aveva guardato con simpatia e fiducia, direi con amicizia. In quell'istante mi guardò quasi con astio. Poi con un pretesto se ne andò.

Ormai non potevo più resistere. Chi era questo frate che incuteva terrore a chiunque lo udisse nominare? Decisi che non potevo restare più a lungo in preda al mio desiderio di sapere. Un'idea mi attraversò la mente. Ubertino! Lui stesso aveva fatto quel nome, la prima sera che lo incontrammo, lui sapeva tutto delle vicende chiare ed oscure di frati, fraticelli e altre genie di quegli ultimi anni. Dove potevo trovarlo a quell'ora? certamente in chiesa, immerso nella preghiera. E lì, visto che godevo di un momento di libertà, mi recai.

Non lo trovai, e anzi non lo trovai sino a sera. E così rimasi con la mia curiosità, mentre accadevano gli altri fatti di cui devo ora raccontare.

NONA

Dove Guglielmo parla ad Adso del gran fiume ereticale, della funzione dei semplici nella chiesa, dei suoi dubbi sulla conoscibilità delle leggi generali, e quasi per inciso racconta come ha decifrato i segni negromantici lasciati da Venanzio.

Trovai Guglielmo nella fucina, che lavorava con Nicola, entrambi assai assorti dal loro lavoro. Avevano disposto sul banco tanti minuscoli dischi di vetro, forse già pronti per essere inseriti nelle giunture di una vetrata, e alcuni ne avevano ridotto con gli strumenti acconci allo spessore voluto. Guglielmo li provava mettendoseli davanti agli occhi. Nicola dal canto suo stava dando disposizioni ai fabbri perché costruissero la forcella in cui i vetri buoni avrebbero poi dovuto essere incastonati.

Guglielmo brontolava irritato perché sino a quel punto la lente che più lo soddisfaceva era color smeraldo ed egli, diceva, non voleva vedere le pergamene come fossero prati. Nicola si allontanò per sorvegliare i fabbri. Mentre trafficava con i suoi dischetti, gli raccontai del mio dialogo con Salvatore.

"L'uomo ha avuto varie esperienze," disse, "forse è stato davvero coi dolciniani. Questa abbazia è proprio un microcosmo, quando avremo qui i legati di papa Giovanni e fra Michele saremo davvero al completo."

"Maestro," gli dissi, "io non capisco più nulla."

"A proposito di che, Adso?"

"Primo, circa le differenze tra gruppi eretici. Ma di questo vi chiederò dopo. Ora sono afflitto dal problema stesso della differenza. Ho avuto l'impressione che parlando con Ubertino voi tentaste di dimostrargli che sono tutti eguali, santi ed eretici. E invece parlando con l'Abate voi vi sforzavate di spiegargli la differenza tra eretico ed eretico, e tra eretico e ortodosso. Cioè, voi rimproveravate a Ubertino di ritenere diversi coloro che in fondo erano uguali, e all'Abate di ritenere uguali coloro che in fondo erano diversi."

Guglielmo posò per un istante le lenti sul tavolo. "Mio buon Adso," disse, "cerchiamo di porre delle distinzioni, e distinguiamo pure nei termini delle scuole di Parigi. Allora, dicono lassù, tutti gli uomini hanno una stessa forma sostanziale, o mi sbaglio?"

"Certo," dissi, fiero del mio sapere, "sono animali ma razionali, e il loro proprio è di essere capaci di ridere."

"Benissimo. Però Tommaso è diverso da Bonaventura, e Tommaso è grasso mentre Bonaventura è magro, e persino può accadere che Uguccione sia cattivo mentre Francesco è buono, e Aldemaro è flemmatico mentre Agilulfo è bilioso. O no?"

"Indubbiamente è così."

"E allora ciò significa che c'è identità, in uomini diversi, quanto alla loro forma sostanziale e diversità quanto agli accidenti, ovvero quanto alle loro terminazioni superficiali."

"È senz'altro così."

"E allora quando dico a Ubertino che la stessa natura umana, nella complessità delle sue operazioni, presiede sia all'amore del bene che all'amore del male, cerco di convincere Ubertino dell'identità dell'umana natura. Quando poi dico all'Abate che v'è differenza tra un cataro e un valdese, insisto sulla varietà dei loro accidenti. E vi insisto perché accade che si bruci un valdese attribuendogli gli accidenti di un cataro e viceversa. E quando si brucia un uomo si brucia la sua sostanza individua, e si riduce a puro nulla quello che era un concreto atto di esistere, perciostesso buono, almeno agli occhi di Dio che lo manteneva all'essere. Ti pare una buona ragione per insistere sulle differenze?"

"Sì maestro," risposi con entusiasmo. "E ora ho capito perché parlate così, e apprezzo la vostra buona filosofia!"

"Non è la mia," disse Guglielmo, "e non so neppure se sia quella buona. Ma l'importante è che tu abbia capito. Veniamo ora al tuo secondo quesito."

"È che," dissi, "credo di essere un buono a nulla. Non riesco più a distinguere la differenza accidentale tra valdesi, catari, poveri di Lione, umiliati, beghini, pinzocheri, lombardi, gioachimiti, patarini, apostolici, poveri lombardi, arnaldisti, guglielmiti, seguaci del libero spirito e luciferini. Come devo fare?"

"Oh povero Adso," rise Guglielmo dandomi un affettuoso schiaffetto sulla nuca, "non hai mica torto! Vedi, è come se negli ultimi due secoli, e ancora prima, questo nostro mondo fosse stato percorso da soffi di insofferenza, speranza e disperazione, tutti insieme... Oppure no, non è una buona analogia. Pensa a un fiume, denso e maestoso, che corre per miglia e miglia entro argini robusti, e tu sai dove sia il fiume, dove l'argine, dove la terra ferma. A un certo punto il fiume, per stanchezza, perché ha corso per troppo tempo e troppo spazio, perché si avvicina il mare, che annulla in sé tutti i fiumi, non sa più cosa sia. Diventa il proprio delta. Rimane forse un ramo maggiore, ma molti se ne diramano, in ogni direzione, e alcuni riconfluiscono gli uni negli altri, e non sai più cosa sia origine di cosa, e talora non sai cosa sia fiume ancora, e cosa già mare..."

"Se capisco la vostra allegoria, il fiume è la città di Dio, o il regno dei giusti, che si sta avvicinando al millennio, e in questa incertezza esso non tiene più, nascono falsi e veri profeti e tutto confluisce nella gran piana dove avrà luogo l'Armageddon..."

"Non pensavo proprio a questo. Ma è anche vero che tra noi francescani è sempre viva l'idea di una terza età e dell'avvento del regno dello Spirito Santo. No, piuttosto cercavo di farti capire come il corpo della chiesa, che è stato per secoli anche il corpo della società tutta, il popolo di Dio, è diventato troppo ricco, e denso, e trascina con sé le scorie di tutti i paesi che ha attraversato, e ha perso la propria purezza. I rami del delta sono, se vuoi, altrettanti tentativi del fiume di correre il più presto possibile al mare, ovvero al momento della purificazione. Ma la mia allegoria era imperfetta, serviva solo a dirti come i rami dell'eresia e dei movimenti di rinnovamento, quando il fiume non tiene più, siano molti, e si confondano. Puoi anche aggiungere alla mia pessima allegoria l'immagine di qualcuno che tenta di ricostruire a viva forza gli argini del fiume, ma non ce la fa. E alcuni rami del delta vengono interrati, altri ricondotti per canali artificiali al fiume, altri ancora vengono lasciati scorrere, perché non si può trattenere tutto ed è bene che il fiume perda parte della propria acqua se vuole mantenersi integro nel suo corso, se vuole avere un corso riconoscibile."

"Capisco sempre di meno."

"Anch'io. Non sono buono a parlare in modo parabolico. Dimentica questa storia del fiume. Cerca piuttosto di capire come molti dei movimenti che hai nominato sono nati almeno duecento anni fa e sono già morti, altri sono recenti..."

"Ma quando si parla di eretici si nominano tutti insieme."

"È vero, ma questo è uno dei modi in cui l'eresia si diffonde e uno dei modi in cui viene distrutta."

"Non capisco di nuovo."

"Mio Dio, come è difficile. Bene. Immagina che tu sia un riformatore dei costumi e raduni alcuni compagni sulla vetta di un monte, per vivere in povertà. E dopo un poco vedi che molti vengono a te, anche da terre lontane, e ti considerano un profeta, o un nuovo apostolo, e ti seguono. Vengono davvero per te o per quello che dici?"

"Non so, lo spero. Perché altrimenti?"

"Perché hanno udito dai loro padri storie di altri riformatori, e leggende di comunità più o meno perfette, e pensano che questa sia quella e quella questa."

"Così ogni movimento eredita i figli degli altri."

"Certo, perché vi accorrono in massima parte i semplici, che non hanno sottigliezza dottrinale. Eppure i movimenti di riforma dei costumi nascono in luoghi e modi diversi e con diverse dottrine. Per esempio si confondono sovente i catari e i valdesi. Ma vi è tra essi una grande differenza. I valdesi predicavano una riforma dei costumi all'interno della chiesa, i catari predicavano una chiesa diversa, una diversa visione di Dio e della morale. I catari pensavano che il mondo fosse diviso tra le forze opposte del bene e del male, e avevano costituito una chiesa in cui si distinguevano i perfetti dai semplici credenti, e avevano i loro sacramenti e i loro riti; avevano costituito una gerarchia molto rigida, quasi quanto quella della nostra santa madre chiesa e non pensavano affatto a distruggere ogni forma di potere. Il che ti spiega perché aderirono ai catari anche uomini di comando, possidenti, feudatari. Né pensavano di riformare il mondo, perché l'opposizione tra bene e male per essi non potrà mai essere composta. I valdesi invece (e con loro gli arnaldisti o i poveri lombardi) volevano costruire un mondo diverso su un ideale di povertà, per questo accoglievano i diseredati, e vivevano in comunità del lavoro delle loro mani. I catari rifiutavano i sacramenti della chiesa, i valdesi no, rifiutavano solo la confessione auricolare."

"Ma perché allora vengono confusi e se ne parla come della stessa mala pianta?"

"Te l'ho detto, quello che li fa vivere è anche quello che li fa morire. Si arricchiscono di semplici che sono stati stimolati da altri movimenti e che credono che si tratti dello stesso moto di rivolta e di speranza; e sono distrutti dagli inquisitori che attribuiscono agli uni gli errori degli altri, e se i settatori di un movimento hanno commesso un delitto, questo delitto sarà attribuito a ciascun settatore di ciascun movimento. Gli inquisitori hanno torto secondo ragione, perché mettono insieme dottrine contrastanti; hanno ragione secondo il torto degli altri, perché come nasce un movimento, verbigratia, di arnaldisti in una città, vi convergono anche coloro che sarebbero stati o erano stati catari o valdesi altrove. Gli apostoli di fra Dolcino predicavano la distruzione fisica dei chierici e dei signori, e commisero molte violenze; i valdesi sono contrari alla violenza, e così i fraticelli. Ma sono sicuro che ai tempi di fra Dolcino convenirono nel suo gruppo molti che avevano già seguito la predicazione dei fraticelli o dei valdesi. I semplici non possono scegliersi la loro eresia, Adso, si aggrappano a chi predica nella loro terra, a chi passa per il villaggio o per la piazza. È su questo che giocano i loro nemici. Presentare agli occhi del popolo una sola eresia, che magari consigli al tempo stesso e il rifiuto del piacere sessuale e la comunione dei corpi, è buona arte predicatoria: perché mostra gli eretici un solo intrico di diaboliche contraddizioni che offendono il senso comune.''

''Quindi non vi è rapporto tra essi ed è per inganno del demonio che un semplice che avrebbe voluto essere gioachimita o spirituale cade nelle mani di catari o viceversa?''

''E invece non è così. Cerchiamo di ricominciare da capo, Adso, e ti assicuro che cerco di spiegarti una cosa sulla quale neppure io credo di possedere la verità. Penso che l'errore sia di credere che prima venga l'eresia, poi i semplici che vi si danno (e vi si dannano). In verità prima viene la condizione dei semplici, poi l'eresia.''

''E come?''

''Tu hai chiara la visione della costituzione del popolo di Dio. Un grande gregge, pecore buone, e pecore cattive, tenute a freno da cani mastini, i guerrieri, ovvero il potere temporale, l'imperatore e i signori, sotto la guida dei pastori, i chierici, gli interpreti della parola divina. L'immagine è piana.''

''Ma non è vera. I pastori combattono coi cani perché ciascuno dei due vuole i diritti degli altri.''

''È vero, ed è appunto questo che rende imprecisa la natura del gregge. Persi come sono a dilaniarsi a vicenda, cani e pastori non curano più il gregge. Una parte di esso ne rimane fuori.''

''Come fuori?''

''Ai margini. Contadini, non sono contadini perché non

hanno terra o quella che hanno non li nutre. Cittadini, non sono cittadini perché non appartengono né a un'arte né ad altra corporazione, sono popolo minuto, preda di ciascuno. Hai visto talora nelle campagne gruppi di lebbrosi?''

''Sì, una volta ne vidi cento insieme. Deformi, con la carne in disfacimento e tutta biancastra, sulle loro stampelle, le palpebre gonfie, gli occhi sanguinanti, non parlavano né gridavano: squittivano, come topi.''

''Essi sono per il popolo cristiano gli altri, quelli che stanno ai margini del gregge. Il gregge li odia, essi odiano il gregge. Ci vorrebbero tutti morti, tutti lebbrosi come loro.''

''Sì, ricordo una storia di re Marco che doveva condannare Isotta la bella e stava facendola salire sul rogo, e vennero i lebbrosi e dissero al re che il rogo era pena da poco e che ve n'era una peggiore. E gli gridarono: dacci Isotta che appartenga a tutti noi, il male accende i nostri desideri, dalla ai tuoi lebbrosi, guarda, i nostri stracci sono incollati alle piaghe che gemono, lei che accanto a te si compiaceva delle ricche stoffe foderate di vaio e dei gioielli, quando vedrà la corte dei lebbrosi, quando dovrà entrare nei nostri tuguri e coricarsi con noi, allora riconoscerà davvero il suo peccato e rimpiangerà questo bel fuoco di rovi!''

''Vedo che per essere un novizio di san Benedetto hai delle curiose letture,'' motteggiò Guglielmo, e io arrossii, perché sapevo che un novizio non dovrebbe leggere romanzi d'amore, ma tra noi giovanetti circolavano al monastero di Melk e li leggevamo a lume di candela di notte. ''Ma non importa,'' riprese Guglielmo, ''hai capito cosa volevo dire. I lebbrosi esclusi vorrebbero trascinare tutti nella loro rovina. E diverranno tanto più cattivi quanto più tu li escluderai, e quanto più tu te li rappresenti come una corte di lemuri che vogliono la tua rovina, tanto più loro saranno esclusi. San Francesco capì questo, e la sua prima scelta fu di andare a vivere tra i lebbrosi. Non si cambia il popolo di Dio se non si reintegrano nel suo corpo gli emarginati.''

''Ma voi parlavate di altri esclusi, non sono i lebbrosi a comporre i movimenti ereticali.''

''Il gregge è come una serie di cerchi concentrici, dalle più ampie lontananze del gregge alla sua periferia immediata. I lebbrosi sono segno dell'esclusione in generale. San Francesco l'aveva capito. Non voleva solo aiutare i lebbrosi, ché la sua azione si sarebbe ridotta a un ben povero e impotente atto di carità. Voleva significare altro. Ti han raccontato della predica agli uccelli?''

"Oh sì, ho sentito questa storia bellissima e ho ammirato il santo che godeva della compagnia di quelle tenere creature di Dio," dissi con gran fervore.

"Ebbene, ti hanno raccontato una storia sbagliata, ovvero la storia che l'ordine sta oggi ricostruendo. Quando Francesco parlò al popolo della città e ai suoi magistrati e vide che quelli non lo capivano, uscì verso il cimitero e si mise a predicare a corvi e a gazze, a sparvieri, a uccelli di rapina che si cibavano di cadaveri."

"Che cosa orrenda," dissi, "non erano dunque uccelli buoni!"

"Erano uccelli da preda, uccelli esclusi, come i lebbrosi. Francesco pensava certo a quel verso dell'Apocalisse che dice: ho visto un angelo, levato nel sole, gridare con voce forte e dire a tutti gli uccelli che volavano nel sole, venite e radunatevi tutti al gran banchetto di Dio, mangiate la carne dei re, la carne dei tribuni e dei superbi, la carne dei cavalli e dei cavalieri, la carne dei liberi e degli schiavi, dei piccoli e dei grandi!"

"Dunque Francesco voleva incitare gli esclusi alla rivolta?"

"No, questo furono semmai Dolcino e i suoi. Francesco voleva richiamare gli esclusi, pronti alla rivolta, a far parte del popolo di Dio. Per ricomporre il gregge bisognava ritrovare gli esclusi. Francesco non c'è riuscito e te lo dico con molta amarezza. Per reintegrare gli esclusi doveva agire all'interno della chiesa, per agire all'interno della chiesa doveva ottenere il riconoscimento della sua regola, da cui sarebbe uscito un ordine, e un ordine, come ne uscì, avrebbe ricomposto l'immagine di un cerchio, al cui margine stanno gli esclusi. E allora capisci, ora, perché ci sono le bande dei fraticelli e dei gioachimiti, che raccolgono intorno a loro gli esclusi, ancora una volta."

"Ma non stavamo parlando di Francesco, bensì di come l'eresia sia il prodotto dei semplici e degli esclusi."

"Infatti. Parlavamo degli esclusi dal gregge delle pecore. Per secoli, mentre il papa e l'imperatore si dilaniavano nelle loro diatribe di potere, questi hanno continuato a vivere ai margini, essi i veri lebbrosi, di cui i lebbrosi sono solo la figura disposta da Dio perché noi capissimo questa mirabile parabola e dicendo 'lebbrosi' capissimo 'esclusi, poveri, semplici, diseredati, sradicati dalle campagne, umiliati nelle città'. Non abbiamo capito, il mistero della lebbra è rimasto a ossessionarci perché non ne abbiamo riconosciuto la natura di segno. Esclusi com'erano dal gregge, tutti costoro sono stati pronti ad ascoltare, o a produrre, ogni predicazione che, richiamandosi alla parola di Cristo, in effetti mettesse sotto accusa il comportamento dei cani e dei pastori e promettesse che un giorno essi sarebbero stati puniti. Questo i potenti lo capirono sempre. La reintegrazione degli esclusi imponeva la riduzione dei loro privilegi, per questo gli esclusi che assumevano coscienza della loro esclusione andavano bollati come eretici, indipendentemente dalla loro dottrina. E costoro, dal canto loro, accecati dalla loro esclusione, non erano interessati veramente ad alcuna dottrina. L'illusione dell'eresia è questa. Ciascuno è eretico, ciascuno è ortodosso, non conta la fede che un movimento offre, conta la speranza che propone. Tutte le eresie sono bandiera di una realtà dell'esclusione. Gratta l'eresia, troverai il lebbroso. Ogni battaglia contro l'eresia vuole solamente questo: che il lebbroso rimanga tale. Quanto ai lebbrosi cosa vuoi chiedere loro? Che distinguano nel dogma trinitario o nella definizione dell'eucarestia quanto è giusto e quanto è sbagliato? Suvvia Adso, questi sono giochi per noi uomini di dottrina. I semplici hanno altri problemi. E bada, li risolvono tutti nel modo sbagliato. Per questo diventano eretici.''

''Ma perché taluni li appoggiano?''

''Perché servono al loro gioco, che di rado riguarda la fede, e più spesso la conquista del potere.''

''È per questo che la chiesa di Roma accusa di eresia tutti i suoi avversari?''

''È per questo, ed è per questo che riconosce come ortodossia quella eresia che può ricondurre entro il proprio controllo, o che deve accettare perché è diventata troppo forte, e non sarebbe bene averla come avversaria. Ma non c'è una regola precisa, dipende dagli uomini, dalle circostanze. E questo vale anche per i signori laici. Cinquanta anni fa il comune di Padova emise un'ordinanza per cui chi uccideva un chierico era condannato all'ammenda di un danaro grosso...''

''Niente!''

''Appunto. Era un modo per incoraggiare l'odio popolare contro i chierici, la città era in lotta con il vescovo. Allora capisci perché, tempo fa, a Cremona i fedeli dell'impero aiutarono i catari, non per ragioni di fede, ma per mettere in imbarazzo la chiesa di Roma. Talora le magistrature cittadine incoraggiano gli eretici perché traducono in volgare il vangelo: il volgare è ormai la lingua delle città, il latino la lingua di Roma e dei monasteri. Oppure appoggiano i valdesi perché affermano che tutti, uomini e donne, piccoli e grandi, possono insegnare e predicare e l'operaio che è discepolo dopo dieci giorni ne cerca un altro di cui diventare maestro...''

"E così eliminano la differenza che rende insostituibili i chierici! Ma allora perché accade poi che le stesse magistrature cittadine si rivoltino contro gli eretici e diano man forte alla chiesa per farli bruciare?''

"Perché si accorgono che la loro espansione metterà in crisi anche i privilegi dei laici che parlano in volgare. Nel concilio lateranense del 1179 (vedi che sono storie che risalgono a quasi duecento anni fa) Walter Map già metteva in guardia contro quello che sarebbe avvenuto dando credito a quegli uomini idioti e illetterati che erano i valdesi. Disse, se ben ricordo, che essi non hanno fissa dimora, girano a piedi nudi senza possedere nulla, tenendo tutto in comune, seguendo nudi il Cristo nudo; ora cominciano in questo modo umilissimo perché sono esclusi, ma se si lascia loro troppo spazio caccieranno tutti. Per questo poi le città hanno favorito gli ordini mendicanti e noi francescani in particolare: perché permettevamo di stabilire un rapporto armonico tra bisogno di penitenza e vita cittadina, tra la chiesa e i borghesi che si interessavano ai loro mercati...''

"Si è raggiunta l'armonia, allora, tra amor di Dio e amor dei traffici?''

"No, si sono bloccati i movimenti di rinnovamento spirituale, si sono incanalati nei limiti di un ordine riconosciuto dal papa. Ma quello che serpeggiava sotto non è stato incanalato. È finito da un lato nei movimenti dei flagellanti che non fanno male a nessuno, nelle bande armate come quelle di fra Dolcino, nei riti stregoneschi come quelli dei frati di Montefalco di cui parlava Ubertino...''

"Ma chi aveva ragione, chi ha ragione, chi ha sbagliato?'' domandai smarrito.

"Tutti avevano la loro ragione, tutti hanno sbagliato.''

"Ma voi,'' gridai quasi in un impeto di ribellione, "perché non prendete posizione, perché non mi dite dove sta la verità?''

Guglielmo stette alquanto in silenzio, sollevando verso la luce la lente alla quale stava lavorando. Poi la abbassò sul tavolo e mi mostrò, attraverso la lente, un ferro da lavoro: "Guarda,'' mi disse, "cosa vedi?''

"Il ferro, un poco più grande.''

"Ecco, il massimo che si può fare è guardare meglio."

"Ma è sempre lo stesso ferro!"

"Anche il manoscritto di Venanzio sarà sempre lo stesso manoscritto quando avrò potuto leggerlo grazie a questa lente. Ma forse quando avrò letto il manoscritto conoscerò meglio una parte della verità. E forse potremo rendere migliore la vita dell'abbazia."

"Ma non basta!"

"Sto dicendo più di quel che sembra, Adso. Non è la prima volta che ti parlo di Ruggiero Bacone. Forse non fu l'uomo più saggio di tutti i tempi, ma io sono sempre stato affascinato dalla speranza che animava il suo amore per la sapienza. Bacone credeva nella forza, nei bisogni, nelle invenzioni spirituali dei semplici. Non sarebbe stato un buon francescano se non avesse pensato che i poveri, i diseredati, gli idioti e gli illetterati parlano spesso con la bocca di Nostro Signore. Se avesse potuto conoscerli da vicino, sarebbe stato più attento ai fraticelli che ai provinciali dell'ordine. I semplici hanno qualcosa in più dei dottori, che spesso si perdono alla ricerca di leggi generalissime. Essi hanno l'intuizione dell'individuale. Ma questa intuizione, da sola, non basta. I semplici avvertono una loro verità, forse più vera di quella dei dottori della chiesa, ma poi la consumano in gesti irriflessi. Cosa bisogna fare? Dare la scienza ai semplici? Troppo facile, o troppo difficile. E poi quale scienza? Quella della biblioteca di Abbone? I maestri francescani si sono posti questo problema. Il grande Bonaventura diceva che i saggi devono portare a chiarezza concettuale la verità implicita nei gesti dei semplici..."

"Come il capitolo di Perugia e le dotte memorie di Ubertino che trasformano in decisioni teologiche il richiamo dei semplici alla povertà," dissi.

"Sì, ma lo hai visto, avviene in ritardo e, quando avviene, la verità dei semplici si è già trasformata nella verità dei potenti, buona più per l'imperatore Ludovico che per un frate di povera vita. Come restare vicini all'esperienza dei semplici mantenendone, per così dire, la virtù operativa, la capacità di operare per la trasformazione e il miglioramento del loro mondo? Questo era il problema di Bacone: 'Quod enim laicali ruditate turgescit non habet effectum nisi fortuito,' diceva. L'esperienza dei semplici ha esiti selvaggi e incontrollabili. 'Sed opera sapientiae certa lege vallantur et in finem debitum efficaciter diriguntur.' Che è come dire che anche nella condotta delle cose pratiche, siano pure esse la meccanica, l'agricoltura o il governo di una città, ci vuole una sorta di teologia. Egli pensava che la nuova scienza della natura dovesse essere la nuova grande impresa dei dotti per coordinare, attraverso una diversa conoscenza dei processi naturali, i bisogni elementari che costituivano anche il coacervo disordinato, ma a suo modo vero e giusto, delle attese dei semplici. La nuova scienza, la nuova magìa naturale. Soltanto che per Bacone questa impresa doveva essere diretta dalla chiesa e credo che dicesse così perché ai suoi tempi la comunità dei chierici si identificava con la comunità dei sapienti. Oggi non è più così, nascono sapienti fuori dai monasteri, e dalle cattedrali, persino dalle università. Vedi per esempio in questo paese, il più grande filosofo del nostro secolo non è stato un monaco, ma uno speziale. Dico di quel fiorentino di cui avrai sentito nominare il poema, che io non ho mai letto perché non capisco il suo volgare, e per quanto ne so mi piacerebbe assai poco perché vi vaneggia di cose molto lontane dalla nostra esperienza. Ma ha scritto, credo, le cose più sagge che ci sia dato di comprendere sulla natura degli elementi e del cosmo tutto, e sulla conduzione degli stati. Così penso che, poiché anch'io e i miei amici riteniamo oggi che per la condotta delle cose umane non spetti alla chiesa ma all'assemblea del popolo legiferare, nello stesso modo in futuro spetterà alla comunità dei dotti proporre questa nuovissima e umana teologia che è filosofia naturale e magìa positiva.''

"Una bellissima impresa," dissi, "ma è possibile?"

"Bacone ci credeva."

"E voi?"

"Anch'io ci credevo. Ma per crederci occorrerà essere sicuri che i semplici hanno ragione perché posseggono l'intuizione dell'individuale, che è l'unica buona. Però se l'intuizione dell'individuale è l'unica buona, come potrà la scienza arrivare a ricomporre le leggi universali attraverso cui, e interpretando le quali, la magìa buona diventa operativa?''

"Già," dissi, "come potrà?"

"Non lo so più. Ho avuto tante discussioni a Oxford col mio amico Guglielmo di Occam, che ora è ad Avignone. Mi ha seminato l'animo di dubbi. Perché se solo l'intuizione dell'individuale è giusta, il fatto che cause dello stesso genere abbiano effetti dello stesso genere è proposizione difficile da provare. Uno stesso corpo può essere freddo o caldo, dolce o amaro, umido o secco, in un luogo — e in un altro luogo no. Come posso scoprire il legame universale che rende ordinate le cose se non posso muovere un dito senza creare una infinità di nuovi enti, poiché con tale movimento mutano tutte le relazioni di posizione tra il mio dito e tutti gli altri oggetti? Le relazioni sono i modi in cui la mia mente percepisce il rapporto tra enti singolari, ma quale è la garanzia che questo modo sia universale e stabile?''

''Ma voi sapete che a un certo spessore di un vetro corrisponde una certa potenza di visione, ed è perché lo sapete che potete ora costruire lenti uguali a quelle che avete perduto, altrimenti come potreste?''

''Acuta risposta, Adso. In effetti io ho elaborato questa proposizione, che a spessore uguale deve corrispondere uguale potenza di visione. L'ho posta perché altre volte ho avuto intuizioni individuali dello stesso tipo. Certo è noto a chi esperimenta la proprietà curativa delle erbe che tutti gli individui erbacei della stessa natura hanno nel paziente, ugualmente disposto, effetti della stessa natura, e perciò lo sperimentatore formula la proposizione che ogni erba di tale tipo giova al febbricitante, o che ogni lente di tale tipo magnifica in uguale misura la visione dell'occhio. La scienza di cui parlava Bacone verte indubbiamente intorno a queste proposizioni. Bada, parlo di proposizioni sulle cose, non di cose. La scienza ha a che fare con le proposizioni e i suoi termini, e i termini indicano cose singolari. Capisci Adso, io devo credere che la mia proposizione funzioni, perché l'ho appreso in base all'esperienza, ma per crederlo dovrei supporre che vi siano leggi universali, eppure non posso parlarne, perché lo stesso concetto che esistano leggi universali, e un ordine dato delle cose, implicherebbe che Dio ne fosse prigioniero, mentre Dio è cosa così assolutamente libera che, se volesse, e di un solo atto della sua volontà, il mondo sarebbe altrimenti.''

''Quindi, se ben capisco, fate, e sapete perché fate, ma non sapete perché sapete che sapete quel che fate?''

Devo dire con orgoglio che Guglielmo mi guardò con ammirazione: ''Forse è così. In ogni modo questo ti dice perché mi senta così incerto della mia verità, anche se ci credo.''

''Siete più mistico di Ubertino!'' dissi maliziosamente.

''Forse. Ma come vedi lavoro sulle cose di natura. E anche nell'indagine che stiamo svolgendo, non voglio sapere chi sia buono o chi sia malvagio, ma chi sia stato nello scriptorium ieri sera, chi abbia preso gli occhiali, chi abbia lasciato sulla neve le orme di un corpo che trascina un altro corpo, e dove sia Berengario. Questi sono fatti, poi proverò a legarli tra loro, se mai sia possibile, perché è difficile dire quale effetto sia dato da quale causa; basterebbe l'intervento di un angelo per cambiare tutto, perciò non c'è da meravigliarsi se non si può dimostrare che una cosa sia la causa di un'altra cosa. Anche se bisogna provarci sempre, come sto facendo.''

"È una vita difficile, la vostra,'' dissi.

"Ma ho trovato Brunello,'' esclamò Guglielmo, alludendo al cavallo di due giorni prima.

"Allora c'è un ordine del mondo!'' gridai trionfante.

"Allora c'è un po' d'ordine in questa mia povera testa,'' rispose Guglielmo.

In quel punto rientrò Nicola portando una forcella quasi finita e mostrandola trionfalmente.

"E quando ci sarà questa forcella sul mio povero naso,'' disse Guglielmo, ''forse la mia povera testa sarà ancora più ordinata.''

Venne un novizio a informarci che l'Abate voleva vedere Guglielmo, e lo attendeva in giardino. Il mio maestro fu costretto a rimandare i suoi esperimenti a più tardi e ci affrettammo verso il luogo dell'incontro. Mentre ci avviavamo Guglielmo si dette un colpo in fronte, come se si ricordasse solo a quel punto di qualcosa che aveva dimenticato.

"A proposito,'' disse, ''ho decifrato i segni cabalistici di Venanzio.''

"Tutti?! Quando?''

"Quando dormivi. E dipende cosa intendi per tutti. Ho decifrato i segni apparsi alla fiamma, quelli che tu hai ricopiato. Gli appunti in greco devono attendere che io abbia nuove lenti.''

"Allora? Si trattava del segreto del finis Africae?''

"Sì, e la chiave era abbastanza facile. Venanzio disponeva dei dodici segni zodiacali e di otto segni per i cinque pianeti, i due luminari e la terra. Venti segni in tutto. Abbastanza per associarvi le lettere dell'alfabeto latino, dato che puoi usare la stessa lettera per esprimere il suono delle due iniziali di *unum* e di *velut*. L'ordine delle lettere, lo sappiamo. Quale poteva essere l'ordine dei segni? Ho pensato all'ordine dei cieli, ponendo il quadrante zodiacale all'estrema periferia. Quindi, Terra, Luna, Mercurio, Venere, Sole, eccetera, e poi di seguito i segni zodiacali nella loro sequenza tradizionale, così come li classifica anche Isidoro di Siviglia, a cominciare dall'Ariete e dal solstizio di primavera, finendo coi Pesci. Ora, se provi ad applicare questa chiave, ecco che il messaggio di Venanzio acquista un senso.''

Mi mostrò la pergamena, su cui aveva trascritto il messaggio in grandi lettere latine: *Secretum finis Africae manus supra idolum age primum et septimum de quatuor.*

"È chiaro?" chiese.

"La mano sopra l'idolo opera sul primo e sul settimo dei quattro..." ripetei scuotendo la testa. "Non è chiaro affatto!"

"Lo so. Bisognerebbe anzitutto sapere cosa Venanzio intendeva con *idolum*. Una immagine, un fantasma, una figura? E poi, cosa saranno questi quattro che hanno un primo e un settimo? E che cosa bisogna farne? Muoverli, spingerli, tirarli?"

"Allora non sappiamo nulla e siamo al punto di prima," dissi con gran disappunto. Guglielmo si arrestò e mi guardò con un'aria non del tutto benevola. "Ragazzo mio," disse, "hai di fronte a te un povero francescano che con le sue modeste conoscenze e quel poco di abilità che deve alla infinita potenza del Signore è riuscito in poche ore a decifrare una scrittura segreta che il suo autore era sicuro riuscisse ermetica per tutti tranne che per lui... e tu, miserabile furfante illetterato, ti permetti di dire che siamo al punto di prima?"

Mi scusai con molta goffaggine. Avevo ferito la vanità del mio maestro, eppure sapevo quanto egli andasse fiero della rapidità e sicurezza delle sue deduzioni. Guglielmo aveva davvero compiuto un'opera degna di ammirazione e non era colpa sua se il callidissimo Venanzio non solo aveva celato quanto aveva scoperto sotto le spoglie di un oscuro alfabeto zodiacale, ma aveva anche elaborato un indecifrabile enigma.

"Non importa, non importa, non scusarti," mi interruppe Guglielmo. "In fondo hai ragione, sappiamo ancora troppo poco. Andiamo."

Terzo giorno
VESPRI

Dove si parla ancora con l'Abate, Guglielmo ha alcune idee mirabolanti per decifrare l'enigma del labirinto, e ci riesce nel modo più ragionevole. Poi si mangia il casio in pastelletto.

L'Abate ci attendeva con aria scura e preoccupata. Aveva in mano una carta.

"Ho ricevuto ora una lettera dall'abate di Conques," disse. "Mi comunica il nome di colui a cui Giovanni ha affidato il comando dei soldati francesi, e la cura dell'incolumità della legazione. Non è un uomo d'arme, non è un uomo di corte, e sarà al tempo stesso un membro della legazione."

"Raro connubio di diverse virtù," disse Guglielmo inquieto. "Chi sarà?"

"Bernardo Gui, o Bernardo Guidoni, come volete chiamarlo."

Guglielmo esplose in una esclamazione nella sua lingua, che non capii, né la capì l'Abate, e forse fu meglio per tutti, perché la parola che Guglielmo disse sibilava in modo osceno.

"La cosa non mi piace," aggiunse subito. "Bernardo è stato per anni martello degli eretici nel tolosano e ha scritto una *Practica officii inquisitionis heretice pravitatis* a uso di tutti coloro che dovranno perseguire e distruggere valdesi, beghini, pinzocheri, fraticelli e dolciniani."

"Lo so. Conosco il libro, mirabile di dottrina."

"Mirabile di dottrina," ammise Guglielmo. "È devoto a Giovanni che negli anni scorsi gli ha affidato molte missioni nelle Fiandre e qui nell'alta Italia. E anche quando è stato nominato vescovo in Galizia non si è mai fatto vedere nella sua diocesi e ha continuato l'attività inquisitoriale. Ora credevo si fosse ritirato nel vescovado di Lodève, ma a quanto pare Giovanni lo rimette all'opera e proprio qui nell'Italia settentrionale. Perché proprio Bernardo e perché con responsabilità degli armati...?"

"La risposta c'è," disse l'Abate, "e conferma tutti i timori che vi esprimevo ieri. Sapete bene — anche se non volete ammetterlo con me — che le posizioni sulla povertà di Cristo e della chiesa sostenute dal capitolo di Perugia, sia pure con dovizia di argomenti teologici, sono le stesse sostenute in modo molto meno prudente e con un comportamento meno ortodosso da molti movimenti ereticali. Ci vuole poco a dimostrare che le posizioni di Michele da Cesena, fatte proprie dall'imperatore, sono le stesse di quelle di Ubertino e di Angelo Clareno. E sin qui le due legazioni saranno d'accordo. Ma Gui potrebbe fare di più, e ne ha l'abilità: cercherà di sostenere che le tesi di Perugia sono le stesse dei fraticelli, o degli pseudo apostoli. Siete d'accordo?"

"Dite che le cose stanno così o che Bernardo Gui dirà che stanno così?"

"Diciamo che dico che lui lo dirà," concesse prudentemente l'Abate.

"Ne convengo anch'io. Ma questo era previsto. Voglio dire, si sapeva che si sarebbe arrivati a questo anche senza la presenza di Bernardo. Al massimo Bernardo lo farà con più efficienza di tanti di quei curiali da poco, e si tratterà di discutere contro di lui con maggior sottigliezza."

"Sì," disse l'Abate, "ma a questo punto siamo di fronte alla questione suscitata ieri. Se non troviamo entro domani il colpevole di due o forse di tre delitti, dovrò concedere a Bernardo di esercitare una sorveglianza sulle cose dell'abbazia. Non posso celare a un uomo investito del potere di Bernardo (e per nostro mutuo accordo, ricordiamocelo) che qui all'abbazia sono avvenuti, stanno ancora avvenendo, fatti inesplicabili. Altrimenti, nel momento in cui egli lo scoprisse, nel momento che (Dio non voglia) avvenisse un nuovo fatto misterioso, egli avrebbe tutto il diritto di gridare al tradimento..."

"È vero," mormorò Guglielmo preoccupato. "Non c'è nulla da fare. Bisognerà stare attenti, e vigilare su Bernardo che vigilerà sul misterioso assassino. Forse sarà un bene, Bernardo occupato a badare all'assassino sarà meno disponibile per intervenire nella discussione."

"Bernardo occupato a scoprire l'assassino sarà una spina nel fianco della mia autorità, ricordatevelo. Questa torbida vicenda mi impone per la prima volta di cedere parte del mio potere entro queste mura, ed è un fatto nuovo non solo nella storia di questa abbazia, ma dello stesso ordine cluniacense. Farei qualsiasi cosa per evitarlo. E la prima cosa da fare sarebbe negare ospitalità alle legazioni.''

''Prego ardentemente la sublimità vostra di riflettere su questa grave decisione,'' disse Guglielmo. ''Voi avete tra le mani una lettera dell'imperatore che vi invita caldamente a...''

''So cosa mi lega all'imperatore,'' disse bruscamente l'Abate, ''e lo sapete anche voi. E quindi sapete che purtroppo non posso recedere. Ma tutto questo è molto brutto. Dov'è Berengario, cosa gli è accaduto, cosa state facendo?''

''Sono solo un frate che ha condotto tanto tempo fa delle efficaci indagini inquisitorie. Voi sapete che non si trova la verità in due giorni. E infine che potere mi avete concesso? Posso entrare nella biblioteca? Posso porre tutte le domande che voglio, sostenuto sempre dalla vostra autorità?''

''Non vedo il rapporto tra i delitti e la biblioteca,'' disse corrucciato l'Abate.

''Adelmo era miniatore, Venanzio traduttore, Berengario aiuto bibliotecario...'' spiegò pazientemente Guglielmo.

''In questo senso tutti e sessanta i monaci hanno a che fare con la biblioteca, così come hanno a che vedere con la chiesa. Perché allora non cercate in chiesa? Frate Guglielmo, voi state conducendo una inchiesta per mio mandato e nei limiti in cui vi ho pregato di condurla. Per il resto, in questa cinta di mura, io sono il solo padrone dopo Dio, e per grazia sua. E questo varrà anche per Bernardo. D'altra parte,'' aggiunse in tono più mansueto, ''non è neppure detto che Bernardo sia qui proprio per l'incontro. L'abate di Conques mi scrive anche che scende in Italia per proseguire a sud. Mi dice pure che il papa ha pregato il cardinal Bertrando del Poggetto di salire da Bologna e recarsi qui per prendere il comando della legazione pontificia. Forse Bernardo viene qui per incontrarsi col cardinale.''

''Il che, in una prospettiva più ampia, sarebbe peggio. Bertrando è il martello degli eretici nell'Italia centrale. Questo incontro tra due campioni della lotta antiereticale può annunciare una offensiva più vasta nel paese, per coinvolgere alla fine tutto il movimento francescano...''

''E di questo informeremo subito l'imperatore,'' disse l'Abate, ''ma in questo caso il pericolo non sarebbe immediato. Vigileremo. Addio.''

Guglielmo rimase un poco silenzioso mentre l'Abate si allontanava. Poi mi disse: ''Soprattutto, Adso, cerchiamo di non farci prendere dalla fretta. Le cose non si risolvono rapi-

damente quando si devono accumulare tante minute esperienze individuali. Io torno al laboratorio, perché senza le
lenti non solo non potrò leggere il manoscritto ma non con-
verrà neppure che si ritorni stanotte in biblioteca. Tu va a
informarti se si sa qualcosa di Berengario.''

In quel momento ci corse incontro Nicola da Morimondo,
latore di pessime notizie. Mentre cercava di molare meglio la
lente migliore, quella su cui Guglielmo riponeva tante speranze, essa si era rotta. E un'altra, che poteva forse sostituir-
la, si era incrinata mentre provava a inserirla nella forcella.
Nicola ci mostrò sconsolatamente il cielo. Era già l'ora del
vespro e l'oscurità stava scendendo. Per quel giorno non si
sarebbe più potuto lavorare. Un'altra giornata perduta, convenne amaramente Guglielmo, reprimendo (come mi con-
fessò dopo) la tentazione di afferrare alla gola il vetraio mal-
destro, il quale d'altra parte era già abbastanza umiliato.

Lo lasciammo alla sua umiliazione e andammo a informarci circa Berengario. Naturalmente nessuno lo aveva trovato.

Ci sentivamo a un punto morto. Passeggiammo un poco
nel chiostro, incerti sul da farsi. Ma dopo breve vidi che Guglielmo stava assorto con lo sguardo perduto nell'aria, come
se non vedesse nulla. Da poco si era tolto dal saio un ramet-
to di quelle erbe che gli avevo visto raccogliere settimane
prima, e lo stava masticando come se ne traesse una sorta di
calma eccitazione. Infatti pareva assente, ma ogni tanto i
suoi occhi si illuminavano come se nel vuoto della sua mente
si fosse accesa una idea nuova; poi ripiombava in quella sua
singolare e attiva ebetudine. A un tratto disse: ''Certo, si
potrebbe...''

''Cosa?'' chiesi.

''Pensavo a un modo di orientarci nel labirinto. Non è
semplice da realizzare, ma sarebbe efficace... In fondo, l'u-
scita è nel torrione orientale, e questo lo sappiamo. Ora
supponi che noi avessimo una macchina che ci dice da che
parte sta settentrione. Cosa accadrebbe?''

''Che naturalmente basterebbe girare alla nostra destra e
ci si rivolgerebbe verso oriente. Oppure basterebbe andare in
senso contrario, e sapremmo di andare verso il torrione meridionale. Ma anche ammesso che esistesse una simile magìa,
il labirinto è appunto un labirinto, e appena dirigessimo a
oriente incontreremmo una parete che ci impedirebbe di an-

dare diritto, e perderemmo di nuovo la strada…'' osservai.

''Sì, ma la macchina di cui parlo segnerebbe *sempre* la direzione di settentrione, anche se noi avessimo mutato il cammino, e a ogni punto ci direbbe da quale parte voltare.''

''Sarebbe meraviglioso. Ma bisognerebbe avere questa macchina, ed essa dovrebbe essere capace di riconoscere settentrione di notte e in luogo chiuso, senza poter vedere né il sole né le stelle… E non credo che neppure il vostro Bacone possedesse una macchina simile!'' risi.

''E invece ti sbagli,'' disse Guglielmo, ''perché una macchina del genere è stata costruita e alcuni navigatori l'hanno usata. Essa non ha bisogno delle stelle o del sole, perché sfrutta la forza di una pietra meravigliosa, uguale a quella che abbiamo visto nell'ospedale di Severino, quella che attira il ferro. Ed è stata studiata da Bacone e da un mago piccardo, Pietro da Maricourt, che ne ha descritto i molteplici usi.''

''E voi sapreste costruirla?''

''Di per sé non sarebbe difficile. La pietra può essere usata per produrre molte mirabilia, tra cui una macchina che si muove perpetuamente senza alcuna forza esterna, ma la trovata più semplice è stata anche descritta da un arabo, Baylek al Qabayaki. Prendi un vaso pieno d'acqua e vi poni a galleggiare un sughero in cui hai infilato un ago di ferro. Poi passi la pietra magnetica sopra la superficie dell'acqua, con un moto circolare, sino a che l'ago non acquista le stesse proprietà della pietra. E a quel punto l'ago, ma l'avrebbe fatto anche la pietra se avesse avuto la possibilità di muovere intorno a un pernio, si dispone con la punta in direzione di settentrione, e se tu ti muovi col vaso, essa si volta sempre dalla parte di tramontana. Inutile che ti dica che se avrai segnato sul bordo del vaso, in relazione a tramontana, anche le posizioni di austro, aquilone e così via, tu saprai sempre da che parte muoverti in biblioteca per raggiungere il torrione orientale.''

''Che cosa meravigliosa!'' esclamai. ''Ma perché l'ago punta sempre a settentrione? La pietra attira il ferro, l'ho visto, e immagino che una immensa quantità di ferro attiri la pietra. Ma allora… allora in direzione della stella polare, ai limiti estremi del globo, esistono le grandi miniere di ferro!''

''Qualcuno ha suggerito infatti che sia così. Salvo che l'ago non punta esattamente nella direzione della stella nautica, ma verso il punto d'incontro dei meridiani celesti. Segno che, come è stato detto, 'hic lapis gerit in se similitudinem coeli', e i poli del magnete ricevono la loro inclinazione dai poli del cielo e non da quelli della terra. Il che è un bell'esempio di movimento impresso a distanza e non per diretta causalità materiale: un problema di cui si sta occupando il mio amico Giovanni di Gianduno, quando l'imperatore non gli chiede di far sprofondare Avignone nelle viscere della terra…''

''Allora andiamo a prendere la pietra di Severino, e un vaso, e dell'acqua, e un sughero…'' dissi eccitato.

''Piano, piano,'' disse Guglielmo. ''Non so perché, ma non ho mai visto una macchina che, perfetta nella descrizione dei filosofi, poi sia perfetta nel suo funzionamento meccanico. Mentre la roncola di un contadino, che nessun filosofo ha mai descritto, funziona come si deve… Ho paura che a girare per il labirinto con un lume in una mano e un vaso pieno d'acqua nell'altra… Aspetta, mi viene un'altra idea. La macchina segnerebbe settentrione anche se fossimo fuori dal labirinto, è vero?''

''Sì, ma a quel punto non ci servirebbe perché avremmo il sole e le stelle…'' dissi.

''Lo so, lo so. Ma se la macchina funziona sia fuori sia dentro, perché non dovrebbe essere così anche per la nostra testa?''

''La nostra testa? Certo che essa funziona anche fuori, e infatti da fuori sappiamo benissimo quale sia l'orientamento dell'Edificio! Ma è quando siamo dentro che non capiamo più niente!''

''Appunto. Ma dimentica ora la macchina. Il pensare alla macchina mi ha indotto a pensare alle leggi naturali e alle leggi del nostro pensiero. Ecco il punto: dobbiamo trovare da fuori un modo di descrivere l'Edificio come è da dentro…''

''E come?''

''Lasciami pensare, non deve essere così difficile…''

''E il metodo di cui dicevate ieri? Non volevate percorrere il labirinto facendo segni col carbone?''

''No,'' disse, ''più ci penso, meno mi convince. Forse non riesco a ricordare bene la regola, o forse per girare in un labirinto bisogna avere una buona Arianna che ti attende alla porta tenendo il capo di un filo. Ma non esistono fili così lunghi. E anche se esistessero, ciò significherebbe (spesso le favole dicono la verità) che si esce da un labirinto solo con un aiuto esterno. Dove le leggi dell'esterno siano uguali alle leggi dell'interno. Ecco, Adso, useremo le scienze matematiche. Solo nelle scienze matematiche, come dice Averroè, si identificano le cose note per noi e quelle note in modo assoluto.''

''Allora vedete che ammettete delle conoscenze universali.''

''Le conoscenze matematiche sono proposizioni costruite dal nostro intelletto in modo da funzionare sempre come vere, o perché sono innate o perché la matematica è stata inventata prima delle altre scienze. E la biblioteca è stata costruita da una mente umana che pensava in modo matematico, perché senza matematica non fai labirinti. E quindi si tratta di confrontare le nostre proposizioni matematiche con le proposizioni del costruttore, e di questo confronto si può dare scienza, perché è scienza di termini su termini. E in ogni caso smettila di trascinarmi in discussioni di metafisica. Che diavolo ti ha morso oggi? Piuttosto, tu che hai gli occhi buoni, prendi una pergamena, una tavoletta, qualcosa su cui far segni, e uno stilo... bene, ce l'hai, bravo Adso. Andiamo a fare un giro intorno all'Edificio, sino a che abbiamo ancora un poco di luce.''

Girammo dunque a lungo intorno all'Edificio. E cioè esaminammo da lontano i torrioni orientale, meridionale e occidentale, con le pareti che li collegavano. Perché quanto al resto, dava sullo strapiombo, ma per ragioni di simmetria non doveva essere diverso da ciò che vedevamo.

E quel che vedemmo, osservò Guglielmo mentre mi faceva prendere precisi appunti sulla mia tavoletta, era che ogni muro aveva due finestre, e ogni torrione cinque.

''Ora ragiona,'' mi disse il mio maestro. ''Ogni stanza che abbiamo visto aveva una finestra...''

''Meno quelle a sette lati,'' dissi.

''Ed è naturale, sono quelle al centro di ogni torre.''

''E meno alcune che trovammo senza finestre e non erano eptagonali.''

''Dimenticale. Prima troviamo la regola, poi cercheremo di giustificare le eccezioni. Dunque avremo all'esterno cinque stanze per ogni torre e due stanze per ogni muro, ciascuna con una finestra. Ma se da una stanza con finestra si procede verso l'interno dell'Edificio, si incontra un'altra sala con finestra. Segno che si tratta delle finestre interne. Ora quale forma ha il pozzo interno, quale lo si vede in cucina e nello scriptorium?''

"Ottagonale," dissi.

"Ottimo. E su ogni lato dell'ottagono, possono benissimo aprirsi due finestre. Questo vuol dire che per ogni lato dell'ottagono, ci sono due stanze interne? Giusto?"

"Sì, ma le stanze senza finestra?"

"Sono otto in tutto. Infatti la sala interna a ogni torrione, a sette lati, ha cinque pareti che danno su ciascuna delle cinque stanze di ogni torrione. Con cosa confinano le altre due pareti? Non con una stanza posta lungo i muri esterni, ché vi sarebbero le finestre, né con una disposta lungo l'ottagono, per le stesse ragioni, e perché sarebbero allora stanze esageratamente lunghe. Prova infatti a tracciare un disegno di come possa apparire la biblioteca vista dall'alto. Vedi che in corrispondenza a ogni torre devono esserci due stanze che confinano con la stanza eptagonale e danno su due stanze che confinano con il pozzo ottagonale interno."

Provai a tracciare il disegno che il mio maestro mi suggeriva e lanciai un grido di trionfo. "Ma allora sappiamo tutto! Lasciatemi contare... La biblioteca ha cinquantasei stanze, di cui quattro eptagonali e cinquantadue più o meno quadrate, e, di queste, otto sono senza finestre, mentre ventotto danno sull'esterno e sedici sull'interno!"

"E i quattro torrioni hanno ciascuno cinque stanze di quattro lati e una di sette... La biblioteca è costruita secondo un'armonia celeste a cui si possono attribuire vari e mirifici significati..."

"Splendida scoperta," dissi, "ma allora perché è così difficile orientarvisi?"

"Perché ciò che non risponde a nessuna legge matematica è la disposizione dei varchi. Alcune stanze consentono il passaggio a più altre, alcune a una sola, e c'è da chiedersi se non vi siano stanze che non consentono il passaggio a nessuna. Se consideri questo elemento, più la mancanza di luce e il nessun indizio fornito dalla posizione del sole (e vi aggiungi le visioni e gli specchi), capisci come il labirinto sia capace di confondere chiunque lo percorra, già agitato da un senso di colpa. D'altra parte pensa a come eravamo disperati noi ieri sera quando non riuscivamo più a trovare la strada. Il massimo di confusione raggiunto con il massimo di ordine: mi pare un calcolo sublime. I costruttori della biblioteca erano dei gran maestri."

"Come faremo allora a orientarci?"

"A questo punto non è difficile. Con la mappa che tu hai tracciato, e che bene o male deve corrispondere al tracciato della biblioteca, appena saremo nella prima sala eptagonale, ci muoveremo in modo di trovare subito una delle due stanze cieche. Poi, voltando sempre a destra, dopo tre o quattro stanze, dovremmo essere di nuovo in un torrione, che non potrà essere che il torrione settentrionale, sino a tornare in un'altra stanza cieca, che a sinistra confinerà con la sala eptagonale, e a destra dovrà permetterci di ritrovare un tragitto analogo a quello che ti ho detto or ora, sino ad arrivare al torrione occidentale.''

"Sì, se tutte le stanze immettessero in tutte le stanze..."

"Infatti. E per questo ci occorrerà la tua mappa, su cui segnare le pareti piene, in modo da sapere quali deviazioni stiamo facendo. Ma non sarà difficile."

"Ma siamo sicuri che funzionerà?" chiesi perplesso, perché mi pareva tutto troppo semplice.

"Funzionerà," rispose Guglielmo. "Omnes enim causae effectuum naturalium dantur per lineas, angulos et figuras. Aliter enim impossibile est scire propter quid in illis," citò. "Sono parole di uno dei grandi maestri di Oxford. Ma purtroppo non sappiamo ancora tutto. Abbiamo appreso come non perderci. Ora si tratta di sapere se c'è una regola che governa la distribuzione dei libri nelle stanze. E i versetti dell'Apocalisse ci dicono assai poco, anche perché molti si ripetono uguali in stanze diverse..."

"Eppure il libro dell'apostolo avrebbe permesso di trovare ben più di cinquantasei versetti!"

"Indubbiamente. Quindi solo alcuni versetti sono buoni. Strano. Come se ne avessero avuto meno di cinquanta, trenta, venti... Oh, per la barba di Merlino!"

"Di chi?"

"Non fa nulla, un mago delle mie terre... Hanno usato tanti versetti quante sono le lettere dell'alfabeto! Certo che è così! Il testo dei versetti non conta, contano le lettere iniziali. Ogni stanza è contrassegnata da una lettera dell'alfabeto, e tutte insieme compongono qualche testo che dobbiamo scoprire!"

"Come un carme figurato, a forma di croce o di pesce!"

"Più o meno, e probabilmente ai tempi in cui la biblioteca fu costituita questo tipo di carmi era molto in voga."

"Ma da dove inizia il testo?"

"Da un cartiglio più grande degli altri, dalla sala eptagonale del torrione d'ingresso... oppure... Ma certo, dalle frasi in rosso!"

"Ma sono tante!"

"E quindi ci saranno molti testi, o molte parole. Ora tu ricopi meglio e più in grande la tua mappa, poi visitando la biblioteca non solo segnerai col tuo stilo, e leggermente, le stanze da cui passiamo, e la posizione delle porte e delle pareti (nonché delle finestre), ma anche la lettera iniziale del versetto che vi appare, e in qualche modo, come un buon miniatore, farai più grande le lettere in rosso."

"Ma come accade," dissi ammirato, "che siete riuscito a risolvere il mistero della biblioteca guardandola da fuori e non l'avete risolto quando eravate dentro?"

"Così Dio conosce il mondo, perché lo ha concepito nella sua mente, come dall'esterno, prima che fosse creato, mentre noi non ne conosciamo la regola, perché vi viviamo dentro trovandolo già fatto."

"Così si possono conoscere le cose guardandole dal di fuori!"

"Le cose dell'arte, perché ripercorriamo nella nostra mente le operazioni dell'artefice. Non le cose della natura, perché non sono opera della nostra mente."

"Ma per la biblioteca ci basta, vero?"

"Sì," disse Guglielmo. "Ma solo per la biblioteca. Ora andiamo a riposare. Io non posso far nulla sino a domani mattina quando avrò — spero — le mie lenti. Tanto vale dormire e levarci per tempo. Cercherò di riflettere."

"E la cena?"

"Ah, già, la cena. È passata l'ora ormai. I monaci sono già a compieta. Ma forse la cucina è ancora aperta. Va a cercare qualcosa."

"Rubare?"

"Chiedere. A Salvatore, che è ormai tuo amico."

"Ma ruberà lui!"

"Sei forse il custode di tuo fratello?" domandò Guglielmo con le parole di Caino. Ma mi avvidi che scherzava e voleva dire che Dio è grande e misericordioso. Per questo mi misi alla ricerca di Salvatore e lo trovai presso alle stalle dei cavalli.

"Bello," dissi accennando a Brunello, e tanto per attaccare discorso. "Mi piacerebbe cavalcarlo."

"No se puede. Abbonis est. Ma non bisogna un buon cavallo per correre forte..." Mi indicò un cavallo robusto ma sgraziato: "Anco quello sufficit... Vide illuc, tertius equi..."

Voleva indicarmi il terzo cavallo. Risi del suo buffissimo latino. "E cosa farai con quello?" gli domandai.

E mi raccontò una strana storia. Disse che si poteva rendere qualsiasi cavallo, anche la bestia più vecchia e fiacca, altrettanto veloce di Brunello. Occorre mescolare nella sua avena un'erba che si chiama satirion, ben tritata, e poi ungere le cosce con grasso di cervo. Poi si sale sul cavallo e prima di spronarlo gli si volge il muso a levante e gli si pronuncia nell'orecchio, tre volte a voce bassa, le parole "Gaspare, Melchiorre, Merchisardo". Il cavallo partirà di gran carriera e farà in un'ora il cammino che Brunello farebbe in otto ore. E se gli si fosse appeso al collo i denti di un lupo che il cavallo stesso, correndo, avesse ucciso, la bestia non sentirebbe neppure la fatica.

Gli chiesi se aveva mai provato. Mi disse, avvicinandosi circospetto e sussurrandomi all'orecchio, col suo alito invero sgradevole, che era molto difficile, perché il satirion viene ormai coltivato solo dai vescovi e dai cavalieri loro amici, che se ne servono per accrescere il loro potere. Posi fine al suo discorso e gli dissi che quella sera il mio maestro voleva leggere certi libri in cella e desiderava mangiare lassù.

"Facio mi," disse, "facio el casio in pastelletto."

"Com'è?"

"Facilis. Pigli el casio che non sia troppo vecchio, né troppo insalato e tagliato in feteline a boconi quadri o sicut te piace. Et postea metterai un poco de butierro o vero de structo fresco à rechauffer sobre la brasia. E dentro vamos a poner due fette de casio, e come te pare sia tenero, zucharum e cannella supra positurum du bis. Et mandalo subito in tabula, che se vole mangiarlo caldo caldo."

"Vada per il casio in pastelletto," gli dissi. Ed egli scomparve verso le cucine, dicendomi di attenderlo. Arrivò mezz'ora dopo con un piatto coperto da un panno. L'odore era buono.

"Tene," mi disse, e mi allungò anche una lucerna grande e piena di olio.

"Per che fare?" chiesi.

"Sais pas, moi," disse con aria sorniona. "Fileisch tuo magister vuole ire in loco buio esta noche."

Salvatore sapeva evidentemente più cose di quanto non sospettassi. Non investigai oltre, e portai il cibo a Guglielmo. Mangiammo, e io mi ritirai nella mia cella. O almeno, finsi. Volevo trovare ancora Ubertino, e di soppiatto rientrai in chiesa.

DOPO COMPIETA

Dove Ubertino racconta ad Adso la storia di fra Dolcino, altre storie Adso rievoca o legge in biblioteca per conto suo, e poi gli accade di avere un incontro con una fanciulla bella e terribile come un esercito schierato a battaglia.

Trovai infatti Ubertino alla statua della Vergine. Mi unii silenziosamente a lui e per un poco finsi (lo confesso) di pregare. Poi ardii parlargli.

"Padre santo," gli dissi, "posso chiedervi luce e consiglio?"

Ubertino mi guardò, mi prese per mano e si alzò, conducendomi a sedere con lui su di uno scranno. Mi abbracciò stretto, e potei sentire il suo alito sul mio viso.

"Figlio carissimo," disse, "tutto quello che questo povero vecchio peccatore può fare per la tua anima, sarà fatto con gioia. Cosa ti turba? Le ansie, vero?" domandò quasi con ansia anch'egli, "le ansie della carne?"

"No," risposi arrossendo, "se mai le ansie della mente, che vuole conoscere troppe cose..."

"Ed è male. Il Signore conosce le cose, a noi tocca solo adorare la sua sapienza."

"Ma a noi tocca anche distinguere il bene dal male e comprendere le umane passioni. Sono novizio ma sarò monaco e sacerdote, e devo imparare dove stia il male, e che aspetto abbia, per riconoscerlo un giorno e per insegnare agli altri a riconoscerlo."

"Questo è giusto, ragazzo. E allora cosa vuoi conoscere?"

"La mala pianta dell'eresia, padre," dissi con convinzione. E poi, tutto di un fiato: "Ho udito parlare di un uomo malvagio che ne ha sedotti altri, fra Dolcino."

Ubertino stette in silenzio. Poi disse: "È giusto, ci hai sentito farvi cenno l'altra sera con frate Guglielmo. Ma è una storia molto brutta, di cui mi dà dolore parlare, perché insegna (sì, in questo senso dovrai saperla, per trarne un utile insegnamento), perché insegna, dicevo, come dall'amore di penitenza e dal desiderio di purificare il mondo possa nascere sangue e sterminio." Si sedette meglio, allentando la sua stretta intorno alle mie spalle, ma tenendo sempre una mano sul mio collo, come per comunicarmi non so se la sua sapienza o il suo ardore.

"La storia comincia prima di fra Dolcino," disse, "più di sessanta anni fa, e io ero un bambino. Fu a Parma. Ivi iniziò a predicare un certo Gherardo Segalelli, che invitava tutti a vita di penitenza, e percorreva le strade gridando 'penitenziagite!' che era il suo modo di uomo indotto per dire: 'Penitentiam agite, appropinquabit enim regnum coelorum.' Invitava i suoi discepoli a farsi simili agli apostoli, e volle che la sua setta fosse intitolata all'ordine degli apostoli, e che i suoi percorressero il mondo come poveri mendicanti vivendo solo di elemosine…"

"Come i fraticelli," dissi. "Non era questo il mandato di Nostro Signore e del vostro Francesco?"

"Sì," ammise Ubertino con una leggera esitazione nella voce e con un sospiro. "Ma forse Gherardo esagerò. Lui e i suoi furono accusati di non riconoscere più l'autorità dei sacerdoti, la celebrazione della messa, la confessione, e di vagabondare nell'ozio."

"Ma di questo accusarono anche i francescani spirituali. E non dicono oggi i minoriti che non bisogna riconoscere l'autorità del papa?"

"Sì, ma non dei sacerdoti. Noi stessi siamo sacerdoti. Ragazzo, è difficile distinguere in queste cose. La linea che divide il bene dal male è così sottile… In qualche modo Gherardo sbagliò e si macchiò di eresia… Chiese di essere ammesso nell'ordine dei minori, ma i nostri confratelli non lo accettarono. Passava i giorni nella chiesa dei nostri frati e vide qui dipinti gli apostoli coi sandali ai piedi e i mantelli avvolti intorno alle spalle, e così si fece crescere i capelli e la barba, si mise i sandali ai piedi e la corda dei frati minori, perché chiunque vuole fondare una nuova congregazione prende sempre qualcosa dall'ordine del beato Francesco."

"Ma allora era nel giusto…"

"Ma in qualcosa sbagliò… Vestito con un mantello bianco sopra una tunica bianca e coi capelli lunghi, si acquistò presso i semplici fama di santità. Vendette una sua casetta e, avutone il prezzo, si pose su una pietra dalla quale in tempi antichi i podestà erano soliti concionare, tenendo in mano il sacchetto dei danari, e non li disperse, né li dette ai poveri, ma chiamati dei ribaldi che giocavano lì vicino li sparse tra loro dicendo: 'Ne prenda chi ne vuole', e quei ribaldi presero il danaro e andarono a giocarlo a dadi e bestemmiavano il Dio vivente, ed egli che aveva dato, udiva e non arrossiva.''

"Ma anche Francesco si spogliò di tutto e ho udito oggi da Guglielmo che andò a predicare a cornacchie e sparvieri, nonché ai lebbrosi, e cioè alla feccia che il popolo di coloro che si dicevano virtuosi tenevano ai margini..."

"Sì, ma Gherardo in qualcosa sbagliò, Francesco non si mise mai in urto con la santa chiesa, e il vangelo dice di dare ai poveri, non ai ribaldi. Gherardo dette e non ricevette nulla in cambio perché aveva dato a gente cattiva, ed ebbe cattivo inizio, cattivo proseguimento e cattiva fine perché la sua congrega fu disapprovata da papa Gregorio X.''

"Forse,'' dissi, "era un papa meno lungimirante di quello che approvò la regola di Francesco..."

"Sì, ma in qualcosa Gherardo sbagliò, e invece Francesco sapeva bene cosa faceva. E infine, ragazzo, questi custodi di porci e di vacche che all'improvviso diventano pseudo apostoli volevano beatamente e senza sudore vivere delle elemosine di coloro che i frati minori avevano educato con tante fatiche e con tanto eroico esempio di povertà! Ma non si tratta di questo,'' aggiunse subito, "è che per assomigliare agli apostoli, che erano ancora giudei, Gherardo Segalelli si fece circoncidere, il che va contro le parole di Paolo ai Galati — e tu sai che molte sante persone annunciano che l'Anticristo venturo verrà dal popolo dei circoncisi... Ma Gherardo fece di peggio, andava raccogliendo i semplici e diceva: 'Venite con me nella vigna' e coloro che non lo conoscevano entravano con lui nella vigna altrui, credendola sua, e mangiavano l'uva degli altri...''

"Non saranno stati i minori a difendere la proprietà degli altri,'' dissi impudentemente.

Ubertino mi fissò con occhio severo: "I minori chiedono di essere poveri, ma non hanno mai chiesto agli altri di essere poveri. Non puoi impunemente attentare alla proprietà dei buoni cristiani, i buoni cristiani ti indicheranno come un bandito. E così accadde a Gherardo. Di cui dissero infine (bada, io non so se sia vero, e mi fido delle parole di frate Salimbene, che conobbe quella gente) che per mettere a prova la sua forza di volontà e la sua continenza dormì con alcune donne senza avere rapporti sessuali; ma come i suoi discepoli tentarono di imitarlo, i risultati furono ben diversi... Oh, non sono cose che deve sapere un ragazzo, la femmina è vascello del demonio... Gherardo continuava a gridare 'penitenziagite' ma un suo discepolo, un certo Guido Putagio, cercò di prendere la direzione del gruppo, e andava in gran pompa con molte cavalcature e faceva grandi spese e banchetti come i cardinali della chiesa di Roma. E poi vennero a rissa tra loro, per il comando della setta, e accaddero cose turpissime. Eppure molti vennero da Gherardo, non solo contadini, ma anche gente di città, iscritti alle arti, e Gherardo li faceva denudare affinché nudi seguissero Cristo nudo, e li mandava per il mondo a predicare, ma lui si fece fare una veste senza maniche, bianca, di filo forte, e così vestito sembrava più un buffone che un religioso! Vivevano all'aperto, ma talora salivano sui pulpiti delle chiese interrompendo l'assemblea del popolo devoto e cacciandone i predicatori, e una volta posero un bambino sul trono vescovile nella chiesa di Sant'Orso a Ravenna. E si dicevano eredi della dottrina di Gioacchino da Fiore..."

"Ma anche i francescani," dissi, "anche Gherardo da Borgo San Donnino, anche voi!" esclamai.

"Calmati ragazzo. Gioacchino da Fiore fu un grande profeta e fu il primo a capire che Francesco avrebbe segnato il rinnovamento della chiesa. Ma gli pseudo apostoli usarono la sua dottrina per giustificare le loro follie, il Segalelli portava con sé un'apostolessa, una certa Tripia o Ripia, che pretendeva avere il dono della profezia. Una donna, capisci?"

"Ma padre," tentai di obbiettare, "voi stesso parlavate l'altra sera della santità di Chiara da Montefalco e di Angela da Foligno..."

"Esse erano sante! Vivevano nell'umiltà riconoscendo il potere della chiesa, non si arrogarono mai il dono della profezia! E invece gli pseudo apostoli asserivano che anche le donne potessero andare di città in città a predicare, come fecero molti altri eretici. E non conoscevano più alcuna differenza tra celibi e sposati, né alcun voto fu più considerato perpetuo. In breve, per non tediarti troppo con storie tristissime di cui non puoi capire bene le sfumature, il vescovo Obizzo di Parma decise infine di mettere Gherardo in ceppi. Ma qui accadde una cosa strana, che ti dice come sia debole la natura umana, e come insidiosa la pianta dell'eresia. Perché infine il vescovo liberò Gherardo e lo accolse presso di sé a tavola, e rideva dei suoi lazzi, e lo teneva come il suo buffone."

"Ma perché?"

"Non lo so, o temo di saperlo. Il vescovo era nobile e non gli piacevano i mercanti e gli artigiani della città. Forse non gli era discaro che Gherardo con le sue prediche di povertà parlasse contro di loro, e passasse dalla richiesta di elemosina alla rapina. Ma infine intervenne il papa, e il vescovo tornò alla sua giusta severità, e Gherardo finì sul rogo come eretico impenitente. Era l'inizio di questo secolo.''

''E cosa c'entra con queste cose fra Dolcino?''

''C'entra, e questo ti dice come l'eresia sopravvive alla distruzione stessa degli eretici. Questo Dolcino era il bastardo di un sacerdote, che viveva nella diocesi di Novara, in questa parte dell'Italia, un poco più a settentrione. Qualcuno disse che nacque altrove, nella valle dell'Ossola, o a Romagnano. Ma poco importa. Era un giovane di ingegno acutissimo e fu educato alle lettere, ma derubò il sacerdote che si occupava di lui e fuggì verso oriente, nella città di Trento. E lì riprese la predicazione di Gherardo, in modo anche più eretícale, asserendo di essere l'unico vero apostolo di Dio e che ogni cosa doveva essere comune nell'amore, e che era lecito andare indifferentemente con tutte le donne, per cui nessuno poteva essere accusato di concubinato, anche se andava con la moglie e con la figlia...''

''Davvero predicava quelle cose o fu accusato di questo? Perché ho udito che anche gli spirituali furono accusati di crimini come quei frati di Montefalco...''

''De hoc satis,'' interruppe bruscamente Ubertino. ''Quelli non erano più frati. Erano eretici. E proprio insozzati da Dolcino. E d'altra parte, ascolta, basta saper quello che Dolcino fece dopo, per definirlo come malvagio. Come fosse venuto a conoscenza delle dottrine degli pseudo apostoli, non so neppure. Forse passò da Parma, giovane, e udì Gherardo. Si sa che mantenne nel bolognese contatto con quegli eretici dopo la morte del Segalelli. Ma si sa di certo che iniziò la sua predicazione a Trento. Lì sedusse una fanciulla bellissima e di nobile famiglia, Margherita, o essa sedusse lui, come Eloisa sedusse Abelardo, perché ricorda, è attraverso la donna che il diavolo penetra nel cuore degli uomini! A quel punto, il vescovo di Trento lo cacciò dalla sua diocesi, ma ormai Dolcino aveva raccolto più di mille seguaci, e iniziò una lunga marcia che lo ricondusse nei paesi dove era nato. E lungo il cammino gli si univano altri illusi, sedotti dalle sue parole, e forse gli si unirono anche molti eretici valdesi che abitavano le montagne da cui passava, o egli voleva riunirsi ai valdesi di queste terre a settentrione. Giunto nel novarese Dolcino trovò un ambiente favorevole alla sua rivolta, perché i vassalli che governavano il paese di

Gattinara a nome del vescovo di Vercelli erano stati cacciati dalla popolazione, che accolse quindi i banditi di Dolcino come buoni alleati."

"Cosa avevano fatto i vassalli del vescovo?"

"Non lo so, e non spetta a me giudicarlo. Ma come vedi l'eresia si sposa alla rivolta contro i signori, in molti casi, e per questo l'eretico comincia a predicare madonna povertà e poi cade preda di tutte le tentazioni del potere, della guerra, della violenza. C'era una lotta tra famiglie nella città di Vercelli, e gli pseudo apostoli se ne approfittarono, e queste famiglie si avvalsero del disordine apportato dagli pseudo apostoli. I signori feudali arruolavano avventurieri per rapinare i cittadini, e i cittadini chiedevano la protezione del vescovo di Novara."

"Che storia complicata. Ma Dolcino con chi stava?"

"Non so, faceva parte per se stesso, si era inserito in tutte queste dispute e ne traeva occasione per predicare la lotta contro la proprietà altrui in nome della povertà. Dolcino si accampò coi suoi, che ormai erano tremila, su un monte vicino a Novara, detto della Parete Calva, e costruirono castelletti e abitacoli, e Dolcino dominava su tutta quella folla di uomini e donne che vivevano nella promiscuità più vergognosa. Di lì inviava lettere ai suoi fedeli, in cui esponeva la sua dottrina eretica. Diceva e scriveva che il loro ideale era la povertà e non erano legati da alcun vincolo di obbedienza esteriore, e che lui Dolcino era stato mandato da Dio per dissigillare le profezie e capire le scritture dell'antico e del nuovo testamento. E chiamava chierici secolari, predicatori e minori, ministri del diavolo, e scioglieva chiunque dal dovere di ubbidir loro. E distingueva quattro età della vita del popolo di Dio, la prima dell'antico testamento, dei patriarchi e dei profeti, prima della venuta di Cristo, in cui il matrimonio era buono perché la gente si doveva moltiplicare; la seconda l'età di Cristo e degli apostoli, e fu l'epoca della santità e della castità. Poi venne la terza, in cui i pontefici dovettero dapprima accettare le ricchezze terrene per poter governare il popolo, ma quando gli uomini cominciarono ad allontanarsi dall'amore di Dio venne Benedetto, che parlò contro ogni possesso temporale. Quando poi anche i monaci di Benedetto tornarono ad accumulare ricchezze, vennero i frati di san Francesco e di san Domenico, ancora più severi di Benedetto nel predicare contro il dominio e la ricchezza terrena. Ma infine ora, che la vita di tanti prelati di nuovo contraddiceva tutti quei buoni precetti, si era giunti alla fine della terza età e occorreva convertirsi agli insegnamenti degli apostoli.''

"Ma allora Dolcino predicava quelle cose che avevano predicato i francescani, e tra i francescani proprio gli spirituali, e voi stesso, padre!''

"Oh sì, ma ne traeva un perfido sillogismo! Diceva che per por fine a questa terza età della corruzione occorreva che tutti i chierici, i monaci e i frati morissero di morte crudelissima, diceva che tutti i prelati della chiesa, i chierici, le monache, i religiosi e le religiose e tutti coloro che fan parte degli ordini dei predicatori e dei minori, degli eremiti, e lo stesso Bonifacio papa avrebbero dovuto essere sterminati dall'imperatore prescelto da lui, Dolcino, e questo sarebbe stato Federico di Sicilia.''

"Ma non era proprio Federico che accolse in Sicilia con favore gli spirituali cacciati dall'Umbria, e non sono i minoriti a chiedere proprio che l'imperatore, anche se ora è Ludovico, distrugga il potere temporale del papa e dei cardinali?''

"È proprio dell'eresia, o della follia, trasformare i pensieri più retti e volgerli a conseguenze contrarie alla legge di Dio e degli uomini. I minoriti non hanno mai chiesto all'imperatore di uccidere gli altri sacerdoti.''

Si ingannava, ora lo so. Perché quando alcuni mesi dopo il Bavaro instaurò il proprio ordine a Roma, Marsilio e altri minoriti fecero ai religiosi fedeli al papa proprio quanto Dolcino chiedeva si facesse. Con questo non voglio dire che Dolcino fosse nel giusto, se mai Marsilio era nell'errore anch'egli. Ma incominciavo a chiedermi, specie dopo il colloquio del pomeriggio con Guglielmo, come fosse possibile ai semplici che seguivano Dolcino distinguere tra le promesse degli spirituali e l'attuazione che ne dava Dolcino. Non era forse egli colpevole di mettere in pratica quanto uomini reputati ortodossi avevano predicato per via puramente mistica? O forse lì stava la differenza, la santità consisteva nell'attendere che Dio ci desse quanto i suoi santi avevano promesso, senza cercare di ottenerlo per mezzi terreni? Ora so che è così e so perché Dolcino era in errore: non si deve trasformare l'ordine delle cose anche se si deve fervidamente sperare nella sua trasformazione. Ma quella sera ero in preda a contraddittori pensieri.

"Infine,'' stava dicendomi Ubertino, "la marca dell'eresia la trovi sempre nella superbia. In una seconda lettera Dolcino, nell'anno 1303, si nominava capo supremo della congregazione apostolica, nominava come suoi luogotenenti la perfida Margherita (una donna) e Longino da Bergamo, Federico da Novara, Alberto Carentino e Valderico da Brescia. E iniziava a vaneggiare su una sequenza di papi venturi, due buoni, il primo e l'ultimo, due cattivi, il secondo e il terzo. Il primo è Celestino, il secondo è Bonifacio VIII, di cui i profeti dicono 'la superbia del tuo cuore ti ha infamato, o tu che abiti nelle fessure delle rocce'. Il terzo papa non è nominato, ma di lui avrebbe detto Geremia 'ecco, qual leone'. E, infamia, Dolcino riconosceva il leone in Federico di Sicilia. Il quarto papa per Dolcino era ancora sconosciuto, e avrebbe dovuto essere il papa santo, il papa angelico di cui parlava l'abate Gioacchino. Avrebbe dovuto essere eletto da Dio e allora Dolcino e tutti i suoi (che a quel punto erano già quattromila) avrebbero ricevuto insieme la grazia dello Spirito Santo e la chiesa ne sarebbe stata rinnovata sino alla fine del mondo. Ma nei tre anni che precedevano la sua venuta avrebbe dovuto essere consumato tutto il male. E questo Dolcino cercò di fare, portando la guerra ovunque. E il quarto papa, e qui si vede come il demonio si prenda gioco dei suoi succubi, fu proprio Clemente V che bandì la crociata contro Dolcino. E fu giusto, perché in quelle lettere ormai Dolcino sosteneva teorie inconciliabili con l'ortodossia. Egli affermò che la chiesa romana è una meretrice, che non si deve obbedienza ai sacerdoti, che ogni potere spirituale era ormai passato alla setta degli apostoli, che solo gli apostoli formano la nuova chiesa, che gli apostoli possono annullare il matrimonio, che nessuno potrà essere salvato se non farà parte della setta, che nessun papa può assolvere dal peccato, che non si devono pagare le decime, che è vita più perfetta vivere senza voto che non col voto, che una chiesa consacrata non vale nulla per la preghiera, non più di una stalla, e che si può adorare Cristo nei boschi e nelle chiese.''

''Disse davvero queste cose?''

''Certo, questo è sicuro, le scrisse. Ma fece purtroppo di peggio. Come si attestò sulla Parete Calva, iniziò a saccheggiare i villaggi a valle, a compiere scorrerie, per procacciarsi i rifornimenti, conducendo insomma una vera e propria guerra contro i paesi vicini.''

''Tutti contro di lui?''

''Non si sa. Forse ricevette appoggi da alcuni, ti ho detto che si era inserito in un nodo inestricabile di discordie del luogo. Era caduto intanto l'inverno dell'anno 1305, uno dei più rigidi degli ultimi decenni, e c'era tutto intorno una

grande carestia. Dolcino inviava una terza lettera ai suoi seguaci e molti ancora lo raggiungevano, ma lassù la vita si era
fatta impossibile e arrivarono a tale fame che mangiavano le
carni dei cavalli e di altre bestie e il fieno cotto. E molti ne
morirono.''

''Ma contro chi si battevano, ora?''

''Il vescovo di Vercelli si era appellato a Clemente V ed e-
ra stata bandita una crociata contro gli eretici. Fu emanata
una indulgenza plenaria per chiunque vi avesse partecipato,
furono sollecitati Ludovico di Savoia, gli inquisitori di Lombardia, l'arcivescovo di Milano. Molti presero la croce in aiuto dei vercellesi e dei novaresi, anche dalla Savoia, dalla Provenza, dalla Francia, e il vescovo di Vercelli ebbe il comando
supremo. Erano continui scontri tra le avanguardie dei due
eserciti, ma le fortificazioni di Dolcino erano imprendibili, e
in qualche modo gli empi ricevevano dei soccorsi.''

''Da chi?''

''Da altri empi, credo, che traevano soddisfazione da quel
fomite di disordine. Sul finire dell'anno 1305 l'eresiarca fu
costretto però ad abbandonare la Parete Calva, lasciando i
feriti e i malati, e si portò nel territorio di Trivero, dove si
arroccò su un monte, che allora veniva chiamato Zubello e
che da allora in poi fu detto Rubello o Rebello, perché era
divenuto la rocca dei ribelli alla chiesa. Insomma, non ti
posso raccontare tutto quello che avvenne, e furono stragi
terribili. Ma alla fine i ribelli furono costretti alla resa, Dolcino e i suoi furono catturati e finirono giustamente sul rogo.''

''Anche la bella Margherita?''

Ubertino mi guardò: ''Ti sei ricordato che era bella, vero?
Era bella, dicono, e molti signori del luogo tentarono di farla loro sposa per salvarla dal rogo. Ma essa non volle, morì
impenitente con quell'impenitente del suo amante. E questo
ti serva di lezione, guardati dalla meretrice di Babilonia, anche quando assume la forma della creatura più squisita.''

''Ma ora ditemi, padre. Ho appreso che il cellario del
convento, e forse anche Salvatore, incontrarono Dolcino, e
furono con lui in qualche modo...''

''Taci, e non pronunziare giudizi temerari. Conobbi il
cellario in un convento di minoriti. Dopo i fatti che riguardano la storia di Dolcino, è vero. Molti spirituali in quegli
anni, prima che decidessimo di trovar rifugio nell'ordine di
san Benedetto, ebbero vita agitata, e dovettero lasciare i loro
conventi. Non so dove sia stato Remigio prima che io lo in-

contrassi. So che fu sempre un buon frate, almeno dal punto di vista dell'ortodossia. Quanto al resto, ahimè, la carne è debole..."

"Cosa intendete dire?"

"Non sono cose che devi sapere. Ebbene, insomma, poiché ne abbiamo parlato, e devi poter distinguere il bene dal male..." esitò ancora, "ti dirò che ho sentito sussurrare qui, all'abbazia, che il cellario non sappia resistere a certe tentazioni... Ma sono mormorazioni. Tu devi imparare a non pensare neppure a queste cose." Mi trasse di nuovo a sé abbracciandomi stretto e mi indicò la statua della Vergine: "Tu devi iniziarti all'amore senza macchia. Ecco colei in cui la femminilità si è sublimata. Per questo di lei puoi dire che è bella, come l'amata del Cantico dei Cantici. In essa," disse col volto rapito da un gaudio interiore, proprio come l'Abate il giorno prima, quando parlava delle gemme e dell'oro dei suoi vasellami, "in essa persino la grazia del corpo si fa segno delle bellezze celesti, e per questo lo scultore l'ha rappresentata con tutte le grazie di cui la donna deve essere adornata." Mi indicò il busto sottile della Vergine, tenuto alto e stretto da un corsetto legato al centro con lacciuoli, con cui giocavano le piccole mani del Bambino. "Vedi? Pulchra enim sunt ubera quae paululum supereminent et tument modice, nec fluitantia licenter, sed leniter restricta, repressa sed non depressa... Cosa provi davanti a questa dolcissima visione?"

Io arrossii violentemente sentendomi agitato come da un fuoco interno. Ubertino dovette avvertirlo, o forse scorse l'ardore delle mie gote, perché subito aggiunse: "Ma devi imparare a distinguere il fuoco dell'amore soprannaturale dal deliquio dei sensi. È difficile anche per i santi."

"Ma come si riconosce l'amore buono?" chiesi tremando.

"Cos'è l'amore? Non v'è nulla al mondo né uomo né diavolo, né alcuna cosa, che io non consideri così sospetto come l'amore, ché questo penetra l'anima più di qualunque altra cosa. Non esiste nulla che tanto occupi e leghi il cuore come l'amore. Perciò, a meno di non avere quelle armi che la governano, l'anima precipita per l'amore in una immensa rovina. E io credo che senza le seduzioni di Margherita, Dolcino non si sarebbe dannato, né senza la vita proterva e promiscua della Parete Calva, tanti avrebbero sentito il fascino della sua ribellione. Bada, queste cose io non te le dico solo dell'amore cattivo, che naturalmente deve essere sfuggito da tutti come cosa diabolica, io dico questo e con grande paura anche dell'amore buono che corre tra Dio e l'uomo, tra prossimo e prossimo. Sovente avviene che due o tre, uomini o donne, si amino assai cordialmente e nutrano a vicenda singolare affezione, e desiderino vivere sempre vicini, e quando l'una parte desidera, l'altra vuole. E ti confesso che un sentimento del genere io lo provai per donne virtuose come Angela e Chiara. Ebbene, anche ciò è assai riprovevole, per quanto si faccia spiritualmente e per Dio... Perché anche l'amore sentito dall'anima, se non è armato ma viene preso con calore, viene poi a cadere, oppure opera disordinatamente. Oh, l'amore ha diverse proprietà, dapprima l'anima per lui si intenerisce, poi cade inferma... Ma poi avverte il calore vero dell'amore divino e grida, e si lamenta, si fa pietra messa nella fornace per disfarsi in calce, e crepita lambita dalla fiamma..."

"E questo è amore buono?"

Ubertino mi accarezzò il capo, e come lo guardai vidi che aveva gli occhi inteneriti di lacrime: "Sì, questo è infine amore buono." Staccò la sua mano dalle mie spalle: "Ma come è difficile," aggiunse, "come è difficile distinguerlo dall'altro. E talora quando la tua anima è tentata dai demoni ti senti come l'uomo impiccato per la gola che, legate le mani sul dorso e bendati gli occhi, rimane appeso alla forca e pure vive, senza nessun ausilio, senza nessun sostegno, senza nessun rimedio, a girare nel vuoto..."

Il suo volto non era più soltanto bagnato dal pianto, ma da un velo di sudore. "Vai via ora," mi disse in fretta, "ti ho detto quello che volevi sapere. Di qui il coro degli angeli, di là la gola dell'inferno. Vai, e sia lodato il Signore." Si prosternò di nuovo davanti alla Vergine e lo udii singhiozzare piano. Pregava.

Non uscii dalla chiesa. Il colloquio con Ubertino mi aveva indotto nell'animo, e nelle viscere, uno strano fuoco e una indicibile irrequietezza. Forse per questo mi trovai incline alla disobbedienza e decisi di tornare da solo in biblioteca. Non sapevo neppure io cosa cercassi. Volevo esplorare da solo un luogo ignoto, mi affascinava l'idea di potermici orientare senza l'aiuto del mio maestro. Ci salii come Dolcino era salito sul monte Rubello.

Avevo con me il lume (perché lo avevo portato? forse nutrivo già questo disegno segreto?) e penetrai nell'ossario quasi a occhi chiusi. In breve fui nello scriptorium.

Era una sera fatale, credo, perché mentre curiosavo tra i tavoli, ne scorsi uno sul quale stava aperto un manoscritto che un monaco copiava in quei giorni. Il titolo subito mi attrasse: *Historia fratris Dulcini Heresiarche*. Credo fosse il tavolo di Pietro da Sant'Albano, di cui mi avevano detto che stava scrivendo una monumentale storia dell'eresia (dopo quel che avvenne all'abbazia naturalmente non la scrisse più — ma non anticipiamo gli eventi). Non era quindi anormale che qui stesse quel testo, e altri ve n'erano di argomento affine, sui patarini e sui flagellanti. Ma assunsi come un segno soprannaturale, non so ancora se celeste o diabolico, quella circostanza, e mi piegai a leggere avidamente lo scritto. Non era molto lungo, e nella prima parte diceva, con molti più particolari che ho dimenticato, quanto mi aveva detto Ubertino. Vi si parlava anche dei molti delitti commessi dai dolciniani durante la guerra e l'assedio. E della battaglia finale, che fu cruentissima. Ma vi trovai anche quanto Ubertino non mi aveva raccontato, e detto da chi evidentemente aveva visto tutto e ne aveva l'immaginazione ancora accesa.

Appresi dunque come nel marzo del 1307, il sabato santo, Dolcino, Margherita e Longino, infine presi, furono condotti nella città di Biella e consegnati al vescovo, che attendeva la decisione del papa. Il papa, come apprese la notizia la trasmise al re di Francia Filippo, scrivendo: "Ci sono giunte notizie graditissime, feconde di gioia ed esultanza, perché quel demone pestifero, figlio di Belial e orrendissimo eresiarca Dolcino, dopo lunghi pericoli, fatiche, stragi e frequenti interventi, finalmente coi suoi seguaci è prigioniero nelle nostre carceri, per opera del nostro venerabile fratello Raniero, vescovo di Vercelli, catturato nel giorno della santa cena del Signore, e la numerosa gente che era con lui, infettata dal contagio, fu uccisa quel giorno stesso." Il papa fu spietato nei confronti dei prigionieri e comandò al vescovo di metterli a morte. Allora, nel luglio dello stesso anno, il primo giorno del mese, gli eretici furono consegnati al braccio secolare. Mentre le campane della città suonavano a stormo, furono messi su di un carro, circondati dai carnefici, seguiti dalla milizia, che percorse tutta la città, mentre a ogni cantone con tenaglie infuocate si laceravano le carni dei rei. Margherita fu bruciata per prima, davanti a Dolcino, il quale non mosse muscolo del volto, così come non aveva emesso un lamento quando le tenaglie gli mordevano le membra. Poi il carro continuò la sua strada, mentre i carnefici infilavano i loro ferri in vasi pieni di faci ardenti. Dolcino subì altri tormenti, e restò sempre muto, salvo quando gli amputarono il naso, perché si strinse un poco nelle spalle, e quando gli strapparono il membro virile, ché a quel punto egli lanciò un lungo sospiro, come un mugolìo. Le ultime cose che disse suonarono a impenitenza, e avvertì che sarebbe risuscitato il terzo giorno. Poi fu bruciato e le sue ceneri furono disperse al vento.

Chiusi il manoscritto con le mani che tremavano. Dolcino aveva commesso molti delitti, mi era stato detto, ma era stato orrendamente bruciato. E si era comportato sul rogo... come? con la fermezza dei martiri o con la protervia dei dannati? Mentre salivo vacillando le scale che portavano alla biblioteca, capii perché ero tanto turbato. Mi sovvenne all'improvviso una scena che avevo visto non molti mesi prima, poco dopo il mio arrivo in Toscana. Mi chiedevo anzi come mai l'avessi quasi dimenticata sino ad allora, come se l'anima mia malata avesse voluto cancellare un ricordo che le gravava sopra come un incubo. Ovvero, non me ne ero dimenticato, perché ogni volta che sentivo parlare di fraticelli rivedevo immagini di quella vicenda, ma subito le ricacciavo nelle latebre del mio spirito, come se fosse stato un peccato essere stato testimone di quell'orrore.

Avevo sentito parlare per la prima volta di fraticelli nei giorni in cui, a Firenze, ne avevo visto ardere uno sul rogo. Era stato poco prima che incontrassi a Pisa frate Guglielmo. Egli stava ritardando il suo arrivo in quella città e mio padre mi aveva dato licenza di visitare Firenze di cui avevamo sentito lodare le bellissime chiese. Mi ero aggirato per la Toscana, per apprendere meglio il volgare italiano, e avevo infine soggiornato una settimana a Firenze, perché molto avevo udito parlare di quella città e desideravo conoscerla.

Fu così che appena vi arrivai sentii parlare di un gran caso che stava agitando tutta la città. Un fraticello eretico, imputato di delitti contro la religione, e tratto davanti al vescovo e altri ecclesiastici, era in quei giorni sottoposto a severa inquisizione. E seguendo coloro che me ne parlavano, mi portai al luogo dove avveniva l'evento, mentre udivo la gente dire che questo fraticello, a nome Michele, era in verità uomo molto pio, che aveva predicato penitenza e povertà, ripetendo le parole del santo Francesco, ed era stato trascinato davanti ai giudici per la malizia di certe donne che, fingendo di confessarsi da lui, gli avevano poi attribuito proposizioni eretiche; e anzi era stato preso dagli uomini del vescovo proprio in casa di quelle donne, fatto questo che mi stupiva, perché un uomo di chiesa non dovrebbe recarsi ad amministrare i sacramenti in luoghi così poco adatti, ma questa pareva essere la debolezza dei fraticelli, il non tener in debita considerazione le convenienze, e forse c'era qualcosa di vero nella voce pubblica che li voleva, oltre che eretici, di dubitevoli costumi (così come sempre si diceva dei catari che fossero bulgari e sodomiti).

Arrivai alla chiesa di San Salvatore dove si teneva il processo, ma non potei entrare, per la gran folla che vi era davanti. Però alcuni stavano issati e attaccati alla inferriata delle finestre e vedevano e udivano quanto vi avveniva, e ne riferivano agli altri di sotto. Stavano allora rileggendo a frate Michele la confessione che aveva fatta il giorno prima, in cui diceva che Cristo e gli apostoli suoi "non ebbero niuna cosa né in speziale né in comune per ragione di proprietà", ma Michele protestava che il notaio vi aveva aggiunto ora "molte false consequenzie" e gridava (e questo lo udii da fuori) "n'avete a render ragione al dì del giudizio!". Ma gli inquisitori lessero la confessione così come l'avevano redatta e alla fine gli chiesero se voleva umilmente attenersi alle opinioni della chiesa e di tutto il popolo della città. E sentii Michele che gridava a voce alta che egli voleva attenersi a ciò che credeva, e cioè che "voleva tenere Cristo povero crocifisso e papa Giovanni XXII eretico, poiché diceva il contrario". Ne seguì una gran discussione, in cui gli inquisitori, tra cui molti francescani, gli volevano far intendere che le scritture non avevano detto quel che diceva lui, e lui li accusava di negare la loro stessa regola dell'ordine, e quelli gli davano addosso chiedendogli se mai lui credesse di intendere le scritture meglio di loro che ne erano maestri. E fra Michele, molto pertinace davvero, li contestava, sì che quelli prendevano ad assalirlo con provocazioni come "e allora vogliamo che tu tenga Cristo come fosse proprietario e papa Giovanni come cattolico e santo". E Michele, non deflettendo: "No, eretico." E quelli dicevano che non avevano mai visto alcuno così duro nella propria nequizia. Ma tra la folla fuori del palazzo ne udii molti che dicevano che egli era come Cristo tra i farisei, e mi avvidi che tra il popolo molti credevano nella santità di frate Michele.

Infine gli uomini del vescovo lo riportarono in prigione in ceppi. E la sera mi dissero che molti dei frati amici del vescovo erano andati a insultarlo e a chiedergli di ritrattare, ma egli rispondeva come uno che fosse sicuro della propria verità. E ripeteva a ciascuno che Cristo era povero e che così avevano detto anche santo Francesco e santo Domenico, e che se a professare questa retta opinione avesse dovuto essere condannato al supplizio, tanto meglio, perché in breve tempo avrebbe potuto vedere ciò che dicono le scritture, e i ventiquattro vegliardi dell'Apocalisse, e Gesù Cristo, e san Francesco, e i gloriosi martiri. E mi dissero che disse: "Se leggiamo con tanto fervore la dottrina di certi santi abati con quanto maggior fervore e gioia dobbiamo desiderare di stare in mezzo a loro." E a parole del genere gli inquisitori uscivano dal carcere col viso scuro gridando sdegnati (e io li udii): "Ha il diavolo addosso!"

Il giorno dopo sapemmo che la condanna era stata pronunziata, e andato in vescovado potei vedere la pergamena, e parte ne copiai sulla mia tavoletta.

Cominciava "In nomine Domini amen. Hec est quedam condemnatio corporalis et sententia condemnationis corporalis lata, data et in hiis scriptis sententialiter pronumptiata et promulgata..." eccetera, e proseguiva con una severa descrizione dei peccati e delle colpe del detto Michele, che qui in parte riporto perché il lettore giudichi secondo prudenza:

Johannem vocatum fratrem Micchaelem Iacobi, de comitatu Sancti Frediani, hominem male condictionis, et pessime conversationis, vite et fame, hereticum et heretica labe pollutum et contra fidem cactolicam credentem et affirmantem... Deum pre oculis non habendo sed potius humani generis inimicum, scienter, studiose, appensate, nequiter et animo et intentione exercendi hereticam pravitatem stetit et conversatus fuit cum Fraticellis, vocatis Fraticellis della povera vita hereticis et scismaticis et eorum pravam sectam et heresim secutus fuit et sequitur contra fidem cactolicam... et accessit ad dictam civitatem Florentie et in locis publicis dicte civitatis in dicta inquisitione contentis, credidit, tenuit et pertinaciter affirmavit ore et corde... quod Christus redentor noster non habuit rem aliquam in proprio vel comuni sed habuit a quibuscumque rebus quas sacra scriptura eum habuisse testatur, tantum simplicem facti usum.

Ma non erano solo questi i delitti di cui era accusato, e tra gli altri uno mi parve turpissimo, anche se non so (così come andò il processo) se egli avesse davvero affermato tanto, ma si diceva insomma che il detto minorita aveva sostenuto che santo Tommaso d'Aquino non era né santo né godeva della eterna salvezza, bensì era dannato e in stato di perdizione! E la sentenza concludeva comminando la pena, poiché l'accusato non aveva voluto emendarsi:

Costat nobis etiam ex predictis et ex dicta sententia lata per dictum dominum episcopum florentinum, dictum Johannem fore hereticum, nolle se tantis herroribus et heresi corrigere et emendare, et se ad rectam viam fidei dirigere, habentes dictum Johannem pro irreducibili, pertinace et hostinato in dictis suis perversis herroribus, ne ipse Johannes de dictis suis sceleribus et herroribus perversis valeat gloriari, et ut eius pena aliis transeat in exemplum; idcirco, dictum Johannem vocatum fratrem Micchaelem hereticum et scismaticum quod ducatur ad locum iustitie consuetum, et ibidem igne et flammis igneis accensis concremetur et comburatur, ita quod penitus moriatur et anima a corpore separetur.

E poi che la sentenza fu resa pubblica, vennero ancora uomini di chiesa alla prigione e avvertirono Michele di ciò che sarebbe accaduto, e li udii anzi dire: "Fra Michele, sono state già fatte le mitre coi mantellini, e dipintivi sopra fraticelli accompagnati da diavoli." Per spaventarlo e costringerlo infine a ritrattare. Ma frate Michele si mise in ginocchio e disse: "Io penso che intorno al rogo vi sarà il nostro padre Francesco e dico di più, credo che vi saranno Gesù e gli apostoli, e i gloriosi martiri Bartolomeo e Antonio." Che era un modo di rifiutare per l'ultima volta le offerte degli inquisitori.

La mattina dopo fui anch'io sul ponte del vescovado dove si eran radunati gli inquisitori, davanti ai quali fu tratto sempre in ceppi frate Michele. Uno dei fedeli si inginocchiò davanti a lui per ricevere la benedizione, e fu preso dagli uomini d'arme e condotto subito in prigione. Dopo, gli inquisitori rilessero la sentenza al condannato e domandarono ancora se voleva pentirsi. A ogni punto in cui la sentenza diceva che egli era un eretico, Michele rispondeva "eretico non sono, peccatore, sì, ma cattolico" e quando il testo nominava "il venerabilissimo e santissimo papa Giovanni XXII" Michele rispondeva "no, ma eretico". Allora il vescovo comandò che Michele venisse a inginocchiarsi davanti a lui, e Michele disse che non si inginocchiava davanti agli eretici. Lo fecero inginocchiare per forza ed egli mormorò: "Ne sono scusato davanti a Dio." E siccome era stato portato lì davanti con tutti i suoi paramenti sacerdotali, iniziò un rito in cui brano a brano i paramenti gli venivano levati sino a che rimase in quella vesticciola che a Firenze chiamano cioppa. E come vuole l'uso per il prete che si sconsacra, con un ferro tagliente gli rasero i polpastrelli delle dita e gli rasero i capelli. Poi fu affidato al capitano e ai suoi uomini, che lo trattarono molto duramente e lo misero in ceppi riportandolo in carcere, mentre lui diceva alla folla: "per Dominum moriemur". Doveva essere bruciato, così appresi, solo il giorno dopo. E in quel giorno andarono anche a chiedergli se voleva confessarsi e comunicarsi. E rifiutò di commettere peccato accettando i sacramenti di chi era in peccato. E in questo, credo, fece male, e si dimostrò corrotto dall'eresia dei patarini.

E infine venne il mattino del supplizio, e venne a prenderlo un gonfaloniere che mi parve persona amica, perché gli chiese che razza d'uomo fosse, e perché si ostinava quando bastava affermare quello che tutto il popolo affermava e accettar l'opinione di santa madre chiesa. Ma Michele, durissimo: "Io credo in Cristo povero crocefisso." E il gonfaloniere se ne andò allargando le braccia. Arrivarono allora il capitano e i suoi uomini e portarono Michele nel cortile dove c'era il vicario del vescovo che gli rilesse e la confessione e la condanna, Michele intervenne ancora a contestare opinioni false che gli erano attribuite: ed erano invero cose di tanta sottigliezza che io non le ricordo e allora non le compresi bene. Ma su quelle si decideva della morte di Michele, certo, e della persecuzione dei fraticelli. Tanto che io non capivo perché gli uomini della chiesa e del braccio secolare si accanissero così contro persone che volevano vivere in povertà e ritenevano che Cristo non avesse avuto beni terreni. Perché, mi dicevo, se mai, dovrebbero temere uomini che vogliano vivere in ricchezza e sottrarre danaro agli altri, e portare la chiesa nel peccato e introdurvi pratiche di simonia. E parlai di questo a uno che mi stava vicino, perché non resistevo a tacere. E quello sorrise beffardo e mi disse che un frate che pratica la povertà diventa cattivo esempio per il popolo, che poi non si avvezza più ai frati che non la praticano. E che, aggiunse, quella predicazione di povertà metteva cattive idee in testa al popolo, che della sua povertà avrebbe tratto ragione di orgoglio, e l'orgoglio può portare a molti atti orgogliosi. E infine che avrei dovuto sapere che, non era chiaro neppure a lui per qual sillogismo, a predicar la povertà per i frati si stava dalla parte dell'imperatore e questo al papa non piaceva. Tutte ottime ragioni, mi parvero, anche se dette da un uomo di poca dottrina. Salvo che a quel punto non capivo perché fra Michele volesse morire così orrendamente per compiacere l'imperatore, o dirimere una questione tra ordini religiosi. E infatti qualcuno tra i presenti diceva: "Non è un santo, è stato inviato da Ludovico per seminar discordia tra i cittadini, e i fraticelli sono toscani ma dietro a essi stanno i messi dell'impero.'' E altri: ''Ma è un pazzo, è invasato dal demonio, gònfio di orgoglio e gode del martirio per dannata superbia, a questi frati fan leggere troppe vite dei santi, meglio sarebbe prendessero moglie!'' E altri ancora: ''No, avremmo bisogno che tutti i cristiani fossero così, pronti a testimoniare la loro fede come al tempo dei pagani.'' E nell'ascoltare quelle voci, mentre più non sapevo cosa pensare, mi accadde di poter rivedere in faccia il condannato, che a tratti la folla davanti a me mi nascondeva. E vidi il viso di chi guarda qualcosa che non è di questa terra, come talora lo vidi sulle statue dei santi rapiti in visione. E compresi che, pazzo o veggente che fosse, egli lucidamente voleva morire perché credeva che morendo avrebbe sconfitto il suo nemico, qualsiasi esso fosse. E compresi che il suo esempio ne avrebbe portati a morte altri. E solo rimasi sbigottito da tanta fermezza perché ancora oggi non so se in costoro prevalga un amore orgoglioso per la verità in cui credono, che li porta alla morte, o un orgoglioso desiderio di morte, che li porta a testimoniare la loro verità, qualsiasi essa sia. E ne sono travolto di ammirazione e timore.

Ma torniamo al supplizio, ché ormai stavano tutti avviandosi al luogo della messa a morte.

Il capitano e i suoi lo trassero fuori della porta, con la sua gonnelluccia addosso, e parte dei bottoni sfibbiati, e andava con passo largo e il capo chino, recitando il suo ufficio, che pareva uno dei martiri. E c'era tanta folla da non credersi e molti gridavano: ''Non morire!'' e lui rispondeva: ''Voglio morire per Cristo'', ''Ma tu non muori per Cristo,'' gli dicevano, e lui: ''Ma per la verità.'' Arrivati a un luogo detto il canto del Proconsolo uno gli gridò di pregare Iddio per loro tutti, ed egli benedisse la folla. E ai Fondamenti di santa Liperata uno gli disse: ''Sciocco che sei, credi nel papa!'' e lui rispose: ''Ne avete fatto un dio di questo vostro papa'' e aggiunse: ''Questi vostri paperi v'hanno ben conci'' (che era un gioco di parole, o arguzia, che faceva diventare i papi come animali, nel dialetto toscano, come mi spiegarono): e tutti si stupirono che andasse alla morte facendo scherzi.

A San Giovanni gli gridarono: ''Campa la vita!'' e lui rispose: ''Scampate dai peccati!''; al Mercato Vecchio gli gridarono: ''Campa, campa!'' e lui rispose: ''Scampate dall'inferno''; al Mercato Nuovo gli urlarono: ''Pentiti, pentiti,'' e lui rispose: ''Pentitevi delle usure.'' E giunto a Santa Croce vide i frati del suo ordine che erano sulla scalinata e li rimproverò perché non seguivano la regola di san Francesco. E di quelli alcuni si stringevano nelle spalle ma altri si coprivano per vergogna il viso col cappuccio.

E andando verso la porta della Giustizia molti gli dicevano: "Nega, nega, non voler morire;" e lui: "Cristo morì per noi." E loro: "Ma tu non sei Cristo, non devi morire per noi!" e lui: "Ma io voglio morire per lui." Al prato della Giustizia uno gli disse se non poteva fare come un certo frate suo superiore che aveva negato, ma Michele rispose che non aveva negato, e vidi molti tra la folla assentire e incitare Michele a essere forte: così io e molti altri capimmo che quelli erano dei suoi, e ci scostammo.

Si fu infine fuori della porta e davanti a noi apparve la pira, o capannuccio, come là la chiamavano, perché il legno vi era disposto in forma di capanna, e lì si fece un cerchio di cavalieri armati perché la gente non si avvicinasse troppo. E quivi legarono frate Michele alla colonna. E udii ancora uno gridargli: "Ma cosa è questo, per cui vuoi morire?" ed egli rispose: "Questa è una verità che mi abita dentro, della quale non si può dar testimonianza se non di morte." Appiccarono il fuoco. E frate Michele, che già aveva intonato il *Credo*, intonò dopo il *Te Deum*. Ne cantò forse otto versi, poi si piegò come dovesse starnutire, e cadde per terra, perché si erano arsi i legami. Ed era già morto, perché prima che il corpo bruci del tutto già si muore per il gran calore che fa scoppiare il cuore e il fumo che invade il petto.

Poi il capanno bruciò completamente come una torcia e ci fu un gran bagliore, e non fosse stato per il povero corpo carbonizzato di Michele che ancora si intravvedeva tra i legni incandescenti, avrei detto di essere davanti al roveto ardente. E fui così vicino ad avere una visione che (ricordai mentre salivo le scale della biblioteca) mi erano salite spontanee alle labbra alcune parole sul rapimento estatico che avevo letto nei libri di santa Ildegarda: "La fiamma consiste di una splendida chiarezza, di un insito vigore e di un igneo ardore, ma la splendida chiarezza la possiede perché riluca e l'igneo ardore affinché bruci."

Mi ricordai di alcune frasi di Ubertino sull'amore. L'immagine di Michele sul rogo si confuse con quella di Dolcino, e quella di Dolcino con quella di Margherita la bella. Sentii di nuovo quella irrequietezza che mi aveva preso in chiesa.

Tentai di non pensarci e procedetti decisamente verso il labirinto.

Vi penetravo da solo per la prima volta, le ombre lunghe proiettate dalla lucerna sul pavimento mi terrorizzavano quanto le visioni delle notti precedenti. Temevo a ogni istante di trovarmi davanti a un altro specchio, perché tale è la magìa degli specchi, che anche se sai che sono specchi essi non cessano di inquietarti.

Non cercavo d'altra parte di orientarmi, né di evitare la stanza dai profumi che inducono a visioni. Procedevo come in preda a febbre né sapevo dove volessi andare. Di fatto non mi mossi molto dal punto di partenza, perché poco dopo mi ritrovai nella stanza eptagonale da cui ero entrato. Qui su di un tavolo erano disposti alcuni libri che non mi pareva di aver visto la sera prima. Indovinai che erano opere che Malachia aveva ritirato dallo scriptorium e che non aveva ancora ricollocato nei punti a loro destinati. Non capivo se ero molto distante dalla sala dei profumi, perché mi sentivo come stordito e poteva essere per qualche effluvio che arrivava sino in quel luogo, oppure per le cose su cui avevo fantasticato sino ad allora. Aprii un volume riccamente miniato che, per lo stile, mi sembrava provenire dai monasteri dell'ultima Thule.

Fui colpito, in una pagina in cui iniziava il santo evangelo dell'apostolo Marco, dalla immagine di un leone. Era certamente un leone, anche se non ne avevo mai visti in carne e ossa, e il miniatore ne aveva riprodotto con fedeltà le fattezze, forse ispirandosi alla vista dei leoni di Hibernia, terra di creature mostruose, e mi convinsi che questo animale, come d'altra parte dice il Fisiologo, concentra in sé tutti i caratteri delle cose più orrende e maestose a un tempo. Così quella immagine mi evocava insieme l'immagine del nemico e quella di Cristo Nostro Signore, né sapevo in quale chiave simbolica dovessi leggerla, e tremavo tutto, e per il timore, e per il vento che penetrava dalle fessure delle pareti.

Il leone che vidi aveva una bocca irta di denti, e una testa finemente loricata come quella dei serpenti, il corpo immane che si reggeva su quattro zampe dalle unghie puntute e feroci, assomigliava nel suo vello a uno di quei tappeti che più tardi vidi portare dall'oriente, a scaglie rosse e smaragdine, su cui disegnavano, gialle come la peste, orribili e robuste trabeazioni d'ossa. Gialla era pure la coda, che si attorceva dalle terga su sino al capo, terminando con un'ultima voluta in ciuffi bianchi e neri.

Già molto mi ero impressionato per il leone (e più di una volta mi ero girato all'indietro come se mi attendessi di veder apparire un animale di quelle fattezze all'improvviso), quando decisi di guardare altri fogli e l'occhio mi cadde, all'inizio dell'evangelo di Matteo, sull'immagine di un uomo. Non so perché, esso mi spaventò più del leone: il volto era d'uomo, ma questo uomo era catafratto in una sorta di pianeta rigida che lo copriva sino ai piedi, e questa pianeta o corazza era incrostata di pietre dure rosse e gialle. Quella testa, che fuoriusciva enigmatica da un castello di rubini e topazi, mi apparve (quanto il terrore mi fece blasfemo!) come l'assassino misterioso di cui seguivamo le impalpabili tracce. E poi capii perché collegavo così strettamente la belva e il catafratto al labirinto: perché entrambi, come tutte le figure di quel libro, emergevano da un tessuto figurato di labirinti interallacciati, dove linee d'onice e smeraldo, fili di crisopazio, nastri di berillo sembravano tutti alludere al gomitolo di sale e corridoi in cui mi trovavo. Il mio occhio si perdeva, sulla pagina, per sentieri splendenti, come i miei piedi si stavano perdendo nella teoria inquietante delle sale della biblioteca, e il veder rappresentato su quelle pergamene il mio errare mi riempì di inquietudine e mi convinse che ciascuno di quei libri raccontava per misteriosi cachinni la mia storia di quel momento. "De te fabula narratur," mi dissi, e mi domandai se quelle pagine non contenessero già la storia degli istanti futuri che mi attendevano.

Aprii un altro libro, e questo mi parve di scuola ispanica. I colori erano violenti, i rossi parevano sangue o fuoco. Era il libro della rivelazione dell'apostolo, e caddi ancora una volta, come la sera prima, sulla pagina della mulier amicta sole. Ma non era lo stesso libro, la miniatura era diversa, qui l'artista aveva insistito più a lungo sulle fattezze della donna. Ne paragonai il volto, il seno, i fianchi flessuosi alla statua della Vergine che avevo visto con Ubertino. Il segno era diverso, ma anche questa mulier mi apparve bellissima. Pensai che non dovevo insistere su questi pensieri, e voltai alcune pagine. Trovai un'altra donna, ma questa volta era la meretrice di Babilonia. Non mi colpirono tanto le sue fattezze ma il pensiero che anch'essa era una donna come l'altra, eppure questa era vascello di ogni vizio, quella ricettacolo di ogni virtù. Ma le fattezze erano muliebri in entrambi i casi, e a un certo punto non fui più capace di capire cosa le distinguesse. Di nuovo provai una agitazione interna, l'immagine della Vergine della chiesa si sovrappose a quella della bella Margherita. "Sono dannato!" mi dissi. O: "Sono pazzo." E decisi che non potevo più restare nella biblioteca.

Per fortuna ero vicino alla scala. Mi precipitai giù a rischio di inciampare e spegnere il lume. Mi ritrovai sotto le ampie volte dello scriptorium, ma neanche a quel punto mi trattenni e mi lanciai giù per la scala che menava al refettorio.

Quivi ristetti, ansimante. Dalle vetrate penetrava la luce della luna, in quella notte luminosissima, e quasi non avevo più bisogno del lume, indispensabile invece per celle e cunicoli della biblioteca. Tuttavia lo mantenni acceso, quasi a cercar conforto. Ma ancora ansimavo, e pensai che avrei dovuto bere dell'acqua, per calmare la tensione. Poiché la cucina era vicina, attraversai il refettorio e aprii lentamente una delle porte che dava nella seconda metà del piano terra dell'Edificio.

E a questo punto il mio terrore, anziché diminuire, aumentò. Perché mi avvidi subito che qualcuno stava nella cucina, presso al forno del pane: o almeno mi avvidi che in quell'angolo brillava un lume, e pieno di spavento spensi il mio. Spaventato com'ero, incutei spavento, e infatti l'altro (o gli altri) spensero rapidamente il loro. Ma invano, perché la luce della notte illuminava abbastanza la cucina per disegnare davanti a me, sul pavimento, una o più ombre confuse.

Io, raggelato, non ardivo più retrocedere, né avanzare. Udii un ciangottio e mi parve di udire, sommessa, una voce di donna. Poi dal gruppo informe che si disegnava oscuramente presso al forno, un'ombra scura e tozza si distaccò, e fuggì verso la porta esterna, che evidentemente era socchiusa, richiudendola dietro di sé.

Rimasi io, sul limine tra refettorio e cucina, e un qualcosa di impreciso presso al forno. Qualcosa di impreciso e — come dire? — mugolante. Proveniva infatti dall'ombra un gemito, quasi un pianto sommesso, un singhiozzo ritmico, di paura.

Nulla infonde più coraggio al pauroso della paura altrui: ma non mi mossi verso l'ombra spinto da coraggio. Piuttosto, direi, spinto da una ebbrezza non dissimile da quella che mi aveva colto quando avevo avuto le visioni. C'era nella cucina qualcosa di affine ai suffumigi che mi avevano sorpreso nella biblioteca, il giorno prima. O forse non si trattava delle stesse sostanze, ma ai miei sensi sovraeccitati esse fecero lo stesso effetto. Avvertivo un afrore di traganta, allume e tartaro, che i cuochi usavano per aromatizzare il vino. O forse, come appresi dopo, si stava in quei giorni preparando la birra (che in quella plaga a nord della penisola era tenuta in un certo pregio) e la si produceva secondo la moda del mio paese, con erica, mirto di palude e rosmarino di stagno selvatico. Aromi tutti che, più che le mie nari, inebriarono la mia mente.

E mentre il mio istinto razionale era di gridare "vade retro!" e allontanarmi dalla cosa gemente che certamente era un succubo evocatomi dal maligno, qualcosa nella mia vis appetitiva mi spinse in avanti, come volessi esser partecipe di un portento.

Così mi feci dappresso all'ombra, sino a che, alla luce della notte, che cadeva dai finestroni, mi avvidi che era una donna, tremante, che serrava al petto con una mano un involto, e che si ritraeva piangendo verso la bocca del forno.

Dio, la Beata Vergine e tutti i santi del Paradiso mi assistano ora nel dire cosa mi accadde. Il pudore, la dignità del mio stato (ormai vecchio monaco in questo bel monastero di Melk, luogo di pace e serena meditazione) mi consiglierebbero piissime cautele. Dovrei dire semplicemente che qualcosa di male avvenne ma che non è onesto ripetere cosa fu, e non turberei né me stesso né il mio lettore.

Ma mi sono ripromesso di raccontare, su quei fatti lontani, tutta la verità, e la verità è indivisa, brilla della sua stessa perspicuità, e non consente di essere dimidiata dai nostri interessi e dalla nostra vergogna. Il problema è piuttosto di dire cosa avvenne non come ora lo vedo e lo ricordo (anche se ancora ricordo tutto con impietosa vivacità, né so se sia il pentimento che ne è seguito a fissare in modo così vivido casi e pensieri nella mia memoria, o l'insufficienza di quello stesso pentimento che ancora mi tormenta dando vita nella mia mente addolorata a ogni minima sfumatura della mia vergogna), ma come lo vidi e lo sentii allora. E posso farlo, con fedeltà di cronista, perché se chiudo gli occhi posso ripetere tutto quanto non solo feci ma pensai in quegli istanti, come se copiassi una pergamena scritta allora. Devo quindi procedere in tal modo, e san Michele Arcangelo mi protegga: perché a edificazione dei lettori venturi e a flagellazione della mia colpa voglio ora raccontare come un giovane possa incappare nelle trame del demonio, sì che esse possano essere note ed evidenti, e chi ancora vi incappi possa sconfiggerle.

Era dunque una donna. Che dico, una fanciulla. Avendo avuto sino ad allora (e da allora in poi, siano rese grazie a

Dio) poca dimestichezza con gli esseri di quel sesso, non so dire che età potesse aver avuto. So che era giovane, quasi adolescente, forse aveva sedici, o diciotto primavere, o forse venti, e fui colpito dall'impressione di umana realtà che promanava da quella figura. Non era una visione, e mi parve in ogni caso valde bona. Forse perché tremava come un uccellino d'inverno, e piangeva, e aveva paura di me.

Così, pensando che il dovere di ogni buon cristiano sia di soccorrere il proprio prossimo, mi appressai a essa con gran dolcezza e in buon latino le dissi che non doveva temere perché ero un amico, in ogni caso non un nemico, certamente non il nemico come essa forse formidinava.

Forse per la mansuetudine che spirava dal mio sguardo, la creatura si calmò e mi si avvicinò. Avvertii che non capiva il mio latino e d'istinto mi rivolsi a lei nel mio volgare tedesco, e questo la spaventò moltissimo, non so se a causa dei suoni aspri, inusitati per le genti di quella plaga, o perché questi suoni le ricordassero qualche altra esperienza con soldati delle mie terre. Allora sorrisi, ritenendo che il linguaggio dei gesti e del viso sia più universale di quello delle parole, ed essa si quetò. Mi sorrise anch'essa e mi disse poche parole.

Conoscevo pochissimo il suo volgare, e in ogni caso era diverso da quello che avevo in parte appreso a Pisa, tuttavia mi avvidi dal tono che essa mi diceva parole dolci, e mi parve dicesse qualcosa come: "Tu sei giovane, tu sei bello..." Accade raramente a un novizio, che abbia passato tutta la sua infanzia in monastero, di udire affermazioni circa la propria bellezza, e anzi si è di solito ammoniti che la bellezza corporale è fugace e da tenere in conto assai vile: ma le trame del nemico sono infinite e confesso che quell'accenno alla mia venustà, per quanto mendace, scese dolcissimo alle mie orecchie e mi diede una incontenibile emozione. Tanto più che la fanciulla, nel dir questo, aveva proteso la mano e coi polpastrelli delle sue dita aveva sfiorato la mia gota, allora del tutto imberbe. Ne provai come una impressione di deliquio, ma in quel momento non riuscivo ad avvertire ombra di peccato nel mio cuore. Tanto può il demonio quando vuole metterci alla prova e cancellare dall'animo nostro le tracce della grazia.

Cosa provai? Cosa vidi? Io solo ricordo che le emozioni del primo istante furono orbate di ogni espressione, perché la mia lingua e la mia mente non erano state educate a nominare sensazioni di quella fatta. Sino a che non mi sovvennero altre parole interiori, udite in altro tempo e in altri luoghi, certamente parlate per altri fini, ma che mirabilmente mi parvero armonizzare con il mio gaudio di quel momento, come se fossero nate consustanzialmente a esprimerlo. Parole che si erano affollate nelle caverne della mia memoria salirono alla superficie (muta) del mio labbro, e dimenticai che esse fossero servite nelle scritture o sulle pagine dei santi a esprimere ben più fulgide realtà. Ma v'era poi davvero differenza tra le delizie di cui avevano parlato i santi e quelle che il mio animo esagitato provava in quell'istante? In quell'istante si annullò in me il senso vigile della differenza. Che è appunto, mi pare, il segno del rapimento negli abissi dell'identità.

Di colpo la fanciulla mi apparve così come la vergine nera ma bella di cui dice il Cantico. Essa portava un abituccio liso di stoffa grezza che si apriva in modo abbastanza inverecondo sul petto, e aveva al collo una collana fatta di pietruzze colorate e, credo, vilissime. Ma la testa si ergeva fieramente su un collo bianco come torre d'avorio, i suoi occhi erano chiari come le piscine di Hesebon, il suo naso era una torre del Libano, le chiome del suo capo come porpora. Sì, la sua chioma mi parve come un gregge di capre, i suoi denti come greggi di pecore che risalgono dal bagno, tutte appaiate, sì che nessuna di esse era prima della compagna. E: "Come sei bella, mia amata, come sei bella," mi venne da mormorare, "la tua chioma è come un gregge di capre che scende dalle montagne di Galaad, come nastro di porpora sono le tue labbra, spicchio di melograno è la tua guancia, il tuo collo è come la torre di David cui sono appesi mille scudi." E mi chiedevo spaventato e rapito chi fosse costei che si levava davanti a me come l'aurora, bella come la luna, fulgida come il sole, terribilis ut castrorum acies ordinata.

Allora la creatura si appressò a me ancora di più, gettando in un angolo l'involto scuro che sino ad allora aveva tenuto stretto contro il suo petto, e levò ancora la mano ad accarezzarmi il volto, e ripeté ancora una volta le parole che avevo già udito. E mentre non sapevo se sfuggirla o accostarmi ancora di più, mentre il mio capo pulsava come se le trombe di Giosuè stessero per far crollare le mura di Gerico, e al tempo stesso bramavo e temevo di toccarla, essa ebbe un sorriso di grande gioia, emise un gemito sommesso di capra intenerita, e sciolse i lacci che chiudevano l'abito suo sul petto, e si sfilò l'abito dal corpo come una tunica, e rimase davanti a me come Eva doveva essere apparsa ad Adamo nel

giardino dell'Eden. "Pulchra sunt ubera quae paululum su-
peremineant et tument modice," mormorai ripetendo la frase
che avevo udito da Ubertino, perché i suoi seni mi appare-
ro come due cerbiatti, due gemelli di gazzelle che pascolava-
no tra i gigli, il suo ombelico fu una coppa rotonda che non
manca mai di vino drogato, il suo ventre un mucchio di grano contornato di fiori delle valli.

"O sidus clarum puellarum," le gridai, "o porta clausa,
fons hortorum, cella custos unguentorum, cella pigmenta-
ria!" e mi ritrovai senza volere a ridosso del suo corpo avver-
tendone il calore e il profumo acre di unguenti mai conosciuti. Mi sovvenni: "Figli, quando viene l'amore folle, nulla può l'uomo!" e compresi che, fosse quanto provavo trama
del nemico o dono celeste, nulla ormai potevo fare per contrastare l'impulso che mi muoveva e: "Oh langueo," gridai,
e: "Causam languoris video nec caveo!" anche perché un o-
dore roseo spirava dalle sue labbra ed erano belli i suoi piedi
nei sandali, e le gambe erano come colonne e come colonne
le pieghe dei suoi fianchi, opera di mano d'artista. O amore, figlia di delizie, un re è rimasto preso dalla tua treccia,
mormoravo tra me, e fui tra le sue braccia, e cademmo insieme sul nudo pavimento della cucina e, non so se per mia
iniziativa o per arti di lei, mi trovai libero del mio saio di
novizio e non avemmo vergogna dei nostri corpi et cuncta e-
rant bona.

Ed essa mi baciò con i baci della sua bocca, e i suoi amori
furono più deliziosi del vino e all'odore erano deliziosi i suoi
profumi, ed era bello il suo collo tra le perle e le sue guance
tra i pendenti, come sei bella mia amata, come sei bella, i
tuoi occhi sono colombe (dicevo) e fammi vedere la tua faccia, fammi sentire la tua voce, ché la tua voce è armoniosa e
la tua faccia incantevole, mi hai reso folle di amore sorella
mia, mi hai reso folle con una tua occhiata, con un solo mo-
nile del tuo collo, favo che gocciola sono le tue labbra, miele e latte sotto la tua lingua, il profumo del tuo respiro è
come quello dei pomi, i tuoi seni a grappoli, i tuoi seni come grappoli d'uva, il tuo palato un vino squisito che punta
dritto al mio amore e fluisce sulle labbra e sui denti... Fon-
tana da giardino, nardo e zafferano, cannella e cinnamomo,
mirra e aloe, io mangiavo il mio favo e il mio miele, bevevo
il mio vino e il mio latte, chi era, chi era mai costei che si
levava come l'aurora, bella come la luna, fulgida come il sole, terribile come schiere vessillifere?

Oh Signore, quando l'anima viene rapita, quivi la sola

virtù sta nell'amare ciò che vedi (non è vero?), la somma felicità nell'avere ciò che hai, quivi la vita beata si beve alla sua fonte (non è stato detto?), quivi si gusta la vera vita che dopo questa mortale ci toccherà di vivere accanto agli angeli nell'eternità... Questo pensavo e mi pareva che le profezie si avverassero, infine, mentre la fanciulla mi colmava di dolcezze indescrivibili ed era come se il mio corpo fosse tutto un occhio davanti e di dietro e vedessi le cose circostanti di colpo. E capivo che da esso, che è l'amore, si producono a un tempo l'unità e la soavità e il bene e il bacio e l'amplesso, come già avevo udito dire credendo mi si parlasse d'altro. E solo per un istante, mentre la mia gioia stava per toccare lo zenith, mi sovvenne che forse stavo sperimentando, e di notte, la possessione del demone meridiano, condannato infine a mostrarsi nella sua natura stessa di demone all'anima che nell'estasi domandi "chi sei?", esso che sa rapire l'anima e illudere il corpo. Ma subito mi convinsi che diaboliche erano certo le mie esitazioni, perché nulla poteva essere più giusto, più buono, più santo di quel che stavo provando e la cui dolcezza cresceva di momento in momento. Come una piccola goccia d'acqua infusa in una quantità di vino tutta si disperde per prendere colore e sapore di vino, come il ferro incandescente e infuocato diventa somigliantissimo al fuoco perdendo la sua forma primitiva, come l'aria quando è inondata dalla luce del sole è trasformata nel massimo splendore e nella medesima chiarezza, tanto da non sembrare più illuminata bensì essere luce essa stessa, così io mi sentivo morire di tenera liquefazione, sì che mi rimase solo la forza per mormorare le parole del salmo: "Ecco il mio petto è come vino nuovo, senza spiraglio, che rompe otri nuovi", e subito vidi una fulgidissima luce e in essa una forma color zaffiro che avvampava tutta di un fuoco rutilante e soavissimo, e quella luce splendida si diffuse per l'intero fuoco rutilante, e questo fuoco rutilante per quella forma splendente e quella luce fulgidissima e quel fuoco rutilante per l'intera forma.

Mentre, quasi svanito, cadevo sul corpo a cui mi ero unito, capii in un ultimo soffio di vitalità che la fiamma consiste di una splendida chiarezza, di un insito vigore e di un igneo ardore, ma la splendida chiarezza la possiede affinché riluca e l'igneo ardore affinché bruci. Poi capii l'abisso, e gli abissi ulteriori che esso invocava.

Ora che, con la mano che trema (e non so se per l'orrore del peccato di cui dico o per la colpevole nostalgia del fatto che rimemoro) scrivo queste linee, mi avvedo di avere usato le stesse parole per descrivere la mia turpissima estasi di quell'istante, che ho usato, non molte pagine innanzi, per descrivere il fuoco che bruciava il corpo martire del fraticello Michele. Né è un caso che la mia mano, prona esecutrice dell'anima, abbia stilato le stesse espressioni per due esperienze così difformi, perché probabilmente nello stesso modo le vissi allora, quando le avvertii, e poco fa, quando cercavo di farle rivivere entrambe sulla pergamena.

C'è una misteriosa saggezza per cui fenomeni tra sé disparati possono venir nominati con parole analoghe, la stessa per cui le cose divine possono essere designate con nomi terreni, e per simboli equivoci Dio può essere detto leone o leopardo, e la morte ferita, e la gioia fiamma, e la fiamma morte, e la morte abisso, e l'abisso perdizione e la perdizione deliquio e il deliquio passione.

Perché io fanciullo nominavo l'estasi di morte che mi aveva colpito nel martire Michele con le parole con cui la santa aveva nominato l'estasi di vita (divina), ma con le stesse parole non potevo non nominare l'estasi (colpevole e passeggera) di godimento terreno, che dal canto proprio subito dopo mi era apparsa sensazione di morte e annullamento? Io cerco ora di ragionare e sul modo in cui avvertii, a pochi mesi di distanza, due esperienze entrambe esaltanti e dolorose, e sul modo in cui quella notte all'abbazia rimemorai l'una e sensibilmente avvertii l'altra, a poche ore di distanza, e ancora il modo in cui nel contempo le ho rivissute ora, stilando queste linee, e come nei tre casi le abbia recitate a me stesso con le parole della diversa esperienza di un'anima santa che si annullava nella visione della divinità. Ho forse bestemmiato (allora, ora)? Cosa vi era di simile nel desiderio di morte di Michele, nel rapimento che provai alla vista della fiamma che lo consumava, nel desiderio di congiunzione carnale che provai con la fanciulla, nel mistico pudore con cui lo traducevo allegoricamente, e nello stesso desiderio di annullamento gaudioso che muoveva la santa a morire del proprio amore per vivere più a lungo ed eternamente? Possibile che cose tanto equivoche possan dirsi in modo così univoco? Eppure è questo, pare, l'insegnamento che ci hanno lasciato i massimi tra i dottori: omnis ergo figura tanto evidentius veritatem demonstrat quanto apertius per dissimilem similitudinem figuram se esse et non veritatem probat. Ma se l'amore della fiamma e dell'abisso sono figura dell'amore di Dio, possono essere figura dell'amore della morte e dell'amore del peccato? Sì, così come il leone e il serpente sono a un tempo figura e del Cristo e del demonio. È che la giustezza dell'interpretazione non può essere fissata che dall'autorità dei padri, e nel caso di cui mi cruccio non ho auctoritas a cui la mia mente obbediente possa rifarsi, e brucio nel dubbio (e ancora la figura del fuoco interviene a definire il vuoto di verità e la pienezza di errore che mi annullano!). Cosa avviene, o Signore, nel mio animo, ora che mi faccio prendere dal vortice dei ricordi e insieme conflagro tempi diversi, come se stessi per manomettere l'ordine degli astri e la sequenza dei loro moti celesti? Certamente supero i limiti della mia intelligenza peccatrice e malata. Orsù, ritorniamo al compito che mi ero umilmente proposto. Stavo raccontando di quel giorno e del totale smarrimento dei sensi in cui mi inabissai. Ecco, ho detto di cosa mi ricordai in quella occasione, e a questo si limiti la mia debole penna di fedele e veritiero cronista.

Giacqui, non so per quanto, la fanciulla accanto a me. Con moto lieve la sola sua mano continuava a toccare il mio corpo, ora madido di sudore. Provavo una interiore esultanza, che non era pace, ma come l'ultimo ardere sommesso di un fuoco che tardasse a estinguersi sotto la cenere quando ormai la fiamma è morta. Non esiterei a chiamar beato colui a cui fosse concesso di provare qualcosa di simile (mormoravo come nel sonno), anche raramente, in questa vita (e di fatto lo provai solo quella volta), e soltanto rapidissimamente, e per lo spazio di un istante solo. Quasi non si esistesse più, non sentire per nulla se stessi, l'essere abbassati, quasi annientati, e se qualcuno dei mortali (mi dicevo) potesse per un solo istante e rapidissimamente gustare ciò che io ho gustato, subito guarderebbe di malocchio questo mondo perverso, sarebbe turbato dalla malizia del vivere quotidiano, sentirebbe il peso del corpo di morte... Non era così che mi era stato insegnato? Quell'invito di tutto il mio spirito a smemorare nella beatitudine era certo (ora lo capivo) l'irradiazione del sole eterno, e la gioia che quello produce apre, distende, ingrandisce l'uomo, e la gola spalancata che l'uomo reca in se stesso non più si chiude con tanta facilità, è la ferita aperta dal colpo di spada dell'amore, né v'è quaggiù altra cosa che sia più dolce e terribile. Ma tale è il diritto del sole, esso saetta il ferito coi suoi raggi e tutte le piaghe si allargano, l'uomo s'apre e si dilata, le sue vene stesse sono spalancate, le sue forze non sono più in grado di eseguire gli ordini che ricevono ma sono mosse unicamente dal desiderio, lo spirito brucia inabissato nell'abisso di ciò che ora tocca, vedendo il proprio desiderio e la propria verità superati dalla realtà che ha vissuto e che vive. E si assiste stupefatto al proprio deliquio.

Fu immesso in tali sensazioni di inenarrabile gaudio interiore, che mi assopii.

Riaprii gli occhi alquanto dopo e la luce della notte, forse a causa di una nube, si era molto affievolita. Allungai la mano al mio fianco e non sentii più il corpo della fanciulla. Volsi il capo: non c'era più.

L'assenza dell'oggetto che aveva scatenato il mio desiderio e saziata la mia sete, mi fece avvertire di un tratto e la vanità di quel desiderio e la perversità di quella sete. Omne animal triste post coitum. Presi coscienza del fatto che avevo peccato. Ora, dopo anni e anni di distanza, mentre ancora piango amaramente il mio fallo, non posso dimenticare che quella sera io avevo provato grande gaudio e farei torto all'Altissimo, che ha creato tutte le cose in bontà e bellezza, se non ammettessi che anche in quella vicenda di due peccatori avvenne qualcosa che in sé, naturaliter, era buono e bello. Ma forse è la mia vecchiezza attuale, che mi fa sentire colpevolmente come bello e buono tutto ciò che fu della mia giovinezza. Mentre dovrei volgere il mio pensiero alla morte, che si appressa. Allora, giovane, non pensai alla morte, ma vivacemente e sinceramente, piansi per il mio peccato.

Mi alzai tremando, anche perché ero stato a lungo sulle pietre gelide della cucina e il corpo mi si era intirizzito. Mi rivestii, quasi febbricitando. Scorsi allora in un canto l'involto che la ragazza aveva abbandonato nel fuggire. Mi chinai a esaminare l'oggetto: era una sorta di pacco fatto di tela arrotolata, che sembrava venire dalle cucine. Lo svolsi, e sul momento non capii cosa vi fosse dentro, sia a causa della poca luce che della forma informe del suo contenuto. Poi compresi: tra grumi di sangue e brandelli di carne più flaccida e biancastra, stava davanti ai miei occhi, morto ma ancora palpitante della vita gelatinosa delle viscere morte, solcato da nervature livide, un cuore, di grandi dimensioni.

Un velo oscuro mi scese sugli occhi, una saliva acidula mi salì alla bocca. Lanciai un urlo e caddi come cade un corpo morto.

Terzo giorno
NOTTE

Dove Adso sconvolto si confessa con Guglielmo e medita sulla funzione della donna nel piano della creazione, poi però scopre il cadavere di un uomo.

Mi riebbi che qualcuno mi bagnava il volto. Era frate Guglielmo, che recava un lume, e mi aveva messo qualcosa sotto il capo.

"Cosa è successo, Adso," mi chiese, "che giri di notte a rubar frattaglie in cucina?"

In breve, Guglielmo si era svegliato, mi aveva cercato non so più per quale ragione, non trovandomi aveva sospettato che fossi andato a far qualche bravata in biblioteca. Avvicinandosi all'Edificio dalla parte della cucina, aveva visto un'ombra che usciva dalla porta verso l'orto (era la ragazza che si stava allontanando, forse perché aveva udito qualcuno che si appressava). Aveva cercato di capire chi fosse e di seguirla, ma essa (ovvero quella che per lui era un'ombra) si era allontanata verso il muro di cinta e poi era scomparsa. Allora Guglielmo — dopo un'esplorazione nei dintorni — era entrato nella cucina e lì mi aveva trovato svenuto.

Quando gli accennai, ancora terrorizzato, all'involto col cuore, farfugliando di un nuovo delitto, si mise a ridere: "Adso, ma quale uomo avrebbe un cuore così grosso? È un cuore di vacca, o di bue, hanno giusto ammazzato un animale quest'oggi! Piuttosto, come si trova tra le tue mani?"

A quel punto, oppresso dai rimorsi, oltre che stordito dalla gran paura, scoppiai in un pianto dirotto e chiesi che mi amministrasse il sacramento della confessione. Il che fece, e io gli raccontai tutto senza celargli nulla.

Frate Guglielmo mi ascoltò con grande serietà, ma con un'ombra di indulgenza. Quando ebbi finito si fece serio in viso e mi disse: "Adso, tu hai peccato, è certo, e contro il comandamento che ti impone di non fornicare, e contro i tuoi doveri di novizio. A tua discolpa, sta il fatto che ti sei trovato in una di quelle situazioni in cui si sarebbe dannato anche un padre nel deserto. E sulla donna come fomite di tentazione hanno già parlato abbastanza le scritture. Della donna dice l'Ecclesiaste che la sua conversazione è come fuoco ardente, e i Proverbi dicono che essa s'impadronisce dell'anima preziosa dell'uomo e i più forti sono stati rovinati da essa. E dice ancora l'Ecclesiaste: scoprii che più amara della morte è la donna, che è come il laccio dei cacciatori, il suo cuore è come una rete, le sue mani sono funi. E altri hanno detto che essa è vascello del demonio. Questo appurato, caro Adso, io non riesco a convincermi che Dio abbia voluto introdurre nella creazione un essere così immondo senza dotarlo di qualche virtù. E non posso non riflettere sul fatto che Egli le ha concesso molti privilegi e motivi di pregio, di cui tre almeno grandissimi. Infatti ha creato l'uomo in questo mondo vile, e dal fango, e la donna in un secondo tempo, in paradiso e da nobile umana materia. E non l'ha formata dai piedi o dalle interiora del corpo di Adamo, ma dalla costola. In secondo luogo il Signore, che può tutto, avrebbe potuto incarnarsi direttamente in un uomo in qualche modo miracoloso, e scelse invece di abitare nel ventre di una donna, segno che non era così immonda. E quando apparve dopo la resurrezione, apparve a una donna. E infine, nella gloria celeste nessun uomo sarà re in quella patria, e ne sarà invece regina una donna che non ha mai peccato. Se dunque il Signore ha avuto tante attenzioni per Eva stessa e per le sue figlie, è così anormale che anche noi ci sentiamo attratti dalle grazie e dalla nobiltà di quel sesso? Quello che voglio dirti, Adso, è che certo non devi farlo più, ma che non è così mostruoso che tu sia stato tentato di farlo. E d'altra parte che un monaco, almeno una volta nella sua vita, abbia avuto esperienza della passione carnale, in modo da poter essere un giorno indulgente e comprensivo coi peccatori a cui darà consiglio e conforto... ebbene, caro Adso, è cosa da non auspicare prima che avvenga, ma neppure da vituperare troppo dopo che sia avvenuta. E quindi va con Dio e non parliamone più. Ma piuttosto, per non stare a meditare troppo su qualcosa che sarà meglio dimenticare, se ci riuscirai," e mi parve che a questo punto la sua voce si affievolisse come per qualche interna commozione, "chiediamoci piuttosto il senso di quanto è accaduto questa notte. Chi era questa ragazza e con chi aveva convegno?"

"Questo proprio non lo so, e non ho visto l'uomo che era con lei," dissi.

"Bene, ma possiamo dedurre chi fosse da molti certissimi indizi. Anzitutto era un uomo brutto e vecchio, con cui una fanciulla non va volentieri, specie se è bella come tu la dici, anche se mi pare, caro il mio lupacchiotto, che tu fossi propenso a trovare squisito ogni cibo."

"Perché brutto e vecchio?"

"Perché la fanciulla non andava da lui per amore, ma per un pacco di rognoni. Certamente era una ragazza del villaggio che, forse non per la prima volta, si concede a qualche monaco lussurioso per fame, e ne ha come guiderdone qualcosa da mettere sotto i denti lei e la sua famiglia."

"Una meretrice!" dissi inorridito.

"Una contadina povera, Adso. Magari coi fratellini da nutrire. E che, potendo, si darebbe per amore e non per lucro. Come ha fatto stasera. Infatti mi dici che ti ha trovato giovane e bello, e ti ha dato gratis e per amor tuo ciò che ad altri avrebbe dato invece per un cuore di bue e qualche pezzo di polmone. E si è sentita così virtuosa per il dono gratuito che ha fatto di sé, e sollevata, che è fuggita senza prendere nulla in cambio. Ecco perché penso che l'altro, al quale ti ha comparato, non fosse né giovane né bello."

Confesso che, benché il mio pentimento fosse vivissimo, quella spiegazione mi riempì di dolcissimo orgoglio, ma tacqui e lasciai continuare il mio maestro.

"Questo vecchiaccio brutto doveva avere la possibilità di scendere al villaggio e aver contatti coi contadini, per qualche motivo connesso al suo ufficio. Doveva conoscere il modo di fare entrare e uscire gente dalla cinta, e sapere che in cucina ci sarebbero state quelle frattaglie (e magari domani si sarebbe detto che, la porta restata aperta, un cane era entrato e se le era mangiate). E infine doveva avere un certo senso dell'economia, e un certo interesse a che la cucina non fosse deprivata di derrate più preziose, altrimenti le avrebbe dato una bistecca o un'altra parte più prelibata. E allora vedi che l'immagine del nostro sconosciuto si disegna con molta chiarezza e che tutte queste proprietà, o accidenti, ben si convengono a una sostanza che non avrei timore di definire come il nostro cellario, Remigio da Varagine. O, se mi sbagliassi, come il nostro misterioso Salvatore. Il quale tra l'altro, essendo di queste parti, sa parlare assai bene con le genti del posto e sa come convincere una fanciulla a fare quel che voleva farle fare, se tu non fossi arrivato."

"È certo così," dissi convinto, "ma cosa ci serve ora saperlo?"

"Niente. E tutto," disse Guglielmo. "La storia può avere o non avere a che fare coi delitti di cui ci occupiamo. D'altra parte se il cellario è stato dolciniano, questo spiega quello e viceversa. E sappiamo ora infine che questa abbazia, di notte, è luogo di molte ed errabonde vicende. E chissà che il nostro cellario, o Salvatore, che la percorrono al buio con tanta disinvoltura, non sappiano in ogni caso più cose di quelle che non dicono."

"Ma le diranno a noi?"

"No, se ci comporteremo in modo compassionevole, ignorando i loro peccati. Ma se proprio dovessimo sapere qualcosa, avremmo in mano un modo di persuaderli a parlare. In altre parole, se ce ne sarà bisogno, il cellario o Salvatore sono nostri, e Dio ci perdonerà questa prevaricazione, visto che perdona tante altre cose," disse, e mi guardò con malizia, né io ebbi animo di fare osservazioni sulla liceità di quei suoi propositi.

"Ed ora dovremmo andare a letto, perché tra un'ora è mattutino. Ma ti vedo ancora agitato, mio povero Adso, ancora timoroso del tuo peccato... Non c'è nulla come una buona sosta in chiesa per distenderti l'animo. Io ti ho assolto, ma non si sa mai. Vai a chiedere conferma al Signore." E mi diede una manata piuttosto energica sul capo, forse come prova di paterno e virile affetto, forse come indulgente penitenza. O forse (come colpevolmente pensai in quel momento) per una sorta di bonaria invidia, da uomo assetato di esperienze nuove e vivaci come era.

Ci avviammo verso la chiesa, uscendo per la nostra via consueta, che percorsi in fretta chiudendo gli occhi, perché tutte quelle ossa mi ricordavano con troppa evidenza, quella notte, come anch'io fossi polvere e quanto dissennato fosse stato l'orgoglio della mia carne.

Giunti nella navata vedemmo un'ombra davanti all'altar maggiore. Credevo fosse ancora Ubertino. Invece era Alinardo, che a tutta prima non ci riconobbe. Disse che ormai era incapace di dormire, e aveva deciso di passare la notte pregando per quel giovane monaco scomparso (non ne ricordava neppure il nome). Pregava per la sua anima, se fosse morto, per il suo corpo, se giacesse infermo e solo da qualche parte.

"Troppi morti," disse, "troppi morti... Ma era scritto nel libro dell'apostolo. Con la prima tromba venne la grandine, con la seconda la terza parte del mare divenne sangue, e uno lo avete trovato nella grandine, l'altro nel sangue... La terza tromba avverte che una stella ardente cadrà nella terza parte dei fiumi e delle fonti. Così vi dico, è scomparso il nostro terzo fratello. E temete per il quarto, perché sarà colpita la terza parte del sole, e della luna e delle stelle, così che sarà buio quasi completo..."

Mentre uscivamo dal transetto, Guglielmo si chiese se nelle parole del vegliardo non vi fosse qualcosa di vero.

"Ma," gli feci osservare, "questo presupporrebbe che una sola mente diabolica, usando l'Apocalisse come guida, avesse predisposto le tre scomparse, ammesso che anche Berengario sia morto. Invece sappiamo che quella di Adelmo fu dovuta alla sua volontà..."

"È vero," disse Guglielmo, "ma la stessa mente diabolica, o malata, potrebbe avere tratto ispirazione dalla morte di Adelmo per organizzare in modo simbolico le altre due. E se così fosse, Berengario dovrebbe trovarsi in un fiume o in una fonte. E non ci sono fiumi e fonti all'abbazia, almeno non tali che qualcuno ci possa annegare o vi possa essere annegato..."

"Ci sono solo dei bagni," osservai quasi per caso.

"Adso!" disse Guglielmo, "sai che questa può essere un'idea? I balnea!"

"Ma vi avranno già guardato..."

"Ho visto i servi stamane quando facevano le loro ricerche, hanno aperto la porta della costruzione dei balnea e han dato un'occhiata intorno, senza frugare, non si attendevano ancora di dover cercare qualcosa di ben nascosto, si aspettavano un cadavere che giacesse teatralmente da qualche parte, come il cadavere di Venanzio nell'orcio... Andiamo a dare un'occhiata, tanto fa ancora buio e mi pare che la nostra lucerna arda ancora con gusto."

Così facemmo, e aprimmo senza difficoltà la porta della costruzione dei balnea, a ridosso dell'ospedale.

Riparate l'una dall'altra mediante ampie tende, stavano delle vasche, non ricordo quante. I monaci le usavano per la loro igiene, quando la regola ne fissava il giorno, e Severino li usava per ragioni terapeutiche, perché nulla come un bagno può calmare il corpo e la mente. Un camino in un angolo permetteva facilmente di scaldare l'acqua. Lo trovammo sporco di cenere fresca, e vi giaceva davanti un gran calderone rovesciato. L'acqua era attingibile da una fonte in un angolo.

Guardammo nelle prime vasche, che erano vuote. Solo l'ultima, celata da una tenda tirata, era piena e accanto vi giaceva, ammucchiata, una veste. A prima vista, alla luce della nostra lampada, la superficie del liquido ci apparve calma: ma come il lume vi batté sopra vi intravvedemmo sul fondo, esanime, un corpo umano, nudo. Lo tirammo lentamente fuori: era Berengario. E questo, disse Guglielmo, aveva veramente il volto di un annegato. Le fattezze del viso erano gonfie. Il corpo, bianco e molle, privo di peli, pareva quello di una donna, salvo lo spettacolo osceno delle flaccide pudenda. Arrossii, poi ebbi un brivido. Mi segnai, mentre Guglielmo benediceva il cadavere.

QUARTO GIORNO

Quarto giorno
LAUDI

Dove Guglielmo e Severino esaminano il cadavere di Berengario, scoprono che ha la lingua nera, cosa singolare per un annegato. Poi discutono di veleni dolorosissimi e di un furto remoto.

Non mi attarderò a dire di come informammo l'Abate, di come tutta l'abbazia si risvegliò prima dell'ora canonica, delle grida di orrore, dello spavento e del dolore che si vedevano sul viso di ciascuno, di come la notizia si propagò a tutto il popolo del pianoro, coi servi che si segnavano e pronunciavano scongiuri. Non so se quella mattina si svolse il primo ufficio secondo le regole, e chi vi prese parte. Io seguii Guglielmo e Severino che fecero avvolgere il corpo di Berengario e ordinarono di distenderlo su un tavolo nell'ospedale.

Allontanatisi l'Abate e gli altri monaci, l'erborista e il mio maestro osservarono a lungo il cadavere, con la freddezza degli uomini di medicina.

"È morto annegato," disse Severino, "non vi è dubbio. Il viso è gonfio, il ventre è teso..."

"Ma non è stato annegato da altri," osservò Guglielmo, "altrimenti si sarebbe ribellato alla violenza dell'omicida, e avremmo trovato tracce d'acqua sparsa intorno alla vasca. E invece tutto era ordinato e pulito, come se Berengario avesse scaldato l'acqua, riempito il bagno e vi si fosse adagiato di propria volontà."

"Questo non mi stupisce," disse Severino. "Berengario soffriva di convulsioni, e io stesso gli avevo detto più volte che i bagni tiepidi servono a calmare l'eccitazione del corpo e dello spirito. Varie volte mi aveva chiesto licenza di accedere ai balnea. Così potrebbe avere fatto questa notte..."

"L'altra notte," osservò Guglielmo, "perché questo corpo — lo vedi — è restato nell'acqua almeno un giorno..."

"È possibile che sia stato l'altra notte," convenne Severino. Guglielmo lo mise parzialmente al corrente degli avvenimenti della notte prima. Non gli disse che eravamo stati furtivamente nello scriptorium ma, celandogli varie circostanze, gli disse che avevamo inseguito una figura misteriosa che ci aveva sottratto un libro. Severino capì che Guglielmo gli diceva solo una parte della verità, ma non fece altre domande. Osservò che l'agitazione di Berengario, se era lui il ladro misterioso, poteva averlo indotto a cercare la tranquillità in un bagno ristoratore. Berengario, osservò, era di natura molto sensibile, talora una contrarietà o un'emozione gli provocavano tremori, sudori freddi, sbarrava gli occhi e cadeva per terra sputando una bava biancastra.

"In ogni caso," disse Guglielmo, "prima di venire qui è stato da qualche altra parte, perché non ho visto nei balnea il libro che ha rubato."

"Sì," confermai con una certa fierezza, "ho sollevato la sua veste che giaceva accanto alla vasca, e non ho trovato tracce di alcun oggetto voluminoso."

"Bravo," mi sorrise Guglielmo. "Dunque è stato da qualche altra parte, poi ammettiamo pure che per calmare la propria agitazione, e forse per sottrarsi alle nostre ricerche, si sia infilato nei balnea e si sia immerso nell'acqua. Severino, ritieni che il male di cui soffriva fosse sufficiente a fargli perdere i sensi e a farlo annegare?"

"Potrebbe essere," osservò dubbioso Severino. "D'altra parte se tutto è accaduto due notti fa, avrebbe potuto esserci dell'acqua intorno alla vasca, che poi è asciugata. Così non possiamo escludere che sia stato annegato a viva forza."

"No," disse Guglielmo. "Hai mai visto un assassinato che, prima di farsi annegare, si toglie gli abiti?" Severino scosse la testa, come se quell'argomento non avesse più gran valore. Da qualche istante stava esaminando le mani del cadavere: "Ecco una cosa curiosa..." disse.

"Quale?"

"L'altro giorno ho osservato le mani di Venanzio, quando il corpo è stato ripulito dal sangue, e ho notato un particolare a cui non avevo dato molta importanza. I polpastrelli di due dita della mano destra di Venanzio erano scuri, come anneriti da una sostanza bruna. Esattamente, vedi?, come ora i polpastrelli di due dita di Berengario. Anzi, qui abbiamo anche qualche traccia sul terzo dito. Allora avevo pensato che Venanzio avesse toccato degli inchiostri nello scriptorium..."

"Molto interessante," osservò Guglielmo pensieroso, avvicinando gli occhi alle dita di Berengario. L'alba stava sorgendo, la luce all'interno era ancora fioca, il mio maestro soffriva evidentemente della mancanza delle sue lenti. "Molto interessante," ripeté. "L'indice e il pollice sono scuri sui polpastrelli, il medio solo sulla parte interna, e debolmente. Ma ci sono tracce più deboli anche sulla mano sinistra, almeno sull'indice e sul pollice."

"Se fosse solo la mano destra, sarebbero le dita di chi afferra qualcosa di piccolo, o di lungo e sottile..."

"Come uno stilo. O un cibo. O un insetto. O un serpente. O un ostensorio. O un bastone. Troppe cose. Ma se ci sono segni anche sull'altra mano potrebbe essere anche una coppa, la destra la tiene salda e la sinistra collabora con minor forza..."

Severino ora sfregava leggermente le dita del morto, ma il colore bruno non scompariva. Notai che si era messo un paio di guanti, che probabilmente usava quando maneggiava sostanze velenose. Annusava, ma senza trarne alcuna sensazione. "Potrei citarti molte sostanze vegetali (e anche minerali) che provocano tracce di questo tipo. Alcune letali, altre no. I miniatori hanno talora le dita sporche di polvere d'oro..."

"Adelmo faceva il miniatore," disse Guglielmo. "Immagino che di fronte al suo corpo sfracellato tu non abbia pensato a esaminargli le dita. Ma costoro potrebbero aver toccato qualcosa che era appartenuto ad Adelmo."

"Proprio non so," disse Severino. "Due morti, entrambi con le dita nere. Cosa ne deduci?"

"Non ne deduco nulla: nihil sequitur geminis ex particularibus unquam. Bisognerebbe ricondurre entrambi i casi a una regola. Per esempio: esiste una sostanza che annerisce le dita di chi la tocca..."

Terminai trionfante il sillogismo: "...Venanzio e Berengario hanno le dita annerite, ergo hanno toccato questa sostanza!"

"Bravo Adso," disse Guglielmo, "peccato che il tuo sillogismo non sia valido, perché aut semel aut iterum medium generaliter esto, e in questo sillogismo il termine medio non appare mai come generale. Segno che abbiamo scelto male la premessa maggiore. Non dovevo dire: tutti coloro che toccano una certa sostanza hanno le dita nere, perché potrebbero esserci anche persone con le dita nere e che non han toccato la sostanza. Dovevo dire: tutti coloro e solo tutti coloro che han le dita nere hanno certamente toccato una data sostanza. Venanzio e Berengario, eccetera. Col che avremmo un Darii, un ottimo terzo sillogismo di prima figura."

"Allora abbiamo la risposta!" dissi tutto contento.

"Ahimè Adso, come ti fidi dei sillogismi! Abbiamo solo e di nuovo la domanda. Cioè abbiamo fatto l'ipotesi che Venanzio e Berengario abbiano toccato la stessa cosa, ipotesi senz'altro ragionevole. Ma una volta che abbiamo immaginato una sostanza che, sola tra tutte, provoca questo risultato (il che è ancora da appurare) non sappiamo quale sia e dove coloro l'abbian trovata, e perché l'abbian toccata. E bada bene, non sappiamo neppure se è poi la sostanza che han toccato, quella che li ha condotti a morte. Immagina che un folle volesse uccidere tutti coloro che toccano della polvere d'oro. Diremmo che è la polvere d'oro che uccide?"

Rimasi turbato. Avevo sempre creduto che la logica fosse un'arma universale, e mi accorgevo ora di come la sua validità dipendesse dal modo in cui la si usava. D'altra parte, frequentando il mio maestro mi ero reso conto, e sempre più me ne resi conto nei giorni che seguirono, che la logica poteva servire a molto a condizione di entrarci dentro e poi di uscirne.

Severino, che certo non era un buon logico, frattanto rifletteva secondo la propria esperienza: "L'universo dei veleni è vario come vari sono i misteri della natura," disse. Indicò una serie di vasi e ampolle che già una volta avevamo ammirato, disposti in bell'ordine negli scaffali lungo i muri, insieme a molti volumi. "Come ti ho già detto, molte di queste erbe, dovutamente composte e dosate, potrebbero dar luogo a bevande e a unguenti mortali. Ecco laggiù, datura stramonium, belladonna, cicuta: possono dare la sonnolenza, l'eccitazione, o entrambe; somministrate con cautela sono ottimi medicamenti, in dosi eccessive portano alla morte..."

"Ma nessuna di queste sostanze lascerebbe segni sulle dita?"

"Nessuna, credo. Poi ci sono sostanze che diventano pericolose solo se ingerite e altre che agiscono invece sulla pelle. L'elleboro bianco può provocare vomiti in chi l'afferra per strapparlo dalla terra. Il dittamo e la frassinella, quando sono in fiore provocano ebbrezza nei giardinieri che le toccano, come se avessero bevuto del vino. L'elleboro nero, al solo toccarlo, provoca la diarrea. Altre piante danno palpitazioni di cuore, altre alla testa, altre ancora tolgono la voce. Invece il veleno della vipera, applicato alla pelle senza penetrare nel sangue, produce solo una leggera irritazione... Ma una volta mi fu mostrato un composto che, applicato alla parte interna delle cosce di un cane, vicino ai genitali, porta l'animale a morire in breve tempo tra convulsioni atroci, con le membra che piano piano si irrigidiscono...''

"Sai molte cose sui veleni," osservò Guglielmo con un tono di voce che pareva ammirato. Severino lo fissò e ne sostenne lo sguardo per qualche istante: "So quello che un medico, un erborista, un cultore di scienze dell'umana salute deve sapere."

Guglielmo restò a lungo sovrappensiero. Poi pregò Severino di aprire la bocca del cadavere, e di osservarne la lingua. Severino, incuriosito, usò una spatola sottile, uno degli strumenti della sua arte medica, ed eseguì. Ebbe un grido di stupore: "La lingua è nera!"

"È così allora," mormorò Guglielmo. "Ha afferrato qualcosa con le dita e lo ha ingerito... Questo elimina i veleni che hai citato prima, che uccidono penetrando attraverso la pelle. Ma non rende più facili le nostre induzioni. Perché ora dobbiamo pensare, per lui e per Venanzio, a un gesto volontario, non casuale, non dovuto a distrazione o a imprudenza, né indotto con la violenza. Hanno afferrato qualcosa e lo hanno introdotto in bocca, sapendo cosa facevano..."

"Un cibo? Una bevanda?"

"Forse. O forse... che so? uno strumento musicale come un flauto..."

"Assurdo," disse Severino.

"Certo che è assurdo. Ma non dobbiamo trascurare nessuna ipotesi, per straordinaria che sia. Ma ora cerchiamo di risalire alla materia venefica. Se qualcuno che conosca i veleni quanto te si fosse introdotto qui e avesse usato alcune di queste tue erbe, avrebbe potuto comporre un unguento mortale capace di produrre quei segni sulle dita e sulla lingua? Capace di essere posto in un cibo, in una bevanda, su un cucchiaio, su qualcosa che si mette in bocca?"

"Sì," ammise Severino, "ma chi? E poi, anche ammessa questa ipotesi, come sarebbe stato propinato il veleno ai nostri due poveri confratelli?"

Francamente anch'io non riuscivo a immaginarmi Venanzio o Berengario che si lasciavano avvicinare da qualcuno che porgeva loro una sostanza misteriosa convincendoli a mangiarla o a berla. Ma Guglielmo non parve turbato da questa stranezza. "A questo penseremo dopo," disse, "perché ora vorrei che tu cercassi di ricordare qualche fatto che forse non ti è ancora ritornato alla mente, non so, qualcuno che ti abbia fatto domande sulle tue erbe, qualcuno che entri con facilità nell'ospedale..."

"Un momento," disse Severino, "molto tempo fa, parlo di anni, conservavo in uno di quegli scaffali una sostanza molto potente, che mi era stata data da un confratello che aveva viaggiato in paesi lontani. Non sapeva dirmi di cosa fosse fatta, certo di erbe, e non tutte note. Era, all'apparenza, vischiosa e giallastra, ma mi fu consigliato di non toccarla, perché se fosse venuta anche solo in contatto con le mie labbra mi avrebbe ucciso in breve tempo. Il confratello mi disse che, ingerita anche in dosi minime, provocava nel volgere di mezz'ora un senso di grande spossatezza, poi una lenta paralisi di tutte le membra, e infine la morte. Non voleva portarla con sé e me ne fece dono. La tenni a lungo, perché mi proponevo di esaminarla in qualche modo. Poi un giorno venne sul pianoro una grande bufera. Uno dei miei aiutanti, un novizio, aveva lasciata aperta la porta dell'ospedale, e l'uragano aveva sconvolto tutta la stanza in cui ora siamo. Ampolle rotte, liquidi sparsi sul pavimento, erbe e polveri disperse. Lavorai un giorno a rimettere in ordine le mie cose, e mi feci aiutare solo per spazzare via i cocci e le erbe ormai irrecuperabili. Alla fine mi accorsi che mancava proprio l'ampolla di cui ti parlavo. Dapprima mi preoccupai, poi mi convinsi che si era infranta e confusa con altri detriti. Feci lavare bene il pavimento dell'ospedale, e gli scaffali..."

"E avevi visto l'ampolla poche ore prima dell'uragano?"

"Sì... O meglio, no, ora che ci penso. Stava dietro una fila di vasi, ben nascosta, e non la controllavo ogni giorno..."

"Quindi, per quanto ne sai, avrebbe potuto esserti sottratta anche molto tempo prima dell'uragano, senza che tu lo sapessi?"

"Ora che mi ci fai riflettere, sì, indubbiamente."

"E quel tuo novizio potrebbe averla sottratta e poi potrebbe aver colto il destro dell'uragano per lasciare di proposito la porta aperta e mettere confusione tra le tue cose."

Severino apparve molto eccitato: "Certo, sì. Non solo, ma ricordando quanto avvenne, mi stupii molto che l'uragano, per quanto violento, avesse rovesciato tante cose. Potrei benissimo dire che qualcuno ha approfittato dell'uragano per sconvolgere la stanza e produrre più danni di quanto il vento non avesse potuto fare!"

"Chi era il novizio?"

"Si chiamava Agostino. Ma è morto l'anno scorso, cadendo da una impalcatura mentre con altri monaci e famigli ripuliva le sculture della facciata della chiesa. E poi, a ben pensarci, lui aveva giurato e spergiurato di non aver lasciata aperta la porta prima dell'uragano. Fui io, infuriato, che lo ritenni responsabile dell'incidente. Forse era davvero innocente.''

''E così abbiamo una terza persona, magari ben più esperta di un novizio, che era a conoscenza del tuo veleno. A chi ne avevi parlato?''

''Questo proprio non lo ricordo. All'Abate, certo, chiedendogli il permesso di trattenere una sostanza così pericolosa. E a qualcun altro, forse proprio in biblioteca, perché cercavo degli erbari che mi potessero rivelare qualcosa.''

''Ma non mi hai detto che trattieni presso di te i libri più utili alla tua arte?''

''Sì, e molti,'' disse indicando in un angolo della stanza alcuni scaffali carichi di decine di volumi. ''Ma allora cercavo certi libri che non potrei trattenere e che anzi Malachia era restio a farmi vedere tanto che dovetti chiederne l'autorizzazione all'Abate.'' La sua voce si abbassò e quasi ebbe ritegno a farsi udire da me. ''Sai, in un luogo ignoto della biblioteca si conservano anche opere di negromanzia, di magìa nera, ricette di filtri diabolici. Potei consultare alcune di queste opere, per dovere di conoscenza, e speravo di trovare una descrizione di quel veleno e delle sue funzioni. Invano.''

''Quindi ne hai parlato a Malachia.''

''Certo, senz'altro a lui, e forse anche allo stesso Berengario che lo assisteva. Ma non trarre conclusioni affrettate: non ricordo, forse mentre parlavo erano presenti altri monaci, sai, talora lo scriptorium è abbastanza affollato...''

''Non sto sospettando di nessuno. Cerco solo di capire cosa può essere accaduto. In ogni caso mi dici che il fatto avvenne qualche anno fa, ed è curioso che qualcuno abbia sottratto con tanto anticipo un veleno che avrebbe poi usato tanto tempo dopo. Sarebbe indizio di una volontà maligna che ha covato a lungo nell'ombra un proposito omicida.''

Severino si segnò con una espressione di orrore sul volto. ''Dio ci perdoni tutti!'' disse.

Non c'erano altri commenti da fare. Ricoprimmo il corpo di Berengario, che avrebbe dovuto essere preparato per le esequie.

Quarto giorno
PRIMA

Dove Guglielmo induce prima Salvatore e poi il cellario a confessare il loro passato, Severino ritrova le lenti rubate, Nicola porta quelle nuove e Guglielmo con sei occhi va a decifrare il manoscritto di Venanzio.

Stavamo uscendo quando entrò Malachia. Parve contrariato dalla nostra presenza, e accennò a ritirarsi. Dall'interno Severino lo vide e disse: "Mi cercavi? È per..." S'interruppe, guardandoci. Malachia gli fece un cenno, impercettibile, come per dire: "Parliamone dopo..." Noi stavamo uscendo, lui stava entrando, ci trovammo tutti e tre nel vano della porta. Malachia disse, in modo piuttosto ridondante:

"Cercavo il fratello erborista... Ho... ho male al capo."

"Deve essere l'aria chiusa della biblioteca," gli disse Guglielmo con tono di premurosa comprensione. "Dovreste fare dei suffumigi."

Malachia mosse le labbra come se volesse ancora parlare, poi rinunziò, abbassò il capo ed entrò, mentre noi ci allontanavamo.

"Cosa va a fare da Severino?" domandai.

"Adso," mi disse con impazienza il maestro, "impara a ragionare con la tua testa." Poi cambiò discorso: "Dobbiamo interrogare alcune persone, ora. Almeno," aggiunse mentre con lo sguardo esplorava il pianoro, "sino a che sono ancora vive. A proposito: d'ora in poi facciamo attenzione a ciò che mangiamo e beviamo. Prendi sempre i tuoi cibi dal piatto comune, e le tue bevande dalla brocca a cui abbiano già attinto gli altri. Dopo Berengario siamo coloro che sanno più cose. Oltre, naturalmente, all'assassino."

"Ma chi volete interrogare ora?"

"Adso," disse Guglielmo, "avrai osservato che qui le cose più interessanti avvengono di notte. Di notte si muore, di notte si gira per lo scriptorium, di notte si introducono donne nella cinta... Abbiamo un'abbazia diurna e un'abbazia notturna, e quella notturna pare sciaguratamente più interessante di quella diurna. Pertanto, ogni persona che si aggiri di notte ci interessa, compreso per esempio l'uomo che hai visto ieri sera con la fanciulla. Magari la storia della fanciulla non ha nulla a che vedere con quella dei veleni, e magari sì. In ogni caso ho delle idee sull'uomo di ieri sera, che deve essere persona che sa anche altre cose sulla vita notturna di questo santo luogo. E, lupo nella favola, eccolo per l'appunto che sta passando laggiù."

Mi additò Salvatore, il quale ci aveva visto a sua volta. Notai una lieve esitazione nel suo passo come se, desiderando evitarci, si fosse arrestato per invertire il cammino. Fu un attimo. Evidentemente si era reso conto che non poteva sottrarsi all'incontro, e riprese la sua marcia. Si rivolse a noi con un vasto sorriso e un "benedicite" alquanto untuoso. Il mio maestro quasi non lo lasciò finire e gli parlò in tono brusco.

"Sai che domani arriva qui l'inquisizione?" gli domandò.

Salvatore non ne parve contento. Con un filo di voce chiese: "E mi?"

"E tu farai bene a dire la verità a me, che sono amico tuo, e sono frate minore come tu sei stato, piuttosto che dirla domani a quelli, che conosci benissimo."

Assalito così bruscamente, Salvatore parve abbandonare ogni resistenza. Guardò con aria sottomessa Guglielmo come per fargli capire che era pronto a dirgli quel che gli avesse chiesto.

"Questa notte c'era in cucina una donna. Chi era con lei?"

"Oh, femena che vendese como mercandia, no po' unca bon essere, nì aver cortesia," recitò Salvatore.

"Non voglio sapere se era una brava ragazza. Voglio sapere chi c'era con lei!"

"Deu, quanto son le femene de malveci scaltride! Pensano dì e note como l'omo schernisca…"

Guglielmo lo afferrò bruscamente per il petto: "Chi c'era con lei, tu o il cellario?"

Salvatore capì che non poteva mentire più a lungo. Cominciò a raccontare una strana storia, dalla quale faticosamente apprendemmo che lui, per compiacere il cellario, gli procacciava ragazze al villaggio, facendole entrare nottetempo nella cinta per vie che non ci volle dire. Ma spergiurò che agiva per puro buon cuore, lasciando trasparire un comico rammarico per il fatto che non trovava modo di trarne anche il suo piacere, in modo che la ragazza, dopo aver acconten-

271

tato il cellario, desse qualcosa anche a lui. Disse tutto questo con viscidi e lubrichi sorrisi, e ammicchii, come a lasciar intendere che parlava a uomini fatti di carne, adusi alle stesse pratiche. E mi guardava di sottecchi, né io potevo rintuzzarlo come avrei voluto, perché mi sentivo legato a lui da un segreto comune, suo complice e compagno di peccato.

Guglielmo decise a quel punto di tentare il tutto per tutto. Gli chiese di colpo: "Hai conosciuto Remigio prima o dopo essere stato con Dolcino?" Salvatore gli si inginocchiò ai piedi pregandolo tra le lacrime di non volerlo perdere e di salvarlo dall'inquisizione, Guglielmo gli giurò solennemente di non dire a nessuno quanto avrebbe saputo, e Salvatore non esitò a consegnare il cellario alla nostra mercé. Si erano conosciuti alla Parete Calva, entrambi della banda di Dolcino, col cellario era fuggito ed entrato nel convento di Casale, con lui si era trasferito tra i cluniacensi. Biascicava implorazioni di perdono, ed era chiaro che da lui non si sarebbe potuto sapere di più. Guglielmo decise che valeva la pena di prendere di sorpresa Remigio, e lasciò Salvatore, che corse a rifugiarsi in chiesa.

Il cellario era dalla parte opposta dell'abbazia, davanti ai granai, e stava contrattando con alcuni villici della valle. Ci guardò con apprensione, e cercò di mostrarsi molto indaffarato, ma Guglielmo insistette per parlare con lui. Sino ad allora avevamo avuto con quell'uomo pochi contatti; lui era stato cortese con noi, noi con lui. Quella mattina Guglielmo gli si rivolse come avrebbe fatto con un confratello del suo ordine. Il cellario parve imbarazzato di quella confidenza e rispose da principio con molta prudenza.

"Per le ragioni del tuo ufficio tu sei evidentemente costretto ad aggirarti per l'abbazia anche quando gli altri dormono, immagino," disse Guglielmo.

"Dipende," rispose Remigio, "talora vi sono piccole faccende da sbrigare e vi debbo dedicare qualche ora di sonno."

"Non ti è accaduto nulla, in questi casi, che possa indicarci chi si aggirasse, senza avere le tue giustificazioni, tra la cucina e la biblioteca?"

"Se avessi visto qualcosa l'avrei detto all'Abate."

"Giusto," convenne Guglielmo, e cambiò bruscamente discorso: "Il villaggio a valle non è molto ricco, vero?"

"Sì e no," rispose Remigio, "vi abitano dei prebendari che dipendono dall'abbazia e costoro condividono la nostra ricchezza, nelle annate grasse. Per esempio il giorno di San

Giovanni hanno ricevuto dodici moggi di malto, un cavallo, sette buoi, un toro, quattro giovenche, cinque vitelli, venti pecore, quindici maiali, cinquanta polli e diciassette alveari. E poi venti maiali affumicati, ventisette forme di strutto, mezza misura di miele, tre misure di sapone, una rete da pesca..."

"Ho capito, ho capito," interruppe Guglielmo, "ma ammetterai che questo non mi dice ancora quale sia la situazione del villaggio, quali tra gli abitanti siano prebendari dell'abbazia, e quanta terra abbia da coltivare in proprio chi non è prebendario..."

"Oh, per questo," disse Remigio, "una famiglia normale laggiù possiede anche cinquanta tavole di terreno."

"Quanto è una tavola?"

"Naturalmente, quattro trabucchi quadri."

"Trabucchi quadri? Quanto sono?"

"Trentasei piedi quadri a trabucco. O se vuoi, ottocento trabucchi lineari fanno un miglio piemontese. E calcola che una famiglia — nelle terre verso mezzanotte — può coltivare olivi per almeno mezzo sacco di olio."

"Mezzo sacco?"

"Sì, un sacco fa cinque emine, e una emina fa otto coppe."

"Ho capito," disse scoraggiato il mio maestro. "Ogni paese ha le sue misure. Voi per esempio il vino lo misurate a boccali?"

"O a rubbie. Sei rubbie, una brenta e otto brente un bottale. Se vuoi, un rubbo è di sei pinte da due boccali."

"Credo di aver le idee chiare," disse Guglielmo rassegnato.

"Desideri sapere altro?" chiese Remigio, con un tono che mi parve di sfida.

"Sì! Ti domandavo su come vivano a valle, perché meditavo oggi in biblioteca sulle prediche alle donne di Umberto da Romans, e in particolare su quel capitolo *Ad mulieres pauperes in villulis*. Dove dice che esse più di altre sono tentate ai peccati della carne, a causa della loro miseria, e saggiamente dice che esse peccant enim mortaliter, cum peccant cum quocumque laico, mortalius vero quando cum Clerico in sacris ordinibus constituto, maxime vero quando cum Religioso mundo mortuo. Tu sai meglio di me che anche in luoghi santi come le abbazie le tentazioni del demone meridiano non mancano mai. Mi chiedevo se nei tuoi contatti con la gente del villaggio fossi venuto ad apprendere che alcuni monaci, Dio non volesse, abbiano indotto alcune fanciulle in fornicazione.''

Benché il mio maestro dicesse queste cose con tono quasi distratto, il mio lettore avrà capito come quelle parole turbassero il povero cellario. Non so dire se impallidì, ma dirò che tanto mi attendevo che impallidisse che lo vidi impallidire.

''Mi chiedi cose che, se le sapessi, avrei già detto all'Abate,'' rispose umilmente. ''In ogni caso se, come immagino, queste notizie servono alla tua indagine, non ti tacerò nulla di quanto possa apprendere. Anzi, ora che mi fai pensare, a proposito della tua prima domanda... La notte in cui morì il povero Adelmo, io circolavo per la corte... sai, una storia di galline... voci che avevo raccolto su un qualche maniscalco che nottetempo andava a rubacchiare nel pollaio... Ecco, quella notte mi accadde di vedere — da lontano, non potrei giurare — Berengario che rientrava al dormitorio costeggiando il coro, come se provenisse dall'Edificio... Non me ne stupii, perché tra i monaci si mormorava da tempo su Berengario, forse l'hai saputo...''

''No, dimmi.''

''Bene, come dire? Berengario era sospettato di nutrire passioni che... non si convengono a un monaco...''

''Vuoi forse suggerirmi che aveva rapporti con ragazze del villaggio, come ti stavo domandando?''

Il cellario tossì imbarazzato, ed ebbe un sorriso piuttosto laido: ''Oh no... passioni ancora più sconvenienti...''

''Perché un monaco che si diletti carnalmente con fanciulle del villaggio esercita invece passioni in qualche modo convenienti?''

''Non ho detto questo, ma tu mi insegni che c'è una gerarchia nella depravazione come c'è nella virtù. La carne può essere tentata secondo natura e... contro natura.''

''Tu mi stai dicendo che Berengario era mosso da desideri carnali per uomini del suo sesso?''

''Io dico che così si mormorava di lui... Ti comunicavo queste cose come prova della mia sincerità e della mia buona volontà...''

''E io ti ringrazio. E convengo con te che il peccato di sodomia è ben peggiore di altre forme di lussuria, sulle quali francamente non sono portato a investigare...''

''Miserie, miserie, quand'anche si verificassero,'' disse con filosofia il cellario.

''Miserie, Remigio. Siamo tutti peccatori. Non cercherei

mai la pagliuzza nell'occhio del fratello, tanto temo di avere una gran trave nel mio. Ma ti sarò grato per tutte le travi di cui mi vorrai parlare in futuro. Così ci intratterremo su grandi e robusti tronchi di legno e lasceremo che le pagliuzze volteggino nell'aria. Quanto dicevi che è un trabucco?''

"Trentasei piedi quadri. Ma non affannarti. Quando vorrai sapere qualcosa di preciso verrai da me. Fai conto di avere in me un amico fedele.''

"Tale io ti considero,'' disse Guglielmo con calore. "Ubertino mi ha detto che un tempo appartenevi al mio stesso ordine. Non tradirei mai un antico confratello, specie in questi giorni in cui si sta attendendo l'arrivo di una legazione pontificia condotta da un grande inquisitore, famoso per aver bruciato tanti dolciniani. Dicevi che un trabucco fa trentasei piedi quadri?''

Il cellario non era uno sciocco. Decise che non valeva più la pena di giocare al gatto e al topo, tanto più che si accorgeva di essere il topo.

"Frate Guglielmo,'' disse, "vedo che tu sai molte più cose di quanto io non immaginassi. Non tradirmi, e io non ti tradirò. È vero, sono un povero uomo carnale, e cedo alle lusinghe della carne. Salvatore mi ha detto che tu o il tuo novizio ieri sera li avete sorpresi in cucina. Tu hai viaggiato molto Guglielmo, sai che neppure i cardinali di Avignone sono modelli di virtù. So che non è per questi piccoli e miserabili peccati che stai interrogandomi. Ma capisco anche che hai appreso qualcosa sulla mia storia di un tempo. Ho avuto una vita bizzarra, come accadde a molti di noi minoriti. Anni fa ho creduto nell'ideale di povertà, ho abbandonato la comunità per darmi a vita randagia. Ho creduto alla predicazione di Dolcino, come molti altri come me. Non sono un uomo colto, ho ricevuto gli ordini ma so appena dir messa. So poco di teologia. E forse non riesco neppure ad affezionarmi alle idee. Vedi, un tempo ho tentato di ribellarmi ai signori, ora li servo e per il signore di queste terre comando a quelli come me. O ribellarsi o tradire, è data poca scelta a noi semplici.''

"Talora i semplici capiscono le cose meglio dei dotti,'' disse Guglielmo.

"Forse,'' rispose il cellario con una alzata di spalle. "Ma non so neppure perché ho fatto quello che ho fatto, allora. Vedi, per Salvatore era comprensibile, veniva dai servi della gleba, da una infanzia di carestie e di malattie... Dolcino rappresentava la ribellione, e la distruzione dei signori. Per me è stato diverso, ero di famiglia cittadina, non sfuggivo alla fame. È stata... non so come dire, una festa dei folli, un bel carnevale... Sui monti con Dolcino, prima che fossimo ridotti a mangiare la carne dei nostri compagni morti in battaglia, prima che ne morissero tanti di stenti che non si poteva mangiarli tutti, e si gettavano in pasto agli uccelli e alle fiere sulle pendici del Rebello... o forse anche in questi momenti... respiravamo un'aria... posso dire di libertà? Non sapevo prima cosa fosse la libertà, i predicatori ci dicevano: 'La verità vi farà liberi.' Ci sentivamo liberi, pensavamo che fosse la verità. Pensavamo che tutto quello che facevamo fosse giusto..."

"E laggiù avete preso... a unirvi liberamente con una donna?" chiesi, e non so neppure perché, ma mi ossessionavano dalla notte innanzi le parole di Ubertino, e quello che avevo letto nello scriptorium, e gli stessi casi che mi erano accaduti. Guglielmo mi guardò incuriosito, probabilmente non si attendeva che fossi così ardimentoso, e impudente. Il cellario mi fissò come se fossi uno strano animale.

"Sul Rebello," disse, "c'era gente che per tutta l'infanzia avevan dormito, in dieci e più, in pochi cubiti di stanza, fratelli e sorelle, padri e figlie. Cosa vuoi che fosse per loro accettare questa nuova situazione? Facevano per elezione quello che prima avevano fatto per necessità. E poi di notte, quando temi l'arrivo delle squadre nemiche e ti stringi vicino al tuo compagno, sulla terra, per non sentire freddo... Gli eretici: voi monacelli che venite da un castello e finite in una abbazia, credete che sia un modo di pensare, ispirato dal demonio. Invece è un modo di vivere, ed è... ed è stata... una esperienza nuova... Non c'erano più padroni e Dio, ci dicevano, era con noi. Non dico che avessimo ragione, Guglielmo, e infatti mi vedi qui, perché li abbandonai ben presto. Ma è che non ho mai capito le vostre dispute dotte sulla povertà di Cristo e l'uso e il fatto e il diritto... Te l'ho detto, è stato un gran carnevale, e a carnevale si fanno le cose alla rovescia. Poi diventi vecchio, non diventi saggio, ma diventi ghiottone. E qui faccio il ghiottone... Puoi condannare un eretico, ma vuoi condannare un ghiottone?"

"Basta così, Remigio," disse Guglielmo. "Non ti interrogo per quello che è successo allora, ma per quello che è accaduto di recente. Aiutami, e io non cercherò certo la tua rovina. Non posso e non voglio giudicarti. Ma mi devi dire cosa sai sui fatti dell'abbazia. Giri troppo, di notte e di giorno, per non sapere qualcosa. Chi ha ucciso Venanzio?''

''Non lo so, te lo giuro. So quando è morto, e dove.''

''Quando? Dove?''

''Lasciami raccontare. Quella notte, un'ora dopo compieta, sono entrato in cucina...''

''Da dove, e per quali ragioni?''

''Dalla porta verso l'orto. Ho una chiave che da tempo mi son fatto fare dai fabbri. La porta della cucina è l'unica che non sia sbarrata dall'interno. E le ragioni... non contano, hai detto tu stesso che non vuoi accusarmi per le debolezze della mia carne...'' Sorrise imbarazzato. ''Ma non vorrei nemmeno che credessi che passo i miei giorni nella fornicazione... Quella sera cercavo cibo da regalare alla ragazza che Salvatore doveva far entrare nella cinta...''

''Da dove?''

''Oh, la cinta delle mura ha altre entrate, oltre al portale. Le conosce l'Abate, le conosco io... Ma quella sera la ragazza non venne, la rimandai indietro proprio a causa di quello che scoprii, e che sto per raccontarti. Ecco perché tentai di farla tornare ieri notte. Se voi foste giunti un poco dopo avreste trovato me invece di Salvatore, fu lui ad avvertirmi che c'era gente nell'Edificio, e io tornai nella mia cella...''

''Torniamo alla notte tra domenica e lunedì.''

''Ecco: io entrai in cucina e vidi per terra Venanzio, morto.''

''In cucina?''

''Sì, vicino all'acquaio. Forse era appena disceso dallo scriptorium.''

''Nessuna traccia di lotta?''

''Nessuna. O meglio, vicino al corpo c'era una tazza infranta, e segni di acqua per terra.''

''Perché sai che era acqua?''

''Non lo so. Ho pensato che fosse acqua. Cosa poteva essere?''

Come Guglielmo mi fece osservare dopo, quella tazza poteva significare due cose diverse. O proprio lì in cucina qualcuno aveva dato da bere a Venanzio una pozione velenosa, o il poveretto aveva già ingerito il veleno (ma dove? e quando?) ed era sceso a bere per calmare una improvvisa arsura, uno spasimo, un dolore che gli bruciava le viscere, o la lingua (ché certamente la sua doveva essere nera come quella di Berengario).

In ogni caso per il momento non si poteva sapere di più. Scorto il cadavere, e terrorizzato, Remigio si era chiesto cosa fare, e aveva risolto di non fare nulla. A chiedere soccorso, avrebbe dovuto ammettere di aver vagato durante la notte per l'Edificio, né avrebbe giovato al confratello ormai perduto. Pertanto aveva risolto di lasciare le cose così come erano, attendendo che qualcuno scoprisse il corpo il mattino dopo, all'apertura delle porte. Era corso a trattenere Salvatore, che già stava facendo penetrare la ragazza nell'abbazia, poi — lui e il suo complice — se ne erano tornati a dormire, se mai sonno si poteva chiamare la veglia agitata che ebbero sino a mattutino. E a mattutino, quando i porcai vennero ad avvertire l'Abate, Remigio credeva che il cadavere fosse stato scoperto dove lui l'aveva lasciato, ed era rimasto allibito scoprendolo nella giara. Chi aveva fatto sparire il cadavere dalla cucina? Su questo Remigio non aveva nessuna idea.

"L'unico che può muoversi liberamente per l'Edificio è Malachia," disse Guglielmo.

Il cellario reagì con energia: "No, Malachia no. Cioè, non credo... In ogni caso non sono io che ti ho detto qualcosa contro Malachia..."

"Stai tranquillo, qualsiasi sia il debito che ti lega a Malachia. Sa qualcosa di te?"

"Sì," arrossì il cellario, "e si è comportato da uomo discreto. Fossi in te io sorveglierei Bencio. Aveva strani legami con Berengario e Venanzio... Ma ti giuro, non ho visto altro. Se saprò qualcosa te lo dirò."

"Per ora può bastare. Tornerò da te se ne avrò bisogno." Il cellario, evidentemente sollevato, tornò ai suoi traffici, redarguendo aspramente i villici che frattanto avevano spostato non so quali sacchi di sementi.

In quel mentre ci raggiunse Severino. Portava in mano le lenti di Guglielmo, quelle che gli erano state sottratte due notti prima. "Li ho trovati nel saio di Berengario," disse. "Li ho visti sul tuo naso, l'altro giorno nello scriptorium. Sono i tuoi, vero?"

"Dio sia lodato," esclamò gioiosamente Guglielmo. "Abbiamo risolto due problemi! Ho le mie lenti e so finalmente di sicuro che era Berengario l'uomo che ci derubò l'altra notte nello scriptorium!"

Avevamo appena finito di parlare che arrivò di corsa Nicola da Morimondo, più trionfante ancora di Guglielmo. Teneva nelle mani un paio di lenti finite, montate sulla loro forcella: "Guglielmo," gridava, "ce l'ho fatta da solo, li ho finiti, credo che funzionino!" Poi vide che Guglielmo aveva altre lenti sul volto e rimase di sasso. Guglielmo non volle umiliarlo, si tolse le sue vecchie lenti e misurò le nuove: "Sono migliori delle altre," disse. "Vuol dire che terrò le vecchie di riserva, e porterò sempre le tue." Poi si volse a me: "Adso, ora mi ritiro in cella a leggere quelle carte che sai. Finalmente! Aspettami da qualche parte. E grazie, grazie a voi tutti fratelli carissimi."

Suonava l'ora terza e mi portai in coro, a recitar con gli altri l'inno, i salmi, i versetti e il *Kyrie*. Gli altri pregavano per l'anima del morto Berengario. Io ringraziavo Iddio di averci fatto ritrovare non uno ma due paia di lenti.

Per la grande serenità, dimenticate tutte le brutture che avevo viste e udite, mi assopii, risvegliandomi quando l'ufficio ebbe termine. Mi resi conto che quella notte non avevo dormito e mi turbai pensando che avevo anche usato molto delle mie forze. E a quel punto, uscito all'aperto, il mio pensiero cominciò a essere ossessionato dal ricordo della fanciulla.

Cercai di distrarmi, e mi misi a muovere in fretta per il pianoro. Provavo un senso di lieve vertigine. Battevo le mani intirizzite l'una contro l'altra. Pestavo i piedi per terra. Avevo ancora sonno, eppure mi sentivo sveglio e pieno di vita. Non capivo cosa mi stesse accadendo.

Quarto giorno

TERZA

Dove Adso si dibatte nei patimenti d'amore, poi arriva Guglielmo col testo di Venanzio, che continua a rimanere indecifrabile anche dopo esser stato decifrato.

In verità, dopo il mio incontro peccaminoso con la fanciulla, gli altri terribili avvenimenti mi avevano fatto quasi dimenticare quella vicenda, e d'altra parte, subito dopo essermi confessato a frate Guglielmo, il mio animo si era sgravato del rimorso che avevo avvertito al risveglio dopo il mio colpevole cedimento, tanto che mi era parso di aver consegnato al frate, con le parole, lo stesso fardello di cui esse erano la voce significativa. A che altro serve infatti il benefico lavacro della confessione, se non a scaricare il peso del peccato, e del rimorso che comporta, nel seno stesso di Nostro Signore, ottenendo con il perdono una nuova aerea leggerezza dell'anima, così da dimenticare il corpo martoriato dalla nequizia? Ma non di tutto mi ero liberato. Ora che passeggiavo al sole pallido e freddo di quella mattinata invernale, circondato dal fervore degli uomini e degli animali, cominciavo a ricordare gli avvenimenti passati in modo diverso. Come se di tutto quanto era accaduto non rimanessero più il pentimento e le parole consolatrici del lavacro penitenziale, ma solo immagini di corpi e di umane membra. Mi balzava alla mente sovreccitata il fantasma di Berengario gonfio di acqua, e rabbrividivo di ribrezzo e pietà. Poi, come per fugare quel lemure, la mia mente si rivolgeva ad altre immagini di cui la memoria fosse fresco ricettacolo, e non potevo evitare di vedere, evidente ai miei occhi (agli occhi dell'anima, ma quasi come se apparisse innanzi agli occhi carnali), l'immagine della fanciulla, bella e terribile come esercito schierato in battaglia.

Mi sono ripromesso (vecchio amanuense di un testo mai scritto prima d'ora ma che per lunghi decenni ha parlato nella mia mente) di essere cronista fedele, e non solo per amore della verità, né per il desiderio (peraltro degnissimo) di ammaestrare i miei lettori futuri; ma anche per liberare la mia memoria appassita e stanca di visioni che per tutta la vita l'hanno affannata. E quindi devo dire tutto, con decenza ma senza vergogna. E devo dire, ora, e a chiare lettere, quello che allora pensai e quasi tentai di nascondere a me stesso, passeggiando per il pianoro, mettendomi talvolta a correre per potere attribuire al moto del corpo i battiti improvvisi del mio cuore, soffermandomi ad ammirare le opere dei villani e illudendomi di distrarmi nella loro contemplazione, aspirando l'aria fredda a pieni polmoni, come fa chi beve del vino per dimenticare timore o dolore.

Invano. Io pensavo alla fanciulla. La mia carne aveva dimenticato il piacere, intenso, peccaminoso e passeggero (cosa vile) che mi aveva dato il congiungermi con lei; ma la mia anima non aveva dimenticato il suo volto, e non riusciva a sentire perverso questo ricordo, anzi palpitava come se in quel volto risplendessero tutte le dolcezze del creato.

Avvertivo, in modo confuso e quasi negando a me stesso la verità di quanto sentivo, che quella povera, lercia, impudente creatura che si vendeva (chissà con quanta proterva costanza) ad altri peccatori, quella figlia di Eva che, debolissima come tutte le sue sorelle, aveva tante volte fatto commercio della propria carne, era tuttavia un qualcosa di splendido e mirifico. Il mio intelletto la sapeva fomite di peccato, il mio appetito sensitivo l'avvertiva come ricettacolo di ogni grazia. È difficile dire cosa provassi. Potrei tentare di scrivere che, ancora preso dalle trame del peccato, desideravo, colpevolmente, di vederla apparire a ogni istante, e quasi spiavo il lavoro degli operai per scrutare se dall'angolo di una capanna, dal buio di una stalla, apparisse quella figura che mi aveva sedotto. Ma non scriverei il vero, oppure tenterei di porre un velo alla verità per attenuarne la forza e l'evidenza. Perché la verità è che io ''vedevo'' la fanciulla, la vedevo nei rami dell'albero spoglio che palpitavano leggermente quando un passero intirizzito volava a cercarvi rifugio; la vedevo negli occhi delle giovenche che uscivano dalla stalla, e la udivo nel belato degli agnelli che incrociavano il mio errare. Era come se tutto il creato mi parlasse di lei, e desideravo, sì, di rivederla, ma ero pur pronto ad accettare l'idea di non rivederla mai più, e di non congiungermi mai più con lei, purché potessi godere del gaudio che mi pervadeva quel mattino, e averla sempre vicina anche se fosse stata, e per l'eternità, lontana. Era, ora cerco di capire, come se tutto l'universo mondo, che chiaramente è quasi un libro scritto dal dito di Dio, in cui ogni cosa ci parla dell'immensa bontà del suo creatore, in cui ogni creatura è quasi scrittura e specchio della vita e della morte, in cui la più umile rosa si fa glossa del nostro cammino terreno, tutto insomma, di altro non mi parlasse se non del volto che avevo a mala pena intravisto nelle ombre odorose della cucina. Indulgevo a queste fantasie perché mi dicevo (o meglio non mi dicevo, perché in quel momento non formulavo pensieri traducibili in parole) che se il mondo intero è destinato a parlarmi della potenza, bontà, e saggezza del creatore, e se quel mattino il mondo intero mi parlava della fanciulla che (per peccatrice che fosse) era pur sempre un capitolo del gran libro del creato, un versetto del grande salmo cantato dal cosmo — mi dicevo (ora dico), che se questo avveniva non poteva non far parte del grande disegno teofanico che regge l'universo, disposto a modo di cetra, miracolo di consonanza e di armonia. Quasi inebriato, godevo allora della presenza di lei nelle cose che vedevo, e in esse desiderandola, nella vista di esse mi appagavo. E pure sentivo come un dolore, perché al tempo stesso soffrivo di un'assenza, pur essendo felice di tanti fantasmi di una presenza. Mi riesce difficile spiegare questo mistero di contraddizione, segno che l'animo umano è assai fragile e non procede mai dirittamente lungo i sentieri della ragione divina, che ha costruito il mondo come un perfetto sillogismo, ma di questo sillogismo coglie solo proposizioni isolate e sovente disconnesse, donde la nostra facilità a cadere vittima delle illusioni del maligno. Era illusione del maligno quella che quella mattina mi rendeva così commosso? Penso oggi che lo fosse, perché ero novizio, ma penso che l'umano sentimento che mi agitava non fosse cattivo in sé, ma solo in riferimento al mio stato. Perché di per sé era il sentimento che muove l'uomo verso la donna affinché l'uno si congiunga con l'altra, come vuole l'apostolo delle genti, ed entrambi siano carne di una sola carne, e insieme procreino nuovi esseri umani e si assistano mutuamente dalla gioventù alla vecchiaia. Solo che l'apostolo così parlò per coloro che cercano il rimedio alla concupiscenza e a chi non voglia bruciare, ricordando però che ben più preferibile è lo stato di castità, a cui io monaco mi ero consacrato. E quindi io pativo quella mattina ciò che era male per me, ma per altri forse era bene, e bene dolcissimo, per cui ora capisco che il mio turbamento non era dovuto alla pravità dei miei pensieri, in sé degni e soavi, ma alla pravità del rapporto tra i miei pensieri e i voti che avevo pronunciato. E quindi facevo male a godere di una cosa buona sotto una certa ragione, cattiva sotto un'altra, e il mio difetto stava nel tentare di conciliare con l'appetito naturale i dettami dell'anima razionale. Ora so che soffrivo del contrasto tra l'appetito elicito intellettivo, dove avrebbe dovuto manifestarsi l'imperio della volontà, e l'appetito elicito sensitivo, soggetto delle umane passioni. Infatti actus appetitus sensitivi in quantum habent transmutationem corporalem annexam, passiones dicuntur, non autem actus voluntatis. E il mio atto appetitivo era per l'appunto accompagnato da un tremore di tutto il corpo, da un impulso fisico a gridare e ad agitarmi. L'angelico dottore dice che le passioni in sé non sono cattive, salvo che van moderate dalla volontà guidata dall'anima razionale. Ma la mia anima razionale era in quel mattino sopita dalla stanchezza la quale teneva a freno l'appetito irascibile, che si rivolge al bene e al male in quanto termini di conquista, ma non l'appetito concupiscibile, che si rivolge al bene e al male in quanto conosciuti. A giustificare la mia irresponsabile leggerezza di allora dirò oggi, e con le parole del dottore angelico, che ero indubbiamente preso di amore, che è passione ed è legge cosmica, perché anche la gravità dei corpi è amore naturale. E da questa passione ero naturalmente sedotto, perché in questa passione appetitus tendit in appetibile realiter consequendum ut sit ibi finis motus. Per cui naturalmente amor facit quod ipsae res quae amantur, amanti aliquo modo uniantur et amor est magis cognitivus quam cognitio. Infatti io ora vedevo la fanciulla meglio di quanto l'avessi vista la sera prima, e la capivo intus et in cute perché in essa capivo me e in me essa stessa. Mi chiedo ora se quello che provavo fosse l'amore di amicizia, in cui il simile ama il simile e vuole solo il bene altrui, o amore di concupiscenza, in cui si vuole il proprio bene e il mancante vuole solo ciò che lo completa. E credo che amore di concupiscenza fosse stato quello della notte, in cui volevo dalla fanciulla qualcosa che non avevo mai avuto, mentre in quella mattina dalla fanciulla non volevo nulla, e volevo solo il suo bene, e desideravo che essa fosse sottratta alla crudele necessità che la piegava a darsi per poco cibo, e fosse felice, né volevo chiederle più nulla ma solo continuare a pensarla e vederla nelle pecore, nei buoi, negli alberi, nella luce serena che avvolgeva di gaudio la cinta dell'abbazia.

Ora so che causa dell'amore è il bene e ciò che è bene si definisce per conoscenza, e non si può amare se non ciò che si è appreso come bene, mentre la fanciulla l'avevo appresa, sì, come bene dell'appetito irascibile, ma come male della volontà. Ma allora ero in preda a tanti e tanto contrastanti moti dell'animo perché ciò che provavo era simile all'amore più santo proprio come lo descrivono i dottori: esso mi produceva l'estasi, in cui amante e amato vogliono la stessa cosa (e per misteriosa illuminazione io in quel momento sapevo che la fanciulla, dovunque essa fosse, voleva le stesse cose che io stesso volevo), e per essa io provavo gelosia, ma non quella cattiva, condannata da Paolo nella prima ai corinzi, che è *principium contentionis*, e non ammette *consortium in amato*, ma quella di cui parla Dionigi nei *Nomi Divini*, per cui anche Dio è detto geloso *propter multum amorem quem habet ad existentia* (e io amavo la fanciulla proprio perché essa esisteva, ed ero lieto, non invidioso, che essa esistesse). Ero geloso nel modo in cui per l'angelico dottore la gelosia è *motus in amatum*, gelosia di amicizia che induce a muoversi contro tutto ciò che nuoce all'amato (e io altro non fantasticavo, in quell'istante, che di liberare la fanciulla dal potere di chi ne stava comprando le carni insozzandola con le proprie passioni nefaste).

Ora so, come dice il dottore, che l'amore può ledere l'amante quando sia eccessivo. E il mio era eccessivo. Ho tentato di spiegare cosa allora provassi, non tento per nulla di giustificare quanto provavo. Parlo di quelli che furono i miei colpevoli ardori di gioventù. Erano male, ma la verità mi impone di dire che allora li avvertii come estremamente buoni. E questo valga ad ammaestrare chi, come me, incapperà nelle reti della tentazione. Oggi, vegliardo, conoscerei mille modi di sfuggire a tali seduzioni (e mi chiedo quanto debba esserne fiero, dappoiché sono libero dalle tentazioni del demone meridiano; ma non libero da altre, tal che mi chiedo se quanto sto ora facendo non sia colpevole acquiescenza alla passione terrestre della rimemorazione, stolido tentativo di sfuggire al flusso del tempo, e alla morte).

Allora, mi salvai quasi per istinto miracoloso. La fanciulla mi appariva nella natura e nelle umane opere che mi circondavano. Cercai quindi, per felice intuito dell'anima, di immergermi nella distesa contemplazione di quelle opere. Osservai il lavoro dei vaccari che stavano portando i buoi fuori della stalla, dei porcai che recavano cibo ai maiali, dei pastori che aizzavano i cani a riunire le pecore, dei contadini che portavano farro e miglio ai mulini e ne uscivano con sacchi di buon cibo. Mi immersi nella contemplazione della natura, cercando di dimenticare i miei pensieri e cercando di guardare solo gli esseri come essi ci appaiono, e di obliarmi nella loro visione, giocondamente.

Come era bello lo spettacolo della natura non ancora toccato dalla sapienza, spesso perversa, dell'uomo!

Vidi l'agnello, a cui è stato dato questo nome quasi in riconoscimento della sua purezza e bontà. Infatti il nome *agnus* deriva dal fatto che questo animale *agnoscit*, riconosce la propria madre, e ne riconosce la voce in mezzo al gregge mentre la madre tra tanti agnelli d'identica forma e di identico belato riconosce sempre e soltanto il figlio suo, e lo nutre. Vidi la pecora, che *ovis* è detta *ab oblatione* perché serviva sin dai primi tempi ai riti sacrificali; la pecora che, come è suo costume, sul far dell'inverno, cerca l'erba con avidità e si riempie di foraggio prima che i pascoli siano bruciati dal gelo. E le greggi erano sorvegliate dai cani, così chiamati da *canor* a causa del loro latrato. Animale perfetto tra gli altri, con doti superiori di acutezza, il cane riconosce il proprio padrone, ed è addestrato alla caccia alle fiere nei boschi, alla guardia delle greggi contro i lupi, protegge la casa e i piccoli del padrone suo, e talora in tale funzione di difesa viene ucciso. Il re Garamante, che era stato tradotto in prigionia dai suoi nemici, era stato riportato in patria da una muta di duecento cani che si fecero strada in mezzo alle schiere avversarie; il cane di Giasone Licio, dopo la morte del padrone, continuò a rifiutare cibo sino a morire d'inedia; quello del re Lisimaco si gettò sul rogo del proprio padrone per morire con lui. Il cane ha il potere di risanare le ferite lambendole con la lingua e la lingua dei suoi cuccioli può guarire le lesioni intestinali. Per natura è solito utilizzare due volte lo stesso cibo, dopo averlo vomitato. Sobrietà che è simbolo di perfezione di spirito, così come il potere taumaturgico della sua lingua è simbolo della purificazione dei peccati ottenuta attraverso la confessione e la penitenza. Ma che il cane ritorni a ciò che ha vomitato è anche segno che, dopo la confessione, si ritorna agli stessi peccati di prima, e questa moralità mi fu assai utile quel mattino per ammonire il mio cuore, mentre ammiravo le meraviglie della natura.

Frattanto il mio passo mi portava alle stalle dei buoi, che stavano uscendo in quantità guidati dai loro bovari. Mi parvero subito quali erano e sono, simboli di amicizia e bontà, perché ogni bue sul lavoro si volge a cercare il proprio compagno di aratro, se per caso esso in quel momento sia assente, e a esso si rivolge con affettuosi muggiti. I buoi imparano ubbidienti a ritornare da soli alla stalla quando piove, e quando si riparano alla greppia allungano continuamente il capo per guardare fuori se il maltempo sia cessato, perché ambiscono di ritornare al lavoro. E coi buoi uscivano in quel momento dalle stalle i vitellini che, femmine e maschi, traggono il loro nome dalla parola *viriditas* o anche da *virgo*, perché a quella età essi sono ancora freschi, giovani e casti, e male avevo fatto e facevo, mi dissi, a vedere nelle loro movenze graziose una immagine della fanciulla non casta. A queste cose pensai, riappacificato col mondo e con me stesso, osservando il gaio lavoro dell'ora mattutina. E non pensai più alla fanciulla, ovvero mi sforzai di trasformare l'ardore che provavo per essa in un senso di interiore gaiezza e di pace devota.

Mi dissi che il mondo era buono, e ammirevole. Che la bontà di Dio è manifestata anche dalle bestie più orride, come spiega Onorio Augustoduniense. È vero, ci sono serpenti così grandi che divorano i cervi e nuotano attraverso l'oceano, vi è la bestia cenocroca dal corpo d'asino, le corna di stambecco, il petto e le fauci di leone, il piede di cavallo ma bisolco come quello del bue, un taglio della bocca che arriva sino alle orecchie, la voce quasi umana e al posto dei denti un solo solido osso. E vi è la bestia manticora, dal volto d'uomo, un triplice ordine di denti, il corpo di leone, la coda di scorpione, gli occhi glauchi, il colore di sangue e la voce simile al sibilo dei serpenti, ghiotta di carne umana. E vi son mostri con otto dita per piede, e musi di lupo, unghie adunche, pelle di pecora e latrato di cane, che diventano neri anziché bianchi con la vecchiaia, e di molto eccedono la nostra età. E vi sono creature con occhi sugli omeri e due fori sul petto in luogo di narici, perché mancano del capo, e altre ancora che abitano lungo il fiume Gange, che vivono solo dell'odore di un certo pomo, e quando se ne allontanano, muoiono. Ma anche tutte queste bestie immonde cantano nella loro varietà le lodi del Creatore e la sua saggezza, come il cane, il bue, la pecora, l'agnello e la lince. Come è grande, mi dissi allora, ripetendo le parole di Vincenzo Belovacense, la più umile bellezza di questo mondo, e come piacevole è per l'occhio della ragione il considerare attentamente non solo i modi e i numeri e gli ordini delle cose, così decorosamente stabiliti per tutto l'universo, ma anche il volgere dei tempi che incessantemente si dipanano attraverso successioni e cadute, segnati dalla morte di ciò che è nato. Confesso, da quel peccatore che sono, con l'anima da poco ancora prigioniera della carne, che fui mosso allora da spirituale dolcezza verso il creatore e la regola di questo mondo, e ammirai con gioiosa venerazione la grandezza e la stabilità del creato.

In questa buona disposizione di spirito mi trovò il mio maestro quando, trascinato dai miei piedi e senza rendermene conto, compiuto quasi il periplo dell'abbazia, mi ritrovai dove ci eravamo lasciati due ore innanzi. Lì stava Guglielmo, e quanto mi disse mi distrasse dei miei pensieri e mi volse di nuovo la mente ai tenebrosi misteri dell'abbazia.

Guglielmo pareva molto contento. Aveva in mano il foglio di Venanzio, che finalmente aveva decifrato. Andammo nella sua cella, lontano da orecchie indiscrete, ed egli mi tradusse quello che aveva letto. Dopo la frase in alfabeto zodiacale (secretum finis Africae manus supra idolum age primum et septimum de quatuor), ecco cosa diceva il testo greco:

Il veleno tremendo che dà la purificazione...
L'arma migliore per distruggere il nemico...
Usa le persone umili vili e brutte, trai piacere dal loro difetto... Non debbono morire... Non nelle case dei nobili e dei potenti ma dai villaggi dei contadini, dopo abbondante pasto e libagioni... Corpi tozzi, visi deformi.
Stuprano vergini e giacciono con meretrici, non malvagi, senza timore.
Una verità diversa, una diversa immagine della verità...
I venerandi fichi.
La pietra svergognata rotola per la pianura... Sotto gli occhi.
Bisogna ingannare e sorprendere ingannando, dire le cose all'opposto di quanto si credeva, dire una cosa e intenderne un'altra.
A essi le cicale canteranno da terra.

Niente altro. A mio giudizio, troppo poco, quasi nulla. Sembravano le farneticazioni di un demente, e lo dissi a Guglielmo.

"Potrebbe darsi. E appare senz'altro più demente di quanto non fosse a causa della mia traduzione. Conosco il greco abbastanza approssimativamente. E tuttavia, posto che Venanzio fosse pazzo, o fosse pazzo l'autore del libro, questo non ci direbbe perché tante persone, e non tutte pazze, si sono date da fare, prima per nascondere il libro e poi per recuperarlo..."

"Ma le cose che sono scritte qui, provengono dal libro misterioso?"

"Si tratta senz'altro di cose scritte da Venanzio. Lo vedi anche tu, non si tratta di una pergamena antica. E devono essere appunti presi leggendo il libro, altrimenti Venanzio non avrebbe scritto in greco. Egli ha certamente ricopiato, abbreviandole, delle frasi che ha trovato sul volume sottratto al finis Africae. Lo ha portato nello scriptorium e ha iniziato a leggerlo, annotando ciò che gli pareva degno di nota. Poi è accaduto qualcosa. O si è sentito male, o ha udito qualcuno salire. Allora ha riposto il libro, con gli appunti, sotto al suo tavolo, probabilmente riprorettendosi di riprenderlo la sera dopo. In ogni caso è solo partendo da questo foglio che potremo ricostruire la natura del libro misterioso, ed è solo dalla natura di quel libro che sarà possibile inferire la natura dell'omicida. Perché in ogni delitto commesso per possedere un oggetto, la natura dell'oggetto dovrebbe fornirci una idea sia pur pallida della natura dell'assassino. Se si uccide per un pugno d'oro, l'assassino sarà persona avida, se per un libro, l'assassino sarà ansioso di custodire per sé i segreti di quel libro. Occorre dunque sapere cosa dice il libro che noi non abbiamo."

"E voi sarete in grado, da queste poche righe, di capire di quale libro si tratta?"

"Caro Adso, queste sembrano le parole di un testo sacro, il cui significato va al di là della lettera. Leggendole stamattina, dopo che avevamo parlato con il cellario, mi ha colpito il fatto che anche qui si fa cenno ai semplici e ai contadini, come portatori di una verità diversa da quella dei saggi. Il cellario ha lasciato capire che qualche strana complicità lo legava a Malachia. Che Malachia avesse nascosto qualche pericoloso testo ereticale che Remigio gli aveva consegnato? Allora Venanzio avrebbe letto e annotato qualche misteriosa istruzione concernente una comunità di uomini rozzi e vili in rivolta contro tutto e tutti. Ma..."

"Ma?"

"Ma due fatti stanno contro questa mia ipotesi. L'uno è che Venanzio non pareva interessato a tali questioni: era un traduttore di testi greci, non un predicatore di eresie... L'altro è che frasi come quelle dei fichi, della pietra o delle cicale non verrebbero spiegate da questa prima ipotesi..."

"Forse sono enigmi con un altro significato," suggerii. "Oppure avete un'altra ipotesi?"

"Ce l'ho, ma è ancora confusa. Mi pare, leggendo questa

pagina, di avere già letto alcune di queste parole, e mi tornano alla mente frasi quasi simili che ho visto altrove. Mi pare anzi che questo foglio parli di qualcosa di cui si è già parlato nei giorni scorsi... Ma non ricordo cosa. Devo pensarci su. Forse dovrò leggere altri libri.''

''Come mai? Per sapere cosa dice un libro ne dovete leggere altri?''

''Talora si può fare così. Spesso i libri parlano di altri libri. Spesso un libro innocuo è come un seme, che fiorirà in un libro pericoloso, o all'inverso, è il frutto dolce di una radice amara. Non potresti, leggendo Alberto, sapere cosa avrebbe potuto dire Tommaso? O leggendo Tommaso sapere cosa avesse detto Averroè?''

''È vero,'' dissi ammirato. Sino ad allora avevo pensato che ogni libro parlasse delle cose, umane o divine, che stanno fuori dai libri. Ora mi avvedevo che non di rado i libri parlano di libri, ovvero è come si parlassero fra loro. Alla luce di questa riflessione, la biblioteca mi parve ancora più inquietante. Era dunque il luogo di un lungo e secolare sussurro, di un dialogo impercettibile tra pergamena e pergamena, una cosa viva, un ricettacolo di potenze non dominabili da una mente umana, tesoro di segreti emanati da tante menti, e sopravvissuti alla morte di coloro che li avevano prodotti, o se ne erano fatti tramite.

''Ma allora,'' dissi, ''a che serve nascondere i libri, se dai libri palesi si può risalire a quelli occulti?''

''Sull'arco dei secoli non serve a nulla. Sull'arco degli anni e dei giorni serve a qualcosa. Vedi infatti come noi ci troviamo smarriti.''

''E quindi una biblioteca non è uno strumento per distribuire la verità, ma per ritardarne l'apparizione?'' chiesi stupito.

''Non sempre e non necessariamente. In questo caso lo è.''

Quarto giorno
SESTA

Dove Adso va a cercar tartufi e trova i minoriti in arrivo, questi colloquiano a lungo con Guglielmo e Ubertino e si apprendono cose molto tristi su Giovanni XXII.

Dopo queste considerazioni il mio maestro decise di non fare più nulla. Ho già detto che aveva talvolta di questi momenti di totale mancanza di attività, come se il ciclo incessante degli astri si fosse arrestato, ed egli con esso e con essi. Così fece quel mattino. Si distese sul pagliericcio con gli occhi aperti nel vuoto e le mani incrociate sul petto, muovendo appena le labbra come se recitasse una preghiera, ma in modo irregolare e senza devozione.

Pensai che pensasse, e risolsi di rispettare la sua meditazione. Tornai nella corte e vidi che il sole si era affievolito. Da bella e limpida che era, la mattinata (mentre il giorno stava avviandosi a consumare la sua prima metà) stava diventando umida e brumosa. Grosse nuvole muovevano da mezzanotte e stavano invadendo la sommità del pianoro coprendola di una caligine leggera. Pareva nebbia, e forse nebbia saliva anche da terra, ma a quella altezza era difficile distinguere le brume che venivano dal basso da quelle che scendevano dall'alto. Si incominciava a distinguere a fatica la mole degli edifici più lontani.

Vidi Severino che radunava i porcai e alcuni dei loro animali, con allegria. Mi disse che andavano lungo le falde del monte, e a valle, a cercare i tartufi. Io non conoscevo ancora quel frutto prelibato del sottobosco che cresceva in quella penisola, e sembrava tipico delle terre benedettine, vuoi a Norcia — nero — vuoi in quelle terre — più bianco e profumato. Severino mi spiegò cosa fosse, e quanto fosse gustoso, preparato nei modi più vari. E mi disse che era difficilissimo da trovare, perché si nascondeva sotto la terra, più segreto di un fungo, e gli unici animali capaci di scovarlo seguendo il loro olfatto erano i porci. Salvo che, come lo trovavano, volevano divorarselo, e bisognava subito allontanarli e intervenire a dissotterrarlo. Seppi più avanti che molti gentiluomini non sdegnavano darsi a quella caccia, seguendo i porci come fossero segugi nobilissimi, e seguiti a loro volta dai servi con le zappe. Ricordo anzi che più avanti negli anni un signore dei miei paesi sapendo che conoscevo l'Italia, mi chiese come mai aveva visto laggiù dei signori andare a pascolare i maiali, e io risi comprendendo che invece andavano in cerca di tartufi. Ma come io dissi a colui che questi signori ambivano a ritrovare il "tar-tufo" sotto la terra per poi mangiarselo, quello capì che io dicessi che cercavano "der Teufel", ovvero il diavolo, e si segnò devotamente guardandomi sbalordito. Poi l'equivoco si sciolse e ne ridemmo entrambi. Tale è la magìa delle umane favelle, che per umano accordo significano spesso, con suoni eguali, cose diverse.

Incuriosito dai preparativi di Severino risolsi di seguirlo, anche perché compresi che egli si dava a quella cerca per dimenticare le tristi vicende che opprimevano tutti; e io pensai che aiutando lui a dimenticare i suoi pensieri avrei forse, se non scordato, almeno tenuto a freno i miei. Né nascondo, poiché ho deciso di scrivere sempre e solo la verità, che segretamente mi seduceva l'idea che, disceso a valle, avrei forse potuto intravvedere qualcuno di cui non dico. Ma a me stesso e quasi ad alta voce asserii invece che, siccome per quel giorno si attendeva l'arrivo delle due legazioni, avrei forse potuto avvistarne una.

Man mano che si scendevano i tornanti del monte, l'aria si schiariva; non che tornasse il sole, ché la parte superiore del cielo era gravata dalle nuvole, ma le cose si distinguevano nettamente, perché la nebbia rimaneva sopra le nostre teste. Anzi, scesi che fummo di molto, mi voltai a guardare la cima del monte, e non vidi più nulla: da metà della salita in avanti, la sommità del colle, il pianoro, l'Edificio, tutto, scomparivano tra le nubi.

Il mattino del nostro arrivo, quando già eravamo tra i monti, a certi tornanti, era ancora possibile scorgere, a non più di dieci miglia e forse meno, il mare. Il nostro viaggio era stato ricco di sorprese, perché d'un tratto ci si trovava come su di una terrazza montana che dava a picco su golfi bellissimi, e dopo non molto si penetrava in gole profonde, dove montagne si elevavano tra le montagne, e l'una ottundeva all'altra la vista della costa lontana, mentre il sole penetrava a fatica in fondo alle valli. Mai come in quel luogo d'Italia avevo visto così strette e repentine interpenetrazioni di mare e monti, di litorali e paesaggi alpini, e nel vento che sibilava tra le gole si poteva intendere l'alterna lotta dei balsami marini e dei gelidi soffi rupestri.

Quel mattino invece tutto era grigio, e quasi bianco latte, e non v'erano orizzonti anche quando le gole si aprivano verso le coste lontane. Ma mi attardo in ricordi di poco interesse ai fini della vicenda che ci affanna, mio paziente lettore. Così non dirò delle alterne vicende della nostra ricerca dei "derteufel". E dirò piuttosto della legazione dei frati minori, che avvistai per primo, correndo subito verso il monastero per avvertire Guglielmo.

Il mio maestro lasciò che i nuovi arrivati entrassero e fossero salutati dall'Abate secondo il rito. Poi andò incontro al gruppo e fu una sequenza di abbracci e di saluti fraterni.

Era già trascorsa l'ora della mensa, ma una tavola era stata imbandita per gli ospiti e l'Abate ebbe la finezza di lasciarli tra loro, e soli con Guglielmo, sottratti ai doveri della regola, liberi di nutrirsi e di scambiare al tempo stesso le loro impressioni: dato che infine si trattava, Dio mi perdoni la sgradita similitudine, come di un consiglio di guerra, da tenersi al più presto prima che arrivasse l'oste nemica, e cioè la legazione avignonese.

Inutile dire che i nuovi venuti si incontrarono subito anche con Ubertino, che tutti salutarono con la sorpresa, la gioia e la venerazione che erano dovute e alla sua lunga assenza, e ai timori che avevano circondato la sua scomparsa, e alle qualità di quel coraggioso guerriero che da decenni aveva già combattuto la loro stessa battaglia.

Dei frati che componevano il gruppo dirò poi parlando della riunione del giorno dopo. Anche perché io parlai pochissimo con loro, preso come ero dal consiglio a tre che si stabilì immantinenti tra Guglielmo, Ubertino e Michele da Cesena.

Michele doveva essere un ben strano uomo: ardentissimo nella sua passione francescana (aveva talora i gesti, gli accenti di Ubertino nei suoi momenti di rapimento mistico); molto umano e gioviale nella sua terrestre natura di uomo delle Romagne, capace di apprezzare la buona tavola e felice di ritrovarsi con gli amici; sottile ed evasivo, di colpo diventando accorto e abile come una volpe, sornione come una talpa, quando si sfioravano problemi di rapporti tra i potenti; capace di grandi risate, di fervide tensioni, di eloquenti silenzi, abile nel distogliere lo sguardo dall'interlocutore quando la domanda di quello richiedeva di mascherare, con la distrazione, il rifiuto della risposta.

Di lui ho già detto qualcosa nelle pagine precedenti, ed erano cose che avevo sentito dire, forse da persone a cui erano state dette. Ora invece capivo meglio molti dei suoi atteggiamenti contraddittori e dei repentini mutamenti di disegno politico con cui negli ultimi anni aveva stupito i suoi stessi amici e seguaci. Ministro generale dell'ordine dei frati minori, era in principio l'erede di san Francesco, di fatto l'erede dei suoi interpreti: doveva competere con la santità e la saggezza di un predecessore come Bonaventura da Bagnoregio, doveva garantire il rispetto della regola ma al tempo stesso le fortune dell'ordine, così potente e vasto, doveva prestare orecchio alle corti e alle magistrature cittadine da cui l'ordine traeva, sia pure sotto forma di elemosine, doni e lasciti, motivo di prosperità e ricchezza; e doveva nel contempo badare che il bisogno di penitenza non trascinasse fuori dall'ordine gli spirituali più accesi, disciogliendo quella splendida comunità, di cui era a capo, in una costellazione di bande d'eretici. Doveva piacere al papa, all'impero, ai frati di povera vita, a san Francesco che certo lo sorvegliava dal cielo, al popolo cristiano che lo sorvegliava da terra. Quando Giovanni aveva condannato tutti gli spirituali come eretici, Michele non aveva esitato a consegnargli cinque tra i più riottosi frati di Provenza, lasciando che il pontefice li mandasse al rogo. Ma avvertendo (e non doveva essere stata estranea l'azione di Ubertino) che molti nell'ordine simpatizzavano per i seguaci della semplicità evangelica, aveva appunto agito in modo che il capitolo di Perugia, quattro anni dopo, facesse proprie le istanze dei bruciati. Naturalmente cercando di riassorbire un bisogno, che poteva essere ereticale, nei modi e nelle istituzioni dell'ordine, e volendo che ciò che l'ordine ora voleva fosse voluto anche dal papa. Ma, mentre attendeva di convincere il papa, senza il cui consenso non avrebbe voluto procedere, non aveva disdegnato di accettare i favori dell'imperatore e dei teologi imperiali. Ancora due anni prima del giorno in cui lo vidi aveva ingiunto ai suoi frati, nel capitolo generale di Lione, di parlare della persona del papa solo con moderazione e rispetto (e questo pochi mesi dopo che il papa aveva parlato dei minoriti protestando contro "i loro latrati, i loro errori e le loro insanie"). Ma ora era a tavola, amicissimo, con persone che del papa parlavano con rispetto meno che nullo.

Del resto ho già detto. Giovanni lo voleva ad Avignone,

egli voleva e non voleva andare, e l'incontro del giorno dopo avrebbe dovuto decidere sui modi e sulle garanzie di un viaggio che non avrebbe dovuto apparire come un atto di sottomissione ma neppure come un atto di sfida. Non credo che Michele avesse mai incontrato di persona Giovanni, almeno da che era papa. In ogni caso non lo vedeva da tempo, e i suoi amici si affrettavano a dipingergli a tinte molto scure la figura di quel simoniaco.

"Una cosa dovrai imparare," gli diceva Guglielmo, "a non fidarti dei suoi giuramenti, che egli mantiene sempre alla lettera, violandoli nella sostanza."

"Tutti sanno," diceva Ubertino, "cosa accadde ai tempi della sua elezione..."

"Non la chiamerei elezione, bensì imposizione!" intervenne un commensale, che sentii poi chiamare come Ugo da Novocastro, dall'accento affine a quello del mio maestro. "Intanto già la morte di Clemente V non è mai stata molto chiara. Il re non gli aveva più perdonato di aver promesso di processare la memoria di Bonifacio VIII, e poi di aver fatto di tutto per non sconfessare il suo predecessore. Come sia morto a Carpentras, nessuno sa bene. Fatto sta che quando i cardinali convengono a Carpentras per il conclave, il nuovo papa non viene fuori, perché (e giustamente) la disputa si sposta sulla scelta tra Avignone e Roma. Non so bene cosa sia successo in quei giorni, un massacro mi dicono, coi cardinali minacciati dal nipote del papa morto, i loro servi trucidati, il palazzo dato alle fiamme, i cardinali che si appellano al re, questi che dice che non ha mai voluto che il papa disertasse Roma, che pazientino, e facciano una buona scelta... Poi Filippo il Bello muore, anche lui Dio sa come..."

"O lo sa il diavolo," disse segnandosi, imitato da tutti, Ubertino.

"O lo sa il diavolo," ammise Ugo con un sogghigno. "Insomma, succede un altro re, sopravvive diciotto mesi, muore, muore in pochi giorni anche il suo erede appena nato, suo fratello il reggente prende il trono..."

"Ed è proprio questo Filippo V che, quando era ancora conte di Poitiers, aveva rimesso insieme i cardinali che fuggivano da Carpentras," disse Michele.

"Infatti," continuò Ugo, "li rimette in conclave a Lione nel convento dei domenicani, giurando di difendere la loro incolumità e di non tenerli prigionieri. Però appena quelli si mettono alla sua mercé, non solo li fa rinchiudere a chiave (che sarebbe poi la giusta usanza) ma gli diminuisce i cibi di giorno in giorno sino a che non abbiano preso una decisione. E a ciascuno promette di sostenerlo nelle sue pretese al soglio. Quando poi prende il trono, i cardinali, stanchi di essere prigionieri da due anni, per timore di rimanere lì anche tutta la vita, mangiando malissimo, accettano tutto, i ghiottoni, mettendo sulla cattedra di Pietro quello gnomo ultrasettantenne..."

"Gnomo certo sì," rise Ubertino, "e di aspetto tisicuzzo, ma più robusto e più astuto di quanto si credesse!"

"Figlio di calzolaio," bofonchiò uno dei legati.

"Cristo era figlio di falegname!" lo rampognò Ubertino. "Non è questo il fatto. È un uomo colto, ha studiato legge a Montpellier e medicina a Parigi, ha saputo coltivare le sue amicizie nei modi più acconci per avere e i seggi episcopali e il cappello cardinalizio quando gli pareva opportuno, e quando è stato consigliere di Roberto il Savio a Napoli ha sbalordito molti per il suo acume. E come vescovo di Avignone ha dato tutti i consigli giusti (giusti, dico, ai fini di quella squallida impresa) a Filippo il Bello per rovinare i Templari. E dopo l'elezione è riuscito a sfuggire a un complotto di cardinali che volevano ucciderlo... Ma non è di questo che volevo dire, parlavo della sua abilità nel tradire i giuramenti senza poter essere incolpato di spergiuro. Quando fu eletto, e per essere eletto, ha promesso al cardinale Orsini che avrebbe riportato il seggio pontificio a Roma, e ha giurato sull'ostia consacrata che se non avesse mantenuto la sua promessa non sarebbe mai più salito su di un cavallo o su di un mulo. Ebbene sapete cosa ha fatto quella volpe? Quando si è fatto incoronare a Lione (contro la volontà del re, che voleva che la cerimonia avvenisse ad Avignone) ha viaggiato poi da Lione ad Avignone in battello!"

I frati risero tutti. Il papa era uno spergiuro, ma non gli si poteva negare un certo ingegno.

"È uno spudorato," commentò Guglielmo. "Ugo non ha detto che non tentò neppure di nascondere la sua mala fede? Non mi hai raccontato tu Ubertino di ciò che ha detto all'Orsini il giorno del suo arrivo ad Avignone?"

"Certo," disse Ubertino, "gli disse che il cielo di Francia era così bello che non vedeva perché dovesse mettere piede in una città piena di rovine come Roma. E che siccome il papa, come Pietro, aveva il potere di legare e di sciogliere, lui questo potere ora esercitava, e decideva di rimanere lì dove era e dove stava così bene. E come l'Orsini cercò di ricordargli che il suo dovere era di vivere sul colle vaticano, lo richiamò seccamente all'obbedienza, e troncò la discussione. Ma non è finita la storia del giuramento. Quando scese dal battello avrebbe dovuto montare una cavalla bianca, seguito dai cardinali su cavalli neri, come vuole la tradizione. E invece è andato a piedi al palazzo episcopale. Né mi risulta che davvero sia mai più montato a cavallo. E da quest'uomo, Michele, tu ti attendi che tenga fede alle garanzie che ti darà?''

Michele stette a lungo in silenzio. Poi disse: ''Posso capire il desiderio del papa di rimanere ad Avignone, e non lo discuto. Ma lui non potrà discutere il nostro desiderio di povertà e la nostra interpretazione dell'esempio di Cristo.''

''Non essere ingenuo, Michele,'' intervenne Guglielmo, ''il vostro, il nostro desiderio, fa apparire in una luce sinistra il suo. Devi renderti conto che da secoli non era mai asceso sul trono pontificio un uomo più avido. Le meretrici di Babilonia contro cui tuonava un tempo il nostro Ubertino, i papi corrotti di cui parlavano i poeti del tuo paese come quell'Alighieri, erano agnelli mansueti e sobrii in confronto di Giovanni. È una gazza ladra, un usuraio ebreo, ad Avignone si fanno più traffici che a Firenze! Ho saputo della ignobile transazione col nipote di Clemente, Bertrand de Goth, quello del massacro di Carpentras (in cui tra l'altro i cardinali furono alleggeriti di tutti i loro gioielli): costui aveva messo le mani sul tesoro dello zio, che non era da poco, e a Giovanni non era sfuggito nulla di ciò che aveva rubato (nella *Cum venerabiles* elenca con precisione le monete, i vasi d'oro e d'argento, i libri, i tappeti, le pietre preziose, gli ornamenti...). Giovanni però finse di ignorare che Bertrand aveva messo le mani su più di un milione e mezzo di fiorini d'oro durante il sacco di Carpentras, e discusse di altri trentamila fiorini, che Bertrand confessava di aver avuto dallo zio per 'un proposito pio', e cioè per una crociata. Si stabilì che Bertrand avrebbe trattenuto metà della somma per la crociata e l'altra metà sarebbe andata al soglio pontificio. Poi Bertrand non fece mai la crociata, o almeno non l'ha ancora fatta, e il papa non ha visto un fiorino...''

''Non è poi così abile, allora,'' osservò Michele.

''È l'unica volta che si è fatto giocare in materia di danaro,'' disse Ubertino. ''Devi sapere bene con che razza di mercante tu abbia a che fare. In tutti gli altri casi ha mostrato una abilità diabolica nel raccogliere danaro. È un re Mida, quello che tocca diventa oro che affluisce nelle casse di Avignone. Ogni volta che sono entrato nei suoi appartamenti ho trovato banchieri, cambiatori di moneta, e tavole cariche d'oro, e chierici che contavano e impilavano fiorini gli uni sugli altri... E vedrai che palazzo si è fatto costruire, con ricchezze che un tempo si attribuivano solo all'imperatore di Bisanzio o al Gran Cane dei tartari. E adesso capisci perché ha emanato tutte quelle bolle contro l'idea della povertà. Ma lo sai che ha spinto i domenicani, in odio al nostro ordine, a scolpire statue di Cristo con la corona reale, la tunica di porpora e d'oro e calzari sontuosi? Ad Avignone sono stati esposti crocifissi con Gesù inchiodato per una sola mano, mentre con l'altra tocca una borsa appesa alla sua cintura, per indicare che Egli autorizza l'uso del danaro per fini di religione..."

"Oh lo spudorato!" esclamò Michele. "Ma questa è pura bestemmia!"

"Ha aggiunto," continuò Guglielmo, "una terza corona alla tiara papale, non è vero Ubertino?"

"Certo. All'inizio del millennio papa Ildebrando ne aveva assunta una, con la scritta *Corona regni de manu Dei*, l'infame Bonifacio ne aveva aggiunta di recente una seconda, scrivendovi *Diadema imperii de manu Petri*, e Giovanni non ha fatto altro che perfezionare il simbolo: tre corone, il potere spirituale, quello temporale e quello ecclesiastico. Un simbolo dei re persiani, un simbolo pagano..."

C'era un frate che sino ad allora era rimasto in silenzio, occupato con molta devozione a ingoiare i buoni cibi che l'Abate aveva fatto portare in tavola. Porgeva un orecchio distratto ai vari discorsi, emettendo ogni tanto un riso sarcastico all'indirizzo del pontefice, o un grugnito di approvazione alle interiezioni di sdegno dei commensali. Ma per il resto badava a pulirsi il mento dei sughi e dei pezzi di carne che lasciava cadere dalla bocca sdentata ma vorace, e le uniche volte che aveva rivolto la parola a uno dei suoi vicini era stato per lodare la bontà di una qualche leccornia. Seppi poi che era messer Girolamo, quel vescovo di Caffa che Ubertino giorni prima credeva ormai defunto (e debbo dire che quell'idea che fosse morto da due anni circolò come notizia vera per tutta la cristianità per molto tempo, perché l'udii anche dopo; e in effetti morì pochi mesi dopo quel nostro incontro, e continuo a pensare che fosse deceduto per la gran rabbia che la riunione del giorno dopo gli avrebbe messo in corpo, che quasi avrei creduto schiattasse subito e immediatamente, tanto era fragile di corpo e bilioso di umore).

S'intromise a quel punto nel discorso, parlando con la

bocca piena: "E poi sapete che l'infame ha elaborato una costituzione sulle *taxae sacrae poenitentiariae* dove specula sui peccati dei religiosi per trarne altro danaro. Se un ecclesiastico commette peccato carnale, con una monaca, con una parente, o anche con una donna qualsiasi (perché succede anche questo!) potrà essere assolto solo pagando sessantasette lire d'oro e dodici soldi. E se commette bestialità, saranno più di duecento lire, ma se l'ha commessa solo con fanciulli o animali, e non con femmine, la ammenda sarà ridotta di cento lire. E una monaca che si sia data a molti uomini, sia insieme che in momenti diversi, fuori o dentro il convento, e poi vuole diventare abbadessa, dovrà pagare centotrentun lire d'oro e quindici soldi..."

"Andiamo messer Girolamo," protestò Ubertino, "sapete quanto poco ami il papa, ma su questo devo difenderlo! È una calunnia messa in giro ad Avignone, non ho mai visto questa costituzione!"

"C'è," affermò vigorosamente Girolamo. "Neppure io l'ho vista, ma c'è."

Ubertino scosse la testa e gli altri tacquero. Mi avvidi che erano abituati a non prendere troppo sul serio messer Girolamo, che l'altro giorno Guglielmo aveva definito uno sciocco. Guglielmo in ogni caso cercò di riprendere la conversazione: "In ogni caso, vero o falso che sia, questa voce ci dice di quale sia il clima morale di Avignone, dove chiunque, sfruttati e sfruttatori, sanno di vivere più in un mercato che nella corte di un rappresentante di Cristo. Quando Giovanni è salito in trono si parlava di un tesoro di settantamila fiorini d'oro, e ora c'è chi dice che ne abbia ammassati più di dieci milioni."

"È vero," disse Ubertino. "Michele, Michele, non sai che vergogne ho dovuto vedere ad Avignone!"

"Cerchiamo di essere onesti," disse Michele. "Sappiamo che anche i nostri hanno commesso degli eccessi. Ho avuto notizie di francescani che attaccavano in armi i conventi domenicani e denudavano i frati nemici per imporre loro la povertà... È per questo che non osai oppormi a Giovanni ai tempi dei casi di Provenza... Voglio addivenire con lui a un accordo, non umilierò il suo orgoglio, gli chiederò solo che non umilii la nostra umiltà. Non gli parlerò di danaro, gli chiederò solo di consentire con una sana interpretazione delle scritture. E questo dovremo fare coi legati suoi, domani. Alla fin fine sono uomini di teologia, e non tutti saranno rapaci come Giovanni. Quando degli uomini saggi avranno deliberato su un'interpretazione scritturale, egli non potrà..."

"Egli?" interruppe Ubertino. "Ma tu non conosci ancora le sue follie in campo teologico. Egli vuole legare davvero tutto di sua mano, in cielo e in terra. In terra abbiamo visto cosa fa. Quanto al cielo... Ebbene, egli non ha ancora espresso le idee che ti dico, non pubblicamente almeno, ma io so di certo che ne ha mormorato coi suoi fidi. Egli sta elaborando alcune proposizioni folli, se non perverse, che cambierebbero la sostanza stessa della dottrina, e toglierebbero ogni forza alla nostra predicazione!"

"Quali?" domandarono molti.

"Chiedete a Berengario, egli lo sa, me ne aveva parlato lui." Ubertino si era rivolto a Berengario Talloni, che era stato negli anni scorsi uno dei più decisi avversari del pontefice nella sua stessa corte. Venuto da Avignone, si era da due giorni ricongiunto col gruppo degli altri francescani e con loro era arrivato all'abbazia.

"È una storia oscura e quasi incredibile," disse Berengario. "Pare dunque che Giovanni abbia in mente di sostenere che i giusti non godranno della visione beatifica sino a dopo il Giudizio. È da tempo che sta riflettendo sul versetto nove del capitolo sesto dell'Apocalisse, là dove si parla dell'apertura del quinto sigillo: dove appaiono sotto l'altare quelli che sono stati uccisi per testimoniare la parola di Dio e chiedono giustizia. A ciascuno viene data una veste bianca dicendo loro di pazientare ancora un poco... Segno, ne argomenta Giovanni, che essi non potranno vedere Dio nella sua essenza se non al compimento del giudizio finale."

"Ma a chi ha detto queste cose?" domandò Michele esterrefatto.

"Sinora a pochi intimi, ma la voce si è diffusa, dicono che stia preparando un intervento aperto, non subito, forse tra qualche anno, sta consultandosi coi suoi teologi..."

"Ah ah!" ghignò Girolamo masticando.

"Non solo, sembra che voglia andare oltre e sostenere che neppure l'inferno sarà aperto prima di quel giorno... Nemmeno per i demoni."

"Gesù Signore aiutaci!" esclamò Girolamo. "E cosa racconteremo allora ai peccatori se non possiamo minacciarli di un inferno immediato, subito appena morti!?"

"Siamo nelle mani di un pazzo," disse Ubertino. "Ma non capisco perché voglia sostenere queste cose..."

"Va in fumo tutta la dottrina delle indulgenze," lamentò

Girolamo, "e neppure lui potrà più venderne. Perché un prete che ha peccato di bestialità deve pagare tante lire d'oro per evitare un castigo tanto remoto?"

"Non tanto remoto," disse con forza Ubertino, "i tempi sono vicini!"

"Lo sai tu caro fratello, ma i semplici non lo sanno. Ecco come stanno le cose!" gridò Girolamo che non aveva più l'aria di godere del proprio cibo. "Che idea nefasta, gliela devono aver messa in capo questi frati predicatori... Ah!" e scosse il capo.

"Ma perché?" ripeté Michele da Cesena.

"Non credo ci sia una ragione," disse Guglielmo. "È una prova che egli si concede, un atto d'orgoglio. Vuole essere veramente colui che decide per il cielo e per la terra. Sapevo di queste mormorazioni, me lo aveva scritto Guglielmo di Occam. Vedremo alla fine se la spunterà il papa o la spunteranno i teologi, la voce tutta della chiesa, i desideri stessi del popolo di Dio, i vescovi..."

"Oh, su materie dottrinali egli potrà piegare anche i teologi," disse triste Michele.

"Non è detto," rispose Guglielmo. "Viviamo in tempi in cui i sapienti di cose divine non hanno timore a proclamare che il papa sia un eretico. I sapienti di cose divine sono a loro modo la voce del popolo cristiano. Contro cui neppure il papa potrà ormai andare."

"Peggio, peggio ancora," mormorò Michele spaventato. "Da un lato un papa folle, dall'altro il popolo di Dio che, sia pure per bocca dei suoi teologi, pretenderà tra poco di interpretare liberamente le scritture..."

"Perché, cosa avete fatto voi di diverso a Perugia?" domandò Guglielmo.

Michele si scosse come punto sul vivo: "Per questo voglio incontrare il papa. Nulla noi possiamo su cui anch'egli non concordi."

"Vedremo, vedremo," disse Guglielmo in modo enigmatico.

Il mio maestro era davvero molto acuto. Come faceva a prevedere che Michele stesso avrebbe poi deciso di appoggiarsi ai teologi dell'impero e al popolo per condannare il papa? Come faceva a prevedere che, quando quattro anni dopo Giovanni avrebbe enunciato per la prima volta la sua incredibile dottrina, ci sarebbe stata una sollevazione da parte di tutta la cristianità? Se la visione beatifica era tanto ritardata, come avrebbero potuto i defunti intercedere per i viventi? E dove sarebbe finito il culto dei santi? Proprio i minoriti avrebbero iniziato le ostilità condannando il papa, e Guglielmo di Occam sarebbe stato in prima fila, severo e implacabile nelle sue argomentazioni. La lotta sarebbe durata per tre anni, sinché Giovanni, giunto vicino alla morte, avrebbe fatto parziale ammenda. Lo udii descrivere anni dopo, come apparve nel concistoro del dicembre 1334, più piccolo di quanto fosse mai apparso sino ad allora, rinsecchito dall'età, novantenne e moribondo, pallido in viso, e avrebbe detto (la volpe, così abile nel giocare sulle parole non solo per violare i propri giuramenti ma anche per rinnegare le proprie ostinazioni): "Noi confessiamo e crediamo che le anime separate dal corpo e completamente purificate siano in cielo, in paradiso con gli angeli, e con Gesù Cristo, e che esse vedano Dio nella sua divina essenza, chiaramente e faccia a faccia..." e poi con una pausa, nessuno seppe mai se dovuta alla difficoltà del respiro o alla volontà perversa di sottolineare l'ultima clausola come avversativa, "nella misura in cui lo stato e la condizione dell'anima separata lo permetta." La mattina dopo, era di domenica, si fece mettere su una sedia allungata e dal dorso reclinato, accolse il bacio della mano dai suoi cardinali, e morì.

Ma nuovamente divago, e racconto altre cose da quelle che dovrei raccontare. Anche perché in fondo, il resto di quella conversazione a tavola non aggiunge molto alla comprensione delle vicende di cui narro. I minoriti si accordarono sul contegno da tenere per il giorno dopo. Valutarono uno per uno i loro avversari. Commentarono con preoccupazione la notizia, data da Guglielmo, dell'arrivo di Bernardo Gui. E ancora più il fatto che a presiedere la legazione avignonese sarebbe stato il cardinal Bertrando del Poggetto. Due inquisitori erano troppi: segno che si voleva usare contro i minoriti l'argomento dell'eresia.

"Tanto peggio," disse Guglielmo, "noi tratteremo da eretici loro."

"No, no," disse Michele, "procediamo con cautela, non dobbiamo compromettere alcun accordo possibile."

"Per quanto riesco a pensare," disse Guglielmo, "pur avendo lavorato per la realizzazione di questo incontro, e tu lo sai Michele, io non credo che gli avignonesi vengano qui per trarne alcun risultato positivo. Giovanni ti vuole ad Avignone solo e non garantito. Ma l'incontro avrà almeno una funzione, di farti capire questo. Sarebbe stato peggio se tu fossi andato prima di avere questa esperienza."

"Così tu ti sei dato da fare, e per molti mesi, per realizzare una cosa che credi inutile," disse amaramente Michele.

"Mi era stato richiesto, e da te e dall'imperatore," disse Guglielmo. "E infine, non è mai inutile conoscere meglio i propri nemici."

A quel punto vennero ad avvertirci che stava entrando entro le mura la seconda delegazione. I minoriti si alzarono e andarono incontro agli uomini del papa.

NONA

Dove arrivano il cardinale del Poggetto, Bernardo Gui e gli altri uomini di Avignone, e poi ciascuno fa cose diverse.

Uomini che già si conoscevano da tempo, uomini che senza conoscersi avevano udito parlare l'uno dell'altro, si salutavano nella corte con apparente mansuetudine. Al fianco dell'Abate il cardinal Bertrando del Poggetto si muoveva come chi abbia familiarità col potere, quasi che fosse un secondo pontefice egli stesso, e distribuiva a tutti, specie ai minoriti, cordiali sorrisi, auspicando mirabili intese dall'incontro del giorno dopo, e recando esplicitamente i voti di pace e bene (usò intenzionalmente questa espressione cara ai francescani) da parte di Giovanni XXII.

"Bravo, bravo," disse a me, quando Guglielmo ebbe la bontà di presentarmi come suo scrivano e discepolo. Poi mi chiese se conoscessi Bologna e me ne lodò la bellezza, il buon cibo e la splendida università, invitandomi a visitarla, invece di tornare un giorno, mi disse, tra quelle mie genti tedesche che stavano facendo tanto soffrire il nostro signor papa. Poi mi porse l'anello da baciare mentre già volgeva il suo sorriso verso qualcun altro.

D'altra parte la mia attenzione si rivolse subito al personaggio di cui più avevo udito parlare in quei giorni: Bernardo Gui, come lo chiamavano i francesi, o Bernardo Guidoni o Bernardo Guido come lo chiamavano altrove.

Era un domenicano di circa settant'anni, esile ma diritto nella figura. Mi colpirono i suoi occhi grigi, freddi, capaci di fissare senza espressione, e che molte volte avrei visto invece balenare di lampi equivoci, abile sia nel celare pensieri e passioni che nell'esprimerli a bella posta.

Nello scambio generale dei saluti, non fu come gli altri affettuoso o cordiale, ma sempre e appena appena cortese. Quando vide Ubertino, che già conosceva, fu con lui molto deferente, ma lo fissò in modo tale da indurre in me un brivido di inquietudine. Quando salutò Michele da Cesena ebbe un sorriso difficile da decifrare, e mormorò senza calore: "Lassù vi si attende da molto tempo", frase in cui non riuscii a cogliere né un cenno d'ansia, né un'ombra di ironia, né un'ingiunzione, né peraltro una sfumatura di interesse. Si incontrò con Guglielmo, e come apprese chi era lo guardò con educata ostilità: ma non perché il volto tradisse i suoi sentimenti segreti, ne ero certo (anche se ero incerto se egli mai nutrisse sentimento alcuno), ma perché certamente voleva che Guglielmo lo sentisse ostile. Guglielmo ricambiò la sua ostilità sorridendogli in modo esageratamente cordiale e dicendogli: "Da tempo desideravo conoscere un uomo la cui fama mi è stata di lezione e di monito per tante importanti decisioni che hanno ispirato la mia vita." Sentenza senz'altro elogiativa e quasi adulatoria per chi non sapesse, come invece Bernardo sapeva bene, che una delle decisioni più importanti della vita di Guglielmo era stata quella di abbandonare il mestiere dell'inquisitore. Ne trassi l'impressione che, se Guglielmo avrebbe visto volentieri Bernardo in qualche segreta imperiale, Bernardo certamente avrebbe visto con favore Guglielmo colto da morte accidentale e subitanea; e siccome Bernardo aveva al proprio comando in quei giorni uomini d'arme, temetti per la vita del mio buon maestro.

Bernardo doveva già essere stato informato dall'Abate circa i delitti commessi all'abbazia. Infatti, fingendo di non raccogliere il veleno contenuto nella frase di Guglielmo, gli disse: "Pare che in questi giorni, per richiesta dell'Abate, e per assolvere il compito affidatomi ai termini dell'accordo che ci vede qui riuniti, dovrò occuparmi di vicende tristissime in cui si avverte il pestifero odore del demonio. Ve ne parlo perché so che in tempi lontani, in cui mi sareste stato più vicino, anche voi accanto a me — e a quelli come me — vi siete battuto su quel campo che vedeva confrontate a battaglia le schiere del bene contro le schiere del male."

"Infatti," disse quietamente Guglielmo, "ma poi io sono passato dall'altra parte."

Bernardo sostenne bravamente il colpo: "Potete dirmi qualcosa di utile su queste cose delittuose?"

"Sfortunatamente no," rispose civilmente Guglielmo. "Non ho la vostra esperienza in cose delittuose."

Da quel momento in poi persi le tracce di ciascuno. Guglielmo, dopo un'altra conversazione con Michele e Ubertino, si ritirò nello scriptorium. Chiese a Malachia di poter esaminare certi libri e non giunsi a sentirne il titolo. Malachia lo guardò in modo strano, ma non poté negarglieli. Caso curioso, non dovette cercarli in biblioteca. Erano già tutti sul tavolo di Venanzio. Il mio maestro si immerse nella lettura e decisi di non disturbarlo.

Scesi in cucina. Lì vidi Bernardo Gui. Forse voleva rendersi conto della disposizione dell'abbazia e girava dappertutto. Lo udii che interrogava i cucinieri e altri servi, parlando bene o male il volgare del luogo (mi ricordai che era stato inquisitore in Italia settentrionale). Mi parve domandasse informazioni sui raccolti, sull'organizzazione del lavoro nel monastero. Ma anche ponendo le questioni più innocenti, guardava il suo interlocutore con occhi penetranti, poi poneva di colpo una nuova domanda, e a questo punto la sua vittima impallidiva e balbettava. Ne conclusi che, in qualche modo singolare, egli stava inquisendo, e si avvaleva di un'arma formidabile che ogni inquisitore nell'esercizio della sua funzione possiede e manovra: la paura dell'altro. Perché ogni inquisito di solito dice all'inquisitore, per il timore di essere sospettato di qualcosa, ciò che può servire a rendere sospetto qualcun altro.

Per tutto il resto del pomeriggio, a mano a mano che mi muovevo, vidi Bernardo procedere così, vuoi presso i mulini, vuoi nel chiostro. Ma quasi mai affrontò dei monaci, sempre dei fratelli laici o dei contadini. Il contrario di quanto aveva fatto sino ad allora Guglielmo.

VESPRI

Dove Alinardo sembra dare informazioni preziose e Guglielmo rivela il suo metodo per arrivare a una verità probabile attraverso una serie di sicuri errori.

Più tardi Guglielmo discese dallo scriptorium di buon umore. Mentre attendevamo che si facesse l'ora di cena trovammo nel chiostro Alinardo. Ricordando la sua richiesta, sin dal giorno prima mi ero procurato dei ceci in cucina, e gliene offrii. Mi ringraziò infilandoseli nella bocca sdentata e bavosa. "Hai visto ragazzo," mi disse, "anche l'altro cadavere giaceva là dove il libro lo annunziava... Attendi ora la quarta tromba!"

Gli chiesi come mai pensava che la chiave per la sequenza dei crimini stesse nel libro della rivelazione. Mi guardò stupito: "Il libro di Giovanni offre la chiave di tutto!" E aggiunse, con una smorfia di rancore: "Io lo sapevo, io lo dicevo da gran tempo... Fui io, sai, a proporre all'Abate... quello di allora, di raccogliere quanti più commenti all'Apocalisse fosse possibile. Io dovevo diventare bibliotecario... Ma poi l'altro riuscì a farsi mandare a Silos, dove trovò i manoscritti più belli, e tornò con un bottino splendido... Oh, lui sapeva dove cercare, parlava anche la lingua degli infedeli... E così egli ricevette la biblioteca in custodia, e non io. Ma Dio lo punì, e lo fece entrare anzitempo nel regno delle tenebre. Ah, ah..." rise in modo cattivo, quel vecchio che sino ad allora mi era parso, immerso nella serenità della sua canizie, simile a un fanciullo innocente.

"Chi era quello di cui parlate?" chiese Guglielmo.

Ci guardò attonito. "Di chi parlavo? Non ricordo... fu tanto tempo fa. Ma Dio punisce, Dio cancella, Dio oscura anche i ricordi. Molti atti di superbia furono commessi nella biblioteca. Specie da quando cadde in mano agli stranieri. Dio punisce ancora..."

Non riuscimmo a trargli altre parole e lo abbandonammo

al suo queto e rancoroso delirio. Guglielmo si disse molto interessato da quel colloquio: "Alinardo è un uomo da ascoltare, ogni volta che parla dice qualcosa d'interessante."

"Cosa ha detto questa volta?"

"Adso," disse Guglielmo, "risolvere un mistero non è la stessa cosa che dedurre da principi primi. E non equivale neppure a raccogliere tanti dati particolari per poi inferirne una legge generale. Significa piuttosto trovarsi di fronte a uno, o due, o tre dati particolari che apparentemente non hanno nulla in comune, e cercare di immaginare se possano essere tanti casi di una legge generale che non conosci ancora, e che forse non è mai stata enunciata. Certo, se sai, come dice il filosofo, che l'uomo, il cavallo e il mulo sono tutti senza fiele e tutti vivono a lungo, puoi tentare di enunciare il principio per cui gli animali senza fiele vivono a lungo. Ma immagina il caso degli animali con le corna. Perché hanno le corna? Improvvisamente ti accorgi che tutti gli animali con le corna non hanno denti nella mandibola superiore. Sarebbe una bella scoperta, se non ti rendessi conto che, ahimè, ci sono animali senza denti nella mandibola superiore e che tuttavia non hanno le corna, come il cammello. Infine ti accorgi che tutti gli animali senza denti nella mandibola superiore hanno due stomaci. Bene, puoi immaginare che chi non ha denti sufficienti mastichi male e dunque abbia bisogno di due stomaci per poter digerire meglio il cibo. Ma le corna? Allora provi a immaginare una causa materiale delle corna, per cui la mancanza di denti provvede l'animale con una eccedenza di materia ossea che deve spuntare da qualche altra parte. Ma è una spiegazione sufficiente? No, perché il cammello non ha denti superiori, ha due stomaci, ma non le corna. E allora devi immaginare anche una causa finale. La materia ossea fuoriesce in corna solo negli animali che non hanno altri mezzi di difesa. Invece il cammello ha una pelle durissima e non ha bisogno delle corna. Allora la legge potrebbe essere..."

"Ma cosa c'entrano le corna?" domandai con impazienza, "e perché vi occupate di animali con le corna?"

"Io non me ne sono mai occupato, ma il vescovo di Lincoln se ne era occupato molto, seguendo una idea di Aristotele. Onestamente, io non so se le ragioni che ha trovato siano quelle buone, né ho mai controllato dove il cammello abbia i denti e quanti stomaci abbia: ma era per dirti che la ricerca delle leggi esplicative, nei fatti naturali, procede in modo tortuoso. Di fronte ad alcuni fatti inspiegabili tu devi provare a immaginare molte leggi generali, di cui non vedi ancora la connessione coi fatti di cui ti occupi: e di colpo, nella connessione improvvisa di un risultato, un caso e una legge, ti si profila un ragionamento che ti pare più convincente degli altri. Provi ad applicarlo a tutti i casi simili, a usarlo per trarne previsioni, e scopri che avevi indovinato. Ma sino alla fine non saprai mai quali predicati introdurre nel tuo ragionamento e quali lasciar cadere. E così faccio ora io. Allineo tanti elementi sconnessi e fingo delle ipotesi. Ma ne devo fingere molte, e numerose sono quelle così assurde che mi vergognerei di dirtele. Vedi, nel caso del cavallo Brunello, quando vidi le tracce, io finsi molte ipotesi complementari e contraddittorie: poteva essere un cavallo in fuga, poteva essere che su quel bel cavallo l'Abate fosse sceso lungo il pendio, poteva essere che un cavallo Brunello avesse lasciato i segni sulla neve e un altro cavallo Favello, il giorno prima, i crini nel cespuglio, e che i rami fossero stati spezzati da degli uomini. Io non sapevo quale fosse l'ipotesi giusta sino a che non vidi il cellario e i servi che cercavano con ansia. Allora capii che l'ipotesi di Brunello era la sola buona, e cercai di provare se fosse vera, apostrofando i monaci come feci. Vinsi, ma avrei anche potuto perdere. Gli altri mi hanno creduto saggio perché ho vinto, ma non conoscevano i molti casi in cui sono stato stolto perché ho perso, e non sapevano che pochi secondi prima di vincere io non ero sicuro che non avessi perduto. Ora, sui casi dell'abbazia, ho molte belle ipotesi, ma non c'è nessun fatto evidente che mi permetta di dire quale sia la migliore. E allora, per non apparire sciocco dopo, rinuncio ad apparire astuto ora. Lasciami ancora pensare, sino a domani, almeno.''

Capii in quel momento quale fosse il modo di ragionare del mio maestro, e mi parve assai difforme da quello del filosofo che ragiona sui principi primi, così che il suo intelletto assume quasi i modi dell'intelletto divino. Capii che, quando non aveva una risposta, Guglielmo se ne proponeva molte e diversissime tra loro. Rimasi perplesso.

''Ma allora,'' ardii commentare, ''siete ancora lontano dalla soluzione...''

''Ci sono vicinissimo,'' disse Guglielmo, ''ma non so a quale.''

''Quindi non avete una sola risposta alle vostre domande?''

''Adso, se l'avessi insegnerei teologia a Parigi.''

''A Parigi hanno sempre la risposta vera?''

"Mai," disse Guglielmo, "ma sono molto sicuri dei loro errori."

"E voi," dissi con infantile impertinenza, "non commettete mai errori?"

"Spesso," rispose. "Ma invece di concepirne uno solo ne immagino molti, così non divento schiavo di nessuno."

Ebbi l'impressione che Guglielmo non fosse affatto interessato alla verità, che altro non è che l'adeguazione tra la cosa e l'intelletto. Egli invece si divertiva a immaginare quanti più possibili fosse possibile.

In quel momento, lo confesso, disperai del mio maestro e mi sorpresi a pensare: "Meno male che è arrivata l'inquisizione." Parteggiai per la sete di verità che animava Bernardo Gui.

E con queste colpevoli disposizioni di spirito, più turbato di Giuda la notte del giovedì santo, entrai con Guglielmo nel refettorio a consumare la cena.

COMPIETA

Dove Salvatore parla di una magìa portentosa.

La cena per la legazione fu superba. L'Abate doveva conoscere molto bene e le debolezze degli uomini e gli usi della corte papale (che non dispiacquero, debbo dirlo, neppure ai minoriti di fra Michele). I maiali ammazzati da poco, ci doveva essere del sanguinaccio all'uso di Montecassino, ci disse il cuciniere. Ma la sciagurata fine di Venanzio aveva costretto a buttare tutto il sangue dei maiali, sino a che non si fosse proceduto a scannarne d'altri. Inoltre credo che in quei giorni ripugnasse a tutti uccidere creature del Signore. Ma avemmo del salmì di piccioncini, macerato nel vino di quelle terre, e coniglio in porchetta, pagnottini di santa Chiara, riso con le mandorle di quei monti, ovvero il biancomangiare delle vigilie, crostini di borragine, ulive ripiene, formaggio fritto, carne di pecora con salsa cruda di peperoni, fave bianche, e dolciumi squisiti, dolce di san Bernardo, paste di san Niccolò, occhietti di santa Lucia, e vini, e liquori d'erbe che misero di buon umore persino Bernardo Gui, di solito così austero: liquore di citronella, nocino, vino contro la gotta e vino di genziana. Sembrava una riunione di ghiottoni, se ogni sorsata o ogni boccone non fosse stato accompagnato da devote letture.

Alla fine tutti si alzarono molto lieti, alcuni accampando vaghi malori per non scendere a compieta. Ma l'Abate non se ne adontò. Non tutti hanno il privilegio e gli obblighi che conseguono all'essersi consacrati al nostro ordine.

Mentre i monaci si avviavano mi attardai curioso per la cucina, dove stavano apparecchiando per la chiusura notturna. Vidi Salvatore che sgattaiolava verso l'orto con un fagotto in braccio. Incuriosito lo seguii e lo chiamai. Egli cercò di schermirsi, poi alle mie domande rispose che recava nel fagotto (che si muoveva come abitato da cosa viva) un basilisco.

"Cave basilischium! Est lo reys dei serpenti, tant pleno del veleno che ne riluce tuto fuori! Che dicam, il veleno, il puzzo ne vien fuori che te ancide! Ti attosca... Et ha macule bianche sul dosso, et caput come gallo, et metà va dritta sopre la terra et metà va per terra come gli altri serpentes. E lo ancide la bellula..."

"La bellula?"

"Oc! Bestiola parvissima est, più lunga alguna cosa che 'l topo, et odiala 'l topo muchissimo. E assì la serpe et la botta. Et quando loro la mordono, la bellula corre alla fenicula o a la circerbita e ne dentecchia, et redet ad bellum. Et dicunt che ingenera per li oculi, ma li più dicono ch'elli dicono falso."

Gli chiesi cosa facesse con un basilisco e disse che erano affari suoi. Gli dissi, ormai morso dalla curiosità, che in quei giorni, con tutti quei morti, non c'erano più affari segreti, e che ne avrei parlato a Guglielmo. Allora Salvatore mi pregò ardentemente di tacere, aprì il fagotto e mi mostrò un gatto di pelo nero. Mi tirò vicino a sé e mi disse con un sorriso osceno che non voleva più che il cellario o io, perché eravamo l'uno potente e l'altro giovane e bello, potessimo avere l'amore delle ragazze del villaggio, e lui no perché era brutto e poveretto. Che conosceva una magìa portentosissima per far cadere ogni donna presa d'amore. Bisognava uccidere un gatto nero e cavargli gli occhi, poi metterli dentro due uova di gallina nera, un occhio in un uovo, un occhio nell'altro (e mi mostrò due uova che assicurò aver tratto dalle galline giuste). Poi occorreva mettere le uova a marcire dentro un mucchio di sterco di cavallo (e ne aveva approntato uno proprio in un angolino dell'orto dove non passava mai nessuno), e di lì ne sarebbe nato, per ciascun uovo, un diavoletto, che poi si sarebbe messo al suo servizio procurandogli tutte le delizie di questo mondo. Ma ahimè, mi disse, perché la magìa riuscisse occorreva che la donna, di cui voleva l'amore, sputasse sulle uova prima che fossero seppellite nello sterco, e quel problema lo angustiava, perché bisognava avere accanto, quella notte, la donna in questione, e farle fare l'ufficio suo senza che lei sapesse a cosa servìva.

Fui preso da subita vampa, al viso, o alle viscere, o in tutto il corpo, e chiesi con un filo di voce se quella notte avrebbe portato nella cinta la ragazza della notte avanti. Lui rise, schernendomi, e disse che ero proprio in preda a una

311

gran foia (io dissi di no, che chiedevo per pura curiosità), e poi mi disse che al villaggio di donne ce n'erano tante, e che ne avrebbe portata su un'altra, più bella ancora di quella che piaceva a me. Io supposi che mi mentisse per allontanarmi da lui. E d'altra parte che avrei potuto fare? Seguirlo per tutta la notte quando Guglielmo mi attendeva per ben altre imprese? E tornare a rivedere colei (se pure di essa si trattava) verso cui i miei appetiti mi spingevano mentre la mia ragione me ne distoglieva — e che non avrei dovuto vedere mai più anche se desideravo sempre vederla ancora? Certo no. E quindi convinsi me stesso che Salvatore diceva il vero, per quanto riguardava la donna. O che forse mentiva su tutto, che la magìa di cui parlava era una fantasia della sua mente ingenua e superstiziosa, e che non ne avrebbe fatto nulla.

Mi irritai con lui, lo trattai rudemente, gli dissi che per quella notte avrebbe fatto meglio ad andare a dormire, perché gli arcieri circolavano nella cinta. Egli rispose che conosceva l'abbazia meglio degli arcieri, e che con quella nebbia nessuno avrebbe visto nessuno. Anzi, mi disse, ora io scappo, e neppure ¹u mi vedrai più, anche se fossi lì a due passi a sollazzarmi con la ragazza che desideri. Lui si espresse con altre parole, assai più ignobili, ma questo era il senso di quanto diceva. Mi allontanai sdegnato, perché proprio non era da me, nobile e novizio, mettermi in certame con quella canaglia.

Raggiunsi Guglielmo e facemmo quello che si doveva. Cioè ci disponemmo a seguir compieta, indietro nella navata, in modo che quando l'ufficio finì eravamo pronti per intraprendere il nostro secondo viaggio (terzo per me) nelle viscere del labirinto.

Quarto giorno
DOPO COMPIETA

Dove si visita di nuovo il labirinto, si arriva alla soglia del finis Africae ma non ci si può entrare perché non si sa cosa siano il primo e il settimo dei quattro, e infine Adso ha una ricaduta, peraltro assai dotta, nella sua malattia d'amore.

La visita in biblioteca ci portò via lunghe ore di lavoro. A parole il controllo che dovevamo fare era facile, ma procedere al lume della lucerna, leggere le scritte, segnare sulla mappa i varchi e le pareti piene, registrare le iniziali, compiere i vari percorsi che il gioco delle aperture e degli sbarramenti ci consentivano, fu cosa assai lunga. E noiosa.

Faceva molto freddo. La notte non era ventosa e non si udivano quei sibili sottili che ci avevano impressionato la prima sera, ma dalle feritoie penetrava un'aria umida e gelida. Avevamo messo dei guanti di lana per poter toccare i volumi senza che le mani si intirizzissero. Ma erano appunto di quelli che si usavano per scrivere d'inverno, con la punta delle dita scoperte, e talora dovevamo avvicinare le mani alla fiamma, o metterle nel petto, o batterle l'una contro l'altra, saltellando intirizziti.

Per questo non compimmo tutta l'opera di seguito. Ci fermavamo a curiosare negli armaria, e ora che Guglielmo — coi suoi nuovi vetri sul naso — poteva attardarsi a leggere i libri, a ogni titolo che scopriva prorompeva in esclamazioni di allegrezza, o perché conosceva l'opera, o perché da tempo la cercava o infine perché non l'aveva mai sentita menzionare ed era oltremodo eccitato e incuriosito. Insomma, ogni libro era per lui come un animale favoloso che egli incontrasse in una terra sconosciuta. E mentre lui sfogliava un manoscritto, mi ingiungeva di cercarne altri.

"Guarda cosa c'è in quell'armadio!"

E io, compitando e spostando volumi: "*Historia anglorum* di Beda... E sempre di Beda *De aedificatione templi, De tabernaculo, De temporibus et computo et chronica et circuli Dionysi, Ortographia, De ratione metrorum, Vita Sancti Cuthberti, Ars metrica...*"

313

"È naturale, tutte le opere del Venerabile... E guarda questi! *De rhetorica cognatione*, *Locorum rhetoricorum distinctio*, e qui tanti grammatici, Prisciano, Onorato, Donato, Massimo, Vittorino, Eutiche, Foca, Asper... Strano, pensavo a tutta prima che qui ci fossero autori dell'Anglia... Guardiamo più sotto..."

"*Hisperica... famina*. Cos'è?"

"Un poema ibernico. Ascolta:

> Hoc spumans mundanas obvallat Pelagus oras
> terrestres amniosis fluctibus cudit margines.
> Saxeas undosis molibus irruit avionias.
> Infima bomboso vertice miscet glareas
> asprifero spergit spumas sulco,
> sonoreis frequenter quatitur flabris...

Io non capivo il senso, ma Guglielmo leggeva facendo rotolare le parole nella bocca in modo tale che pareva di udire il suono delle onde e della spuma marina.

"E questo? È Aldhelm di Malmesbury, sentite questa pagina: *Primitus pantorum procerum poematorum pio potissimum paternoque presertim privilegio panegiricum poemataque passim prosatori sub polo promulgatas*... Le parole cominciano tutte con la stessa lettera!"

"Gli uomini delle mie isole sono tutti un poco pazzi," diceva Guglielmo con orgoglio. "Guardiamo nell'altro armadio."

"Virgilio."

"Come mai qui? Virgilio cosa? Le *Georgiche*?"

"No. *Epitomi*. Non ne avevo mai sentito parlare."

"Ma non è il Marone! È Virgilio di Tolosa, il retore, sei secoli dopo la nascita di Nostro Signore. Fu reputato un gran saggio..."

"Qui dice che le arti sono poema, rethoria, grama, leporia, dialecta, geometria... Ma che lingua parla?"

"Latino, ma un latino di sua invenzione, che egli reputava assai più bello. Leggi qui: dice che l'astronomia studia i segni dello zodiaco che sono mon, man, tonte, piron, dameth, perfellea, belgalic, margaleth, lutamiron, taminon e raphalut."

"Era matto?"

"Non lo so, non era delle mie isole. Senti ancora, dice che ci sono dodici modi di designare il fuoco, ignis, coquihabin (quia incocta coquendi habet dictionem), ardo, calax ex calore, fragon ex fragore flammae, rusin de rubore, fumaton, ustrax de urendo, vitius quia pene mortua membra suo vivificat, siluleus, quod de silice siliat, unde et silex non recte dicitur, nisi ex qua scintilla silit. E aeneon, de Aenea deo, qui in eo habitat, sive a quo elementis flatus fertur.''

''Ma non c'è nessuno che parla così!''

''Fortunatamente. Ma erano tempi in cui, per dimenticare un mondo cattivo, i grammatici si dilettavano di astruse questioni. Mi dissero che a quell'epoca per quindici giorni e quindici notti i retori Gabundus e Terentius discussero sul vocativo di *ego*, e infine vennero alle armi.''

''Ma anche questo, sentite...'' avevo afferrato un libro meravigliosamente miniato con labirinti vegetali dai cui viticci si affacciavano scimmie e serpenti. ''Sentite che parole: cantamen, collamen, gongelamen, stemiamen, plasmamen, sonerus, alboreus, gaudifluus, glaucicomus...''

''Le mie isole,'' disse di nuovo con tenerezza Guglielmo. ''Non essere severo con quei monaci della lontana Hibernia, forse, se esiste questa abbazia, e se parliamo ancora di sacro romano impero, lo dobbiamo a loro. A quel tempo il resto dell'Europa era ridotto a un ammasso di rovine, un giorno dichiararono invalidi i battesimi impartiti da alcuni preti nelle Gallie perché vi si battezzava *in nomine patris et filiae*, e non perché praticassero una nuova eresia e considerassero Gesù una donna, ma perché non sapevano più il latino.''

''Come Salvatore?''

''Più o meno. I pirati dell'estremo nord arrivavano lungo i fiumi a saccheggiare Roma. I templi pagani cadevano in rovina e quelli cristiani non esistevano ancora. E furono solo i monaci dell'Hibernia che nei loro monasteri scrissero e lessero, lessero e scrissero, e miniarono, e poi si gettarono su navicelle fatte di pelle d'animale e navigarono verso queste terre e le evangelizzarono come foste infedeli, capisci? Sei stato a Bobbio, è stato fondato da san Colombano, uno di costoro. E dunque lasciali stare se inventavano un latino nuovo, visto che in Europa non si sapeva più quello vecchio. Furono uomini grandi. San Brandano arrivò sino alle isole Fortunate, e costeggiò le coste dell'inferno dove vide Giuda incatenato su uno scoglio, e un giorno approdò su un'isola e vi scese, ed era un mostro marino. Naturalmente erano pazzi,'' ripeté con soddisfazione.

''Le loro immagini sono... da non credere ai miei occhi! E quanti colori!'' dissi, beandomi.

''In una terra che di colori ne ha pochi, un po' di azzurro

e tanto verde. Ma non stiamo a discutere dei monaci hiberni. Quello che voglio sapere è perché sono qui con gli angli e con grammatici di altri paesi. Guarda sulla tua mappa, dove dovremmo essere?"

"Nelle stanze del torrione occidentale. Ho trascritto anche i cartigli. Dunque, uscendo dalla stanza cieca si entra nella sala eptagonale e c'è un solo passaggio a una sola stanza del torrione, la lettera in rosso è H. Poi si passa di stanza in stanza facendo il giro del torrione e si torna alla stanza cieca. La sequenza delle lettere dà... avete ragione! HIBERNI!"

"HIBERNIA, se dalla stanza cieca torni nella eptagonale, che ha come tutte le altre tre la A di Apocalypsis. Perciò vi sono le opere degli autori dell'ultima Thule, e anche i grammatici e i retori, perché gli ordinatori della biblioteca han pensato che un grammatico deve stare coi grammatici hiberni, anche se è di Tolosa. È un criterio. Vedi che cominciamo a capire qualcosa?"

"Ma nelle stanze del torrione orientale da cui siamo entrati abbiamo letto FONS... Cosa significa?"

"Leggi bene la tua mappa, continua a leggere le lettere delle sale che seguono per ordine di accesso."

"FONS ADAEU..."

"No, Fons Adae, la U è la seconda stanza cieca orientale, la ricordo, forse si inserisce in un'altra sequenza. E cosa abbiamo trovato al Fons Adae, e cioè nel paradiso terrestre (ricordati che ivi è la stanza con l'altare che dà verso il levar del sole)?"

"C'erano tante bibbie, e commenti alla bibbia, solo libri di scritture sacre."

"E dunque vedi, la parola di Dio in corrispondenza al paradiso terrestre, che come tutti dicono è lontano verso oriente. E qui a occidente l'Hibernia."

"Dunque il tracciato della biblioteca riproduce la mappa dell'universo mondo?"

"È probabile. E i libri vi sono collocati secondo i paesi di provenienza, o il luogo dove nacquero i loro autori o, come in questo caso, il luogo dove avrebbero dovuto nascere. I bibliotecari si son detti che Virgilio il grammatico è nato per sbaglio a Tolosa e avrebbe dovuto nascere nelle isole occidentali. Hanno risistemato gli errori della natura."

Proseguimmo il nostro cammino. Passammo per una sequenza di sale ricche di splendide Apocalissi, e una di queste era la stanza dove avevo avuto le visioni. Anzi, da lontano vedemmo di nuovo il lume, Guglielmo si turò il naso e corse a spegnerlo, sputando sulle ceneri. E ad ogni buon conto traversammo la stanza in fretta, ma ricordavo che vi avevo visto la bellissima Apocalisse multicolore con la mulier amicta sole e il drago. Ricostruimmo la sequenza di queste sale a partire dall'ultima a cui accedemmo e che aveva come iniziale in rosso una Y. La lettura all'indietro diede la parola YSPANIA, ma l'ultima A era la stessa su cui terminava HIBERNIA. Segno, disse Guglielmo, che rimanevano delle stanze in cui si raccoglievano opere di carattere misto.

In ogni caso la zona denominata YSPANIA ci parve popolata di molti codici dell'Apocalisse, tutti di bellissima fattura, che Guglielmo riconobbe come arte ispanica. Rilevammo che la biblioteca aveva forse la più ampia raccolta di copie del libro dell'apostolo che esistesse nella cristianità, e una quantità immensa di commenti su quel testo. Volumi enormi erano dedicati al commentario sull'Apocalisse di Beato di Liébana, e il testo era più o meno sempre lo stesso, ma trovammo una fantastica varietà di variazioni nelle immagini e Guglielmo riconobbe la menzione di alcuni tra coloro che egli riteneva tra i massimi miniatori del regno delle Asturie, Magius, Facundus e altri.

Facendo queste e altre osservazioni pervenimmo al torrione meridionale, nei cui pressi eravamo già passati la sera precedente. La stanza S di YSPANIA — senza finestre — immetteva in una stanza E e via via girando le cinque stanze del torrione arrivammo all'ultima, senza altri varchi, che recava una L in rosso. Rileggemmo al contrario e trovammo LEONES.

"Leones, meridione, nella nostra mappa siamo in Africa, hic sunt leones. E questo spiega perché vi abbiamo trovato tanti testi di autori infedeli."

"E altri ve ne sono," dissi frugando negli armadi. "*Canone* di Avicenna, e questo bellissimo codice in calligrafia che non conosco..."

"A giudicare dalle decorazioni dovrebbe essere un corano, ma purtroppo non conosco l'arabo."

"Il corano, la bibbia degli infedeli, un libro perverso..."

"Un libro che contiene una saggezza diversa dalla nostra. Ma comprendi perché lo abbiano posto qui, dove stanno i leoni, i mostri. Ecco perché vi abbiamo visto quel libro sulle bestie mostruose dove hai trovato anche l'unicorno. Questa zona detta LEONES contiene quelli che per i costruttori della biblioteca erano i libri della menzogna. Cosa c'è laggiù?"

"Sono in latino, ma dall'arabo. Ayyub al Ruhawi, un

trattato sull'idrofobia canina. E questo è un libro dei tesori. E questo il *De aspectibus* di Alhazen...''

''Vedi, hanno posto tra i mostri e le menzogne anche opere di scienza da cui i cristiani hanno tanto da imparare. Così si pensava ai tempi in cui la biblioteca fu costituita...''

''Ma perché hanno posto tra le falsità anche un libro con l'unicorno?'' domandai.

''Evidentemente i fondatori della biblioteca avevano strane idee. Avran ritenuto che questo libro che parla di bestie fantastiche e che vivono in paesi lontani facesse parte del repertorio di menzogne diffuso dagli infedeli...''

''Ma l'unicorno è una menzogna? È un animale dolcissimo e altamente simbolico. Figura di Cristo e della castità, esso può essere catturato solo ponendo una vergine nel bosco, in modo che l'animale sentendone l'odore castissimo vada ad adagiarle il capo in grembo, offrendosi preda ai lacciuoli dei cacciatori.''

''Così si dice, Adso. Ma molti inclinano a ritenere che sia una invenzione favolistica dei pagani.''

''Che delusione,'' dissi. ''Mi sarebbe piaciuto incontrarne uno attraversando un bosco. Altrimenti che piacere c'è ad attraversare un bosco?''

''Non è detto che non esista. Forse è diverso da come lo rappresentano questi libri. Un viaggiatore veneziano andò in terre molto lontane, assai vicine al fons paradisi di cui dicono le mappe, e vide unicorni. Ma li trovò rozzi e sgraziati, e bruttissimi e neri. Credo abbia visto delle bestie vere con un corno sulla fronte. Furono probabilmente le stesse che i maestri della sapienza antica, mai del tutto erronea, che ricevettero da Dio l'opportunità di vedere cose che noi non abbiamo visto, ci tramandarono con una prima descrizione fedele. Poi questa descrizione, viaggiando da auctoritas ad auctoritas, si trasformò per successive composizioni della fantasia, e gli unicorni divennero animali leggiadri e bianchi e mansueti. Per cui se saprai che in un bosco vive un unicorno, non andarci con una vergine, perché l'animale potrebbe essere più simile a quello del testimone veneziano che a quello di questo libro.''

''Ma come avvenne che i maestri della sapienza antica ebbero da Dio la rivelazione sulla vera natura dell'unicorno?''

''Non la rivelazione, ma l'esperienza. Ebbero la ventura di nascere in terre in cui vivevano unicorni o in tempi in cui gli unicorni vivevano in queste stesse terre.''

''Ma allora come possiamo fidarci della sapienza antica, di

cui voi ricercate sempre la traccia, se essa ci è trasmessa da libri mendaci che la hanno interpretata con tanta licenza?''

"I libri non sono fatti per crederci, ma per essere sottoposti a indagine. Di fronte a un libro non dobbiamo chiederci cosa dica ma cosa vuole dire, idea che i vecchi commentatori dei libri sacri ebbero chiarissima. L'unicorno così come ne parlano questi libri cela una verità morale, o allegorica, o anagogica, che rimane vera, come rimane vera l'idea che la castità sia una nobile virtù. Ma quanto alla verità letterale che sostiene le altre tre, rimane da vedere da quale dato di esperienza originaria è nata la lettera. La lettera deve essere discussa, anche se il sovrasenso rimane buono. In un libro sta scritto che il diamante si taglia solo col sangue di capro. Il mio grande maestro Ruggiero Bacone disse che non era vero, semplicemente perché lui ci aveva provato, e non c'era riuscito. Ma se il rapporto tra diamante e sangue caprino avesse avuto un senso superiore, questo rimarrebbe intatto.''

"Allora si possono dire verità superiori mentendo quanto alla lettera," dissi. "E però mi dispiace ancora che l'unicorno così com'è non esista, o non sia esistito, o non possa esistere un giorno.''

"Non ci è lecito porre limiti all'onnipotenza divina, e se Dio volesse potrebbero esistere anche gli unicorni. Ma consolati, essi esistono in questi libri, i quali se non parlano dell'essere reale parlano dell'essere possibile.''

"Ma bisogna dunque leggere i libri senza far ricorso alla fede, che è virtù teologale?''

"Rimangono altre due virtù teologali. La speranza che il possibile sia. E la carità, verso chi ha creduto in buona fede che il possibile fosse.''

"Ma cosa serve a voi l'unicorno se il vostro intelletto non vi crede?''

"Serve come mi è servita la traccia dei piedi di Venanzio sulla neve, trascinato al tino dei maiali. L'unicorno dei libri è come una impronta. Se vi è l'impronta deve esserci stato qualcosa di cui è impronta.''

"Ma diverso dall'impronta, mi dite.''

"Certo. Non sempre un'impronta ha la stessa forma del corpo che l'ha impressa e non sempre nasce dalla pressione di un corpo. Talora riproduce l'impressione che un corpo ha lasciato nella nostra mente, è impronta di una idea. L'idea è segno delle cose, e l'immagine è segno dell'idea, segno di un segno. Ma dall'immagine ricostruisco, se non il corpo, l'idea che altri ne aveva.''

"E questo vi basta?"

"No, perché la vera scienza non deve accontentarsi delle i-
dee, che sono appunto segni, ma deve ritrovare le cose nella
loro verità singolare. E dunque mi piacerebbe risalire da
questa impronta di una impronta all'unicorno individuo che
sta all'inizio della catena. Così come mi piacerebbe risalire
dai segni vaghi lasciati dall'assassino di Venanzio (segni che
potrebbero rimandare a molti) a un individuo unico, l'assassino stesso. Ma non sempre è possibile in breve tempo, e
senza la mediazione di altri segni."

"Ma allora posso sempre e solo parlare di qualcosa che mi
parla di qualcosa d'altro e via di seguito, ma il qualcosa finale, quello vero, non c'è mai?"

"Forse c'è, è l'unicorno individuo. E non preoccuparti,
un giorno o l'altro lo incontrerai, per nero e brutto che sia."

"Unicorni, leoni, autori arabi e mori in genere," dissi a
quel punto, "senza dubbio questa è l'Africa di cui parlavano i monaci."

"Senza dubbio è questa. E se è questa dovremmo trovare
i poeti africani a cui accennava Pacifico da Tivoli."

E infatti, rifacendo il cammino a ritroso e tornando nella
stanza L, trovai in un armadio una raccolta di libri di Floro,
Frontone, Apuleio, Marziano Capella e Fulgenzio.

"Quindi è qui che Berengario diceva che avrebbe dovuto
esserci la spiegazione di un certo segreto," dissi.

"Quasi qui. Egli usò l'espressione 'finis Africae', ed è a
questa espressione che Malachia si adontò tanto. Il finis potrebbe essere quest'ultima stanza, oppure..." ebbe una e-
sclamazione: "Per le sette chiese di Clonmacnois! Non hai
notato nulla?"

"Cosa?"

"Torniamo indietro, alla stanza S da cui siamo partiti!"

Tornammo alla prima stanza cieca dove il versetto diceva:
Super thronos viginti quatuor. Essa aveva quattro aperture.
Una dava sulla stanza Y, con finestra sull'ottagono. L'altra
dava sulla stanza P che continuava, lungo la facciata esterna,
la sequenza YSPANIA. Quella verso il torrione immetteva
nella stanza E che avevamo appena percorso. Poi c'era una
parete piena e infine un'apertura che immetteva in una seconda stanza cieca con l'iniziale U. La stanza S era quella
dello specchio, e fortuna che esso si trovava sulla parete immediatamente alla mia destra, altrimenti di nuovo sarei stato
preso da paura.

Guardando bene la mappa mi resi conto della singolarità

di quella stanza. Come tutte le altre stanze cieche degli altri tre torrioni avrebbe dovuto immettere alla stanza eptagonale centrale. Se non lo faceva, l'ingresso all'eptagono avrebbe dovuto aprirsi nella stanza cieca adiacente, la U. Invece questa, che immetteva per un'apertura a una stanza T con finestra sull'ottagono interno, e per l'altra si collegava alla stanza S, aveva le altre tre paréti piene e occupate da armadi. Guardandoci intorno rilevammo quello che ormai era evidente anche dalla mappa: per ragioni di logica oltre che di rigorosa simmetria, quel torrione doveva avere la sua stanza eptagonale, ma essa non c'era.

"Non c'è," dissi.

"Non è che non ci sia. Se non ci fosse, le altre stanze sarebbero più grandi, mentre sono più o meno del formato di quelle degli altri lati. C'è, ma non ci si arriva."

"È murata?"

"Probabilmente. Ed ecco il finis Africae, ecco il luogo intorno a cui si aggiravano quei curiosi che sono morti. È murata, ma non è detto che non vi sia un passaggio. Anzi, sicuramente c'è, e Venanzio lo aveva trovato, o ne aveva avuto la descrizione da Adelmo, e questi da Berengario. Rileggiamo i suoi appunti."

Trasse dal saio la carta di Venanzio e rilesse: "La mano sopra l'idolo opera sul primo e sul settimo dei quattro." Si guardò intorno: "Ma certo! L'idolum è l'immagine dello specchio! Venanzio pensava in greco e in quella lingua, più ancora che nella nostra, *eidolon* è sia immagine che spettro, e lo specchio ci rinvia la nostra immagine deformata che noi stessi, l'altra notte, abbiamo scambiato con uno spettro! Ma cosa saranno allora i quattro *supra speculum*? Qualcosa sopra la superficie riflettente? Ma allora dovremmo porci da un certo punto di vista in modo da poter scorgere qualcosa che si riflette nello specchio e che corrisponde alla descrizione data da Venanzio..."

Ci muovemmo in tutte le direzioni, ma senza risultato. Al di là delle nostre immagini, lo specchio rinviava confusi contorni del resto della sala, a mala pena illuminata dalla lampada.

"Allora," meditava Guglielmo, "per *supra speculum* potrebbe voler intendere al di là dello specchio... Il che importerebbe che prima andassimo al di là, perché certamente questo specchio è una porta..."

Lo specchio era alto più di un uomo normale, incassato nel muro da una robusta cornice di quercia. Lo toccammo in tutte le guise, cercammo di insinuare le nostre dita, le nostre unghie tra la cornice e il muro, ma lo specchio stava saldo come se del muro fosse parte, pietra nella pietra.

"E se non è al di là, potrebbe essere *super speculum*," mormorava Guglielmo, e intanto alzava il braccio e si levava in punta di piedi, e faceva scorrere la mano sul bordo superiore della cornice, senza trovar altro che polvere.

"D'altra parte," rifletteva melanconicamente Guglielmo, "se pure lì dietro ci fosse una stanza, il libro che cerchiamo e che altri cercarono, in quella stanza non c'è più, perché lo hanno portato via, prima Venanzio e poi, chissà dove, Berengario."

"Ma forse Berengario lo ha riportato qui."

"No, quella sera noi eravamo in biblioteca, e tutto ci fa credere che egli sia morto non molto tempo dopo il furto, quella notte stessa nei balnea. Altrimenti lo avremmo rivisto il mattino successivo. Non importa... Per ora abbiamo appurato dove stia il finis Africae e abbiamo quasi tutti gli elementi per perfezionare meglio la mappa della biblioteca. Devi ammettere che molti dei misteri del labirinto si sono ormai chiariti. Tutti, direi, meno uno. Credo che trarrò più partito da una rilettura attenta del manoscritto di Venanzio che da altre ispezioni. Hai visto che il mistero del labirinto lo abbiamo scoperto meglio da fuori che da dentro. Questa sera, di fronte alle nostre immagini distorte, non verremo a capo del problema. E infine, il lume sta indebolendosi. Vieni, mettiamo a punto le altre indicazioni che ci servono per definire la mappa."

Percorremmo altre sale, sempre registrando le nostre scoperte sulla mia mappa. Incontrammo stanze dedicate soltanto a scritti di matematica e astronomia, altre con opere in caratteri aramaici che nessuno di noi due conosceva, altre in caratteri più ignoti ancora, forse testi dell'India. Ci muovevamo entro due sequenze imbricate che dicevano IUDAEA e AEGYPTUS. Insomma, per non attediare il lettore con la cronaca della nostra decifrazione, quando più tardi mettemmo definitivamente a punto la mappa, ci convincemmo che la biblioteca era davvero costituita e distribuita secondo l'immagine dell'orbe terraqueo. A settentrione trovammo ANGLIA e GERMANI, che lungo la parete occidentale si legavano a GALLIA, per poi generare all'estremo occidente HIBERNIA e verso la parete meridionale ROMA (paradiso di classici latini!) e YSPANIA. Venivano poi a meridione i LEONES, l'AEGYPTUS che verso oriente diventavano IU-

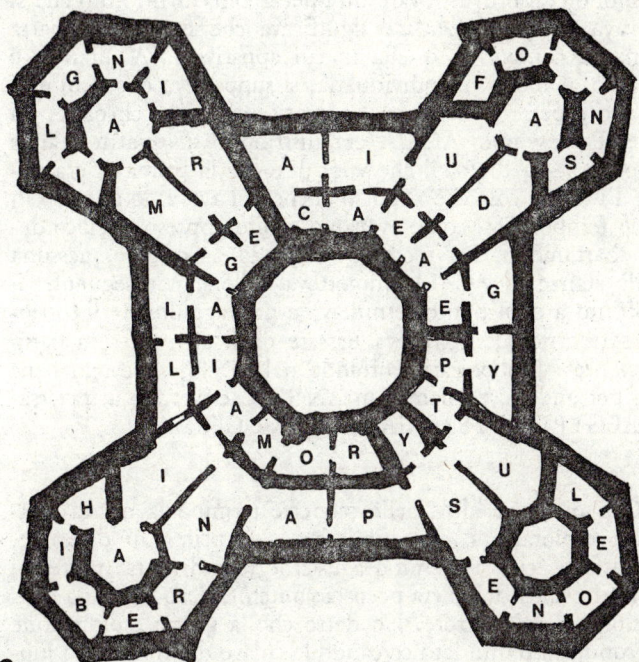

DAEA e FONS ADAE. Tra oriente e settentrione, lungo la parete, ACAIA, una buona sineddoche, come si espresse Guglielmo, per indicare la Grecia, e infatti in quelle quattro stanze vi era gran dovizia di poeti e filosofi dell'antichità pagana.

Il modo di lettura era bizzarro, talora si procedeva in un'unica direzione, talora si andava a ritroso, talora in circolo, spesso come ho detto una lettera serviva a comporre due parole diverse (e in quei casi la stanza aveva un armadio dedicato a un argomento e uno a un altro). Ma non c'era evidentemente da cercare una regola aurea in quella disposizione. Si trattava di mero artifizio mnemonico per permettere al bibliotecario di ritrovare un'opera. Dire di un libro che si trovava in *quarta Acaiae* significava che era nella quarta stanza a contare da quella in cui appariva la A iniziale, e quanto al modo di individuarla, si supponeva che il bibliotecario sapesse a memoria il percorso, o retto o circolare, da fare. Per esempio ACAIA era distribuito su quattro stanze disposte a quadrato, il che vuol dire che la prima A era anche l'ultima, cosa che peraltro anche noi avevamo appreso in poco tempo. Così come avevamo subito appreso il gioco degli sbarramenti. Per esempio, venendo da oriente, nessuna delle stanze di ACAIA immetteva nelle stanze seguenti: il labirinto a quel punto terminava e per raggiungere il torrione settentrionale occorreva passare dagli altri tre. Ma naturalmente i bibliotecari, entrando dal FONS, sapevano bene che per andare, poniamo, in ANGLIA, dovevano attraversare AEGYPTUS, YSPANIA, GALLIA e GERMANI.

Con queste e altre belle scoperte terminò la nostra fruttuosa esplorazione alla biblioteca. Ma prima di dire che, soddisfatti, ci accingemmo a uscirne (per diventar partecipi di altri eventi di cui tra poco racconterò), devo fare una confessione al mio lettore. Ho detto che la nostra esplorazione fu condotta da un lato cercando la chiave del misterioso luogo e dall'altro intrattenendoci via via, nelle sale che individuavamo quanto a collocazione e argomento, a sfogliare libri di vario genere, come se esplorassimo un continente misterioso o una terra incognita. E di solito questa esplorazione avvenne di comune accordo, io e Guglielmo intrattenendoci sugli stessi libri, io indicandogli i più curiosi, lui spiegandomi molte cose che non riuscivo a capire.

Ma a un certo punto, e proprio mentre ci aggiravamo per

le sale del torrione meridionale, dette LEONES, accadde che il mio maestro si soffermasse in una stanza ricca di opere a-rabe con curiosi disegni di ottica; e poiché quella sera dispo-nevamo non di uno ma di due lumi, io mi spostai per cu-riosità nella stanza accanto, avvedendomi che la sagacia e la prudenza dei legislatori della biblioteca avevano radunato lungo una delle sue pareti libri che certo non potevano essere dati in lettura a chiunque, perché in modi diversi tratta-vano di svariate malattie del corpo e dello spirito, quasi sempre a opera di sapienti infedeli. E mi cadde l'occhio su di un libro non grande, adorno di miniature molto difformi (per fortuna!) dal tema, fiori, viticci, animali a coppia, qualche erba medicinale: il titolo era *Speculum amoris*, di fra Massimo da Bologna, e riportava citazioni di molte altre opere, tutte sulla malattia d'amore. Come il lettore capirà non ci voleva di più a risvegliare la mia curiosità malata. Anzi, proprio quel titolo bastò a riaccendere la mia mente, che dal mattino si era sopita, eccitandola di nuovo con l'im-magine della fanciulla.

Poiché per tutto il giorno avevo ricacciato da me i pensieri mattinali, dicendomi che non erano da novizio sano ed e-quilibrato, e poiché d'altra parte gli eventi della giornata e-rano stati abbastanza ricchi e intensi da distrarmi, i miei ap-petiti si erano sopiti, sì che ormai credevo di essermi liberato da ciò che altro non era stata che una inquietudine passeg-gera. Invece bastò la vista di quel libro a farmi dire "de te fabula narratur" e a scoprirmi più malato d'amore di quan-to non credessi. Imparai dopo che, a leggere libri di medici-na, ci si convince sempre di provare i dolori di cui essi parla-no. Fu così che proprio la lettura di quelle pagine, sbirciate in fretta per timore che Guglielmo entrasse nella stanza e mi chiedesse su che cosa mi stavo dottamente intrattenendo, mi convinse che io soffrivo proprio di quella malattia, i cui sin-tomi erano così splendidamente descritti che, se da un lato mi preoccupavo nel trovarmi malato (e sulla scorta infallibile di tante auctoritates), dall'altro mi rallegravo nel veder di-pinta con tanta vivacità la mia situazione; convincendomi che, se pur ero malato, la mia malattia era per così dire nor-male, dato che tanti altri ne avevano sofferto nello stesso modo, e gli autori citati sembravano aver preso proprio me a modello delle loro descrizioni.

Mi commossi così sulle pagine di Ibn Hazm, che definisce l'amore come una malattia ribelle, che ha la sua cura in se stessa, in cui chi è malato non vuole guarirne e chi ne è infermo non desidera riaversi (e Dio sa se non fosse vero!). Mi resi conto perché al mattino fossi così eccitato da tutto quel che vedevo, perché pare che l'amore entri attraverso gli occhi come dice anche Basilio d'Ancira, e — sintomo inconfondibile — chi è preso da tale male manifesta una eccessiva gaiezza, mentre desidera al contempo starsene in disparte e predilige la solitudine (come io avevo fatto quel mattino), mentre altri fenomeni che lo accompagnano sono l'inquietudine violenta e lo sbalordimento che toglie le parole... Mi spaventai leggendo che al sincero amante, cui sia sottratta la vista dell'oggetto amato, non può che sopravvenire uno stato di consunzione che spesso arriva sino a fargli prendere il letto, e talora il male sopraffà il cervello, si perde il senno e si vaneggia (evidentemente non ero ancor giunto in quello stato, perché avevo lavorato assai bene nell'esplorare la biblioteca). Ma lessi con apprensione che se il male peggiora, può sopravvenirne la morte e mi chiesi se la gioia che la fanciulla mi dava a pensarla valesse questo sacrificio supremo del corpo, a parte ogni retta considerazione sulla salute dell'anima.

Anche perché trovai un'altra citazione di Basilio secondo il quale "qui animam corpori per vitia conturbationesque commiscent, utrinque quod habet utile ad vitam necessarium demoliuntur, animamque lucidam ac nitidam carnalium voluptatum limo perturbant, et corporis munditiam atque nitorem hac ratione miscentes, inutile hoc ad vitae officia ostendunt". Situazione estrema in cui proprio non volevo trovarmi.

Appresi altresì da una frase di santa Hildegarda che quell'umor melanconico che in giornata avevo provato, e che attribuivo a dolce sentimento di pena per l'assenza della fanciulla, pericolosamente assomiglia al sentimento che prova chi devia dallo stato armonico e perfetto che l'uomo prova in paradiso, e che questa melanconia "nigra et amara" è prodotta dal soffio del serpente e dalla suggestione del diavolo. Idea condivisa anche da infedeli di pari saggezza, perché mi caddero sotto gli occhi le linee attribuite a Abu Bakr-Muhammad Ibn Zaka-riyya ar-Razi, che in un *Liber continens* identifica la melanconia amorosa con la licantropia, che spinge chi ne è colpito a comportarsi come un lupo. La sua descrizione mi serrò la gola: dapprima gli amanti appaiono mutati nel loro aspetto esteriore, la loro vista si indebolisce, gli occhi diventano cavi e senza lacrime, la lingua lentamente si essicca e su di essa appaiono delle pustole, tutto il corpo è secco e soffrono continuamente la sete; a questo punto trascorrono la loro giornata sdraiati a faccia in giù, sul viso e sulle tibie appaiono segni simili a morsi di cane, e infine di notte vagano per i cimiteri come lupi.

Non ebbi infine più dubbi sulla gravità del mio stato quando lessi citazioni dal grandissimo Avicenna, dove l'amore viene definito come un pensiero assiduo di natura melanconica, che nasce a causa del pensare e ripensare le fattezze, i gesti o i costumi di una persona di sesso opposto (come Avicenna aveva rappresentato con fedele vivacità il caso mio!): esso non nasce come malattia ma malattia diviene quando non essendo soddisfatto diventa pensiero ossessivo (e perché mai mi sentivo ossessionato io che pure, Dio mi perdoni, mi ero ben soddisfatto? o forse ciò che era avvenuto la notte precedente non era soddisfazione d'amore? ma come si soddisfa allora questo male?), e come conseguenza si ha un moto continuo delle palpebre, un respiro irregolare, ora si ride e ora si piange, e il polso batte (e invero il mio batteva, e il respiro si spezzava mentre leggevo quelle righe!). Avicenna consigliava un metodo infallibile già proposto da Galeno per scoprire di chi qualcuno sia innamorato: tenere il polso del dolente e pronunciare molti nomi di persone d'altro sesso, sino a che si avverta a quale nome il ritmo del polso si accelera: e io temevo che di colpo entrasse il mio maestro e mi afferrasse il braccio e spiasse nella pulsazione delle mie vene il mio segreto, del che molto mi sarei vergognato... Ahimè, Avicenna suggeriva, come rimedio, di unire i due amanti in matrimonio, e il male sarebbe guarito. Proprio vero che era un infedele, se pure avveduto, perché non teneva conto della condizione di un novizio benedettino, condannato dunque a non guarire mai — o meglio consacratosi, per sua scelta, o per oculata scelta dei suoi parenti, a mai ammalarsi. Per fortuna Avicenna, sia pure non pensando all'ordine cluniacense, considerava il caso di amanti non ricongiungibili, e consigliava come cura radicale i bagni caldi (che Berengario volesse guarire del suo mal d'amore per lo scomparso Adelmo? ma si poteva soffrire mal d'amore per un essere del proprio sesso, o quella non era che bestiale lussuria? e forse non era bestiale la lussuria della mia notte passata? no certo, mi dicevo subito, era dolcissima — e subito dopo: sbagli Adso, quella fu illusione del diavolo, bestialissima era, e se hai peccato a essere bestia pecchi ancora più ora a non volertene rendere conto!). Ma poi lessi anche che, sempre secondo Avicenna, vi erano pure altri mezzi: per esempio, ricorrere all'assistenza di donne vecchie ed esperte che passino il tempo a denigrare l'amata — e pare che le donne vecchie siano più esperte degli uomini in questa bisogna. Forse questa era la soluzione, ma donne vecchie all'abbazia non ne potevo trovare (né giovani, invero) e dunque avrei dovuto chiedere a qualche monaco di parlarmi male della ragazza, ma a chi? E poi, poteva un monaco conoscere bene le donne come le conosceva una donna vecchia e pettegola? L'ultima soluzione suggerita dal saraceno era addirittura inverecanda perché postulava che si facesse congiungere l'amante infelice con molte schiave, cosa assai inconveniente per un monaco. Infine, mi dicevo, come può guarire di mal d'amore un giovane monaco, non c'è proprio salvezza per lui? Forse dovevo ricorrere a Severino e alle sue erbe? Infatti trovai un brano di Arnaldo da Villanova, autore che già avevo sentito citare con molta considerazione da Guglielmo, il quale faceva nascere il mal d'amore da una abbondanza di umori e di pneuma, quando cioè l'organismo umano si trova in eccesso di umidità e calore, dato che il sangue (che produce il seme generativo) crescendo per eccesso provoca eccesso di seme, una "complexio venerea", e un desiderio intenso di unione tra uomo e donna. C'è una virtù estimativa situata nella parte dorsale del ventricolo medio dell'encefalo (cos'è, mi chiesi?) il cui scopo è percepire le intentiones non sensibili che sono negli oggetti sensibili captati dai sensi, e quando il desiderio per l'oggetto percepito dai sensi si fa troppo forte ecco che la facoltà estimativa ne è sconvolta, e si pasce solo del fantasma della persona amata; allora si verifica una infiammazione di tutta l'anima e il corpo, con la tristezza alternata alla gioia, perché il calore (che nei momenti di disperazione scende nelle parti più profonde del corpo e raggela la cute) nei momenti di gioia sale alla superficie infiammando il volto. La cura suggerita da Arnaldo consisteva nel cercare di perdere la confidenza e la speranza di raggiungere l'oggetto amato, in modo che il pensiero se ne allontanasse.

Ma allora sono guarito, o in via di guarigione, mi dissi, perché ho poca o nessuna speranza di rivedere l'oggetto dei miei pensieri, e se lo vedessi di raggiungerlo, e se lo raggiungessi di possederlo di nuovo, e se lo ripossedessi di trattenerlo presso di me, sia a cagione del mio stato monacale che dei doveri che mi sono imposti dal rango della mia famiglia... Sono salvo, mi dissi, chiusi il fascicolo e mi ricomposi, proprio mentre Guglielmo entrava nella stanza. Ripresi con lui il viaggio attraverso il labirinto ormai svelato (come ho già raccontato) e per il momento scordai la mia ossessione.

Come si vedrà l'avrei ritrovata entro breve tempo, ma in circostanze (ahimè!) ben diverse.

NOTTE

Dove Salvatore si fa miseramente scoprire da Bernardo Gui, la ragazza amata da Adso viene presa come strega e tutti vanno a letto più infelici e preoccupati di prima.

Stavamo infatti ridiscendendo nel refettorio quando u-dimmo dei clamori, e delle luci fievoli balenarono dalla par-te della cucina. Guglielmo spense di colpo il lume. Seguen-do i muri ci avvicinammo alla porta che dava sulla cucina, e sentimmo che il rumore proveniva dall'esterno, salvo che la porta era aperta. Poi le voci e le luci si allontanarono, e qualcuno chiuse con violenza la porta. Era un tumulto gran-de che preludeva a qualcosa di sgradevole. Velocemente ri-passammo per l'ossario, riapparimmo nella chiesa, deserta, uscimmo dal portale meridionale, e scorgemmo un balugi-nare di fiaccole nel chiostro.

Ci appressammo, e nella confusione pareva che fossimo accorsi anche noi insieme ai molti che già erano sul luogo, usciti vuoi dal dormitorio vuoi dalla casa dei pellegrini. Ve-demmo che gli arcieri stavano tenendo saldamente Salvatore, bianco come il bianco dei suoi occhi, e una donna che pian-geva. Provai una stretta al cuore: era lei, la ragazza dei miei pensieri. Come mi vide mi riconobbe e mi lanciò uno sguar-do implorante e disperato. Ebbi l'impulso di lanciarmi a li-berarla, ma Guglielmo mi trattenne sussurrandomi alcuni improperi per nulla affettuosi. I monaci e gli ospiti ora ac-correvano da ogni parte.

Arrivò l'Abate, arrivò Bernardo Gui, a cui il capitano de-gli arcieri fece un breve rapporto. Ecco cos'era accaduto.

Per ordine dell'inquisitore essi pattugliavano nottetempo l'intera spianata, con particolare attenzione per il viale che andava dal portale d'ingresso alla chiesa, la zona degli orti, e la facciata dell'Edificio (perché? mi chiesi, e capii: evidente-mente perché Bernardo aveva raccolto dai famigli o dai cu-cinieri voci su alcuni traffici notturni, magari senza sapere chi esattamente ne fossero i responsabili, che avvenivano tra l'esterno della cinta e le cucine, e chissà che lo stolido Salvatore, come aveva detto a me dei suoi propositi, non ne avesse già parlato in cucina o nelle stalle a qualche sciagurato che, intimorito dall'interrogatorio del pomeriggio, aveva gettato in pasto a Bernardo questa mormorazione). Nel girare circospetti e al buio tra la nebbia, gli arcieri avevano finalmente sorpreso Salvatore, in compagnia della donna, mentre armeggiava davanti alla porta della cucina.

"Una donna in questo luogo santo! E con un monaco!" disse severamente Bernardo rivolgendosi all'Abate. "Signore magnificentissimo," proseguì, "se si trattasse solo della violazione del voto di castità, la punizione di quest'uomo sarebbe cosa di vostra giurisdizione. Ma poiché non sappiamo ancora se i maneggi di questi due sciagurati abbiano qualcosa a che vedere con la salute di tutti gli ospiti, dobbiamo prima far luce su questo mistero. Orsù, dico a te, miserabile," e strappava dal petto di Salvatore l'evidente involto che quello credeva di celare, "cos'hai lì dentro?"

Io già lo sapevo: un coltello, un gatto nero che, aperto che fu l'involto, fuggì miagolando infuriato, e due uova, ormai rotte e viscide, che a tutti parvero sangue, o bile gialla, o altra sostanza immonda. Salvatore stava per entrare in cucina, ammazzare il gatto e cavargli gli occhi, e chissà con quali promesse aveva indotto la ragazza a seguirlo. Con quali promesse, lo seppi subito. Gli arcieri frugarono la ragazza, tra risate maliziose e mezze parole lascive, e le trovarono addosso un galletto morto, ancora da spennare. Sfortuna volle che nella notte, in cui tutti i gatti sono grigi, il gallo apparisse nero anch'esso come il gatto. Io pensai, invece, che non ci voleva di più per attrarla, la povera affamata che già la notte scorsa aveva abbandonato (e per amor mio!) il suo prezioso cuore di bue...

"Ah ah!" esclamò Bernardo con tono di gran preoccupazione, "gatto e gallo nero... Ma io li conosco questi parafernali..." Scorse Guglielmo tra gli astanti: "Non li conoscete anche voi, frate Guglielmo? Non foste inquisitore a Kilkenny, tre anni fa, dove quella ragazza aveva commercio con un demone che le appariva sotto le specie di un gatto nero?"

Mi parve che il mio maestro tacesse per viltà. Gli afferrai la manica, lo scossi, gli sussurrai disperato: "Ma ditegli che era per mangiare..."

Egli si liberò dalla mia presa e si rivolse educatamente a Bernardo: "Non credo voi abbiate bisogno delle mie antiche esperienze per arrivare alle vostre conclusioni," disse.

"Oh no, ci sono testimonianze ben più autorevoli," sorrise Bernardo. "Stefano di Borbone racconta nel suo trattato sui sette doni dello spirito santo come san Domenico, dopo aver predicato a Fanjeaux contro gli eretici, annunciò a certe donne che esse avrebbero visto chi avevano servito sino ad allora. E di colpo balzò in mezzo a loro un gatto spaventoso dalle dimensioni di un grosso cane, con gli occhi grandi e infocati, la lingua sanguinolenta che arrivava sino all'ombelico, la coda corta e ritta in aria in modo che comunque l'animale si girasse mostrava la turpitudine del suo di dietro, fetido quant'altri mai, come si conviene a quell'ano che molti devoti di Satana, non ultimi i cavalieri templari, hanno sempre usato baciare nel corso delle loro riunioni. E dopo aver girato intorno alle donne per un'ora, il gatto balzò sulla corda della campana e vi si arrampicò, lasciando indietro i suoi resti puteolenti. E non è il gatto l'animale amato dai catari, che secondo Alano delle Isole si chiamano così proprio da *catus*, perché di questa bestia baciano le terga ritenendole incarnazione di Lucifero? E non conferma questa disgustosa pratica anche Guglielmo d'Alvernia nel *De legibus*? E non dice Alberto Magno che i gatti sono demoni in potenza? E non riporta il mio venerabile confratello Jacques Fournier che sul letto di morte dell'inquisitore Gaufrido da Carcassonne apparvero due gatti neri, che altro non erano che demoni che volevano dileggiare quelle spoglie?"

Un mormorio di orrore percorse il gruppo dei monaci, molti dei quali si fecero il segno della santa croce.

"Signor Abate, signor Abate," diceva frattanto Bernardo con aria virtuosa, "forse la magnificenza vostra non sa cosa sono usi fare i peccatori con questi strumenti! Ma lo so ben io, Dio non volesse! Ho visto donne scelleratissime, nelle ore più buie della notte, insieme con altre della loro risma, usare di gatti neri per ottenere prodigi che non poterono mai negare: così da andare a cavalcioni di certi animali, e percorrere col favore notturno spazi immensi, trascinando i loro schiavi, trasformati in incubi vogliosissimi... E il diavolo stesso si mostra loro, o almeno loro lo credono fortemente, sotto forma di gallo, o di altro animale nerissimo, e con quello persino, non domandatemi come, congiaccono. E so di certo che con negromanzie del genere, non è molto, proprio in Avignone, si prepararono filtri e unguenti per attentare alla vita dello stesso signor papa, avvelenandogli i cibi. Il papa poté difendersene e individuare il tossico solo perché era munito di prodigiosi gioielli in forma di lingua di serpente, fortificati da mirabili smeraldi e rubini che per virtù divina servivano a rivelare la presenza di veleno nei cibi! Undici gliene aveva regalate il re di Francia, di queste lingue preziosissime, grazie al cielo, e solo così il nostro signor papa poté scampare alla morte! È vero che i nemici del pontefice fecero anche di più, e tutti sanno cosa si scoprì dell'eretico Bernard Délicieux arrestato dieci anni fa: gli furono trovati in casa libri di magìa nera annotati proprio alle pagine più scellerate, con tutte le istruzioni per costruire figure di cera onde recar danno ai suoi nemici. E ci credereste, in casa gli furono pure trovate figure che riproducevano, con arte certo ammirevole, l'immagine stessa del papa, con circoletti rossi sulle parti vitali del corpo: e tutti sanno che tali figure, tenute appese per una corda, le si pone davanti a uno specchio e poi si colpiscono i circoli vitali con degli spilli e... Oh, ma perché mi attardo in queste miserie disgustose? Il papa stesso ne ha parlato e le ha descritte, condannandole, proprio l'anno scorso, nella sua costituzione *Super illius specula*! E spero proprio che ne abbiate copia in questa vostra ricca biblioteca, per meditarvi come si deve...''

''L'abbiamo, l'abbiamo,'' confermò fervidamente l'Abate, turbatissimo.

''Va bene,'' concluse Bernardo. ''Ormai il fatto mi pare chiaro. Un monaco sedotto, una strega, e qualche rito che per fortuna non ha avuto luogo. A quali fini? È quel che sapremo, e voglio sottrarre alcune ore al sonno per saperlo. La vostra magnificenza voglia mettermi a disposizione un luogo dove quest'uomo possa essere custodito...''

''Abbiamo delle celle nel sottosuolo del laboratorio dei fabbri,'' disse l'Abate, ''che per fortuna si usano assai poco e sono vuote da anni...''

''Per fortuna o per sfortuna,'' osservò Bernardo. E ordinò agli arcieri di farsi mostrare la strada e condurre in due celle diverse i due catturati; e di legare bene l'uomo a qualche anello infisso nel muro, in modo che egli potesse fra breve scendere a interrogarlo guardandolo bene in viso. Quanto alla ragazza, aggiunse, chi fosse era chiaro, e non valeva la pena di interrogarla quella notte. Altre prove l'avrebbero attesa prima di bruciarla come strega. E se strega era, non avrebbe facilmente parlato. Ma il monaco forse, si poteva ancora pentire (e fissava Salvatore tremante, come a fargli intendere che gli offriva ancora una possibilità), raccontando la verità e, aggiunse, denunciando i suoi complici.

I due vennero trascinati via, l'uno silenzioso e disfatto, quasi febbricitante, l'altra che piangeva, e scalciava, e gridava come un animale al macello. Ma né Bernardo, né gli arcieri, né io stesso, intendevamo cosa dicesse nella sua lingua di contadina. Per quanto parlasse, era come muta. Ci sono delle parole che danno potere, altre che rendono più derelitti ancora, e di questa sorta sono le parole volgari dei semplici, a cui il Signore non ha concesso di sapersi esprimere nella lingua universale della sapienza e della potenza.

Ancora una volta fui tentato di seguirla, ancora una volta Guglielmo, scurissimo in volto, mi trattenne. "Stai fermo, sciocco," disse, "la ragazza è perduta, è carne bruciata."

Mentre osservavo atterrito la scena, in un turbine di pensieri contraddittori, fissando la fanciulla, mi sentii toccare sulla spalla. Non so perché, ma prima ancora di voltarmi, riconobbi al tocco Ubertino.

"Tu guardi la strega, vero?" mi chiese. E sapevo che non poteva sapere della mia vicenda, e quindi parlava così solo perché aveva colto, con la sua terribile penetrazione per le passioni umane, l'intensità del mio sguardo.

"No..." mi schermii, "non la guardo... cioè, forse la guardo, ma non è una strega... non lo sappiamo, forse è innocente..."

"Tu la guardi perché è bella. È bella, vero?" mi domandò con straordinario calore, stringendomi il braccio. "Se la guardi perché è bella, e ne sei turbato (ma so che sei turbato, perché il peccato di cui la si sospetta te la rende ancora più affascinante), se la guardi e provi desiderio, perciostesso essa è una strega. Sta in guardia, figlio mio... La bellezza del corpo si limita alla pelle. Se gli uomini vedessero quello che è sotto la pelle, così come accade con la lince di Beozia, rabbrividirebbero alla visione della donna. Tutta quella grazia consiste di mucosità e di sangue, di umori e di bile. Se si pensa a ciò che si nasconde nelle narici, nella gola e nel ventre, non si troverà che lordume. E se ti ripugna toccare il muco o lo sterco con la punta del dito, come mai potremmo desiderare di abbracciare il sacco stesso che contiene lo sterco?"

Mi colse un conato di vomito. Non volevo più ascoltare quelle parole. Mi venne in soccorso il mio maestro, che aveva udito. Si avvicinò bruscamente a Ubertino, gli afferrò il braccio e lo staccò dal mio.

"Basta così, Ubertino," disse. "Quella ragazza presto sarà sotto tortura, quindi sul rogo. Diventerà esattamente come dici tu, muco, sangue, umori e bile. Ma saranno i nostri simili a cavare di sotto alla sua pelle ciò che il Signore ha voluto che fosse protetto e adornato da quella pelle. E dal punto di vista della materia prima, tu non sei migliore di lei. Lascia stare il ragazzo."

Ubertino si turbò: "Forse ho peccato," mormorò. "Senz'altro ho peccato. Che altro può fare un peccatore?"

Tutti ormai stavano rientrando, commentando l'accaduto. Guglielmo si intrattenne un poco con Michele e con gli altri minoriti, che gli chiedevano le sue impressioni.

"Bernardo ha ora in mano un argomento, sia pure equivoco. Nell'abbazia si aggirano negromanti, che fan le stesse cose che furono fatte contro il papa ad Avignone. Non è certo una prova, e in prima istanza non può essere usata per disturbare l'incontro di domani. Questa notte cercherà di strappare a quel disgraziato qualche altra indicazione, di cui, ne sono sicuro, non farà uso subito domani mattina. La terrà in riserbo, gli servirà più avanti, per disturbare l'andamento delle discussioni se mai prendessero una via che gli è sgradita."

"Potrebbe fargli dire qualcosa da usare contro di noi?" domandò Michele da Cesena.

Guglielmo rimase dubbioso: "Speriamo di no," disse. Mi resi conto che, se Salvatore diceva a Bernardo quello che aveva detto a noi, sul passato suo e del cellario, e se accennava qualcosa al rapporto di entrambi con Ubertino, per fugace che fosse stato, si sarebbe creata una situazione assai imbarazzante.

"In ogni caso attendiamo gli eventi," disse Guglielmo con serenità. "D'altra parte Michele, tutto è già stato deciso prima. Ma tu vuoi provare."

"Lo voglio," disse Michele, "e il Signore mi aiuterà. Che san Francesco interceda per tutti noi."

"Amen," risposero tutti.

"Ma non è detto," fu l'irriverente commento di Guglielmo. "San Francesco potrebbe essere da qualche parte in attesa del giudizio, senza vedere il Signore faccia a faccia."

"Maledetto sia l'eretico Giovanni!" sentii brontolare messer Girolamo mentre ciascuno tornava a dormire. "Se adesso ci toglie anche l'assistenza dei santi, dove finiremo noi, poveri peccatori?"

QUINTO GIORNO

Quinto giorno
PRIMA

Dove ha luogo una fraterna discussione
sulla povertà di Gesù.

Il cuore agitato da mille angosce, dopo la scena della notte, mi levai la mattina del quinto giorno che già suonava la prima, quando Guglielmo mi scosse rudemente avvertendomi che tra poco si sarebbero riunite le due legazioni. Guardai fuori dalla finestra della cella e non vidi nulla. La nebbia del giorno prima era diventata una coltre lattiginosa che dominava incontrastata il pianoro.

Appena uscito vidi l'abbazia come non l'avevo ancora vista prima di allora; solo alcune costruzioni maggiori, la chiesa, l'Edificio, la sala capitolare si stagliavano anche a distanza, sia pure imprecise, ombre tra le ombre, ma il resto dei casamenti era visibile solo a pochi passi. Pareva che le forme, delle cose e degli animali, sorgessero all'improvviso dal nulla; le persone sembravano emergere dalla bruma dapprima grigie come fantasmi, poi via via e a fatica riconoscibili.

Nato nei paesi nordici non ero nuovo a quell'elemento, che in altri momenti mi avrebbe ricordato con qualche dolcezza la pianura e il castello della mia nascita. Ma quella mattina le condizioni dell'aria mi parvero dolorosamente affini alle condizioni dell'anima mia, e l'impressione di tristezza con cui mi ero svegliato si accrebbe a mano a mano che mi appressavo alla sala capitolare.

A pochi passi dalla costruzione vidi Bernardo Gui che si accommiatava da un'altra persona che a tutta prima non riconobbi. Come poi mi passò accanto, mi accorsi che era Malachia. Si guardava intorno come chi non voglia essere scorto mentre commette un delitto: ma ho già detto che l'espressione di quest'uomo era per natura quella di chi celi, o tenti di celare, un inconfessato segreto.

Non mi riconobbe, e si allontanò. Io, mosso dalla curiosità, seguii Bernardo e vidi che stava scorrendo con l'occhio delle carte, che forse Malachia gli aveva consegnato. Sulla soglia del capitolo chiamò con un gesto il capo degli arcieri, che stava nei pressi, e gli mormorò alcune parole. Poi entrò. Io gli tenni dietro.

Era la prima volta che ponevo piede in quel luogo, che al di fuori era di modeste dimensioni e sobrie fattezze; mi avvidi che era stato ricostruito in tempi recenti sulle spoglie di una primitiva chiesa abbaziale, forse distrutta in parte da un incendio.

Entrando da fuori si passava sotto un portale alla moda nuova, dall'arco a sesto acuto, senza decorazioni e sovrastato da un rosone. Ma, all'interno, ci si trovava in un atrio, rifatto sulle vestigia di un vecchio nartece. Di fronte si parava un altro portale, con l'arco alla moda antica, il timpano a mezzaluna mirabilmente scolpito. Doveva essere il portale della chiesa scomparsa.

Le sculture del timpano erano altrettanto belle ma meno inquietanti di quelle della chiesa attuale. Anche qui il timpano era dominato da un Cristo in trono; ma accanto a lui, in varie pose e con vari oggetti tra le mani, stavano i dodici apostoli che da lui avevano ricevuto il mandato di andare per il mondo a evangelizzare le genti. Sopra la testa del Cristo, in un arco diviso in dodici pannelli, e sotto i piedi del Cristo, in una processione ininterrotta di figure, erano rappresentati i popoli del mondo, destinati a ricevere la buona novella. Riconobbi dai loro costumi gli ebrei, i cappadoci, gli arabi, gli indiani, i frigi, i bizantini, gli armeni, gli sciti, i romani. Ma, frammisti a loro, in trenta tondi che si disponevano ad arco sopra l'arco dei dodici pannelli, stavano gli abitanti dei mondi sconosciuti, di cui appena ci parlano il *Fisiologo* e i discorsi incerti dei viaggiatori. Molti di loro mi risultarono ignoti, altri ne riconobbi: a esempio i bruti con sei dita per mano, i fauni che nascono dai vermi che si formano tra la corteccia e la polpa degli alberi, le sirene con la coda squamosa, che seducono i marinai, gli etiopi dal corpo tutto nero, che si difendono dalla vampa del sole scavando caverne sotterranee, gli onocentauri, uomini sino all'ombelico e asini di sotto, i ciclopi con un occhio solo della grandezza di uno scudo, Scilla con la testa e il petto di ragazza, il ventre di lupa e la coda di delfino, gli uomini pelosi dell'India che vivono nelle paludi e sul fiume Epigmaride, i cinocefali, che non possono dire parola senza interrompersi e abbaiare, gli sciapodi, che corrono velocissimi sulla loro unica gamba e quando si vogliono riparare dal sole si sdraiano e rizzano il gran piede come un ombrello, gli astomati della Grecia privi di bocca, che respirano dalle narici e vivono solo d'aria, le donne barbute d'Armenia, i pigmei, gli epistigi che alcuni chiamano anche blemmi, che nascono senza testa, hanno la bocca sul ventre e gli occhi sulle spalle, le donne mostruose del mar Rosso, alte dodici piedi, coi capelli che arrivano al calcagno, una coda bovina in fondo alla schiena e zoccoli di cammello, e quelli con le piante dei piedi rovesciate all'indietro, che chi li insegue guardandone le orme arriva sempre da dove vengono e mai dove vanno, e ancora gli uomini con tre teste, quelli con gli occhi luccicanti come lampade e i mostri dell'isola di Circe, corpi umani e cervici dei più vari animali...

Questi e altri prodigi erano scolpiti su quel portale. Ma nessuno di essi provocava inquietudine perché essi non stavano a significare i mali di questa terra o i tormenti dell'inferno, bensì erano testimoni del fatto che la buona novella aveva raggiunto tutta la terra cognita e si stava estendendo a quella incognita, per cui il portale era gioiosa promessa di concordia, di raggiunta unità nella parola di Cristo, di splendida ecumene.

Buon auspicio, mi dissi, per l'incontro che si svolgerà al di là di questa soglia, in cui uomini fatti nemici l'un l'altro da opposte interpretazioni del vangelo, forse oggi si ritroveranno per comporre le loro querele. E mi dissi che ero un debole peccatore a dolorare per i miei casi personali mentre stavano per verificarsi eventi di tanta importanza per la storia della cristianità. Commisurai la pochezza delle mie pene alla grandiosa promessa di pace e di serenità sigillata nella pietra del timpano. Chiesi perdono a Dio per la mia fragilità, e varcai più sereno la soglia.

Non appena entrato vidi al completo i membri di entrambe le legazioni, che si fronteggiavano su di una serie di scranni disposti a emiciclo, i due fronti divisi da un tavolo a cui sedevano l'Abate e il cardinal Bertrando.

Guglielmo, che io seguii per prendere appunti, mi mise dalla parte dei minoriti, dove stavano Michele coi suoi e altri francescani della corte di Avignone: perché l'incontro non doveva apparire come un duello tra italiani e francesi, ma una disputa tra sostenitori della regola francescana e i loro critici, tutti uniti da una sana e cattolica fedeltà alla corte pontificia.

Con Michele da Cesena stavano frate Arnaldo d'Aquitania, frate Ugo da Novocastro e frate Guglielmo Alnwick, che avevano preso parte al capitolo di Perugia, e poi il vescovo di Caffa e Berengario Talloni, Bonagrazia da Bergamo e altri minoriti della corte avignonese. Dalla parte opposta sedevano Lorenzo Decoalcone, baccelliere di Avignone, il vescovo di Padova e Jean d'Anneaux, dottore in teologia a Parigi. Accanto a Bernardo Gui, silenzioso e assorto, c'era il domenicano Jean de Baune che in Italia chiamavano Giovanni Dalbena. Costui, mi disse Guglielmo, era stato anni prima inquisitore a Narbona, dove aveva processato molti beghini e pinzocheri; ma siccome aveva imputato di eresia proprio una proposizione concernente la povertà di Cristo, si era levato contro di lui Berengario Talloni, lettore nel convento di quella città, appellandosi al papa. Allora Giovanni era ancora incerto su questa materia, e aveva convocato entrambi a corte per discutere, senza che si addivenisse a una conclusione. Tanto che poco dopo i francescani avevano preso la posizione, di cui ho già detto, al capitolo di Perugia. Infine, da parte degli avignonesi, c'erano altri ancora, tra cui il vescovo di Alborea.

La seduta fu aperta da Abbone che ritenne opportuno riassumere i fatti più recenti. Ricordò che nell'anno del Signore 1322 il capitolo generale dei frati minori, riunitosi a Perugia sotto la guida di Michele da Cesena, aveva stabilito con matura e diligente deliberazione che Cristo, per dare esempio di vita perfetta, e gli apostoli per adeguarsi al suo insegnamento, non avevano mai avuto in comune alcuna cosa, sia per ragioni di proprietà che di signoria, e che questa verità era materia di fede sana e cattolica, come si evinceva da varie citazioni dei libri canonici. Per cui era meritoria e santa la rinunzia alla proprietà di tutte le cose e che a questa regola di santità si erano attenuti i primi fondatori della chiesa militante. Che a questa verità si era attenuto nel 1312 il concilio di Vienne e che lo stesso papa Giovanni nel 1317, nella costituzione sopra lo stato dei frati minori che inizia *Quorundam exigit*, aveva commentato i deliberati di quel concilio come santamente composti, lucidi, solidi e maturi. Onde il capitolo perugino, ritenendo che ciò che per sana dottrina la sedia apostolica aveva sempre approvato, sempre si dovesse tener per accettato, né da esso in alcun modo ci si dovesse dipartire, altro non aveva fatto che risuggellare tale decisione conciliare, per la firma di maestri in sacra teologia come frate Guglielmo d'Inghilterra, frate Enrico d'Alemagna, frate Arnaldo d'Aquitania, provinciali e ministri; nonché con il suggello di frate Niccolao ministro di Francia, frate Guglielmo Bloc baccelliere, del ministro generale e di quattro ministri provinciali, frate Tommaso da Bologna, frate Pietro della provincia di san Francesco, frate Fernando da Castello e frate Simone da Turonia. Però, aggiunse Abbone, l'anno seguente il papa emanava la decretale *Ad conditorem canonum* contro cui si appellava frate Bonagrazia da Bergamo, ritenendola contraria agli interessi del suo ordine. Il papa allora aveva spiccato quella decretale dalle porte della chiesa maggiore di Avignone dove era stata appesa, e l'aveva emendata in più punti. Ma in realtà l'aveva resa ancor più aspra, prova ne fosse che per immediata conseguenza frate Bonagrazia era stato tenuto per un anno in prigione. Né si potevano avere dubbi sulla severità del pontefice, perché lo stesso anno emanava la ormai notissima *Cum inter nonnullos*, in cui definitivamente si condannavano le tesi del capitolo di Perugia.

Parlò a questo punto, garbatamente interrompendo Abbone, il cardinal Bertrando e disse che occorreva ricordare come, a complicar le cose e irritare il pontefice, fosse intervenuto nel 1324 Ludovico il Bavaro con la dichiarazione di Sachsenhausen, dove si assumevano senza alcuna buona ragione le tesi di Perugia (né si comprendeva, notò Bertrando con un fine sorriso, perché mai l'imperatore acclamasse tanto entusiasticamente una povertà che egli non praticava affatto), ponendosi contro messere il papa, chiamandolo inimicus pacis e dicendolo inteso a suscitar scandali e discordie, trattandolo infine da eretico, anzi da eresiarca.

"Non proprio," tentò di mediare Abbone.

"In sostanza sì," disse seccamente Bertrando. E aggiunse che era stato proprio per controbattere l'inopportuno intervento dell'imperatore che messere il papa era stato costretto a emettere la decretale *Quia quorundam*, e che infine aveva severamente invitato Michele da Cesena a presentarsi al suo cospetto. Michele aveva mandato lettere escusatorie dicendosi malato, cosa di cui nessuno dubitava, inviando in vece sua frate Giovanni Fidanza e frate Umile Custodio da Perugia. Ma si dava il caso, disse il cardinale, che i guelfi di Perugia avevano informato il papa che, lungi dall'esser malato, fra Michele stava tenendo contatti con Ludovico di Baviera. E in ogni caso, quello che era stato essendo stato, ora fra Michele sembrava di bello e sereno aspetto, e lo si attendeva dunque ad Avignone. Era peraltro meglio, ammetteva il cardinale, misurare prima, come si stava ora facendo, al cospetto di uomini prudenti di ambo le parti, cosa Michele al papa avrebbe poi detto, dato che il fine di tutti era pur sempre quello di non inasprir le cose e comporre fraternamente una diatriba che non aveva ragion d'essere tra un padre amoroso e i suoi figli devoti, e che sino ad allora si era rinfocolata solo per gli interventi di uomini del secolo, imperatori e vicari che fossero, i quali nulla avevano a che vedere con le questioni di santa madre chiesa.

Intervenne allora Abbone e disse che, pur essendo uomo di chiesa e abate di un ordine a cui la chiesa tanto doveva (un mormorio di rispetto e deferenza corse da ambo i lati dell'emiciclo), non riteneva tuttavia che l'imperatore dovesse rimanere estraneo a tali questioni, per le molte ragioni che frate Guglielmo da Baskerville avrebbe poi detto. Ma, diceva sempre Abbone, era tuttavia giusto che la prima parte del dibattito dovesse svolgersi tra i messi pontifici e i rappresentanti di quei figli di san Francesco che, per il fatto stesso di essere intervenuti a questo incontro, del pontefice si dimostravano figli devotissimi. E quindi invitava frate Michele o chi per lui a dire cosa egli intendesse sostenere in Avignone.

Michele disse che, con grande sua gioia e commozione, si trovava tra loro quella mattina Ubertino da Casale, a cui lo stesso pontefice, nel 1322, aveva chiesto una fondata relazione sulla questione della povertà. E proprio Ubertino avrebbe potuto riassumere, con la lucidità, l'erudizione e la fede appassionata che tutti gli riconoscevano, i punti capitali di quelle che erano ormai, e indefettibili, le idee dell'ordine francescano.

Si alzò Ubertino e, non appena iniziò a parlare, capii perché mai avesse suscitato tanto entusiasmo e come predicatore e come uomo di corte. Appassionato nel gesto, suadente nella voce, affascinante nel sorriso, chiaro e conseguente nel ragionamento, egli legò a sé gli ascoltatori per tutto il tempo che ebbe la parola. Egli iniziò una disquisizione molto dotta sulle ragioni che confortavano le tesi di Perugia. Disse che anzitutto si doveva riconoscere che Cristo e gli apostoli suoi furono in duplice stato, perché furono prelati della chiesa del nuovo testamento e in questo modo possedettero, quanto ad autorità di dispensazione e distribuzione, per dare ai poveri e ai ministri della chiesa, come è scritto nel quarto capitolo degli Atti degli apostoli, e su questo nessuno fa questione. Ma secondariamente Cristo e gli apostoli si debbono considerare come persone singole, fondamento di ogni religiosa perfezione, e perfetti dispregiatori del mondo. E a questo proposito si propongono due modi di avere, l'uno dei quali è civile e mondano, che le leggi imperiali definiscono con le parole in bonis nostris, perché nostri sono detti quei beni dei quali si ha difesa e che, essendoci tolti, abbiamo diritto di pretendere. Per cui una cosa è civilmente e mondanamente difendere la cosa propria da colui che ce la vuol togliere, appellandosi al giudice imperiale (e dire che Cristo e gli apostoli ebbero cose in questo modo è affermazione eretica, perché come dice Matteo nel V capitolo a colui che vuole contendere con te in giudizio e toglierti la tunica, lascia anche il mantello, né dice diversamente Luca nel VI capitolo, con le quali parole Cristo rimuove da sé ogni dominio e signoria e questo medesimo impone ai suoi apostoli, si veda inoltre Matteo capitolo XXIV, dove Pietro dice al Signore che per seguirlo lasciarono ogni cosa); ma per altro modo si possono tuttavia avere le cose temporali, quanto a ragion della comune carità fraterna, e in questo modo Cristo e i suoi ebbero dei beni per ragione naturale, la quale ragione è da alcuni chiamata jus poli, cioè ragione del cielo, a sustentazione della natura che senza ordinazione umana è consona alla retta ragione; mentre lo jus fori è potestà che dipende da umana pattuizione. Anteriormente alla prima divisione delle cose queste, quanto al dominio, furono come ora sono le cose che non risultano tra i beni di alcuno e si concedono a chi le occupa e furono in un certo senso comuni a tutti gli uomini, mentre solo dopo il peccato i nostri progenitori iniziarono a dividersi la proprietà delle cose e da allora iniziarono i domini mondani come sono conosciuti oggi. Ma Cristo e gli apostoli ebbero le cose nel primo modo, e così ebbero la vestimenta e i pani e i pesci, e come dice Paolo nella prima a Timoteo, abbiamo gli alimenti, e di che coprirci, e siamo contenti. Per cui queste cose Cristo e i suoi ebbero non in possesso, bensì in uso, salva rimanendo la loro assoluta povertà. Il che era già stato riconosciuto da papa Niccolò II nella decretale *Exiit qui seminat*.

Ma si levò dalla parte opposta Jean d'Anneaux e disse che le posizioni di Ubertino gli parevano contrarie e alla retta ragione e alla retta interpretazione delle scritture. Imperocché nei beni deperibili con l'uso, come il pane e i pesci, non si può parlare di semplice diritto d'uso, né si può avere uso di fatto, ma solo abuso; tutto quello che i credenti avevano in comune nella chiesa primitiva, come si evince dagli Atti secondo e terzo, lo avevano in base allo stesso tipo di dominio che detenevano prima della conversione; gli apostoli, dopo la discesa dello Spirito Santo, possedettero poderi in Giudea; il voto di vivere senza proprietà non si estende a ciò di cui l'uomo ha necessariamente bisogno per vivere, e quando Pietro disse che aveva lasciato ogni cosa non intendeva dire che avesse rinunziato alla proprietà; Adamo ebbe dominio e proprietà delle cose; il servo che prende danaro dal suo padrone non ne fa certo né uso né abuso; le parole della *Exiit qui seminat* a cui i minoriti sempre si rifanno e che stabilisce che i frati minori hanno solo l'uso di ciò di cui si servono, senza averne il dominio e la proprietà, devono riferirsi soltanto ai beni che non si esauriscono con l'uso, e infatti se la *Exiit* comprendesse i beni deperibili sosterrebbe una cosa impossibile; l'uso di fatto non si può distinguere dal dominio giuridico; ogni diritto umano, in base al quale si posseggono beni materiali, è contenuto nelle leggi dei re; Cristo come uomo mortale, fin dall'istante del suo concepimento, fu proprietario di tutti i beni terreni e come Dio ebbe dal padre il dominio universale di tutto; fu proprietario di vesti, alimenti, danaro per contributi e offerte dei fedeli, e se fu povero non fu perché non ebbe proprietà ma perché non ne percepiva i frutti, imperocché il semplice dominio giuridico, separato dalla riscossione degli interessi, non rende ricco chi lo detiene; e infine, se pure la *Exiit* avesse detto cose diverse, il pontefice romano, per ciò che si riferisce alla fede e alle questioni morali, può revocare le determinazioni dei suoi predecessori e fare anche asserzioni contrarie.

Fu a quel punto che si alzò con veemenza frate Girolamo, vescovo di Caffa, con la barba che gli tremava dall'ira anche se le sue parole cercavano di apparire concilianti. E iniziò una argomentazione che mi parve alquanto confusa. ''Quello che vorrò dire al santo padre, e me medesimo che lo dirò, pongo sin d'ora sotto alla sua correzione, perché credo veramente che Giovanni sia vicario di Cristo e per questa confessione fui preso dai saraceni. E inizierò citando un fatto riportato da un grande dottore, sulla disputa che sorse un giorno tra monaci su chi fosse il padre di Melchisedec. E allora l'abate Copes, interrogato su questo, si percosse il capo e disse: guai a te Copes perché cerchi solo quelle cose che Dio non ti comanda di cercare e sei negligente in quelle che lui ti comanda. Ecco, come si deduce limpidamente dal mio esempio, è così chiaro che Cristo e la Beata Vergine e gli apostoli non ebbero nulla né in speciale né in comune, che meno chiaro sarebbe riconoscere che Gesù fu uomo e Dio al tempo stesso, e però mi pare chiaro che chi negasse la prima evidenza dovrebbe poi negar la seconda!"

Disse trionfalmente, e vidi Guglielmo che alzava gli occhi al cielo. Sospetto reputasse il sillogismo di Girolamo alquanto difettoso, e non so dargli torto, ma più difettosa ancora mi parve l'adiratissima e contraria argomentazione di Giovanni Dalbena, il quale disse che chi afferma qualcosa sulla povertà di Cristo afferma ciò che si vede (o non si vede) per l'occhio, mentre a definire la sua umanità e divinità interviene la fede, per cui le due proposizioni non possono essere messe alla pari. Nella risposta, Girolamo fu più acuto dell'avversario:

"Oh no, caro fratello," disse, "mi par vero proprio il contrario, perché tutti i vangeli dichiarano che Cristo era uomo e mangiava e beveva e, per via dei suoi evidentissimi miracoli, era anche Dio, e tutto questo balza proprio all'occhio!"

"Anche i maghi e gli indovini fecero dei miracoli," disse con sufficienza il Dalbena.

"Sì," ribatté Girolamo, "ma per operazione d'arte magica. E tu vuoi uguagliare i miracoli di Cristo all'arte magica?" Il consesso mormorò sdegnato che non voleva così. "E infine," continuò Girolamo che ormai si sentiva vicino alla vittoria, "messere il cardinale del Poggetto vorrebbe considerare eretica la credenza nella povertà di Cristo quando su questa proposizione si regge la regola di un ordine come quello francescano, tale che non v'è regno dove i suoi figli non siano andati predicando e spargendo il loro sangue dal Marocco sino all'India?"

"Anima santa di Pietro Ispano," mormorò Guglielmo, "proteggici tu."

"Fratello dilettissimo," vociferò allora il Dalbena facendo un passo avanti, "parla pure del sangue dei tuoi frati, ma non dimenticare che questo tributo è stato pagato anche dai religiosi di altri ordini..."

"Salva la riverenza al signor cardinale," gridò Girolamo, "nessun domenicano è mai morto tra gli infedeli, mentre solo ai tempi miei nove minori sono stati martirizzati!"

Rosso in viso si alzò allora il domenicano vescovo di Alborea: "Allora io posso dimostrare che prima che i minori fossero in Tartaria, il papa Innocenzo vi mandò tre domenicani!"

"Ah sì?" cachinnò Girolamo. "Ebbene io so che da ottant'anni i minori sono in Tartaria e hanno quaranta chiese per tutto il paese, mentre i domenicani hanno solo cinque posti sulla costa e in tutto saranno quindici frati! E questo risolve la questione!"

"Non risolve alcuna questione," gridò l'Alborea, "perché questi minoriti che partoriscono pinzocheri come le cagne partoriscon cagnolini, attribuiscono tutto a sé, millantan martiri e poi hanno belle chiese, paramenti sontuosi e comperano e vendono come tutti gli altri religiosi!"

"No, messere mio, no," intervenne Girolamo, "essi non comperano e vendono essi stessi, ma attraverso i procuratori della sedia apostolica, e i procuratori detengono il possesso mentre i minori hanno solo l'uso!"

"Davvero?" sogghignò l'Alborea, "e quante volte allora tu hai venduto senza procuratori? So la storia di alcuni poderi che..."

"Se l'ho fatto ho sbagliato," interruppe precipitosamente Girolamo, "non riversare sull'ordine quella che può essere stata una mia debolezza!"

"Ma venerabili fratelli," intervenne allora Abbone, "il nostro problema non è se siano poveri i minoriti, ma se fosse povero Nostro Signore..."

"Ebbene," si fece udire a questo punto ancora Girolamo, "ho su tale questione un argomento che taglia come la spada..."

"Santo Francesco proteggi i tuoi figli..." disse sfiduciatamente Guglielmo.

"L'argomento è," continuò Girolamo, "che gli orientali e i greci, ben più familiari di noi con la dottrina dei santi padri, tengono per ferma la povertà di Cristo. E se quegli eretici e scismatici sostengono così limpidamente una così limpida verità, vorremmo esser noi più eretici e scismatici di loro e negarla? Questi orientali, se udissero alcuni di noi predicare contro questa verità, li lapiderebbero!"

"Cosa mi dici mai," motteggiò l'Alborea, "e perché allora non lapidano i domenicani che predicano proprio contro di questo?"

"I domenicani? Ma laggiù non li ho mai visti!"

L'Alborea, paonazzo in volto, osservò che codesto frate Girolamo era stato in Grecia forse quindici anni, mentre lui vi era stato sin dalla fanciullezza. Girolamo ribatté che lui, il domenicano Alborea, forse era stato anche in Grecia, ma a fare vita di delicatezza in bei palazzi vescovili, mentre lui, francescano, vi era stato non quindici bensì ventidue anni e aveva predicato davanti all'imperatore a Costantinopoli. Allora l'Alborea, a corto di argomenti, tentò di superare lo spazio che lo separava dai minoriti, manifestando ad alta voce, e con parole che non oso riferire, la sua ferma intenzione di strappare la barba al vescovo di Caffa, di cui metteva in dubbio la virilità, e che proprio secondo la logica del contrappasso voleva punire, usando quella barba a mo' di flagello.

Gli altri minoriti corsero a far barriera in difesa del loro confratello, gli avignonesi ritennero utile dar man forte al domenicano e ne seguì (Signore, abbi misericordia dei migliori tra i tuoi figli!) una rissa che l'Abate e il cardinale cercarono invano di sedare. Nel tumulto che ne seguì minoriti e domenicani si dissero reciprocamente cose molto gravi, come se ciascuno fosse un cristiano in lotta coi saraceni. Gli unici che rimasero ai loro posti furono da un lato Guglielmo, dall'altro Bernardo Gui. Guglielmo pareva triste e Bernardo lieto, se di letizia si poteva parlare per il pallido sorriso che increspava il labbro dell'inquisitore.

"Non ci sono argomenti migliori," chiesi al mio maestro, mentre l'Alborea si accaniva sulla barba del vescovo di Caffa, "per dimostrare o negare la povertà di Cristo?"

"Ma tu puoi affermare entrambe le cose, mio buon Adso," disse Guglielmo, "e non potrai mai stabilire sulla base dei vangeli se Cristo considerasse di sua proprietà, e quanto, la tunica che portava e che poi magari gettava via quando era consunta. E, se vuoi, la dottrina di Tommaso d'Aquino sulla proprietà è più ardita di quella di noi minoriti. Noi diciamo: non possediamo nulla e tutto abbiamo in uso. Lui diceva: consideratevi pure possessori purché, se qualcuno manca di ciò che voi possedete, gliene concediate l'uso, e per obbligo, non per carità. Ma la questione non è se Cristo fosse povero, è se debba essere povera la chiesa. E povera non significa tanto possedere o no un palazzo, ma tenere o abbandonare il diritto di legiferare sulle cose terrene."

"Ecco dunque," dissi, "perché l'imperatore tiene tanto ai discorsi dei minoriti sulla povertà."

"Infatti. I minoriti fanno il gioco imperiale contro il papa. Ma per Marsilio e per me il gioco è doppio, e vorremmo che il gioco dell'impero facesse il nostro gioco e servisse alla nostra idea dell'umano governo."

"E questo lo direte quando dovrete parlare?"

"Se lo dico compio la mia missione, che era di manifestare le opinioni dei teologi imperiali. Ma se lo dico la mia missione fallisce, perché io avrei dovuto facilitare un secondo incontro ad Avignone, e non credo che Giovanni accetti che io vada laggiù a dire queste cose.''

''E allora?''

''E allora sono preso tra due forze contrastanti, come un asino che non sappia da quale di due sacchi di fieno mangiare. È che i tempi non sono maturi. Marsilio farnetica di una trasformazione impossibile, ora, e Ludovico non è migliore dei suoi predecessori, anche se per ora rimane l'unico baluardo contro un miserabile come Giovanni. Forse dovrò parlare, a meno che costoro non finiscano prima con l'ammazzarsi l'un l'altro. In ogni caso scrivi Adso, ché almeno rimanga traccia di quanto sta oggi accadendo.''

''E Michele?''

''Temo che perda il proprio tempo. Il cardinale sa che il papa non cerca una mediazione, Bernardo Gui sa che dovrà fare fallire l'incontro; e Michele sa che andrà ad Avignone in qualsiasi caso, perché non vuole che l'ordine rompa ogni rapporto col papa. E rischierà la vita.''

Mentre così parlavamo — e davvero non so come potessimo udirci l'uno con l'altro — la disputa aveva raggiunto il suo culmine. Erano intervenuti gli arcieri, a un cenno di Bernardo Gui, a impedire che le due schiere venissero definitivamente a contatto. Ma quali assedianti e assediati, da ambo le parti delle mura di una rocca, essi si lanciavano contestazioni e improperi, che qui riferisco a caso, senza più riuscire ad attribuirne la paternità, e fermo restando che le frasi non furono pronunciate a turno, come avverrebbe in una disputa nelle mie terre, ma all'uso mediterraneo, l'una che si accavalla all'altra, come le onde di un mare rabbioso.

''Il vangelo dice che Cristo aveva una borsa!''

''Taci tu con questa borsa che dipingete persino sui crocefissi! Cosa dici allora del fatto che Nostro Signore quando era a Gerusalemme tornava ogni sera a Betania?''

''E se Nostro Signore voleva andare a dormire a Betania, chi sei tu per sindacare la sua decisione?''

''No, vecchio caprone, Nostro Signore tornava a Betania perché non aveva danaro per pagarsi un ostello a Gerusalemme!''

''Bonagrazia, il caprone sei tu! E cosa mangiava Nostro Signore a Gerusalemme?''

''E tu diresti che il cavallo che riceve biada dal padrone per sopravvivere ha la proprietà della biada?''

''Vedi che paragoni Cristo a un cavallo...''

"No, sei tu che paragoni Cristo a un prelato simonìaco della tua corte, ricettacolo di sterco!"

"Sì? E quante volte la santa sede ha dovuto accollarsi dei processi per difendere i vostri beni?"

"I beni della chiesa, non i nostri! Noi li avevamo in uso!"

"In uso per mangiarveli, per farvi le belle chiese con le statue d'oro, ipocriti, vascelli d'iniquità, sepolcri imbiancati, sentine di vizio! Lo sapete bene che è la carità, e non la povertà, il principio della vita perfetta!"

"Questo lo ha detto quel ghiottone del vostro Tommaso!"

"Bada a te, empio! Colui che chiami ghiottone è un santo di santa romana chiesa!"

"Santo dei miei sandali, canonizzato da Giovanni per far dispetto ai francescani! Il vostro papa non può far santi, perché è un eretico! Anzi, è un eresiarca!"

"Questa bella proposizione la conosciamo già! È la dichiarazione del fantoccio di Baviera a Sachsenhausen, preparata dal vostro Ubertino!"

"Bada come parli, maiale, figlio della prostituta di Babilonia e di altre sgualdrine ancora! Tu sai che quell'anno Ubertino non era dall'imperatore ma stava proprio ad Avignone, al servizio del cardinal Orsini, e il papa lo stava inviando messaggero in Aragona!"

"Lo so, lo so che faceva voto di povertà alla mensa del cardinale, come lo fa ora nell'abbazia più ricca della penisola! Ubertino, se non c'eri tu, chi ha suggerito a Ludovico l'uso dei tuoi scritti?"

"È colpa mia se Ludovico legge i miei scritti? Certo non può leggere i tuoi che sei un illetterato!"

"Io un illetterato? Era letterato il vostro Francesco, che parlava con le oche?"

"Hai bestemmiato!"

"Sei tu che bestemmi, fraticello da barilotto!"

"Io non ho mai fatto il barilotto, e tu lo sai!!!"

"Sì che lo facevi coi tuoi fraticelli, quando ti infilavi nel letto di Chiara da Montefalco!"

"Che Dio ti fulmini! Io ero inquisitore a quel tempo, e Chiara era già spirata in odore di santità!"

"Chiara spirava odor di santità, ma tu aspiravi un altro odore quando cantavi il mattutino alle monache!"

"Continua, continua, l'ira di Dio ti raggiungerà come raggiungerà il tuo padrone, che ha dato ricetto a due eretici come quell'ostrogoto di Eckhart e quel negromante inglese che chiamate Branucerton!''

''Venerabili fratelli, venerabili fratelli!'' gridavano il cardinale Bertrando e l'Abate.

Quinto giorno
TERZA

Dove Severino parla a Guglielmo di uno strano libro e Guglielmo parla ai legati di una strana concezione del governo temporale.

Il diverbio stava ancora infuriando quando uno dei novizi di guardia alla porta entrò, passando per quella confusione come chi attraversa un campo battuto dalla grandine, e venne a sussurrare a Guglielmo che Severino gli voleva parlare con urgenza. Uscimmo nel nartece affollato di monaci curiosi i quali cercavano di cogliere attraverso le grida e i rumori qualcosa di ciò che avveniva all'interno. In prima fila vedemmo Aymaro d'Alessandria che ci accolse col suo solito sogghigno di commiserazione per la stoltezza dell'universo mondo: "Certo che da quando sono sorti gli ordini mendicanti la cristianità è diventata più virtuosa," disse.

Guglielmo lo scostò, non senza malagrazia, e si diresse su Severino, che ci attendeva in un angolo. Era ansioso, voleva parlarci in privato, ma non si poteva trovare un luogo tranquillo in quella confusione. Volevamo uscire all'aperto, ma dalla soglia della sala capitolare si affacciava Michele da Cesena che incitava Guglielmo a rientrare perché, diceva, il diverbio si stava componendo, e si doveva continuare la serie degli interventi.

Guglielmo, diviso tra altri due sacchi di fieno, incitò Severino a parlare e l'erborista cercò di non farsi udire dagli astanti.

"Berengario è stato certamente all'ospedale, prima di andare ai balnea," disse.

"Come lo sai?" Alcuni monaci si avvicinavano, incuriositi dal nostro confabulare. Severino parlò a voce ancor più bassa, guardandosi attorno.

"Tu mi avevi detto che quell'uomo... doveva avere qualcosa con sé... Bene, ho trovato qualcosa nel mio laboratorio, confuso tra gli altri libri... un libro non mio, uno strano libro..."

"Deve essere quello," disse Gugliemo trionfante, "porta-melo subito."

"Non posso," disse Severino, "dopo ti spiego, ho scoper-to... credo di aver scoperto qualcosa di interessante... Devi venire tu, ti devo mostrare il libro... con cautela..." Non continuò. Ci accorgemmo che, silenzioso come suo costume, Jorge era sorto quasi d'improvviso accanto a noi. Teneva le mani in avanti come se, non aduso a muoversi in quel luo-go, cercasse di capire dove andava. Una persona normale non avrebbe potuto intendere i sussurri di Severino, ma ave-vamo appreso da tempo che l'udito di Jorge, come quello di tutti i ciechi, era particolarmente acuto.

Il vegliardo parve tuttavia non aver udito nulla. Si mosse anzi in una direzione opposta alla nostra, toccò uno dei mo-naci e chiese qualcosa. Quello lo prese con delicatezza per il braccio e lo condusse fuori. In quel momento riapparve Mi-chele che di nuovo sollecitò Gugliemo, e il mio maestro prese una risoluzione: "Ti prego," disse a Severino, "torna subito da dove vieni. Chiuditi dentro e attendimi. Tu," dis-se a me, "segui Jorge. Anche se ha inteso qualcosa, non cre-do si faccia portare all'ospedale. In ogni caso sappimi dire dove va."

Fece per rientrare nella sala, e scorse (come scorsi anch'io) Aymaro che si faceva largo tra la ressa dei presenti per segui-re Jorge che usciva. Qui Gugliemo commise una impruden-za, perché questa volta ad alta voce, da un capo all'altro del nartece, disse a Severino, ormai sulla soglia esterna: "Mi raccomando. Non consentire a nessuno che... quelle carte... tornino da dove sono uscite!" Io, che stavo accingendomi a seguire Jorge, vidi in quell'istante, addossato allo stipite del-la porta esterna, il cellario, che aveva udito le parole di Gu-glielmo e guardava alternativamente il mio maestro e l'erbo-rista, con il volto contratto dalla paura. Scorse Severino che usciva all'aperto e lo seguì. Io, sulla soglia, temevo di per-dere di vista Jorge, che già stava per essere ingoiato dalla nebbia: ma anche i due, in opposta direzione, stavano per scomparire nella caligine. Calcolai rapidamente cosa dovevo fare. Mi era stato ordinato di seguire il cieco, ma perché si temeva andasse verso l'ospedale. Invece la direzione che sta-va prendendo, col suo accompagnatore, era un'altra, perché stava attraversando il chiostro, diretto alla chiesa, o all'Edifi-cio. Al contrario il cellario stava certamente seguendo l'erbo-rista e Gugliemo era preoccupato di quanto avrebbe potuto accadere nel laboratorio. Perciò fu quei due che mi misi a seguire, chiedendomi tra l'altro dove fosse andato Aymaro, se pure non era uscito per ragioni assai diverse dalle nostre.

Stando a distanza ragionevole non perdevo di vista il cellario, il quale stava rallentando il passo, perché si era accorto che lo stavo seguendo. Non poteva capire se l'ombra che gli stava alle calcagna fossi io, come io non potevo capire se l'ombra a cui stavo alle calcagna fosse lui, ma come io non avevo dubbi su di lui, lui non aveva dubbi su di me.

Costringendolo a controllarmi, gli impedii di serrare troppo dappresso Severino. Così quando la porta dell'ospedale apparve nella nebbia, essa era già chiusa. Severino era ormai entrato, fossero rese grazie al cielo. Il cellario si voltò ancora una volta a guardare me, che stavo ormai fermo come un albero dell'orto, poi parve prendere una decisione e mosse verso la cucina. Mi parve di aver assolto alla mia missione, Severino era un uomo di senno, si sarebbe guardato da solo senza aprire a nessuno. Non avevo altro da fare e soprattutto ero bruciato dalla curiosità di vedere quel che avveniva nella sala capitolare. Perciò decisi di tornare per riferire. Forse feci male, avrei dovuto restare ancora di guardia, e avremmo risparmiato tante altre sventure. Ma questo lo so ora, non lo sapevo allora.

Mentre rientravo, quasi mi scontrai con Bencio che sorrideva con aria complice: "Severino ha trovato qualcosa lasciato da Berengario, non è vero?"

"Cosa ne sai tu?" gli risposi sgarbatamente, trattandolo come un coetaneo, in parte per l'ira e in parte a causa del suo volto giovane ora atteggiato a malizia quasi fanciullesca.

"Non sono uno sciocco," rispose Bencio, "Severino corre a dire qualcosa a Guglielmo, tu controlli che nessuno lo segua..."

"E tu osservi troppo noi, e Severino," dissi irritato.

"Io? Certo che vi osservo. È dall'altro ieri che non perdo d'occhio né i balnea né l'ospedale. Se solo avessi potuto vi sarei già entrato. Darei un occhio della testa per sapere cosa Berengario ha trovato in biblioteca."

"Tu vuoi sapere troppe cose senza averne il diritto!"

"Io sono uno scolaro e ho diritto di sapere, io sono venuto dai confini del mondo per conoscere la biblioteca e la biblioteca rimane chiusa come se contenesse cose cattive e io..."

"Lasciami andare," dissi brusco.

"Ti lascio andare, tanto mi hai detto ciò che volevo."

"Io?"

"Si dice anche tacendo."

"Ti consiglio di non entrare nell'ospedale," gli dissi.

"Non entro, non entro, stai tranquillo. Ma nessuno mi proibisce di guardare dal di fuori."

Non lo ascoltai più e rientrai. Quel curioso, mi parve, non rappresentava un gran pericolo. Mi riaccostai a Guglielmo e lo misi brevemente al corrente dei fatti. Egli annuì in segno di approvazione, poi mi fece cenno di tacere. La confusione stava ormai scemando. I legati di ambo le parti si stavano ormai scambiando il bacio della pace. L'Alborea lodava la fede dei minoriti, Girolamo esaltava la carità dei predicatori, tutti inneggiavano alla speranza di una chiesa non più agitata da lotte intestine. Chi degli uni celebrava la fortezza, chi degli altri la temperanza, tutti invocavano la giustizia e si richiamavano alla prudenza. Mai vidi tanti uomini così sinceramente intesi al trionfo delle virtù teologali e cardinali.

Ma già Bertrando del Poggetto stava invitando Guglielmo a esprimere le tesi dei teologi imperiali. Guglielmo si alzò, di mala voglia: da un lato stava avvertendo che l'incontro non aveva alcuna utilità, dall'altro aveva fretta di andarsene e il libro misterioso gli premeva, ormai, più che non le sorti dell'incontro. Ma era chiaro che non poteva sottrarsi al proprio dovere.

Cominciò dunque a parlare tra molti "eh" e "oh", forse più del solito e più del dovuto, come per far capire che era assolutamente incerto sulle cose che stava per dire, ed esordì affermando che comprendeva benissimo il punto di vista di coloro che avevano parlato prima di lui, e che d'altra parte quella che altri chiamava la "dottrina" dei teologi imperiali non era più di qualche sparsa osservazione che non pretendeva di imporsi come verità di fede.

Disse quindi che, data l'immensa bontà che Dio aveva manifestato nel creare il popolo dei suoi figli, amandoli tutti senza distinzioni, sin da quelle pagine del Genesi in cui ancora non si faceva menzione di sacerdoti e di re, considerando anche che il Signore aveva dato ad Adamo e ai suoi discendenti la potestà sulle cose di questa terra, purché obbedissero alle leggi divine, era da sospettarsi che allo stesso Signore non fosse estranea l'idea che nelle cose terrene il popolo sia legislatore e prima causa effettiva della legge. Per popolo, disse, sarebbe stato bene intendere l'universalità dei cittadini, ma poiché tra i cittadini si debbono considerare anche i fanciulli, gli ottusi, i malviventi e le donne, forse si poteva addivenire in modo ragionevole a una definizione di popolo come parte migliore dei cittadini, benché egli sul momento non ritenesse opportuno pronunziarsi su chi effettivamente appartenesse a tale parte.

Tossicchiò, si scusò coi presenti suggerendo che indubbiamente quel giorno l'atmosfera era molto umida, e ipotizzò che il modo in cui il popolo avrebbe potuto esprimere la sua volontà poteva coincidere con una assemblea generale elettiva. Disse che gli pareva sensato che una tale assemblea potesse interpretare, mutare o sospendere la legge, perché se a far la legge è uno solo, egli potrebbe far male per ignoranza o per malizia, e aggiunse che non era necessario ricordare ai presenti quanti di tali casi si erano dati recentemente. Mi avvidi che i presenti, piuttosto perplessi alle sue parole precedenti, non potevano che assentire a queste ultime, perché ciascuno stava evidentemente pensando a una persona diversa, e ciascuno riteneva pessima la persona a cui pensava.

Bene, continuò Guglielmo, se uno solo le leggi può farle male, non saranno meglio i molti? Naturalmente, sottolineò, si stava parlando di leggi terrene, concernenti il buon andamento delle cose civili. Dio aveva detto ad Adamo di non mangiare dell'albero del bene e del male, e quella era la legge divina; ma poi lo aveva autorizzato, che dico?, incoraggiato a dare nomi alle cose, e su quello aveva lasciato libero il suo suddito terrestre. Infatti benché alcuni, ai tempi nostri, dicano che nomina sunt consequentia rerum, il libro del Genesi è peraltro assai chiaro su questo punto: Dio condusse all'uomo tutti gli animali per vedere come li avrebbe chiamati, e in qualunque modo l'uomo avesse chiamato ciascun essere vivente, quello doveva essere il suo nome. E benché certamente il primo uomo fosse stato così accorto da chiamare, nella sua lingua edenica, ogni cosa e animale secondo la sua natura, ciò non toglie che egli non esercitasse una sorta di diritto sovrano nell'immaginare il nome che a suo giudizio meglio corrispondesse a quella natura. Perché infatti è ormai noto che diversi sono i nomi, che gli uomini impongono per designare i concetti, e uguali per tutti sono solo i concetti, segni delle cose. Così che certamente viene la parola *nomen* da *nomos*, ovvero legge, dato che appunto i *nomina* vengono dati dagli uomini *ad placitum*, e cioè per libera e collettiva convenzione.

I presenti non osarono contestare questa dotta dimostrazione. Per cui, ne concluse Guglielmo, si vede bene come la legiferazione sulle cose di questa terra, e quindi sulle cose delle città e dei regni, non ha nulla a che vedere con la custodia e l'amministrazione della parola divina, privilegio inalienabile della gerarchia ecclesiastica. Infelici anzi, disse Guglielmo, gli infedeli, che non hanno simile autorità che interpreti per loro la parola divina (e tutti commiserarono gli infedeli). Ma possiamo per questo dire, forse, che gli infedeli non abbiano la tendenza a fare leggi e ad amministrare le loro cose mediante governi, re, imperatori o soldani e califfi che dir si voglia? E si poteva negare che molti imperatori romani avessero esercitato il potere temporale con saggezza, si pensasse a Traiano? E chi ha dato, a pagani e a infedeli, questa capacità naturale di legiferare e di vivere in comunità politiche? Forse le loro divinità bugiarde che necessariamente non esistono (o non esistono necessariamente, comunque si voglia intendere la negazione di questa modalità)? Certo no. Non poteva che avergliela conferita il Dio degli eserciti, il Dio di Israele, padre di nostro signore Gesù Cristo... Mirabile prova della bontà divina che ha conferito la capacità di giudicare sulle cose politiche anche a chi disconosce l'autorità del romano pontefice e non professa gli stessi sacri, dolci e terribili misteri del popolo cristiano! Ma quale più bella dimostrazione, se non questa, del fatto che il dominio temporale e la giurisdizione secolare nulla hanno a che vedere con la chiesa e con la legge di Cristo Gesù, e furono ordinati da Dio al di fuori di ogni conferma ecclesiastica e prima persino che sorgesse la nostra santa religione?

Tossì di nuovo, ma questa volta non da solo. Molti degli astanti si agitavano sui loro scranni e si raschiavano la gola. Vidi il cardinale passarsi la lingua sulle labbra e fare un gesto, ansioso ma cortese, per invitare Guglielmo a venire al dunque. E Guglielmo affrontò quelle che ora parevano a tutti, anche a chi non le condivideva, le conclusioni forse spiacevoli di quell'inoppugnabile discorso. Disse allora Guglielmo che le sue deduzioni gli parevano sostenute dall'esempio stesso del Cristo, il quale non venne in questo mondo per comandare, ma per sottomettersi secondo le condizioni che nel mondo trovava, almeno per quanto riguardava le leggi di Cesare. Egli non volle che gli apostoli avessero comando e dominio, e perciò sembrava cosa saggia che i successori degli apostoli dovessero essere sollevati da qualsiasi potere mondano e coattivo. Se il pontefice, i vescovi e i preti non fossero sottomessi al potere mondano e coattivo del principe, l'autorità del principe ne verrebbe inficiata, e si inficerebbe con questo un ordine che, come si era dimostrato prima, era stato disposto da Dio. Si debbono certo considerare dei casi molto delicati — disse Guglielmo — come quello degli eretici, sulla cui eresia solo la chiesa, custode della verità, può pronunciarsi, e tuttavia solo il braccio secolare può agire. Quando la chiesa individua degli eretici dovrà certo segnalarli al principe, il quale è bene sia informato delle condizioni dei suoi cittadini. Ma che dovrà fare il principe con un eretico? Condannarlo in nome di quella verità divina di cui non è custode? Il principe può e deve condannare l'eretico se la sua azione nuoce alla convivenza di tutti, se cioè l'eretico afferma la sua eresia uccidendo o impedendo coloro che non la condividono. Ma a quel punto si ferma il potere del principe, perché nessuno su questa terra può essere costretto coi supplizi a seguire i precetti del vangelo, altrimenti dove finirebbe quella libera volontà sull'esercizio della quale ciascuno verrà poi giudicato nell'altro mondo? La chiesa può e deve avvertire l'eretico che esso sta uscendo dalla comunità dei fedeli, ma non può giudicarlo in terra e obbligarlo contro sua voglia. Se Cristo avesse voluto che i suoi sacerdoti ottenessero potere coattivo, avrebbe stabilito precisi precetti come fece Mosè con la legge antica. Non lo fece. Dunque non lo volle. O si intende suggerire l'idea che egli lo volesse, ma gli fosse mancato il tempo o la capacità di dirlo, in tre anni di predicazione? Ma era giusto che non lo volesse, perché se lo avesse voluto, allora il papa avrebbe potuto imporre la sua volontà al re, e il cristianesimo non sarebbe più legge di libertà, ma intollerabile schiavitù.

Tutto questo, aggiunse Guglielmo con volto ilare, non è di limitazione ai poteri del sommo pontefice, ma anzi di esaltazione della sua missione: perché il servo dei servi di Dio sta su questa terra per servire e non per essere servito. E, infine, sarebbe per lo meno bizzarro se il papa avesse giurisdizione sulle cose dell'impero e non sugli altri regni della terra. Come è noto, quello che il papa dice sulle cose divine vale per i sudditi del re di Francia come per quelli del re d'Inghilterra, ma deve valere anche per i sudditi del Gran Cane o del soldano degli infedeli, ché infedeli appunto sono detti perché non sono fedeli a questa bella verità. E dunque se il papa assumesse di aver giurisdizione temporale — in quanto papa — sulle sole cose dell'impero, potrebbe lasciar sospettare che, identificandosi la giurisdizione temporale con quella spirituale, perciostesso egli non solo non avrebbe giurisdizione spirituale sui saraceni o sui tartari, ma neppure sui francesi e gli inglesi — ciò che sarebbe una delittuosa bestemmia. Ecco la ragione, concludeva il mio maestro, per cui gli sembrava giusto suggerire che la chiesa di Avignone facesse ingiuria all'umanità intera asserendo che le spettava di approvare o sospendere colui che era stato eletto imperatore dei romani. Il papa non ha sull'impero diritti maggiori che sugli altri regni, e siccome non sono soggetti all'approvazione del papa né il re di Francia né il soldano, non si vede una buona ragione perché debba esservi soggetto l'imperatore dei tedeschi e degli italiani. Tale soggezione non è di diritto divino, perché le scritture non ne parlano. Non è sancita dal diritto delle genti, in virtù delle ragioni sopra addotte. Quanto ai rapporti con la disputa della povertà, disse infine Guglielmo, le sue modeste opinioni, elaborate in forma di conversevoli suggerimenti da lui e da alcuni come Marsilio da Padova e Giovanni da Gianduno, portavano alle seguenti conclusioni: se i francescani volevano rimanere poveri, il papa non poteva né doveva opporsi a un desiderio tanto virtuoso. Certo che se l'ipotesi della povertà di Cristo fosse stata provata, non solo ciò avrebbe aiutato i minoriti, ma avrebbe rafforzato l'idea che Gesù non avesse voluto per sé alcuna giurisdizione terrena. Ma aveva udito quella mattina persone assai sagge asserire che non si poteva provare che Gesù fosse stato povero. Onde gli pareva più conveniente rovesciare la dimostrazione. Poiché nessuno aveva asserito, e avrebbe potuto asserire, che Gesù aveva richiesto per sé e per i suoi alcuna giurisdizione terrena, questo distacco di Gesù dalle cose temporali gli pareva un sufficiente indizio per invitare a ritenere, senza peccare, che Gesù avesse altresì prediletto la povertà.

Guglielmo aveva parlato in tono così dimesso, aveva espresso le sue certezze in modo tanto dubitativo, che nessuno dei presenti aveva potuto alzarsi per rintuzzarlo. Ciò non vuol dire che tutti fossero convinti di ciò che aveva detto. Non solo gli avignonesi ora si agitavano coi visi corrucciati e sussurrandosi commenti tra di loro, ma lo stesso Abate pareva molto sfavorevolmente impressionato da quelle parole, come se pensasse che non era quello il modo in cui aveva vagheggiato i rapporti tra il suo ordine e l'impero. E quanto ai minoriti, Michele da Cesena era perplesso, Girolamo esterrefatto, Ubertino pensieroso.

Il silenzio fu rotto dal cardinal del Poggetto, sempre sorridente e disteso, che con buona grazia domandò a Guglielmo se sarebbe andato ad Avignone per dire quelle stesse cose a messere il papa. Guglielmo domandò il parere del cardinale, questi disse che messere il papa aveva udito pronunciare molte opinioni discutibili in vita sua ed era uomo amorevolissimo con tutti i suoi figli, ma che sicuramente queste proposizioni lo avrebbero addolorato molto.

Intervenne Bernardo Gui, che sino ad allora non aveva aperto bocca: "Io sarei molto lieto se frate Guglielmo, così abile ed eloquente nell'esporre le proprie idee, venisse a sottoporle al giudizio del pontefice..."

"Mi avete convinto, signor Bernardo," disse Guglielmo. "Non verrò." Poi, rivolgendosi al cardinale, in tono di scusa: "Sapete, questa flussione che mi sta prendendo al petto mi sconsiglia di intraprendere un viaggio così lungo in questa stagione..."

"Ma allora perché avete parlato tanto a lungo?" domandò il cardinale.

"Per testimoniare della verità," disse Guglielmo umilmente. "La verità ci farà liberi."

"Eh no!" sbottò a questo punto Giovanni Dalbena. "Qui non si tratta della verità che ci fa liberi, ma della eccessiva libertà che vuole farsi vera!"

"Anche questo è possibile," ammise con dolcezza Guglielmo.

Avvertii per subitanea intuizione che stava per scoppiare una tempesta di cuori e di lingue ben più furiosa della prima. Ma non avvenne nulla. Mentre ancora Dalbena parlava, il capitano degli arcieri era entrato ed era andato a sussurrare qualcosa nell'orecchio di Bernardo. Il quale si alzò di colpo e con la mano chiese udienza.

"Fratelli," disse, "può darsi che questa profittevole discussione possa venir ripresa, ma ora un evento di immensa gravità ci obbliga a sospendere i nostri lavori, col permesso dell'Abate. Forse ho colmato, senza volerlo, le attese dell'Abate stesso, che sperava di scoprire il colpevole dei molti delitti dei giorni scorsi. Quell'uomo è ora in mia mano. Ma ahimè, è stato preso troppo tardi, ancora una volta... Qualcosa è successo laggiù..." e indicava vagamente l'esterno. Attraversò rapidamente la sala e uscì, seguito da molti, Guglielmo tra i primi e io con lui.

Il mio maestro mi guardò e mi disse: "Temo che sia accaduto qualcosa a Severino."

Quinto giorno
SESTA

Dove si trova Severino assassinato e non si trova più
il libro che lui aveva trovato.

Attraversammo la spianata di passo rapido e angosciati. Il capitano degli arcieri ci conduceva verso l'ospedale e come vi giungemmo intravvedemmo nel grigiore denso un agitarsi di ombre: erano monaci e famigli che accorrevano, erano arcieri che stavano davanti alla porta e impedivano l'accesso.

"Quegli armati erano stati inviati da me per cercare un uomo che poteva far luce su tanti misteri," disse Bernardo.

"Il fratello erborista?" chiese stupefatto l'Abate.

"No, ora vedrete," disse Bernardo facendosi strada all'interno.

Penetrammo nel laboratorio di Severino e qui una vista penosa si offrì ai nostri occhi. Lo sventurato erborista giaceva cadavere in un lago di sangue, con la testa spaccata. Intorno, gli scaffali parevano esser stati devastati dalla tempesta: ampolle, bottiglie, libri, documenti giacevano qua e là in gran disordine e rovina. Accanto al corpo stava una sfera armillare, grande almeno due volte il capo di un uomo; di metallo finemente lavorato, sormontata da una croce d'oro e imperniata su un corto treppiede decorato. Altre volte l'avevo notata sul tavolo a sinistra dell'ingresso.

Dall'altro capo della stanza due arcieri tenevano stretto il cellario che si divincolava protestandosi innocente e che aumentò i suoi clamori quando vide entrare l'Abate. "Signore," gridava, "le apparenze sono contro di me! Sono entrato quando Severino era già morto e mi han trovato mentre stavo osservando senza parole questa strage!"

Il capo degli arcieri si appressò a Bernardo, e ottenutane licenza gli fece un rapporto, davanti a tutti. Gli arcieri avevano ricevuto l'ordine di trovare il cellario e di arrestarlo, e da più di due ore lo cercavano per l'abbazia. Doveva trattarsi, pensai, della disposizione data da Bernardo prima di entrare nel capitolo, e i soldati, stranieri in quel luogo, avevano probabilmente condotto le loro ricerche nei posti sbagliati, senza avvedersi che il cellario, ignaro ancora del suo fato, stava con altri nel nartece; e d'altra parte la nebbia aveva reso più ardua la loro caccia. In ogni caso, dalle parole del capitano, si arguiva che quando Remigio, dopo che io lo avevo lasciato, era andato verso le cucine, qualcuno lo aveva visto e ne aveva avvertito gli arcieri, i quali erano giunti all'Edificio quando Remigio se ne era di nuovo allontanato, e da pochissimo, perché c'era in cucina Jorge che asseriva di avergli appena parlato. Gli arcieri avevano allora esplorato il pianoro nella direzione degli orti e qui, emerso dalla nebbia come un fantasma, avevano trovato il vecchio Alinardo, che si era quasi smarrito. Proprio Alinardo aveva detto di aver visto il cellario, poco prima, entrare nell'ospedale. Gli arcieri erano andati colà trovando la porta aperta. Entrati, avevano trovato Severino esanime e il cellario che forsennatamente stava rovistando tra gli scaffali, buttando tutto a terra, come se stesse cercando qualcosa. Era facile capire cosa fosse successo, concludeva il capitano. Remigio era entrato, si era gettato sull'erborista, lo aveva ucciso, e stava poi cercando ciò per cui aveva ucciso.

Un arciere sollevò da terra la sfera armillare e la porse a Bernardo. L'elegante architettura di cerchi di rame e d'argento, tenuta insieme da una più robusta intelaiatura di anelli di bronzo, impugnata per lo stelo del treppiede, era stata vibrata con forza sul cranio della vittima, sì che nell'impatto molti dei cerchi più sottili si erano spezzati o schiacciati da un lato. E che quello fosse il lato abbattuto sul capo di Severino lo rivelavano le tracce di sangue e persino i grumi di capelli e le immonde sbavature di materia cerebrale.

Guglielmo si chinò su Severino per constatarne la morte. Gli occhi del poveretto, velati dal sangue scorso a fiumi dal capo, erano sbarrati e mi chiesi se fosse mai stato possibile leggere nella pupilla irrigidita, come si racconta sia avvenuto in altri casi, l'immagine dell'assassino, ultimo vestigio delle percezioni della vittima. Vidi che Guglielmo cercava le mani del morto, per controllare se avesse delle macchie nere sulle dita, anche se in quel caso la causa della morte era ben altrimenti evidente: ma Severino indossava quelli stessi guanti di pelle, con cui certe volte l'avevo visto maneggiare erbe pericolose, ramarri, ignoti insetti.

Frattanto Bernardo Gui si rivolgeva al cellario: "Remigio

da Varagine, è questo il tuo nome, vero? Ti avevo fatto cercare dai miei uomini in base ad altre accuse e per confermare altri sospetti. Ora vedo che avevo agito rettamente benché, me lo rimprovero, con troppo ritardo. Signore," disse all'Abate, "mi ritengo quasi responsabile di quest'ultimo crimine, perché sin da stamane sapevo che occorreva assicurare alla giustizia quest'uomo, dopo aver ascoltato le rivelazioni di quell'altro sciagurato arrestato questa notte. Ma avete visto anche voi, durante la mattina sono stato preso da altri doveri e i miei uomini hanno fatto del loro meglio..."

Mentre parlava, a voce alta perché tutti gli astanti udissero (e la stanza si era nel frattempo affollata, con gente che si intrufolava in ogni canto, guardando le cose sparse e distrutte, additandosi il cadavere e commentando sottovoce il gran crimine), scorsi tra la piccola folla Malachia, che osservava cupamente la scena. Lo scorse anche il cellario, che proprio allora stava per essere trascinato fuori. Si strappò dalla stretta degli arcieri e si buttò sul confratello, afferrandolo per la veste e parlandogli brevemente e disperatamente viso contro viso, sino a che gli arcieri non lo ripresero. Ma, condotto via con rudezza, si voltò ancora verso Malachia gridandogli: "Giura, e io giuro!"

Malachia non rispose subito, come se cercasse le parole adatte. Poi mentre il cellario già stava oltrepassando a forza la soglia, gli disse: "Non farò nulla contro di te."

Guglielmo e io ci guardammo, chiedendoci cosa significasse questa scena. Anche Bernardo l'aveva osservata, ma non ne parve turbato, anzi sorrise a Malachia come per approvare le sue parole, e suggellare con lui una sinistra complicità. Poi annunciò che subito dopo il pasto si sarebbe riunito nel capitolo un primo tribunale per istruire pubblicamente quell'inchiesta. E uscì ordinando di condurre il cellario nelle fucine, senza lasciarlo parlare con Salvatore.

In quel momento ci sentimmo chiamare da Bencio, alle nostre spalle: "Io sono entrato subito dopo di voi," disse in un sussurro, "quando la stanza era ancora semivuota, e Malachia non c'era."

"Sarà entrato dopo," disse Guglielmo.

"No," assicurò Bencio, "ero presso alla porta, ho visto chi entrava. Vi dico, Malachia era già dentro... prima."

"Prima di quando?"

"Prima che vi entrasse il cellario. Non posso giurarlo, ma credo che sia uscito da quella tenda, quando qui eravamo già in molti," e accennò a un ampio tendaggio che proteggeva un letto su cui di solito Severino metteva a riposare chi aveva appena subito una medicazione.

"Vuoi insinuare che sia stato lui a uccidere Severino e che si sia ritirato là dietro quando è entrato il cellario?" chiese Guglielmo.

"Oppure che da là dietro abbia assistito a quanto è avvenuto qui. Perché altrimenti il cellario gli avrebbe implorato di non nuocergli promettendo in cambio di non nuocere a lui?"

"È possibile," disse Guglielmo. "In ogni caso qui c'era un libro e dovrebbe esserci ancora, perché sia il cellario che Malachia sono usciti a mani vuote." Guglielmo sapeva dal mio rapporto che Bencio sapeva: e in quel momento aveva bisogno di aiuto. Si avvicinò all'Abate che osservava tristemente il cadavere di Severino e lo pregò di far uscire tutti, perché voleva esaminare meglio il luogo. L'Abate acconsentì ed uscì egli stesso, non senza lanciare a Guglielmo uno sguardo di scetticismo, come se gli rimproverasse di arrivare sempre in ritardo. Malachia cercò di restare adducendo varie ragioni, del tutto vaghe: Guglielmo gli fece osservare che quella non era la biblioteca e in quel luogo non poteva accampare diritti. Fu cortese ma inflessibile, e si vendicò di quando Malachia non gli aveva consentito di esaminare il tavolo di Venanzio.

Quando rimanemmo in tre, Guglielmo liberò uno dei tavoli dai cocci e dalle carte che lo occupavano, e mi disse di passargli uno dopo l'altro i libri della raccolta di Severino. Piccola raccolta, paragonata a quella grandissima del labirinto, ma si trattava pur sempre di decine e decine di volumi di varia grandezza, che prima stavano in bell'ordine sugli scaffali e ora giacevano in disordine per terra, tra vari altri oggetti, e già sconvolti dalle mani frettolose del cellario, alcuni anzi strappati, come se quello non un libro cercasse, ma qualcosa che doveva stare tra le pagine di un libro. Certuni erano stati lacerati con violenza, separati dalla loro rilegatura. Raccoglierli, esaminarne rapidamente la natura e riporli a catasta sul tavolo, fu impresa non da poco, e condotta in fretta, perché l'Abate ci aveva concesso poco tempo, dato che dovevano poi entrare dei monaci a ricomporre il corpo straziato di Severino e a disporlo per la sepoltura. E si trattava anche di andare a cercare in giro, sotto i tavoli, dietro agli scaffali e agli armadi, se qualcosa fosse sfuggito a una prima ispezione. Guglielmo non volle che Bencio mi aiutasse e gli consentì solo di stare a guardia della porta. Malgrado gli ordini dell'Abate molti premevano per entrare, famigli atterriti dalla notizia, monaci piangenti il loro confratello, novizi arrivati con drappi candidi e bacinelle d'acqua per lavare e avvolgere il cadavere...

Si doveva dunque procedere svelti. Io afferravo i libri, li porgevo a Guglielmo che li esaminava e li poneva sul tavolo. Poi ci rendemmo conto che il lavoro era lungo e procedemmo insieme, cioè io raccattavo un libro, lo ricomponevo se era scomposto, ne leggevo il titolo, lo posavo. E in molti casi si trattava di fogli sparsi.

"*De plantis libri tres*, maledizione non è questo," diceva Guglielmo e buttava il libro sul tavolo.

"*Thesaurus herbarum*," dicevo io, e Guglielmo: "Lascia stare, cerchiamo un libro greco!"

"Questo?" chiedevo io mostrandogli un'opera dalle pagine coperte di caratteri astrusi. E Guglielmo: "No, questo è arabo, sciocco! Aveva ragione Bacone che il primo dovere del sapiente è studiare le lingue!"

"Ma l'arabo non lo sapete neppure voi!" ribattevo piccato, al che Guglielmo mi rispondeva: "Ma almeno capisco quando è arabo!" E io arrossivo perché udivo Bencio ridere alle mie spalle.

I libri erano molti, e molti di più gli appunti, i rotoli con disegni della volta celeste, i cataloghi di piante strane, manoscritti probabilmente dal defunto su fogli sparsi. Lavorammo a lungo, esplorammo il laboratorio per ogni dove, Guglielmo giunse persino, con grande freddezza, a rimuovere il cadavere per vedere se non vi fosse qualcosa sotto, e gli frugò nella veste. Nulla.

"È indispensabile," disse Guglielmo. "Severino si è chiuso qui dentro con un libro. Il cellario non lo aveva..."

"Non lo avrà mica nascosto nella veste?" domandai.

"No, il libro che ho visto l'altra mattina sotto il tavolo di Venanzio era grande, ce ne saremmo accorti."

"Come era rilegato?" domandai.

"Non lo so. Giaceva aperto e l'ho visto solo per pochi secondi, appena per rendermi conto che era in greco, ma non ricordo altro. Continuiamo: il cellario non l'ha preso, e Malachia neppure, credo."

"Assolutamente no," confermò Bencio, "quando il cellario lo ha afferrato per il petto si è visto che non poteva averlo sotto lo scapolare."

' Bene. Cioè, male. Se il libro non è in questa stanza è evidente che qualcun altro, oltre Malachia e il cellario, era entrato prima."

"Cioè una terza persona che ha ucciso Severino?"

"Troppa gente," disse Guglielmo.

"D'altra parte," dissi, "chi poteva sapere che il libro era qui?"

"Jorge, per esempio, se ci ha uditi."

"Sì," dissi, "ma Jorge non avrebbe potuto uccidere un uomo robusto come Severino, e con tanta violenza."

"Certamente no. Inoltre tu l'hai visto dirigersi verso l'Edificio, e gli arcieri lo hanno trovato in cucina poco prima di trovare il cellario. Quindi non avrebbe avuto tempo di venire qui e poi di tornare in cucina. Calcola che, anche se si muove con disinvoltura, deve tuttavia procedere costeggiando i muri e non avrebbe potuto attraversare gli orti, e di corsa..."

"Lasciatemi ragionare con la mia testa," dissi, io che ormai ambivo a emulare il mio maestro. "Dunque Jorge non può essere stato. Alinardo girava nei pressi, ma anch'egli si regge a malapena sulle gambe, e non può aver sopraffatto Severino. Il cellario è stato qui, ma il tempo intercorso tra la sua uscita dalle cucine e l'arrivo degli arcieri è stato così breve che mi pare difficile che abbia potuto farsi aprire da Severino, affrontarlo, ucciderlo e poi combinare tutto questo pandemonio. Malachia potrebbe aver preceduto tutti: Jorge vi ha udito nel nartece, è andato nello scriptorium a informare Malachia che un libro della biblioteca stava presso Severino. Malachia viene qui, convince Severino ad aprirgli, lo uccide, Dio sa perché. Ma se cercava il libro avrebbe dovuto riconoscerlo senza rovistare così, perché è lui il bibliotecario! Allora chi rimane?"

"Bencio," disse Guglielmo.

Bencio negò vigorosamente scuotendo il capo: "No frate Guglielmo, voi sapete che ero arso dalla curiosità. Ma se fossi entrato qui e avessi potuto uscire col libro, adesso non sarei a tenervi compagnia, ma da qualche altra parte a esaminare il mio tesoro..."

"Una prova quasi convincente," sorrise Guglielmo. "Però neppure tu sai come è fatto il libro. Potresti aver ucciso e ora saresti qui a cercare di identificarlo."

Bencio arrossì violentemente. "Io non sono un assassino!" protestò.

"Nessuno lo è, prima di commettere il primo delitto,"

disse filosoficamente Guglielmo. "In ogni caso il libro non c'è, e questa è una prova sufficiente del fatto che tu non lo hai lasciato qui. E mi pare ragionevole che, se lo avessi preso prima, saresti sgattaiolato fuori durante la confusione."

Poi si voltò a considerare il cadavere. Parve che solo allora si rendesse conto della morte del suo amico. "Povero Severino," disse, "avevo sospettato anche di te e dei tuoi veleni. E tu ti attendevi l'insidia di un veleno, altrimenti non avresti indossato quei guanti. Temevi un pericolo dalla terra e invece ti è giunto dalla volta celeste..." Riprese in mano la sfera osservandola con attenzione. "Chissà perché hanno usato proprio quest'arma..."

"Era a portata di mano."

"Può essere. C'erano anche altre cose, vasi, strumenti da giardiniere... È un bell'esempio di arte dei metalli e di scienza astronomica. Si è rovinato e... Santo cielo!" esclamò.

"Cosa c'è?"

"E fu colpita la terza parte del sole e la terza parte della luna e la terza parte delle stelle..." recitò.

Conoscevo troppo bene il testo di Giovanni apostolo: "La quarta tromba!" esclamai.

"Infatti. Prima la grandine, poi il sangue, poi l'acqua e ora le stelle... Se è così tutto deve essere rivisto, l'assassino non ha colpito a caso, ha seguito un piano... Ma è mai possibile immaginare una mente così malvagia che uccida solo quando può farlo seguendo i dettami del libro dell'Apocalisse?"

"Cosa accadrà con la quinta tromba?" domandai atterrito. Cercai di ricordare: "E vidi un astro caduto dal cielo sulla terra e a lui fu data la chiave del pozzo dell'abisso... Morirà qualcuno annegando nel pozzo?"

"La quinta tromba ci promette molte altre cose," disse Guglielmo. "Dal pozzo uscirà il fumo di una fornace, poi ne usciranno delle locuste che tormenteranno gli uomini con un aculeo simile a quello degli scorpioni. E la forma delle locuste sarà simile a quella di cavalli con corone d'oro sul capo e denti di leone... Il nostro uomo avrebbe a disposizione vari mezzi per realizzare le parole del libro... Ma non inseguiamo delle fantasticherie. Cerchiamo piuttosto di ricordare cosa ci ha detto Severino quando ci ha annunziato di aver trovato il libro..."

"Voi gli avete detto di portarvelo e lui ha detto che non poteva..."

"Infatti, poi siamo stati interrotti. Perché non poteva? Un

libro si può trasportare. E perché si è messo i guanti? C'è qualcosa nella rilegatura del libro connesso al veleno che ha ucciso Berengario e Venanzio? Una insidia misteriosa, una punta infetta..."

"Un serpente!" dissi.

"Perché non una balena? No, stiamo ancora fantasticando. Il veleno, lo abbiamo visto, dovrebbe passare per la bocca. Poi non è che Severino abbia detto che non poteva trasportare il libro. Ha detto che preferiva farmelo vedere qui. E si è messo i guanti... Per intanto sappiamo che quel libro va toccato con i guanti. E questo vale anche per te Bencio, se lo troverai come speri. E visto che sei così servizievole, puoi aiutarmi. Risali allo scriptorium e tieni d'occhio Malachia. Non perderlo di vista."

"Sarà fatto!" disse Bencio, e uscì, lieto, ci parve, per la missione.

Non potemmo più trattenere a lungo gli altri monaci e la stanza fu invasa di gente. Era ormai trascorsa l'ora del desinare e probabilmente Bernardo stava già radunando nel capitolo la sua corte.

"Qui non c'è più nulla da fare," disse Guglielmo.

Un'idea mi attraversò la mente: "L'assassino," dissi, "non potrebbe aver gettato il libro dalla finestra per poi andarlo a riprendere sul retro dell'ospedale?" Guglielmo guardò con scetticismo i finestroni del laboratorio, che parevano ermeticamente chiusi. "Proviamo a controllare," disse.

Uscimmo e ispezionammo il lato posteriore della costruzione, che stava quasi a ridosso del muro di cinta, non senza lasciare uno stretto passaggio. Guglielmo procedette con cautela perché in quello spazio la neve dei giorni scorsi si era conservata intatta. I nostri passi imprimevano sulla crosta gelata, ma fragile, dei segni evidenti, e dunque se qualcuno fosse passato prima di noi la neve ce lo avrebbe segnalato. Non vedemmo nulla.

Abbandonammo con l'ospedale la mia povera ipotesi, e mentre attraversavamo l'orto domandai a Guglielmo se si fidava davvero di Bencio. "Non del tutto," disse Guglielmo, "ma in ogni caso non gli abbiamo detto nulla che già non sapesse, e lo abbiamo reso timoroso nei confronti del libro. Infine facendogli sorvegliare Malachia facciamo anche sorvegliare lui da Malachia, il quale sta evidentemente cercando il libro per conto proprio."

"E il cellario cosa voleva?"

"Lo sapremo presto. Certo voleva qualcosa e lo voleva su-

bito per evitare un pericolo che lo terrorizzava. Questo qualcosa deve essere noto a Malachia, altrimenti non spieghe-
remmo l'invocazione disperata che Remigio gli ha rivolto..."

"In ogni caso il libro è scomparso..."

"Questa è la cosa più inverosimile," disse Guglielmo
mentre già stavamo arrivando al capitolo. "Se c'era, e Severino ha detto che c'era, o è stato portato via, o c'è ancora."

"E siccome non c'è, qualcuno lo ha portato via," conclusi.

"Non è detto che il ragionamento non vada fatto partendo da un'altra premessa minore. Siccome tutto conferma che
nessuno può averlo portato via..."

"Allora dovrebbe essere ancora là. Ma non c'è."

"Un momento. Noi diciamo che non c'era perché non lo
abbiamo trovato. Ma forse non lo abbiamo trovato perché
non lo abbiamo visto là dov'era."

"Ma abbiamo guardato dappertutto!"

"Guardato ma non visto. Oppure visto ma non riconosciuto... Adso, com'è che Severino ci ha descritto quel libro,
che parole ha usato?"

"Ha detto di aver trovato un libro che non era dei suoi,
in greco..."

"No! Ora ricordo. Ha detto uno *strano* libro. Severino era
un dotto e per un dotto un libro in greco non è strano, anche se quel dotto non sa il greco, perché almeno riconosce-
rebbe l'alfabeto. E un dotto non definirebbe strano neppure
un libro in arabo, anche se non conosce l'arabo..." Si interruppe. "E cosa ci faceva un libro arabo nel laboratorio di
Severino?"

"Ma perché avrebbe dovuto definire strano un libro arabo?"

"Questo è il problema. Se lo ha definito strano è perché
aveva un aspetto inconsueto, inconsueto almeno per lui, che
faceva l'erborista e non il bibliotecario... E nelle biblioteche
accade che molti manoscritti antichi vengano talora rilegati
insieme, riunendo in un volume testi diversi e curiosi, uno
in greco, uno in aramaico..."

"...e uno in arabo!" gridai, folgorato da quella illuminazione.

Guglielmo mi trascinò con rudezza fuori dal nartece facendomi correre verso l'ospedale: "Bestia di un teutone, ra-
pa, ignorante, hai guardato solo le prime pagine e non il resto!"

"Ma maestro," ansimavo, "siete voi che avete guardato le

pagine che vi ho mostrato e avete detto che era arabo e non greco!''

"È vero Adso, è vero, sono io la bestia, corri, presto!''

Ritornammo nel laboratorio e faticammo a entrarvi perché i novizi stavano già trasportando fuori il cadavere. Altri curiosi si aggiravano per la stanza. Guglielmo si precipitò sul tavolo, sollevò i volumi cercando quello fatidico, li buttava via via per terra sotto gli occhi sbigottiti degli astanti, poi li aprì e riaprì tutti due volte. Ahimè, il manoscritto arabo non c'era più. Me ne ricordavo vagamente la vecchia copertura, non robusta, assai consunta, con leggere bande metalliche.

"Chi è entrato qui dopo che sono uscito?'' domandò Guglielmo a un monaco. Quello si strinse nelle spalle, era chiaro che erano entrati tutti, e nessuno.

Cercammo di considerare le possibilità. Malachia? Era verosimile, sapeva cosa voleva, ci aveva forse sorvegliato, ci aveva visto uscire senza nulla in mano, era tornato a colpo sicuro. Bencio? Ricordai che quando c'era stato il battibecco sul testo arabo aveva riso. Allora avevo creduto che avesse riso per la mia ignoranza, ma forse rideva per l'ingenuità di Guglielmo, lui sapeva bene in quanti modi può presentarsi un vecchio manoscritto, forse aveva pensato quello che noi non avevamo pensato subito, e che avremmo dovuto pensare, e cioè che Severino non conosceva l'arabo e che dunque era singolare che conservasse tra i suoi un libro che non poteva leggere. Oppure c'era un terzo personaggio?

Guglielmo era profondamente umiliato. Cercavo di consolarlo, gli dicevo che lui stava cercando da tre giorni un testo in greco ed era naturale che avesse scartato nel corso del suo esame tutti i libri che non apparivano in greco. E lui rispondeva che è certamente umano commettere errori, però ci sono degli esseri umani che ne commettono più degli altri, e vengono chiamati stolti, e lui era tra quelli, e si domandava se era valsa la pena di studiare a Parigi e a Oxford per essere poi incapace di pensare che i manoscritti si rilegano anche a gruppi, cosa che sanno anche i novizi, meno quelli stupidi come me, e una coppia di stupidi come noi due avrebbe avuto un bel successo nelle fiere, e quello dovevamo fare e non cercare di risolvere i misteri, specie quando avevamo di fronte gente molto più astuta di noi.

"Ma è inutile piangere,'' concluse poi. "Se lo ha preso Malachia, lo ha già riposto in biblioteca. E lo ritroveremmo solo se sapessimo entrare nel finis Africae. Se lo ha preso

Bencio, avrà immaginato che prima o poi io avrei avuto il sospetto che ho avuto e sarei tornato nel laboratorio, altrimenti non avrebbe agito così in fretta. E dunque si sarà nascosto e l'unico punto in cui non si è certo nascosto è quello in cui noi lo cercheremmo subito, e cioè la sua cella. Quindi torniamo al capitolo e vediamo se durante l'istruttoria il cellario dirà qualcosa di utile. Perché al postutto non ho ancora chiaro il piano di Bernardo; il quale cercava il suo uomo prima della morte di Severino, e per altri scopi.''

Tornammo al capitolo. Avremmo fatto bene ad andare nella cella di Bencio perché, come poi apprendemmo, il nostro giovane amico non aveva affatto in così grande stima Guglielmo e non aveva pensato che sarebbe tornato tanto presto nel laboratorio; per cui, credendo di non essere cercato da quella parte, era proprio andato a nascondere il libro nella sua cella.

Ma di questo dirò dopo. Nel frattempo avvennero fatti così drammatici e inquietanti da farci dimenticare il libro misterioso. E se pure non lo dimenticammo, fummo presi da altre bisogne urgenti, connesse alla missione di cui Guglielmo era pur sempre incaricato.

Quinto giorno

NONA

*Dove si amministra la giustizia e si ha la imbarazzante
impressione che tutti abbiano torto.*

Bernardo Gui si pose al centro del grande tavolo di noce
nella sala del capitolo. Accanto a lui un domenicano svolgeva le funzioni di notaio e due prelati della legazione pontificia gli stavano a lato come giudici. Il cellario era in piedi
davanti al tavolo, tra due arcieri.

L'Abate si rivolse a Guglielmo sussurrandogli: "Non so se
la procedura sia legittima. Il concilio laterano del 1215 ha
sancito nel suo canone XXXVII che non si possa citare qualcuno a comparire davanti a giudici che seggano a più di due
giornate di marcia dal suo domicilio. Qui la situazione è
forse diversa, è il giudice che viene da lontano, ma..."

"L'inquisitore è sottratto a ogni giurisdizione regolare,"
disse Guglielmo, "e non deve seguire le norme del diritto
comune. Gode di speciale privilegio e non è neppure tenuto
ad ascoltare gli avvocati."

Guardai il cellario. Remigio era ridotto in uno stato miserevole. Si guardava intorno come una bestia spaurita, come
se riconoscesse i movimenti e i gesti di una paventata liturgia. Ora so che temeva per due ragioni, altrettanto spaventevoli: l'una perché era stato colto, secondo ogni apparenza,
in flagrante delitto, l'altra perché sin dal giorno prima,
quando Bernardo aveva iniziato la sua inchiesta, raccogliendo mormorazioni e insinuazioni, egli temeva che venissero
alla luce i suoi trascorsi; e più ancora aveva iniziato ad agitarsi quando aveva visto prendere Salvatore.

Se lo sventurato Remigio era in preda ai propri terrori,
Bernardo Gui conosceva dal canto proprio i modi per trasformare in panico la paura delle proprie vittime. Egli non
parlava: mentre ormai tutti si attendevano che desse inizio
all'interrogatorio, teneva le proprie mani sulle carte che ave-

va davanti, fingendo di riordinarle, ma distrattamente. Lo sguardo era invero puntato sull'accusato, ed era uno sguardo misto di ipocrita indulgenza (come per dire: "Non temere, sei nelle mani di un consesso fraterno, che non può che volere il tuo bene"), di gelida ironia (come per dire: "Non sai ancora quale sia il tuo bene, e io tra poco te lo dirò"), di spietata severità (come per dire: "Ma in ogni caso io sono qui il tuo solo giudice, e tu sei cosa mia"). Tutte cose che il cellario sapeva già, ma il silenzio e l'indugio del giudice servivano a fargliele ricordare, quasi assaporare meglio, affinché — anziché scordarsene — egli vieppiù ne traesse motivo di umiliazione, la sua inquietudine si trasformasse in disperazione, e del giudice diventasse cosa esclusiva, cera molle tra le sue mani.

Finalmente Bernardo ruppe il silenzio. Pronunziò alcune formule di rito, disse ai giudici che si procedeva all'interrogatorio dell'imputato per due delitti altrettanto odiosi, di cui uno era a tutti evidente ma dell'altro meno spregevole, perché in effetti l'imputato era stato sorpreso a commettere l'omicidio quando era ricercato per delitto di eresia.

L'aveva detto. Il cellario si nascose il volto tra le mani, che muoveva a fatica perché erano strette in catene. Bernardo diede inizio all'interrogatorio.

"Chi sei tu?" chiese.

"Remigio da Varagine. Sono nato cinquantadue anni fa e sono entrato ancora fanciullo nel convento dei minori di Varagine."

"E come accade che ti trovi oggi nell'ordine di san Benedetto?"

"Anni fa, quando il pontefice emanò la bolla *Sancta Romana*, siccome temevo di venir contagiato dall'eresia dei fraticelli... pur non avendo mai aderito alle loro proposizioni... pensai fosse più utile alla mia anima peccatrice sottrarmi a un ambiente carico di seduzioni e ottenni di essere ammesso tra i monaci di questa abbazia, dove da più di otto anni servo come cellario."

"Ti sei sottratto alle seduzioni dell'eresia," motteggiò Bernardo, "ovvero ti sei sottratto all'inchiesta di chi era preposto a scoprir l'eresia e sradicarne la mala pianta, e i buoni monaci cluniacensi han creduto di compiere un atto di carità accogliendo te e quelli come te. Ma non basta cambiar saio per cancellare dall'anima la turpitudine della depravazione eretica, e per questo noi siamo ora qui a investigare cosa si aggiri per i recessi della tua anima impenitente e cosa tu abbia fatto prima di pervenire in questo santo luogo."

"La mia anima è innocente e non so cosa voi intendiate quando parlate di depravazione eretica," disse cautamente il cellario.

"Lo vedete?" esclamò Bernardo rivolgendosi agli altri giudici. "Tutti così costoro! Quando uno di loro viene arrestato, si presenta a giudizio come se la sua coscienza fosse tranquilla e senza rimorsi. E non sanno che questo è il segno più evidente della loro colpa, perché il giusto, al processo, si presenta inquieto! Domandategli se conosce la causa per cui avevo predisposto il suo arresto. La conosci, Remigio?"

"Signore," rispose il cellario, "sarei lieto di apprenderla dalla vostra bocca."

Fui sorpreso, perché mi parve che il cellario rispondesse alle domande di rito con parole altrettanto rituali, come se ben conoscesse le regole dell'istruttoria e i suoi tranelli, e da tempo fosse stato istruito ad affrontare un simile evento.

"Ecco," esclamava intanto Bernardo, "la tipica risposta dell'eretico impenitente! Percorrono sentieri da volpi ed è molto difficile coglierli in fallo perché la loro comunità ammette il loro diritto a mentire per evitare la dovuta punizione. Essi ricorrono a risposte tortuose tentando di trarre in inganno l'inquisitore, che già deve sopportare il contatto con gente tanto spregevole. Dunque fra Remigio tu non hai avuto mai nulla a che vedere coi detti fraticelli o frati della povera vita, o beghini?"

"Io ho vissuto le vicende dei minori, quando a lungo si discusse sulla povertà, ma non sono mai appartenuto alla setta dei beghini."

"Vedete?" disse Bernardo. "Nega di essere stato beghino perché i beghini, pur partecipando della stessa eresia dei fraticelli, considerano questi ultimi un ramo secco dell'ordine francescano e si ritengono più puri e perfetti di loro. Ma molti dei comportamenti degli uni sono comuni agli altri. Puoi negare, Remigio, di essere stato visto in chiesa rattrappito col viso volto verso il muro, o prosternato con la testa coperta dal cappuccio, anziché inginocchiato a mani giunte come gli altri uomini?"

"Anche nell'ordine di san Benedetto ci si prosterna a terra, nei momenti dovuti..."

"Io non ti chiedo cosa hai fatto nei momenti dovuti, ma in quelli non dovuti! Quindi non neghi di aver assunto l'una o l'altra postura, tipiche dei beghini! Ma tu non sei beghino, hai detto... E allora dimmi: in che cosa credi?"

"Signore, credo in tutto ciò a cui crede un buon cristiano..."

"Che santa risposta! E a cosa crede un buon cristiano?"

"A quello che insegna la santa chiesa."

"E quale santa chiesa? Quella che ritengono tale i credenti che si definiscono perfetti, gli pseudo apostoli, i fraticelli eretici, o la chiesa che essi paragonano alla meretrice di Babilonia, e in cui tutti noi invece fermamente crediamo?"

"Signore," disse smarrito il cellario, "ditemi voi quale credete che sia la vera chiesa..."

"Io credo che sia la chiesa romana, una, santa e apostolica, retta dal papa e dai suoi vescovi."

"Così io credo," disse il cellario.

"Ammirevole astuzia!" gridò l'inquisitore. "Ammirevole arguzia de dicto! L'avete udito: egli vuole intendere che egli crede che io creda a questa chiesa, e si sottrae al dovere di dire in che cosa creda lui! Ma conosciamo bene queste arti da faina! Veniamo al dunque. Credi tu che i sacramenti siano stati istituiti da Nostro Signore, che per fare una retta penitenza occorra confessarsi dai servi di Dio, che la chiesa romana abbia il potere di sciogliere e legare su questa terra ciò che sarà legato e sciolto in cielo?"

"Non dovrei forse crederlo?"

"Non ti domando cosa dovresti credere, ma cosa credi!"

"Io credo a tutto ciò che voi e gli altri buoni dottori mi ordinate di credere," disse il cellario spaventato.

"Ah! Ma i buoni dottori a cui fai allusione non sono forse coloro che comandano la tua setta? È questo che volevi intendere quando parlavi dei buoni dottori? È a questi perversi mentitori che si ritengono gli unici successori degli apostoli che ti rifai per riconoscere i tuoi articoli di fede? Tu insinui che se io credo a ciò che loro credono, allora mi crederai, altrimenti crederai solo a loro!"

"Non ho detto questo, signore," balbettò il cellario, "voi me lo fate dire. Io credo a voi, se voi mi insegnate ciò che è bene."

"Oh protervia!" gridò Bernardo battendo il pugno sul tavolo. "Ripeti a memoria con bieca determinazione il formulario che si insegna nella tua setta. Tu dici che mi crederai solo se predicherò ciò che la tua setta ritiene sia il bene. Così hanno sempre risposto gli pseudo apostoli e così ora tu rispondi, forse senza avvedertene, perché riaffiorano alle tue labbra le frasi che un tempo ti furono insegnate onde ingannare gli inquisitori. Ed è così che stai accusandoti con le tue stesse parole, e io cadrei nella tua trappola solo se non avessi una lunga esperienza di inquisizione... Ma veniamo alla vera questione, uomo perverso. Hai mai inteso parlare di Gherardo Segalelli da Parma?''

''Ne ho inteso parlare,'' disse il cellario impallidendo, se mai si fosse potuto ancora parlare di pallore per quel viso disfatto.

''Hai mai inteso parlare di fra Dolcino da Novara?''

''Ne ho inteso parlare.''

''Lo hai mai visto di persona, hai conversato con lui?''

Il cellario stette qualche istante in silenzio, come per valutare sino a che punto gli fosse convenuto dire una parte della verità. Poi si decise, e con un filo di voce: ''L'ho visto e gli ho parlato.''

''Più forte!'' gridò Bernardo, ''che finalmente si possa udire una parola vera scendere dalle tue labbra! Quando gli hai parlato?''

''Signore,'' disse il cellario, ''ero frate in un convento del novarese quando la gente di Dolcino si radunò da quelle parti, e passarono anche presso il mio convento, e al principio non si sapeva bene chi fossero...''

''Tu menti! Come poteva un francescano di Varagine essere in un convento del novarese? Tu non eri in convento, tu facevi già parte di una banda di fraticelli che percorrevano quelle terre vivendo di elemosine e ti sei unito ai dolciniani!''

''Come potete affermare questo, signore?'' disse tremando il cellario.

''Ti dirò come posso, anzi devo, affermarlo,'' disse Bernardo, e ordinò che fosse fatto entrare Salvatore.

La vista dello sciagurato, che certamente aveva passato la notte in un interrogatorio non pubblico e più severo, mi mosse a pietà. Il volto di Salvatore, l'ho detto, era di solito orribile. Ma quel mattino sembrava ancor più simile a quello di un animale. Non recava segni di violenza, ma il modo in cui il corpo si muoveva in catene, con le membra dislogate, quasi incapace di muoversi, trascinato dagli arcieri come una scimmia legata alla corda, palesava molto bene il modo in cui doveva essersi svolto il suo atroce responsorio.

''Bernardo lo ha torturato...'' sussurrai a Guglielmo.

''Per nulla,'' rispose Guglielmo. ''Un inquisitore non tortura mai. La cura del corpo dell'imputato è affidata sempre al braccio secolare.''

''Ma è la stessa cosa!'' dissi.

"Niente affatto. Non lo è per l'inquisitore, che ha le mani monde, e non lo è per l'inquisito, che quando viene l'inquisitore trova in lui un improvviso appoggio, un lenimento alle sue pene, e gli apre il cuore."

Guardai il mio maestro: "Voi state celiando," dissi sgomento.

"Ti paiono cose su cui celiare?" rispose Guglielmo.

Bernardo stava ora interrogando Salvatore, e la mia penna non riesce a trascrivere le parole rotte e, se pur fosse stato possibile, ancora più babeliche, con cui quell'uomo già dimidiato, ora ridotto al rango di un babbuino, rispondeva, compreso a fatica da tutti, aiutato da Bernardo che gli poneva i quesiti in modo che lui non potesse risponder altro che sì o no, incapace di ogni menzogna. E ciò che disse Salvatore il mio lettore può bene immaginare. Raccontò, o ammise di aver raccontato durante la notte, una parte di quella storia che io avevo già ricostruito: i suoi vagabondaggi come fraticello, pastorello e pseudo apostolo; e come ai tempi di fra Dolcino egli avesse incontrato Remigio tra i dolciniani, e con lui si fosse salvato dopo la battaglia di monte Rebello, riparando dopo varie vicende nel convento di Casale. In più aggiunse che l'eresiarca Dolcino, vicino alla sconfitta e alla cattura, aveva affidato a Remigio alcune lettere, da portare egli non sapeva dove o a chi. E Remigio aveva sempre recato quelle lettere con sé, senza osare recapitarle, e al suo arrivo all'abbazia, timoroso di trattenerle ancora seco, ma non volendo distruggerle, le aveva consegnate al bibliotecario, sì proprio a Malachia, perché le nascondesse da qualche parte nei recessi dell'Edificio.

Mentre Salvatore parlava, il cellario lo guardava con odio, e a un certo punto non poté trattenersi dal gridargli: "Serpe, scimmia lasciva, ti sono stato padre, amico, scudo, così mi ripaghi!"

Salvatore guardò il suo protettore ormai bisognoso di protezione e rispose a fatica: "Signor Remigio, fosse che potesse ero tuo. E mi eri dilectissimo. Ma tu conosci la famiglia del bargello. Qui non habet caballum vadat cum pede..."

"Pazzo!" gli gridò ancora Remigio. "Speri di salvarti? Non sai che morirai come un eretico anche tu? Di' che hai parlato sotto tortura, di' che hai inventato tutto!"

"Che so io signore come hanno nome tutte queste risìe... Paterini, gazzesi, leoniste, arnaldiste, speroniste, circoncisi... Io non son homo literatus, peccavi sine malitia e il signor Bernardo magnificentissimo el sa, et ispero ne l'indulgentia sua in nomine patre et filio et spiritis sanctis..."

"Saremo indulgenti quanto ci sarà concesso dal nostro ufficio," disse l'inquisitore, "e valuteremo con paterna benevolenza la buona volontà con cui ci hai aperto l'animo tuo. Vai, vai, torna a meditare nella tua cella e spera nella misericordia del Signore. Ora abbiamo a dibattere una questione di ben altro momento. Dunque Remigio, tu portavi con te delle lettere di Dolcino e le desti al confratello tuo che ha cura della biblioteca..."

"Non è vero, non è vero!" gridò il cellario, come se quella difesa avesse ancora qualche efficacia. E giustamente Bernardo lo interruppe: "Ma non è da te che ci serve un assenso, bensì da Malachia da Hildesheim."

Fece chiamare il bibliotecario, e non era tra i presenti. Io sapevo che stava nello scriptorium, o intorno all'ospedale, a cercare Bencio e il libro. Andarono a cercarlo, e quando apparve, turbato e cercando di non guardare in viso nessuno, Guglielmo mormorò con disappunto: "E ora Bencio potrà fare ciò che vuole." Ma si sbagliava, perché vidi il volto di Bencio spuntare al di sopra delle spalle di altri monaci, che si affollavano alle porte della sala per seguire l'interrogatorio. Lo indicai a Guglielmo. Pensammo allora che la curiosità per quell'evento fosse ancora più forte della sua curiosità per il libro. Apprendemmo dopo che, a quel punto, egli aveva già concluso un suo ignobile mercato.

Malachia apparve dunque davanti ai giudici, senza mai incrociare gli occhi suoi con quelli del cellario.

"Malachia," disse Bernardo, "stamattina, dopo la confessione resa nella notte da Salvatore, vi ho domandato se avevate ricevuto dall'imputato qui presente delle lettere..."

"Malachia!" urlò il cellario, "poco fa mi hai giurato che non farai nulla contro di me!"

Malachia si volse appena verso l'imputato, a cui dava le spalle, e disse a voce bassissima, che quasi non lo udivo: "Non ho spergiurato. Se potevo fare qualcosa contro di te, l'avevo già fatto. Le lettere erano state consegnate al signor Bernardo questa mattina, prima che tu uccidessi Severino..."

"Ma tu sai, tu devi sapere che io non ho ucciso Severino! Tu lo sai perché eri già là!"

"Io?" domandò Malachia. "Io sono entrato laggiù dopo che ti hanno scoperto."

"E quand'anche," interruppe Bernardo, "cosa cercavi tu da Severino, Remigio?"

Il cellario si voltò a guardare Guglielmo con occhi smarriti, poi guardò Malachia, poi ancora Bernardo: "Ma io... io ho udito stamane frate Guglielmo qui presente dire a Severino di custodire certe carte... io da ieri notte, dopo la cattura di Salvatore, temevo che si parlasse di quelle lettere..."

"Allora tu sai qualcosa di quelle lettere!" esclamò trionfalmente Bernardo. Il cellario ormai era in trappola. Si trovava stretto tra due urgenze, scagionarsi dall'accusa di eresia e allontanar da sé il sospetto di omicidio. Risolse probabilmente di fronteggiare la seconda accusa, d'istinto, perché ormai agiva senza regola, e senza consiglio: "Parlerò delle lettere dopo... giustificherò... dirò come ne venni in possesso... Ma lasciate che spieghi cosa è accaduto stamane. Io pensavo che di quelle lettere si sarebbe parlato, quando vidi Salvatore cadere nelle mani del signor Bernardo, è anni che la memoria di quelle lettere mi tormenta il cuore... Allora quando udii Guglielmo e Severino parlare di alcune carte... non so, preso dalla paura, pensai che Malachia se ne fosse sbarazzato e le avesse date a Severino... volevo distruggerle e così andai da Severino... la porta era aperta e Severino era già morto, mi sono messo a frugare tra le sue cose per cercare le lettere... avevo solo paura..."

Guglielmo mi sussurrò all'orecchio: "Povero stupido, intimorito da un pericolo si è cacciato a testa bassa in un altro..."

"Ammettiamo che tu dica quasi — dico quasi — la verità," intervenne Bernardo. "Tu pensavi che Severino avesse le lettere e le hai cercate da lui. E perché hai pensato che le avesse? E perché hai ucciso prima anche gli altri confratelli? Forse pensavi che quelle lettere da tempo circolassero tra le mani di molti? Forse si usa in questa abbazia dar la caccia alle reliquie degli eretici bruciati?"

Vidi l'Abate trasalire. Non v'era nulla di più insidioso dell'accusa di raccoglier reliquie di eretici, e Bernardo era molto abile a mescolare i delitti all'eresia, e il tutto alla vita dell'abbazia. Fui interrotto nelle mie riflessioni dal cellario che gridava che egli non aveva nulla a che vedere con gli altri delitti. Bernardo indulgentemente lo tranquillizzò: non era quella per il momento la questione su cui si stava discutendo, egli era interrogato per delitto di eresia, e non tentasse (e qui la sua voce si fece severa) di distogliere l'attenzione dai suoi trascorsi eretici parlando di Severino o cercando di rendere sospetto Malachia. Che si tornasse dunque alle lettere.

"Malachia da Hildesheim," disse rivolto al testimone, "voi non siete qui come accusato. Stamane avete risposto alle mie domande e alla mia richiesta senza tentare di nascondere nulla. Ora ripeterete qui ciò che mi avete detto stamane e non avrete nulla da temere."

"Ripeto quanto ho detto stamane," disse Malachia. "Dopo poco tempo che era giunto quassù Remigio cominciò a occuparsi delle cucine, e avemmo frequenti contatti per ragioni di lavoro... io come bibliotecario son incaricato della chiusura notturna di tutto l'Edificio, e quindi anche delle cucine... non ho motivo di celare che diventammo fraterni amici, né io avevo motivo di nutrire sospetti contro costui. Ed egli mi raccontò che aveva con sé alcuni documenti di natura segreta, confidatigli in confessione, che non dovevano cadere in mani profane, e che non ardiva tenere presso di sé. Siccome io custodivo l'unico luogo del monastero interdetto a tutti gli altri, mi chiese di conservargli quelle carte lontano da ogni sguardo curioso, e io acconsentii, non presumendo che i documenti fossero di natura eretica, e non li lessi neppure, collocandoli... collocandoli nel più inattingibile dei penetrali della biblioteca, e da allora mi ero scordato di questo fatto, sino a che questa mattina il signor inquisitore me ne ha fatto cenno, e allora sono andato a ritrovarli e glieli ho consegnati..."

L'Abate prese la parola, corrucciato: "Perché non mi hai informato di questo tuo patto col cellario? La biblioteca non è riservata a cose di proprietà dei monaci!" L'Abate aveva messo in chiaro che l'abbazia non aveva nulla a che vedere con quella vicenda.

"Signore," rispose confuso Malachia, "mi era parsa cosa di poca importanza. Ho peccato senza malizia."

"Certo, certo," disse Bernardo in tono cordiale, "siamo tutti convinti che il bibliotecario ha agito in buona fede, e la franchezza con cui ha collaborato con questo tribunale ne è la prova. Prego fraternamente la magnificenza vostra di non fargli carico di quella antica imprudenza. Noi crediamo a Malachia. E gli chiediamo solo che ci confermi ora sotto giuramento che le carte che ora gli mostro sono quelle che lui mi diede stamane e sono quelle che Remigio da Varagine gli consegnò anni fa, dopo il suo arrivo all'abbazia." Mostrava due pergamene che aveva tratto dai fogli posati sul tavolo. Malachia le guardò e disse con voce ferma: "Giuro su Dio padre onnipotente, sulla santissima Vergine e su tutti i santi che così è ed è stato."

"Mi basta," disse Bernardo. "Andate pure, Malachia da Hildesheim."

Mentre Malachia usciva a testa bassa, poco prima che arrivasse alla porta, si udì una voce levarsi dal gruppo dei curiosi ammassati sul fondo della sala: "Tu gli nascondevi le lettere e lui ti mostrava il culo dei novizi in cucina!" Scoppiarono alcune risate, Malachia uscì rapido dando spintoni a destra e a sinistra, io avrei giurato che la voce era quella di Aymaro, ma la frase era stata gridata in falsetto. L'Abate, paonazzo in volto, urlò di far silenzio e minacciò tremende punizioni per tutti, intimando ai monaci di sgombrare la sala. Bernardo sorrideva lubricamente, il cardinal Bertrando, da un lato della sala, si chinava all'orecchio di Jean d'Anneaux e gli diceva qualcosa, a cui l'altro reagiva coprendosi la bocca con la mano e chinando la testa come se tossisse. Guglielmo mi disse: "Il cellario non era solo un peccatore carnale per il bene suo, ma faceva anche il ruffiano. Ma di questo a Bernardo non importa nulla, se non quel tanto che mette in imbarazzo Abbone, mediatore imperiale..."

Fu interrotto proprio da Bernardo che ora si rivolgeva a lui: "Mi interesserebbe poi sapere da voi, frate Guglielmo, di quali carte stavate parlando stamane con Severino, quando il cellario vi udì e ne trasse abbaglio."

Guglielmo sostenne il suo sguardo: "Ne trasse abbaglio, appunto. Parlavamo di una copia del trattato sull'idrofobia canina di Ayyub al Ruhawi, libro mirabile di dottrina che voi certo conoscete per fama e che vi sarà stato spesso di molta utilità... L'idrofobia, dice Ayyub, si riconosce per venticinque segni evidenti..."

Bernardo, che apparteneva all'ordine dei domini canes, non giudicò opportuno affrontare una nuova battaglia. "Si trattava dunque di cose estranee al caso in questione," disse rapidamente. E proseguì l'istruttoria.

"Torniamo a te, frate Remigio minorita, ben più pericoloso di un cane idrofobo. Se frate Guglielmo in questi giorni avesse posto più attenzione alla bava degli eretici che non a quella dei cani, forse avrebbe scoperto anche lui quale serpe si annidava nell'abbazia. Torniamo a queste lettere. Ora sappiamo per certo che furono in tue mani e che ti curasti di nasconderle come fossero cosa velenosissima, e che addirittura hai ucciso..." arrestò con un gesto un tentativo di diniego "...e dell'uccisione parleremo dopo... che hai ucciso, dicevo, perché io non le avessi mai. Allora riconosci queste carte come cosa tua?"

Il cellario non rispose, ma il suo silenzio era abbastanza e-loquente. Per cui Bernardo incalzò: "E cosa sono queste carte? Sono due pagine stilate di pugno dall'eresiarca Dolcino, pochi giorni prima di essere preso, e che egli affidava a un suo accolito perché le portasse agli altri suoi settatori ancora sparsi per l'Italia. Potrei leggervi tutto quello che in esse si dice, e come Dolcino, paventando la sua fine imminente, affidi un messaggio di speranza — egli dice ai suoi confratelli — nel demonio! Egli li consola avvisando che, per quanto le date che egli qui annuncia non concordino con quelle delle sue lettere precedenti, dove aveva promesso per l'anno 1305 la distruzione completa di tutti i preti a opera dell'imperatore Federico, tuttavia questa distruzione non sarebbe stata lontana. Ancora una volta l'eresiarca mentiva, perché venti e più anni sono passati da quel giorno e nessuna delle sue nefaste predizioni si è avverata. Ma non è sulla risibile presunzione di queste profezie che dobbiamo discutere, bensì sul fatto che Remigio ne fosse latore. Puoi ancora negare, frate eretico e impenitente, che hai avuto commercio e contubernio con la setta degli pseudo apostoli?"

Il cellario ormai non poteva più negare. "Signore," disse, "la mia gioventù è stata popolata di errori funestissimi. Quando appresi della predicazione di Dolcino, già sedotto com'ero dagli errori dei frati di povera vita, credetti nelle sue parole e mi unii alla sua banda. Sì, è vero, fui con loro nel bresciano e nel bergamasco, fui con loro a Como e in Valsesia, con loro mi rifugiai alla Parete Calva e in val di Rassa, e infine sul monte Rebello. Ma non presi parte a nessuna malefatta, e quando essi commisero saccheggi e violenze, io portavo ancora in me lo spirito di mansuetudine che fu proprio dei figli di Francesco e proprio sul monte Rebello dissi a Dolcino che non mi sentivo più di partecipare alla loro lotta, ed egli mi diede il permesso di andare, perché, disse, non voleva dei pavidi con sé, e mi chiese solo di portargli quelle lettere a Bologna..."

"A chi?" chiese il cardinal Bertrando.

"Ad alcuni suoi settatori, di cui mi pare di ricordar il nome, e come lo ricordo ve lo dico, signore," si affrettò ad assicurare Remigio. E pronunziò i nomi di alcuni che il cardinal Bertrando mostrò di conoscere, perché sorrise con aria di soddisfazione, facendo un cenno di intesa a Bernardo.

"Molto bene," disse Bernardo, e prese nota di quei nomi. Poi chiese a Remigio: "E come mai ora ci consegni i tuoi amici?"

"Non sono miei amici, signore, prova ne sia che le lettere non le consegnai mai. Anzi, feci di più, e lo dico ora dopo aver tentato di dimenticarlo per tanti anni: per poter lasciare quei luoghi senza essere preso dall'esercito del vescovo di Vercelli che ci attendeva al piano, riuscii a mettermi in contatto con alcuni di loro, e in cambio di un salvacondotto gli indicai dei buoni passaggi per poter assalire le fortificazioni di Dolcino, per cui parte del successo delle forze della chiesa fu dovuto alla mia collaborazione..."

"Molto interessante. Questo ci dice che non solo fosti eretico, ma anche che fosti vile e traditore. Il che non cambia la tua situazione. Come oggi per salvarti hai tentato di accusare Malachia, che pure ti aveva reso un servizio, così allora per salvarti consegnasti i tuoi compagni di peccato nelle mani della giustizia. Ma hai tradito i loro corpi, non hai mai tradito i loro insegnamenti, e hai conservato queste lettere come reliquie, sperando un giorno di avere il coraggio, e la possibilità, senza correr rischi, di consegnarle, per renderti di nuovo bene accetto agli pseudo apostoli."

"No signore, no," diceva il cellario, coperto di sudore, le mani tremanti. "No, vi giuro che..."

"Un giuramento!" disse Bernardo. "Ecco un'altra prova della tua malizia! Vuoi giurare perché tu sai che io so che gli eretici valdesi sono pronti a ogni astuzia, e persino alla morte, pur di non giurare! E se sono spinti dalla paura fingono di giurare e borbottano falsi giuramenti! Ma io lo so bene che tu non sei della setta dei poveri di Lione, volpe maledetta, e cerchi di convincermi che non sei ciò che non sei affinché io non dica che tu sei ciò che sei! Allora giuri? Giuri per essere assolto ma sappi che un solo giuramento non mi basta! Posso esigerne uno, due, tre, cento, quanti ne vorrò. So benissimo che voi pseudo apostoli accordate dispense a chi giura il falso per non tradire la setta. E così ogni giuramento sarà una nuova prova della tua colpevolezza!"

"Ma allora cosa devo fare?" urlò il cellario, cadendo ginocchioni.

"Non prosternarti come un beghino! Non devi fare nulla. Ormai io solo so cosa si dovrà fare," disse Bernardo con un sorriso tremendo. "Tu non devi che confessare. E sarai dannato e condannato se confesserai, e sarai dannato e condannato se non confesserai, perché sarai punito come spergiuro! Allora confessa, almeno per abbreviare questo dolorosissimo interrogatorio, che turba le nostre coscienze e il nostro senso della mitezza e della compassione!"

"Ma cosa debbo confessare?"

"Due ordini di peccati. Che sei stato della setta di Dolcino, che ne hai condiviso le proposizioni eretiche, e i costumi e le offese alla dignità dei vescovi e dei magistrati cittadini, che impenitente continui a condividerne le menzogne e le illusioni, anche dopo che l'eresiarca è morto e che la setta è stata dispersa, anche se non del tutto debellata e distrutta. E che, corrotto nell'intimo dell'animo tuo dalle pratiche che apprendesti nella setta immonda, sei colpevole dei disordini contro Dio e gli uomini perpetrati in questa abbazia, per ragioni che ancora mi sfuggono ma che non dovranno neppure esser del tutto chiarite, una volta che si sia luminosamente dimostrato (come stiamo facendo) che l'eresia di coloro che predicarono e predicano la povertà, contro gli insegnamenti del signor papa e delle sue bolle, non può che portare a opere delittuose. Questo dovranno apprendere i fedeli e questo mi basterà. Confessa."

Fu chiaro a questo punto cosa Bernardo volesse. Per nulla interessato a sapere chi avesse ucciso gli altri monaci, voleva solo dimostrare che Remigio in qualche modo condivideva le idee propugnate dai teologi dell'imperatore. E dopo aver mostrato la connessione tra quelle idee, che erano anche quelle del capitolo di Perugia, e quelle dei fraticelli e dei dolciniani, e aver mostrato che un solo uomo, in quell'abbazia, partecipava di tutte quelle eresie, ed era stato l'autore di molti delitti, in quel modo egli avrebbe recato un colpo invero mortale ai propri avversari. Guardai Guglielmo e capii che aveva capito, ma non poteva farci nulla, anche se lo aveva previsto. Guardai l'Abate e lo vidi scuro in volto: si rendeva conto, in ritardo, di essere stato tratto anch'egli in una trappola, e che la sua stessa autorità di mediatore si stava sfaldando, ora che stava per apparire come il signore di un luogo in cui tutte le infamie del secolo si erano date convegno. Quanto al cellario ormai non sapeva più quale fosse il delitto di cui poteva ancora scagionarsi. Ma forse in quel momento egli non fu capace di nessun calcolo, il grido che uscì dalla sua bocca era il grido della sua anima e in esso e con esso egli scaricava anni di lunghi e segreti rimorsi. Ovvero dopo una vita di incertezze, entusiasmi e delusioni, viltà e tradimenti, messo di fronte alla ineluttabilità della sua rovina, egli decideva di professare la fede della sua giovinezza, senza più chiedersi se fosse giusta o sbagliata, ma quasi per mostrare a se stesso che era capace di qualche fede.

"Sì è vero," gridò, "sono stato con Dolcino e ne ho condiviso i delitti, le licenze, forse ero pazzo, confondevo l'amore del signor nostro Cristo Gesù con il bisogno di libertà e con l'odio per i vescovi, è vero, ho peccato, ma sono innocente di quanto è avvenuto all'abbazia, lo giuro!''

"Abbiamo per intanto ottenuto qualcosa," disse Bernardo. "Quindi tu ammetti di aver praticato l'eresia di Dolcino, della strega Margherita e dei suoi compari. Tu ammetti di essere stato con loro mentre vicino a Trivero impiccavano molti fedeli di Cristo tra cui un bambino innocente di dieci anni? E quando impiccarono altri uomini alla presenza delle mogli e dei genitori perché non volevano consegnarsi all'arbitrio di quei cani? E perché, ormai, accecati dalla vostra furia e dalla vostra superbia, ritenevate che nessuno potesse essere salvato se non apparteneva alla vostra comunità? Parla!''

"Sì, sì, ho creduto queste cose e fatto quelle!''

"Ed eri presente quando catturarono alcuni fedeli dei vescovi e alcuni ne fecero morire di fame in carcere, e a una donna gravida tagliarono un braccio e una mano, lasciandola poi partorire un bambino che subito morì senza battesimo? Ed eri con loro quando rasero al suolo e diedero alle fiamme i villaggi di Mosso, Trivero, Cossila e Flecchia, e molte altre località della zona di Crepacorio e molte case a Mortiliano e a Quorino, e incendiarono la chiesa di Trivero imbrattando prima le immagini sacre, strappando le lapidi dagli altari, rompendo un braccio alla statua della Vergine, saccheggiando i calici, gli arredi e i libri, distruggendo il campanile, rompendo le campane, appropriandosi di tutti i vasi della confraternita e dei beni del sacerdote?''

"Sì, sì, io c'ero, e nessuno sapeva più cosa si facesse, volevamo anticipare il momento del castigo, eravamo le avanguardie dell'imperatore mandato dal cielo e dal papa santo, dovevamo affrettare il momento della discesa dell'angelo di Filadelfia, e allora tutti avrebbero ricevuto la grazia dello spirito santo e la chiesa sarebbe stata rinnovata, e dopo la distruzione di tutti i perversi solo i perfetti avrebbero regnato!''

Il cellario sembrava invasato e illuminato a un tempo, pareva che ora la diga del silenzio e della simulazione si fosse rotta, che il suo passato tornasse non solo a parole, ma per immagini, e che egli riprovasse le emozioni che lo avevano esaltato un tempo.

"Allora," incalzava Bernardo, "tu confessi che avete onorato come martire Gherardo Segalelli, che avete negato ogni autorità alla chiesa romana, che affermavate che né il papa né alcuna autorità poteva prescrivervi un modo di vita diverso dal vostro, che nessuno aveva il diritto di scomunicarvi, che dal tempo di san Silvestro tutti i prelati della chiesa erano stati prevaricatori e seduttori, salvo Pietro da Morrone, che i laici non sono tenuti a pagare le decime ai preti che non pratichino uno stato di assoluta perfezione e povertà come lo praticarono i primi apostoli, che le decime pertanto dovevano essere pagate a voi soli, gli unici apostoli e poveri di Cristo, che per pregare Dio una chiesa consacrata non vale più di una stalla, che percorrevate i villaggi e seducevate le genti gridando 'penitenziagite', che cantavate il *Salve Regina* per attirare perfidamente le folle, e vi facevate passare per penitenti menando una vita perfetta agli occhi del mondo, e poi vi concedevate ogni licenza e ogni lussuria perché non credevate nel sacramento del matrimonio, né in alcun altro sacramento, e ritenendovi più puri degli altri vi potevate permettere ogni sozzura e ogni offesa del corpo vostro e del corpo degli altri? Parla!''

''Sì, sì, io confesso la vera fede a cui avevo creduto allora con tutta l'anima, confesso che abbiamo abbandonato le nostre vesti in segno di spoliazione, che abbiamo rinunciato a tutti i nostri beni mentre voi razza di cani non vi rinunzierete mai, che da allora non abbiamo più accettato danaro da alcuno né ne abbiamo portato su di noi, e siamo vissuti di elemosina e non ci siamo riservati nulla per il domani, e quando ci accoglievano e ci imbandivano la tavola mangiavamo e partivamo lasciando sulla tavola quanto era avanzato...''

''E avete bruciato e saccheggiato per impadronirvi dei beni dei buoni cristiani!''

''E abbiamo bruciato e saccheggiato perché avevamo eletto la povertà a legge universale e avevamo il diritto di appropriarci delle ricchezze illegittime degli altri, e volevamo colpire al cuore la trama di avidità che si estendeva da parrocchia a parrocchia, ma non abbiamo mai saccheggiato per possedere, né ucciso per saccheggiare, uccidevamo per punire, per purificare gli impuri attraverso il sangue, forse eravamo presi da un desiderio smodato di giustizia, si pecca anche per eccesso d'amor di Dio, per sovrabbondanza di perfezione, noi eravamo la vera congregazione spirituale inviata dal Signore e riservata alla gloria degli ultimi tempi, cercavamo il nostro premio in paradiso anticipando i tempi della vostra distruzione, noi soli eravamo gli apostoli di Cristo, tutti gli altri avevano tradito, e Gherardo Segalelli era stato una pianta divina, planta Dei pullulans in radice fidei, la nostra regola ci veniva direttamente da Dio, non da voi cani dannati, predicatori bugiardi che spargete intorno l'odore dello zolfo e non quello dell'incenso, cani vili, carogne putride, corvi, servi della puttana di Avignone, promessi che siete alla perdizione! Allora io credevo, e anche il nostro corpo si era redento, ed eravamo la spada del Signore, bisognava pure uccidere degli innocenti per potervi uccidere tutti al più presto. Noi volevamo un mondo migliore, di pace e di gentilezza, e la felicità per tutti, noi volevamo uccidere la guerra che voi portavate con la vostra avidità, perché ci rimproverate se per stabilire la giustizia e la felicità abbiamo dovuto versare un po' di sangue... è... è che non ce ne voleva molto, per fare presto, e valeva pur la pena di fare rossa tutta l'acqua del Carnasco, quel giorno a Stavello, era anche sangue nostro, non ci risparmiavamo, sangue nostro e sangue vostro, tanto tanto, subito subito, i tempi della profezia di Dolcino erano stretti, bisognava affrettare il corso degli eventi..."

Tremava tutto, si passava le mani sull'abito come se volesse pulirle dal sangue che evocava. "Il ghiottone è ridiventato un puro," mi disse Guglielmo. "Ma è questa la purezza?" domandai inorridito. "Ce ne sarà anche di un'altra sorta," disse Guglielmo, "ma, quale che sia, mi fa sempre paura."

"Cosa vi terrorizza di più nella purezza?" chiesi.

"La fretta," rispose Guglielmo.

"Basta, basta," diceva ora Bernardo, "ti chiedevamo una confessione, non un appello alla strage. Va bene, non solo sei stato eretico ma lo sei ancora. Non solo sei stato assassino, ma hai ancora ucciso. Allora dicci come hai ucciso i tuoi fratelli in questa abbazia, e perché."

Il cellario smise di tremare, si guardò intorno come se uscisse da un sogno: "No," disse, "coi delitti dell'abbazia non c'entro. Ho confessato tutto quello che ho fatto, non fatemi confessare quello che non ho fatto..."

"Ma cosa rimane che tu non possa avere fatto? Ora ti dici innocente? O agnello, o modello di mansuetudine! Lo avete udito, ha avuto un tempo le mani lorde di sangue e ora è innocente! Forse ci siamo sbagliati, Remigio da Varagine è un modello di virtù, un figlio fedele della chiesa, un nemico dei nemici di Cristo, ha sempre rispettato l'ordine che la mano vigile della chiesa si è affannata a imporre a villaggi e città, la pace dei commerci, le botteghe degli artigiani, i tesori delle chiese. Egli è innocente, non ha commesso nulla, tra le mie braccia, fratello Remigio, ché io ti possa consolare delle accuse che i malvagi hanno elevato contro di te!'' E mentre Remigio lo guardava con occhi sperduti, come quasi di colpo stesse credendo in una assoluzione finale, Bernardo si ricompose e si rivolse in tono di comando al capitano degli arcieri.

''Mi ripugna ricorrere a mezzi che la chiesa ha sempre criticato quando vengono praticati dal braccio secolare. Ma c'è una legge che domina e dirige anche i miei personali sentimenti. Chiedete all'Abate un luogo dove si possano predisporre gli strumenti di tortura. Ma che non si proceda subito. Per tre giorni resti in una cella, in ceppi mani e piedi. Poi gli si mostrino gli strumenti. Soltanto. E al quarto giorno si proceda. La giustizia non è mossa dalla fretta, come credevano gli pseudi apostoli, e quella di Dio ha secoli a disposizione. Si proceda piano, e per gradi. E soprattutto, ricordate quanto è stato detto ripetutamente: che si evitino le mutilazioni e il pericolo di morte. Una delle provvidenze che questo procedimento riconosce all'empio, è proprio che la morte venga assaporata, e attesa, ma non venga prima che la confessione sia stata piena, e volontaria, e purificatrice.''

Gli arcieri si chinarono a sollevare il cellario, ma questi puntò i piedi a terra e fece resistenza, accennando di voler parlare. Ottenutane licenza, parlò, ma le parole gli uscivano a fatica dalla bocca e il suo discorso era come il biascicare di un ubriaco e aveva qualcosa di osceno. Solo man mano che parlava ritrovò quella sorta di selvaggia energia che aveva animato la sua confessione poco prima.

''No signore. La tortura no. Io sono un uomo vile. Ho tradito allora, ho rinnegato per undici anni in questo monastero la mia fede di un tempo, riscuotendo le decime da vignaiuoli e da contadini, ispezionando le stalle e gli stabbi perché fiorissero ad arricchir l'Abate, ho collaborato di buon grado alla amministrazione di questa fabbrica dell'Anticristo. E mi trovavo bene, avevo dimenticato i giorni della rivolta, mi crogiolavo nei piaceri della gola e in altri ancora. Io sono un vile. Ho venduto oggi i miei antichi confratelli di Bologna, ho venduto allora Dolcino. E da vile, travestito come uno degli uomini della crociata, ho assistito alla cattura di Dolcino e di Margherita, quando li portarono il sabato santo nel castello del Bugello. Mi aggirai intorno a Vercelli per tre mesi, sino a che non arrivò la lettera di papa Clemente con l'ordine della condanna. E vidi Margherita tagliata a pezzi davanti agli occhi di Dolcino, e gridava, scannata

che era, povero corpo che una notte avevo toccato anch'io...
E mentre il suo cadavere straziato bruciava, furono su Dolcino, e gli strapparono il naso e i testicoli con tenaglie infuocate, e non è vero quello che han detto dopo, che non emise
neppure un gemito. Dolcino era alto e robusto, aveva una
gran barba da diavolo e i capelli rossi che gli cadevano in a-
nelli sugli omeri, era bello e potente quando ci guidava con
un cappello a larghe falde, e la piuma, e la spada cinta sulla
veste talare, Dolcino faceva paura agli uomini e faceva gridare di piacere le donne... Ma quando lo torturarono gridava di dolore anche lui, come una donna, come un vitello,
perdeva sangue da tutte le ferite mentre lo portavano da un
angolo all'altro, e continuavano a ferirlo poco, per mostrare
quanto a lungo potesse vivere un emissario del demonio, e
lui voleva morire, chiedeva che lo finissero, ma morì troppo
tardi, quando giunse sul rogo, ed era un solo ammasso di
carne sanguinante. Io lo seguivo e mi rallegravo con me stesso per essere sfuggito a quella prova, ero orgoglioso della
mia astuzia, e quel cialtrone di Salvatore era con me, e mi
diceva: come abbiam fatto bene fratel Remigio a comportar-
ci da persone avvedute, non c'è nulla che sia più brutto della tortura! Avrei abiurato mille religioni, quel giorno. E sono anni, tanti anni che mi dico quanto fui vile, e quanto fui
felice di essere vile, e tuttavia speravo sempre di poter mostrare a me stesso che non ero così vile. Oggi tu mi hai dato
questa forza, signor Bernardo, sei stato per me quello che gli
imperatori pagani sono stati per i più vili dei martiri. Mi hai
dato il coraggio di confessare quello in cui ho creduto con
l'anima, mentre il corpo se ne ritraeva. Però non impormi
troppo coraggio, più di quanto ne possa sopportare questa
mia carcassa mortale. La tortura no. Dirò tutto quello che
vuoi tu, meglio il rogo subito, si muore soffocati prima di
bruciare. La tortura come a Dolcino, no. Tu vuoi un cadavere e per averlo hai bisogno che assuma su di me la colpa per
altri cadaveri. Cadavere sarò presto, in ogni caso. E quindi ti
do quanto chiedi. Ho ucciso Adelmo da Otranto per odio
alla sua giovinezza e alla sua bravura nel giocare su mostri
simili a me, vecchio, grasso, piccolo e ignorante. Ho ucciso
Venanzio da Salvemec perché era troppo sapiente e leggeva
libri che io non capivo. Ho ucciso Berengario da Arundel
per odio alla sua biblioteca, io che ho fatto teologia basto-
nando i parroci troppo grassi. Ho ucciso Severino da San-
t'Emmerano... perché? perché collezionava le erbe, io che
sono stato sul monte Rebello dove le erbe le mangiavamo

senza interrogarci sulle loro virtù. In verità potrei uccidere anche gli altri, compreso il nostro Abate: col papa o con l'impero, egli fa sempre parte dei miei nemici e l'ho sempre odiato, anche quando mi dava da mangiare perché gli davo da mangiare. Ti basta? Ah, no, vuoi sapere anche come ho ucciso tutta quella gente... Ma li ho uccisi... vediamo... Evocando le potenze infernali, con l'aiuto di mille legioni ottenute al mio comando con l'arte che mi ha insegnato Salvatore. Per uccidere qualcuno non è necessario colpire, il diavolo lo fa per voi, se sapete comandare al diavolo.''

Guardava gli astanti con aria complice, ridendo. Ma era ormai il riso di un dissennato, anche se, come mi fece osservare dopo Guglielmo, questo dissennato aveva avuto l'accortezza di trascinare nella propria rovina Salvatore, per vendicarsi della sua delazione.

''E come potevi comandare al diavolo?'' incalzava Bernardo, che assumeva questo delirio come legittima confessione.

''Lo sai anche tu, non si commercia tanti anni con gli indemoniati senza assumere il loro abito! Lo sai anche tu, scannatore di apostoli! Prendi un gatto nero, non è vero? che non abbia neppure un pelo bianco (e tu lo sai) e gli leghi le quattro zampe, poi lo porti a mezzanotte a un crocicchio, quindi gridi ad alta voce: o grande Lucifero imperatore dell'inferno, io ti prendo e ti introduco nel corpo del mio nemico così come ora tengo prigioniero questo gatto, e se porterai il mio nemico a morte, il giorno dopo a mezzanotte, in questo stesso posto, io ti offrirò questo gatto in sacrificio, e tu farai quanto ti comando per i poteri della magìa che io ora esercito secondo il libro occulto di san Cipriano, nel nome di tutti i capi delle maggiori legioni dell'inferno, Adramelch, Alastor e Azazele, che io ora prego con tutti i loro fratelli...'' Il labbro gli tremava, gli occhi sembravano usciti dall'orbita, e cominciò a pregare — ovvero, pareva che pregasse, ma elevava le sue implorazioni a tutti i baroni delle legioni infernali... ''Abigor, pecca pro nobis... Amon, miserere nobis... Samael, libera nos a bono... Belial e-leyson... Focalor, in corruptionem meam intende... Haborym, damnamus dominum... Zaebos, anum meum aperies... Leonardo, asperge me spermate tuo et inquinabor...''

''Basta, basta!'' urlavano i presenti segnandosi. E: ''Oh Signore, perdonaci tutti!''

Il cellario ora taceva. Pronunziati che ebbe i nomi di tutti questi diavoli, cadde a faccia in giù versando saliva biancastra, dalla bocca distorta e dalla chiostra digrignante dei denti. Le sue mani, pur mortificate dalle catene, si aprivano e si serravano in modo convulso, i suoi piedi scalciavano l'aria irregolarmente a tratti. Avvertendo che ero stato preso da un tremito d'orrore, Guglielmo mi posò la mano sulla testa, mi afferrò quasi alla nuca stringendola, e ridandomi la calma: "Impara," mi disse, "sotto tortura, o minacciato di tortura, un uomo non solo dice ciò che ha fatto ma anche ciò che avrebbe voluto fare, anche se non lo sapeva. Remigio ora vuole la morte con tutta l'anima sua."

Gli arcieri condussero via il cellario ancora in preda a convulsioni. Bernardo radunò le proprie carte. Poi fissò gli astanti, immobili in preda a grande turbamento.

"L'interrogatorio è finito. L'imputato, reo confesso, sarà condotto ad Avignone, dove avrà luogo il processo definitivo, a salvaguardia scrupolosa della verità e della giustizia, e solo dopo quel regolare processo sarà bruciato. Egli, Abbone, non vi appartiene più, né appartiene più a me, che sono stato solo l'umile strumento della verità. Lo strumento della giustizia sta altrove, i pastori han fatto il loro dovere, ora ai cani, che separino la pecora infetta dal gregge e la purifichino col fuoco. Il miserabile episodio che ha visto quest'uomo colpevole di tanti efferati delitti, si è concluso. Ora l'abbazia viva in pace. Ma il mondo..." e qui alzò la voce e si diresse al gruppo dei legati, "il mondo non ha ancora trovato pace, il mondo è dilaniato dall'eresia, che trova ricetto persino nelle sale dei palazzi imperiali! Che i miei fratelli ricordino questo: un cingulum diaboli lega i perversi settatori di Dolcino agli onorati maestri del capitolo di Perugia. Non dimentichiamolo, davanti agli occhi di Dio le farneticazioni di quel miserabile che abbiamo appena consegnato alla giustizia non sono diverse da quelle dei maestri che banchettano alla mensa del tedesco scomunicato di Baviera. La fonte delle nefandezze degli eretici sgorga da molte predicazioni, anche onorate, ancora impunite. È dura passione e umile calvario quello di chi è stato chiamato da Dio, come la mia persona peccatrice, a individuare il serpe dell'eresia dovunque si annidi. Ma compiendo quest'opera santa si impara che non è eretico soltanto chi pratica l'eresia allo scoperto. I sostenitori dell'eresia si possono individuare attraverso cinque indizi probanti. Primo, coloro che li visitano di nascosto mentre sono tenuti in prigione; secondo, coloro che piangono la loro cattura e sono stati loro intimi amici in vita (difficile infatti che non sappia dell'attività dell'eretico chi lo ha frequentato a lungo); terzo, coloro che sostengono che gli eretici sono stati condannati ingiustamente, anche quando sia stata dimostrata la loro colpa; quarto, coloro che guardano male e criticano coloro che perseguitano gli eretici e predicano con successo contro di loro, e lo si può desumere dagli occhi, dal naso, dalla espressione che cercano di nascondere, mostrando di odiare coloro verso i quali provano amarezza e di amare coloro della cui disgrazia tanto si dolgono. Quinto segno è infine il fatto che si raccolgano le ossa incenerite degli eretici bruciati e se ne faccia oggetto di venerazione... Ma io attribuisco altissimo valore anche a un sesto segno, e ritengo palesemente amici degli eretici coloro nei cui libri (anche se essi non offendono apertamente l'ortodossia) gli eretici abbiano trovato le premesse onde sillogizzare nel loro modo perverso.''

Diceva, e guardava Ubertino. Tutta la legazione francescana capì bene a cosa Bernardo alludesse. Ormai l'incontro era fallito, nessuno avrebbe più ardito riprendere la discussione del mattino, sapendo che ogni parola sarebbe stata ascoltata pensando agli ultimi e sciagurati avvenimenti. Se Bernardo era stato inviato dal papa per impedire una ricomposizione tra i due gruppi, ci era riuscito.

VESPRI

Dove Ubertino si dà alla fuga, Bencio incomincia a osservare le leggi e Guglielmo fa alcune riflessioni sui vari tipi di lussuria incontrati quel giorno.

Mentre l'assemblea sfollava lentamente dalla sala capitolare Michele si avvicinò a Guglielmo, ed entrambi furono raggiunti da Ubertino. Tutti insieme uscimmo all'aperto, discutendo quindi nel chiostro, protetti dalla nebbia che non accennava a scemare, anzi era resa ancor più densa dalla tenebra.

"Non credo occorra commentare quanto è avvenuto," disse Guglielmo. "Bernardo ci ha sconfitto. Non chiedetemi se quell'imbecille di dolciniano è davvero colpevole di tutti quei delitti. Per quel che ne capisco, no, senz'altro. Il fatto è che siamo al punto di prima. Giovanni ti vuole da solo ad Avignone, Michele, e questo incontro non ti ha fornito le garanzie che cercavamo. Anzi, ti ha dato una immagine di come ogni tua parola, laggiù, potrebbe essere stravolta. Da cui si deduce, mi pare, che tu non debba andare."

Michele scosse la testa: "Invece andrò. Non voglio uno scisma. Tu Guglielmo oggi hai parlato chiaro, e hai detto cosa vorresti. Ebbene, non è ciò che voglio io, e mi rendo conto che le delibere del capitolo di Perugia sono state usate dai teologi imperiali oltre i nostri intendimenti. Io voglio che l'ordine francescano sia accettato, nei suoi ideali di povertà, dal papa. E il papa dovrà capire che solo se l'ordine assume su di sé l'ideale della povertà, si potranno riassorbire le sue diramazioni ereticali. Io non penso all'assemblea del popolo o al diritto delle genti. Io devo impedire che l'ordine si dissolva in una pluralità di fraticelli. Andrò ad Avignone, e se sarà necessario farò atto di sottomissione a Giovanni. Transigerò su tutto, meno che sul principio di povertà."

Intervenne Ubertino: "Lo sai che rischi la vita?"

"E così sia," rispose Michele, "meglio che rischiare l'anima."

Rischiò seriamente la vita e, se Giovanni era nel giusto (ciò che ancora non credo), perse anche l'anima. Come ormai tutti sanno, Michele andò dal papa, la settimana che seguì i fatti che ora narro. Gli tenne testa per quattro mesi, sino a che nell'aprile dell'anno seguente Giovanni convocò un concistoro in cui lo trattò da folle, temerario, testardo, tiranno, fautore d'eresia, serpe nutrito dalla chiesa nel suo stesso seno. E c'è da pensare che ormai, secondo il modo in cui lui vedeva le cose, Giovanni avesse ragione, perché in quei quattro mesi Michele era divenuto amico dell'amico del mio maestro, l'altro Guglielmo, quello di Occam, e ne aveva condiviso le idee — non molto diverse, se pure ancora più estreme, di quelle che il mio maestro condivideva con Marsilio e aveva espresso quella mattina. La vita di questi dissidenti divenne precaria, ad Avignone, e alla fine di maggio Michele, Guglielmo di Occam, Bonagrazia da Bergamo, Francesco d'Ascoli e Henri de Talheim si diedero alla fuga, inseguiti dagli uomini del papa a Nizza, Tolone, Marsiglia e Aigues Mortes, dove furono raggiunti dal cardinale Pierre de Arrablay che cercò invano di indurli a tornare, senza vincere le loro resistenze, il loro odio verso il pontefice, la loro paura. In giugno arrivarono a Pisa, accolti in trionfo dagli imperiali, e nei mesi seguenti Michele avrebbe denunciato pubblicamente Giovanni. Troppo tardi, ormai. Le fortune dell'imperatore stavano scemando, da Avignone Giovanni tramava per dare ai minoriti un nuovo superiore generale, ottenendo infine la vittoria. Meglio avrebbe fatto Michele quel giorno a non decidere di andar dal papa: avrebbe potuto curare la resistenza dei minoriti da vicino, senza perdere tanti mesi alla mercé del suo nemico, indebolendo la sua posizione... Ma forse così aveva predisposto l'onnipotenza divina — né so ora più chi tra tutti coloro fosse nel giusto, e dopo tanti anni anche il fuoco delle passioni si spegne, e con esso quello che si credeva essere la luce della verità. Chi di noi è più capace di dire se avessero ragione Ettore o Achille, Agamennone o Priamo quando si dibattevano per la bellezza di una donna che ora è cenere di cenere?

Ma mi perdo in malinconiche divagazioni. Devo invece dire della fine di quel triste colloquio. Michele aveva deciso, e non ci fu modo di convincerlo a desistere. Salvo che si poneva ora un altro problema, e Guglielmo lo enunciò senza ambagi: Ubertino stesso non era più al sicuro. Le frasi che gli aveva rivolto Bernardo, l'odio che per lui ormai nutriva il papa, il fatto che mentre Michele rappresentava ancora un potere con cui trattare, Ubertino era rimasto invece a far parte per se stesso...

"Giovanni vuole Michele a corte e Ubertino all'inferno. Se conosco bene Bernardo, entro domani, e complice la nebbia, Ubertino sarà stato ucciso. E se qualcuno si chiederà da chi, l'abbazia potrà ben sopportare un altro delitto, e si dirà che erano diavoli evocati da Remigio coi suoi gatti neri, o qualche dolciniano superstite che ancora si aggira tra queste mura..."

Ubertino era preoccupato: "E allora?" chiese.

"Allora," disse Guglielmo, "vai a parlare con l'Abate. Chiedigli una cavalcatura, delle provviste, una lettera per qualche abbazia lontana, oltre le Alpi. E approfitta della nebbia e del buio per partire subito."

"Ma gli arcieri non guardano ancora le porte?"

"L'abbazia ha altre uscite, e l'Abate le conosce. Basta che un servo ti attenda a uno dei tornanti inferiori con una cavalcatura e, uscendo da qualche passaggio nella cinta, tu avrai solo da fare un tratto di bosco. Devi farlo subito, prima che Bernardo si riabbia dall'estasi del suo trionfo. Io debbo occuparmi di qualcosa d'altro, avevo due missioni, una è fallita, che almeno non fallisca l'altra. Voglio mettere le mani su un libro, e su di un uomo. Se tutto va bene, tu sarai fuori di qui prima che io cerchi ancora di te. E dunque addio." Aprì le braccia. Commosso, Ubertino lo abbracciò stretto: "Addio Guglielmo, sei un inglese pazzo e arrogante, ma hai un gran cuore. Ci rivedremo?"

"Ci rivedremo," lo rassicurò Guglielmo, "Dio lo vorrà."

Dio, poi, non lo volle. Come già dissi, Ubertino morì misteriosamente ucciso due anni dopo. Vita dura e avventurosa, quella di questo vecchio combattivo e ardente. Forse non fu un santo, ma spero che Dio abbia premiato quella sua adamantina sicurezza di essere tale. Più divento vecchio e più mi abbandono alla volontà di Dio, e sempre meno apprezzo l'intelligenza che vuole sapere e la volontà che vuole fare: e riconosco come unico elemento di salvezza la fede, che sa attendere paziente senza troppo interrogare. E Ubertino ebbe certamente molta fede nel sangue e nell'agonia di Nostro Signore crocefisso.

Forse pensavo a queste cose anche allora e il mistico vecchio se ne accorse, o indovinò che le avrei pensate un giorno. Mi sorrise con dolcezza e mi abbracciò, senza l'ardore con cui mi aveva afferrato talvolta nei giorni precedenti. Mi abbracciò come un avo abbraccia il nipote, e nello stesso spirito lo ricambiai. Poi si allontanò con Michele per cercare dell'Abate.

"E ora?" domandai a Guglielmo.

"E ora torniamo ai nostri delitti."

"Maestro," dissi, "oggi sono successe cose molto gravi per la cristianità ed è fallita la vostra missione. Eppure sembrate più interessato alla soluzione di questo mistero che non allo scontro tra il papa e l'imperatore."

"I folli e i bambini dicono sempre la verità, Adso. Sarà perché come consigliere imperiale il mio amico Marsilio è più bravo di me, ma come inquisitore sono più bravo io. Persino più bravo di Bernardo Gui, Dio mi perdoni. Perché a Bernardo non interessa scoprire i colpevoli, bensì bruciare gli imputati. E io invece trovo il diletto più gaudioso nel dipanare una bella e intricata matassa. E sarà ancora perché in un momento in cui, come filosofo, dubito che il mondo abbia un ordine, mi consola scoprire, se non un ordine, almeno una serie di connessioni in piccole porzioni degli affari del mondo. Infine c'è probabilmente un'altra ragione: ed è che in questa storia forse sono in gioco cose più grandi e importanti che non la battaglia tra Giovanni e Ludovico..."

"Ma è una storia di rubamenti e vendette tra monaci di poca virtù!" esclamai dubbioso.

"Intorno a un libro proibito, Adso, intorno a un libro proibito," rispose Guglielmo.

Ormai i monaci stavano avviandosi a cena. Il pasto era già a metà quando si sedette accanto a noi Michele da Cesena avvertendoci che Ubertino era partito. Guglielmo trasse un sospiro di sollievo.

Alla fine della cena evitammo l'Abate che si stava intrattenendo con Bernardo e individuammo Bencio, che ci salutò con un mezzo sorriso, tentando di arrivare alla porta. Guglielmo lo raggiunse e lo costrinse a seguirci in un angolo della cucina.

"Bencio," gli chiese Guglielmo, "dov'è il libro?"

"Quale libro?"

"Bencio, nessuno di noi due è uno sciocco. Parlo del libro che cercavamo oggi da Severino e che io non ho riconosciuto e che tu hai riconosciuto benissimo e sei andato a riprendere..."

"Cosa vi fa pensare che lo abbia preso?"

"Lo penso, e lo pensi anche tu. Dov'è?"

"Non posso dirlo."

"Bencio, se non me lo dici ne parlerò all'Abate."

"Non posso dirlo per ordine dell'Abate," disse Bencio con aria virtuosa. "Oggi, dopo che ci siamo visti, è accaduto qualcosa che dovete sapere. Dopo la morte di Berengario mancava un aiuto bibliotecario. Oggi pomeriggio Malachia mi ha proposto di prendere il suo posto. Proprio mezz'ora fa l'Abate ha acconsentito, e da domani mattina, spero, sarò i- niziato ai segreti della biblioteca. È vero, ho preso il libro stamane, e l'avevo nascosto nel pagliericcio della mia cella senza neppure guardarlo, perché sapevo che Malachia mi sorvegliava. E a un certo punto Malachia mi ha fatto la pro- posta che vi ho detto. E allora ho fatto quel che deve fare un aiuto bibliotecario: gli ho consegnato il libro."

Non potei trattenermi dall'intervenire, e con violenza.

"Ma Bencio, ieri, e l'altro ieri tu... voi dicevate che era- vate arso dalla curiosità di conoscere, che non volevate più che la biblioteca celasse dei misteri, che uno scolaro deve sa- pere..."

Bencio taceva arrossendo, ma Guglielmo mi arrestò: "Adso, da qualche ora Bencio è passato dall'altra parte. Ora lui è il custode di quei segreti che voleva conoscere, e men- tre li custodisce avrà tutto il tempo che vorrà per conoscer- li."

"Ma gli altri?" domandai. "Bencio parlava a nome di tutti i sapienti!"

"Prima," disse Guglielmo. E mi trascinò via lasciando Bencio in preda alla confusione.

"Bencio," mi disse poi Guglielmo, "è vittima di una grande lussuria, che non è quella di Berengario né quella del cellario. Come molti studiosi, ha la lussuria del sapere. Del sapere per se stesso. Escluso da una parte di questo sa- pere, voleva impadronirsene. Ora se ne è impadronito. Ma- lachia conosceva il suo uomo e ha usato il mezzo migliore per riavere il libro e suggellare le labbra di Bencio. Tu mi chiederai a che pro controllare tanta riserva di sapere se si accetta di non metterlo a disposizione di tutti gli altri. Ma proprio per questo ho parlato di lussuria. Non era lussuria la sete di conoscenza di Ruggiero Bacone, che voleva impiegare la scienza per rendere più felice il popolo di Dio e quindi non cercava il sapere per il sapere. Quella di Bencio è solo curiosità insaziabile, orgoglio dell'intelletto, un modo come un altro, per un monaco, di trasformare e pacificare le voglie dei propri lombi, o l'ardore che fa di un altro un guerriero della fede, o dell'eresia. Non c'è solo la lussuria della carne. È lussuria quella di Bernardo Gui, stravolta lussuria di giustizia che si identifica con una lussuria di potere. È lussuria di ricchezza quella del nostro santo e non più romano pontefice. Era lussuria di testimonianza e trasformazione e penitenza e morte quella del cellario da giovane. Ed è lussuria di libri quella di Bencio. Come tutte le lussurie, come quella di Onan che spargeva il proprio seme per terra, è lussuria sterile, e non ha nulla a che vedere con l'amore, neppure quello carnale..."

"Lo so," mormorai mio malgrado. Guglielmo fece finta di non avere udito. Ma, come continuando il suo discorso, disse: "L'amore vero vuole il bene dell'amato."

"Non sarà che Bencio vuole il bene dei suoi libri (ché ormai sono anche suoi) e pensa che il loro bene sia restare lontano da mani rapaci?" domandai.

"Il bene di un libro sta nell'essere letto. Un libro è fatto di segni che parlano di altri segni, i quali a loro volta parlano delle cose. Senza un occhio che lo legga, un libro reca segni che non producono concetti, e quindi è muto. Questa biblioteca è nata forse per salvare i libri che contiene, ma ora vive per seppellirli. Per questo è divenuta fomite di empietà. Il cellario ha detto di aver tradito. Così ha fatto Bencio. Ha tradito. Oh che brutta giornata, mio buon Adso! Piena di sangue e rovina. Per quest'oggi ne ho abbastanza. Andiamo anche noi a compieta, e poi a dormire."

Uscendo dalla cucina incontrammo Aymaro. Ci domandò se era vero quello che si sussurrava, che Malachia avesse proposto Bencio come proprio aiuto. Non potemmo che confermare.

"Questo Malachia ha fatto molte belle cose, quest'oggi," disse Aymaro col suo solito sogghigno di disprezzo e di indulgenza. "Se ci fosse giustizia, il diavolo verrebbe a prenderselo, questa notte."

Quinto giorno

COMPIETA

*Dove si ascolta un sermone sulla venuta dell'Anticristo
e Adso scopre il potere dei nomi propri.*

Vespro aveva avuto luogo in modo confuso, ancora durante l'interrogatorio del cellario, coi novizi curiosi che erano
sfuggiti di mano al loro maestro per seguire da finestre e
fessure quanto accadeva nella sala capitolare. Occorreva ora
che tutta la comunità pregasse per l'anima buona di Severino. Si pensava che l'Abate avrebbe parlato a tutti, e ci si
domandava cosa avrebbe detto. Invece, dopo la rituale omelia di san Gregorio, il responsorio e i tre salmi prescritti,
l'Abate si affacciò al pulpito, ma solo per dire che quella sera lui avrebbe taciuto. Troppe sventure avevano funestato
l'abbazia, disse, perché lo stesso padre comune avesse potuto
parlare con l'accento di chi rimprovera e ammonisce. Occorreva che tutti, nessuno escluso, facessero un severo esame di
coscienza. Ma poiché bisognava che qualcuno parlasse, proponeva che il monito venisse da chi, più anziano di tutti e
ormai vicino alla morte, fosse di tutti meno coinvolto nelle
passioni terrestri che avevano cagionato tanti mali. Per diritto di età la parola sarebbe spettata ad Alinardo da Grottaferrata, ma tutti sapevano quanto la salute del venerabile
confratello fosse fragile. Subito dopo Alinardo, nell'ordine
stabilito dal volgere inesorabile dei tempi, veniva Jorge. A
lui l'Abate dava ora la parola.

Udimmo un mormorio da quella parte degli stalli dove
sedevano di solito Aymaro e gli altri italiani. Immaginai che
l'Abate avesse affidato il sermone a Jorge senza interpellare
Alinardo. Il mio maestro mi fece notare sottovoce che quella
di non parlare era stata per l'Abate una prudente decisione:
perché qualsiasi cosa avesse detto sarebbe stata soppesata da
Bernardo e dagli altri avignonesi presenti. Il vecchio Jorge si
sarebbe invece limitato a qualcuno dei suoi vaticini mistici, e

gli avignonesi non vi avrebbero dato gran peso. "Non io però," aggiunse Guglielmo, "perché non credo che Jorge abbia accettato, e forse richiesto di parlare senza uno scopo ben preciso."

Jorge salì sul pulpito, sorretto da qualcuno. Il suo volto era illuminato dal tripode che, solo, rischiarava la navata. La luce della fiamma metteva in evidenza la tenebra che gravava sui suoi occhi, che parevano due buchi neri.

"Fratelli dilettissimi," egli iniziò, "e voi tutti ospiti nostri molto cari, se vorrete ascoltare questo povero vecchio... Le quattro morti che hanno funestato la nostra abbazia — per non dire dei peccati, remoti e recenti, dei più sciagurati tra i vivi — non sono, voi lo sapete, da attribuire ai rigori della natura che, implacabile nei suoi ritmi, amministra la nostra giornata terrena, dalla culla alla tomba. Voi tutti penserete forse che, per quanto vi abbia sconvolti di dolore, questa triste vicenda non coinvolga la vostra anima, perché tutti, salvo uno, siete innocenti, e quando quest'uno sia stato punito vi rimarrà certo da piangere l'assenza degli scomparsi, ma non dovrete scagionare voi stessi da alcuna imputazione davanti al tribunale di Dio. Voi così pensate. Pazzi!" gridò con voce terribile, "pazzi e temerari che siete! Chi ha ucciso porterà davanti a Dio il fardello delle sue colpe, ma solo perché ha accettato di farsi tramite dei decreti di Dio. Così come occorreva che qualcuno tradisse Gesù perché il mistero della redenzione fosse compiuto, e tuttavia il Signore ha sancito dannazione e vituperio per chi lo ha tradito, così qualcuno in questi giorni ha peccato portando morte e rovina, ma io vi dico che questa rovina è stata, se non voluta, almeno permessa da Dio a umiliazione della nostra superbia!"

Tacque, e volse lo sguardo vuoto sulla cupa assemblea, come se con gli occhi potesse coglierne le emozioni, mentre di fatto con l'orecchio ne assaporava il costernato silenzio.

"In questa comunità," continuò, "serpeggia da gran tempo l'aspide dell'orgoglio. Ma quale orgoglio? L'orgoglio del potere in un monastero isolato dal mondo? No certo. L'orgoglio della ricchezza? Fratelli miei, prima che il mondo conosciuto echeggiasse di lunghe querele sulla povertà e sul possesso, sin dai tempi del nostro fondatore noi, anche quando abbiamo avuto tutto, non abbiamo avuto nulla, la nostra unica vera ricchezza essendo l'osservanza della regola, la preghiera e il lavoro. Ma del nostro lavoro, del lavoro del nostro ordine, e in particolare del lavoro di questo monastero fa parte — anzi è sostanza — lo studio, e la custodia del sapere. La custodia, dico, non la ricerca, perché è proprio del sapere, cosa divina, essere completo e definito sin dall'inizio, nella perfezione del verbo che si esprime a se stesso. La custodia, dico, non la ricerca, perché è proprio del sapere, cosa umana, essere stato definito e completato nell'arco dei secoli che va dalla predicazione dei profeti alla interpretazione dei padri della chiesa. Non vi è progresso, non vi è rivoluzione di evi, nella vicenda del sapere, ma al massimo continua e sublime ricapitolazione. La storia umana marcia con moto inarrestabile dalla creazione, attraverso la redenzione, verso il ritorno del Cristo trionfante, che apparirà circonfuso di un nimbo a giudicare i vivi e i morti, ma il sapere divino e umano non segue questo corso: fermo come una rocca che non crolla esso ci permette, quando ci facciamo umili e attenti alla sua voce, di seguire, di predire questo corso, ma da esso non viene intaccato. Io sono colui che è, disse il Dio degli ebrei. Io sono la via, la verità e la vita, disse Nostro Signore. Ecco, il sapere altro non è che l'attonito commento di queste due verità. Tutto quanto è stato detto in più, fu profferito dai profeti, dagli evangelisti, dai padri e dai dottori per rendere più chiare queste due sentenze. E talora un acconcio commento vi venne anche dai pagani che le ignoravano, e le loro parole sono state assunte dalla tradizione cristiana. Ma oltre a ciò non vi è più nulla da dire. Vi è da rimeditare, chiosare, conservare. Questo era e dovrebbe essere l'ufficio di questa nostra abbazia con la sua splendida biblioteca — non altro. Si dice che un califfo orientale un giorno desse alle fiamme la biblioteca di una città famosa e gloriosa e orgogliosa e che, mentre quelle migliaia di volumi ardevano, dicesse che essi potevano e dovevano scomparire: perché o ripetevano quello che già diceva il corano, e dunque erano inutili, o contraddicevano quel libro sacro agli infedeli, e dunque erano dannosi. I dottori della chiesa, e noi con loro, non ragionarono così. Tutto ciò che suona di commento e chiarificazione alla scrittura deve essere conservato, perché delle scritture divine aumenta la gloria; tutto quello che le contraddice non deve essere distrutto, perché solo conservandolo potrà essere contraddetto a sua volta, da chi lo possa e ne abbia l'ufficio, nei modi e nei tempi che il Signore vorrà. Da qui la responsabilità del nostro ordine nei secoli, e il fardello della nostra abbazia oggi: orgogliosi della verità che proclamiamo, umili e prudenti nel custodire le parole nemiche della verità, senza farcene insozzare. Ora, fratelli miei, quale è il peccato di orgoglio che può tentare un monaco studioso? Quello di intendere il proprio lavoro non come custodia ma come ricerca di qualche notizia che non sia stata ancora data agli umani, come se l'ultima non fosse già risuonata nelle parole dell'ultimo angelo che parla nell'ultimo libro delle scritture: 'Ora dichiaro a chiunque ascolti le parole di profezia di questo libro, che se uno vi aggiungerà qualche cosa, Dio porrà sopra di lui le piaghe scritte in questo libro, e se qualcuno toglierà qualcosa alle parole di profezia di questo libro, Dio gli toglierà la sua parte dal libro della vita e dalla città santa e dalle cose che sono scritte in questo libro.' Ecco... non vi pare fratelli miei sventurati che queste parole altro non adombrino che quanto è avvenuto di recente tra queste mura, mentre quanto è avvenuto tra queste mura altro non adombra che la vicenda stessa del secolo in cui viviamo, teso nella parola come nelle opere, nelle città come nei castelli, nelle superbe università e nelle chiese cattedrali a cercare con affanno di scoprire nuovi codicilli alle parole della verità, stravolgendo il senso di quella verità già ricca di tutti gli scolii, e bisognosa solo di intrepida difesa e non di stolido incremento? Questo è l'orgoglio che ha serpeggiato e ancora serpeggia per queste mura: e io dico a chi si è affannato e si affanna a rompere i sigilli dei libri che non gli sono dovuti, che è questo orgoglio che il Signore ha voluto punire e che continuerà a punire se esso non scemerà e non si umilierà, perché al Signore non è difficile trovare, sempre e ancora, a causa della nostra fragilità, gli strumenti della sua vendetta.''

"Hai sentito Adso?" mi mormorò Guglielmo. "Il vecchio sa più di quel che dice. Che abbia o no le mani in questa storia, egli sa, e avverte che se i monaci curiosi continueranno a violare la biblioteca, l'abbazia non riavrà la sua pace."

Jorge ora, dopo una lunga pausa, riprendeva a parlare.

"Ma chi è infine il simbolo stesso di questo orgoglio, di chi gli orgogliosi sono figura e messaggeri, complici e vessilliferi? Chi in verità ha agito e forse agisce anche tra queste mura, così da avvertirci che i tempi sono vicini — e da consolarci, perché se i tempi sono prossimi le sofferenze saranno certo insostenibili, ma non infinite nel tempo, dato che il grande ciclo di questo universo sta per compiersi? Oh, voi l'avete capito benissimo, e paventate di dirne il nome, perché è anche il vostro e voi ne avete paura, ma se voi ne avete paura non l'avrò io, e questo nome lo dirò ad altissima voce affinché le vostre viscere si torcano dallo spavento e i vostri denti battano sino a tagliarvi la lingua, e il gelo che si formerà nel vostro sangue faccia scendere un velo scuro sui vostri occhi... Egli è la bestia immonda, egli è l'Anticristo!"

Fece un'altra lunghissima pausa. Gli astanti sembravano morti. L'unica cosa mobile in tutta la chiesa era la fiamma del tripode, ma persino le ombre che essa formava parevano essersi raggelate. L'unico rumore, fioco, era l'ansare di Jorge, che si tergeva il sudore dalla fronte. Poi Jorge riprese.

"Vorrete forse voi dirmi: no, costui non è ancora venturo, dove sono i segni della sua venuta? Insipiente chi lo dicesse! Ma se ne abbiamo davanti agli occhi, giorno per giorno, nel grande anfiteatro del mondo, e nell'immagine ridotta dell'abbazia, le catastrofi foriere... È stato detto che quando il momento sarà vicino si leverà in occidente un re straniero, signore di immani frodi, ateo, uccisore di uomini, fraudolento, assetato di oro, abile nelle astuzie, malvagio, nemico dei fedeli e loro persecutore, e ai tempi suoi non si terrà conto dell'argento ma si terrà in pregio soltanto l'oro! Io so bene: voi che mi ascoltate vi affrettate ora a fare i vostri calcoli per sapere se colui di cui parlo assomigli al papa o all'imperatore o al re di Francia o a chi vorrete, per poter dire: egli è il mio nemico e io sto dalla parte buona! Ma non sono così ingenuo da indicarvi un uomo, l'Anticristo quando viene viene in tutti e per tutti, e ciascuno ne è parte. Sarà nelle bande di briganti che saccheggeranno città e regioni, sarà in imprevisti segni del cielo dove appariranno all'improvviso arcobaleni, corni e fuochi, mentre si udranno muggiti di voci e il mare ribollirà. Si è detto che gli uomini e le bestie genereranno dei draghi, ma si voleva dire che i cuori concepiranno odio e discordia, non guardatevi intorno per scorgere le bestie delle miniature che vi dilettano sulle pergamene! Si è detto che le giovani da poco sposate partoriranno bambini già in grado di parlare perfettamente, i quali porteranno l'annunzio della maturità dei tempi e chiederanno di essere uccisi. Ma non cercate tra i villaggi a valle, i bambini troppo sapienti sono già stati uccisi tra queste mura! E come quelli delle profezie avevano l'aspetto di uomini già canuti, e della profezia essi erano i figli quadrupedi, e gli spettri, e gli embrioni che dovrebbero profetizzare nel ventre delle madri pronunziando incantamenti magici. E tutto è stato scritto, sapete? È stato scritto che molte saranno le agitazioni nei ceti, nei popoli, nelle chiese; che si leveranno pastori iniqui, perversi, dispregiatori, avidi, desiderosi di piaceri, amanti del guadagno, compiaciuti di vani discorsi, millantatori, superbi, golosi, protervi, immersi nella libidine, ricercatori di vanagloria, nemici dell'evangelo, pronti a ripudiare la porta stretta, a disprezzare la parola vera, e avranno in odio ogni sentiero di pietà, non si pentiranno del loro peccare, e per questo in mezzo ai popoli dilagheranno l'incredulità, l'odio fraterno, la malvagità, la durezza, l'invidia, l'indifferenza, il ladrocinio, l'ebrietà, l'intemperanza, la lascivia, il piacere carnale, la fornicazione e tutti gli altri vizi. Verranno meno l'afflizione, l'umiltà, l'amore della pace, la povertà, la compassione, il dono del pianto... Suvvia, non vi riconoscete, tutti qui presenti, monaci dell'abbazia e potenti venuti da fuori?''

Nella pausa che seguì si udì un fruscio. Era il cardinal Bertrando che si agitava sul suo scranno. In fondo, pensai, Jorge stava procedendo da gran predicatore, e mentre fustigava i suoi confratelli non risparmiava neppure i visitatori. E avrei dato non so che cosa per sapere cosa passasse in quel momento per il capo a Bernardo, o ai grassi avignonesi.

"E sarà a questo punto, che è appunto questo," tuonò Jorge, "che l'Anticristo avrà la sua blasfema parusia, scimmia qual vuole essere di Nostro Signore. In quei tempi (che sono questi) saranno travolti tutti i regni, vi sarà carestia e povertà, e penuria di messi, e inverni di eccezionale rigore. E i figli di quel tempo (che è questo) non avranno più chi amministri i loro beni e conservi nei loro depositi gli alimenti e saranno vessati sui mercati di compera e di vendita. Beati allora coloro che non vivranno più, o che vivendo riusciranno a sopravvivere! Giungerà allora il figlio della perdizione, l'avversario che si glorifica e si gonfia, esibendo molteplici virtù per trarre in inganno tutta la terra e per prevalere sopra i giusti. La Siria crollerà e piangerà i suoi figli. La Cilicia solleverà la testa sino a quando non apparirà colui che è chiamato a giudicarla. La figlia di Babilonia si leverà dal trono del suo splendore per bere del calice dell'amarezza. La Cappadocia, la Licia e la Licaonia piegheranno il dorso perché intere folle andranno distrutte nella corruzione della loro iniquità. Accampamenti di barbari e carri da guerra appariranno dovunque per occupare le terre. Nell'Armenia, nel Ponto e nella Bitinia gli adolescenti periranno di spada, le bambine cadranno in prigionia, i figli e le figlie consumeranno incesti, la Pisidia, che si esalta nella sua gloria, sarà prostrata, la spada passerà in mezzo alla Fenicia, la Giudea si vestirà di lutto e si preparerà al giorno della perdizione a motivo della sua impurità. D'ogni parte allora appariranno abominio e desolazione, l'Anticristo espugnerà l'occidente e distruggerà le vie di traffico, avrà nelle mani spada e fuoco ardente e brucerà in furore di violenza di fiamma: sua forza sarà la bestemmia, inganno la sua mano, la destra sarà rovina, la sinistra portatrice di tenebre. Questi sono i tratti che lo distingueranno: la sua testa sarà di fuoco ardente, il suo occhio destro iniettato di sangue, il suo occhio sinistro di un verde felino, e avrà due pupille, e le sue palpebre saranno bianche, il suo labbro inferiore grande, avrà debole il femore, grossi i piedi, il pollice schiacciato e allungato!"

"Sembra il suo ritratto," sogghignò Guglielmo in un soffio. Era una frase molto empia, ma gliene fui grato, perché i capelli mi si stavano rizzando sul capo. Trattenni a stento una risata, gonfiando le gote e lasciando uscire un soffio dalle labbra chiuse. Rumore che, nel silenzio che era seguito alle ultime parole del vecchio, si udì benissimo, ma per fortuna tutti pensarono che fosse qualcuno che tossiva o che piangeva, o rabbrividiva, e tutti ne avevano ben donde.

"È il momento," diceva ora Jorge, "che tutto cadrà nell'arbitrio, i figli solleveranno le mani contro i genitori, la moglie tramerà contro il marito, il marito chiamerà in giudizio la moglie, i padroni saranno disumani coi servi e i servi disobbediranno ai padroni, non vi sarà più reverenza per gli anziani, gli adolescenti chiederanno il comando, il lavoro parrà a tutti una inutile fatica, dovunque si alzeranno cantici di gloria alla licenza, al vizio, alla dissoluta libertà dei costumi. E dopo di ciò, stupri, adulteri, spergiuri, peccati contro natura seguiranno a grande ondata, e mali, e divinazioni, e incantesimi, e appariranno nel cielo corpi volanti, sorgeranno in mezzo ai buoni cristiani falsi profeti, falsi apostoli, corruttori, impostori, stregoni, stupratori, avari, spergiuri e falsificatori, i pastori si trasformeranno in lupi, i sacerdoti mentiranno, i monaci desidereranno le cose del mondo, i poveri non accorreranno in aiuto dei capi, i potenti saranno senza misericordia, i giusti si faranno testimoni di ingiustizia. Tutte le città saranno scosse da terremoti, vi saranno pestilenze in tutte le regioni, tempeste di vento solleveranno la terra, i campi saranno contaminati, il mare secernerà umori nerastri, nuovi sconosciuti prodigi avran luogo nella luna, le stelle abbandoneranno il loro corso normale, altre — ignote — solcheranno il cielo, nevicherà d'estate e farà caldo torrido d'inverno. E saranno venuti i tempi della fine e la fine dei tempi... Nel primo giorno all'ora terza si leverà nel firmamento del cielo una voce grande e potente, una nube purpurea avanzerà da settentrione, tuoni e lampi la seguiranno, e sulla terra scenderà una pioggia di sangue. Nel secondo giorno la terra sarà sradicata dalla sua sede e il fumo di un grande fuoco passerà attraverso le porte del cielo. Nel terzo giorno gli abissi della terra rumoreggeranno dai quattro angoli del cosmo. I pinnacoli del firmamento si apriranno, l'aria si riempirà di pilastri di fumo e vi sarà fetore di zolfo sino all'ora decima. Nel quarto giorno di primo mattino l'abisso si liquefarà ed emetterà boati, e cadranno gli edifici. Nel quinto giorno all'ora sesta andranno disfatte le potenze di luce e la ruota del sole, e vi saranno tenebre nel mondo sino a sera, e le stelle e la luna cesseranno il loro ufficio. Il sesto giorno all'ora quarta il firmamento si spaccherà da oriente a occidente e gli angeli potranno guardare sulla terra attraverso la fessura dei cieli e tutti coloro che sono sulla terra potranno vedere gli angeli che guardano dal cielo. Allora tutti gli uomini si nasconderanno sulle montagne per sfuggire allo sguardo degli angeli giusti. E il settimo giorno arriverà il Cristo nella luce del padre suo. E vi sarà allora il giudizio dei buoni e la loro ascesa, nella beatitudine eterna dei corpi e delle anime. Ma non di questo mediterete questa sera, fratelli orgogliosi! Non ai peccatori spetterà di vedere l'alba del giorno ottavo, quando si leverà una voce dolce e tenera dall'oriente, in mezzo al cielo, e si manifesterà quell'Angelo che ha potere su tutti gli altri angeli santi, e tutti gli angeli avanzeranno insieme con lui, sedendo su di un carro di nubi, pieni di letizia correndo veloci per l'aria, per liberare gli eletti che hanno creduto, e tutti insieme si compiaceranno perché la distruzione di questo mondo sarà stata consumata! Non di questo dobbiamo noi orgogliosamente compiacerci questa sera! Mediteremo invece sulle parole che il Signore pronunzierà per cacciare da sé chi non ha meritato salvezza: andate lontano da me, maledetti, nel fuoco eterno che vi è stato preparato dal diavolo e dai suoi ministri! Voi stessi ve lo siete meritato, e ora godetevelo! Allontanatevi da me, discendendo nelle tenebre esteriori e nel fuoco inestinguibile! Io vi ho dato forma e voi vi faceste seguaci di un altro! Vi siete fatti servi di un altro signore, andate a dimorare con lui nel buio, con lui, il serpente che non riposa, nel mezzo dello stridore dei denti! Vi diedi orecchio per prestare ascolto alle scritture e voi ascoltaste le parole dei pagani! Vi composi una bocca per glorificare Dio, e voi la usaste per le falsità dei poeti e per gli enigmi dei giullari! Vi diedi gli occhi perché vedeste la luce dei miei precetti, e voi li usaste per scrutare nella tenebra! Io sono un giudice umano, ma giusto. A ciascuno darò ciò che merita. Vorrei avere misericordia per voi, ma non trovo olio nei vostri vasi. Sarei spinto a impietosirmi, ma le vostre lampade sono affumicate. Allontanatevi da me... Così parlerà il Signore. E quelli... e noi forse, scenderemo nell'eterno supplizio. In nome del Padre, del Figlio e dello Spirito Santo.''

''Amen!'' risposero tutti a una voce.

Tutti in fila, senza un sussurro, andarono i monaci ai loro giacigli. Senza desiderio di parlarsi scomparvero i minoriti e gli uomini del papa, anelando all'isolamento e al riposo. Il mio cuore era greve.

''A letto Adso,'' mi disse Guglielmo, salendo le scale dell'albergo dei pellegrini. ''Non è una sera da restare in giro. A Bernardo Gui potrebbe venire in mente di anticipare la fine del mondo incominciando dalle nostre carcasse. Domani cercheremo di essere presenti a mattutino, perché subito dopo partiranno Michele e gli altri minoriti.''

''Partirà anche Bernardo coi suoi prigionieri?'' domandai con un filo di voce.

''Sicuramente non ha più nulla da fare qui. Vorrà precedere Michele ad Avignone, ma in modo che il suo arrivo coincida col processo al cellario, minorita, eretico e assassino. Il rogo del cellario illuminerà come fiaccola propiziatoria il primo incontro di Michele col papa.''

''E cosa accadrà a Salvatore... e alla ragazza?''

''Salvatore accompagnerà il cellario, perché dovrà testimoniare al suo processo. Può darsi che in cambio di questo servizio Bernardo gli conceda la vita. Magari lo lascerà scappare e poi lo farà uccidere. O forse lo lascerà andare davvero, perché uno come Salvatore non interessa a uno come Bernardo. Chissà, forse finirà tagliagole in qualche foresta della Linguadoca...''

''E la ragazza?''

''Te l'ho detto, è carne bruciata. Ma arderà prima, lungo il cammino, a edificazione di qualche paesello cataro lungo la costa. Ho sentito dire che Bernardo dovrà incontrarsi con il suo collega Jacques Fournier (ricordati questo nome, per ora brucia albigesi, ma mira più in alto) e una bella strega da mettere sulla catasta aumenterà il prestigio e la fama di entrambi...''

"Ma non si può fare qualcosa per salvarli?" gridai. "Non può intervenire l'Abate?"

"Per chi? Per il cellario, reo confesso? Per un miserabile come Salvatore? O tu pensi alla ragazza?"

"E se fosse?" ardii. "In fondo dei tre è l'unica veramente innocente, voi sapete che non è una strega..."

"E credi che l'Abate, dopo quello che è successo, voglia mettere a repentaglio quel poco di prestigio che gli è rimasto per una strega?"

"Ma si è assunto la responsabilità di far fuggire Ubertino!"

"Ubertino era un suo monaco e non era accusato di nulla. E poi che sciocchezze mi dici, Ubertino era una persona importante, Bernardo avrebbe potuto colpirlo solo alle spalle."

"Così il cellario aveva ragione, i semplici pagano sempre per tutti, anche per coloro che parlano in loro favore, anche per coloro come Ubertino e Michele, che con le loro parole di penitenza li hanno spinti alla rivolta!" Ero disperato, e non consideravo neppure che la ragazza non era un fraticello, sedotto dalla mistica di Ubertino. Però era una contadina, e pagava per una storia che non la riguardava.

"Così è," mi rispose tristemente Guglielmo. "E se proprio cerchi uno spiraglio di giustizia, ti dirò che un giorno i grossi cani, il papa e l'imperatore, per fare pace passeranno sopra il corpo dei cani più piccoli che si sono azzuffati al loro servizio. E Michele o Ubertino saranno trattati come oggi viene trattata la tua ragazza."

Ora so che Guglielmo profetava, ovvero sillogizzava in base a principi di filosofia naturale. Ma in quel momento le sue profezie e i suoi sillogismi non mi consolarono per nulla. L'unica cosa certa era che la fanciulla sarebbe stata bruciata. E mi sentivo corresponsabile, perché era come se sul rogo ella espiasse anche per il peccato che io avevo commesso con lei.

Scoppiai inverecondamente in singhiozzi e fuggii nella mia cella, dove per tutta la notte morsi il pagliericcio e mugolai impotente, perché non mi era neppure concesso — come avevo letto nei romanzi cavallereschi coi miei compagni a Melk — di lamentarmi invocando il nome dell'amata.

Dell'unico amore terreno della mia vita non sapevo, e non seppi mai, il nome.

SESTO GIORNO

Sesto giorno

MATTUTINO

Dove i principi sederunt, e Malachia stramazza al suolo.

Scendemmo al mattutino. Quell'ultima parte della notte, quasi la prima del nuovo giorno imminente, era ancora nebbiosa. Mentre attraversavo il chiostro l'umidità mi penetrava sino in fondo alle ossa, peste per il sonno inquieto. Benché la chiesa fosse fredda, fu con un sospiro di sollievo che mi inginocchiai sotto quelle volte, al riparo dagli elementi, confortato dal calore degli altri corpi, e della preghiera.

Il canto dei salmi era iniziato da poco, quando Guglielmo mi indicò un posto vuoto negli stalli di fronte a noi, tra Jorge e Pacifico da Tivoli. Era il posto di Malachia, che infatti sedeva sempre di fianco al cieco. Né eravamo gli unici a esserci accorti di quell'assenza. Da un lato sorpresi uno sguardo preoccupato dell'Abate, che certo ormai ben sapeva come quelle mancanze fossero foriere di cupe notizie. E dall'altro mi avvidi di una singolare inquietudine che agitava il vecchio Jorge. Il suo volto, di solito così indecifrabile per quei suoi occhi bianchi privi di luce, era immerso per tre quarti nell'ombra, ma nervose e irrequiete erano le sue mani. Infatti più volte tastò il posto al suo fianco, come per controllare se fosse occupato. Faceva e rifaceva il gesto a intervalli regolari, come sperando che l'assente ricomparisse da un momento all'altro, ma temesse di non vederlo ricomparire.

"Dove sarà il bibliotecario?" sussurrai a Guglielmo.

"Malachia," rispose Guglielmo, "era ormai l'unico ad avere nelle sue mani il libro. Se non è lui il colpevole dei delitti, allora potrebbe non conoscere i pericoli che quel libro comportava..."

Non c'era altro da dire. Si doveva solo attendere. E attendemmo, noi, l'Abate che continuava a fissare lo stallo vuoto, Jorge che non cessava di interrogare il buio con le mani.

Quando si giunse alla fine dell'ufficio, l'Abate ricordò ai monaci e ai novizi che occorreva prepararsi alla grande messa natalizia e che perciò, come d'uso, si sarebbe impiegato il tempo prima di laudi provando l'affiatamento dell'intera comunità nell'esecuzione di alcuni dei canti previsti per quella occasione. Quella schiera di uomini devoti era in effetti armonizzata come un solo corpo e una sola voce, e da un volgere lungo di anni si riconosceva unita, come un'anima sola, nel canto.

L'Abate invitò a intonare il *Sederunt*:

> Sederunt principes
> et adversus me
> loquebantur, iniqui.
> Persecuti sunt me.
> Adjuva me, Domine,
> Deus meus salvum me
> fac propter magnam misericordiam tuam.

Mi chiesi se l'Abate non avesse scelto di far cantare quel graduale proprio quella notte, quando ancora erano presenti alla funzione gli inviati dei principi, per ricordare come da secoli il nostro ordine fosse pronto a resistere alla persecuzione dei potenti, grazie al suo privilegiato rapporto col Signore, Dio degli eserciti. E invero l'inizio del canto diede una grande impressione di potenza.

Sulla prima sillaba *se* iniziò un coro lento e solenne di decine e decine di voci, il cui suono basso riempì le navate e aleggiò sopra le nostre teste, e tuttavia sembrava sorgere dal cuore della terra. Né s'interruppe, perché mentre altre voci incominciavano a tessere, su quella linea profonda e continua, una serie di vocalizzi e melismi, esso — tellurico — continuava a dominare e non cessò per il tempo intero che occorre a un recitante dalla voce cadenzata e lenta per ripetere dodici volte l'*Ave Maria*. E quasi sciolte da ogni timore, per la fiducia che quell'ostinata sillaba, allegoria della durata eterna, dava agli oranti, le altre voci (e massime quelle dei novizi) su quella base petrosa e solida innalzavano cuspidi, colonne, pinnacoli di neumi liquescenti e subpuntati. E mentre il mio cuore stordiva di dolcezza al vibrare di un climacus o di un porrectus, di un torculus o di un salicus, quelle voci parevano dirmi che l'anima (degli oranti e mia che li ascoltavo), non potendo reggere alla esuberanza del sentimento, attraverso di essi si lacerava per esprimere la gioia, il dolore, la lode, l'amore, con slancio di sonorità soa-

vi. Intanto, l'ostinato accanirsi delle voci ctonie non demordeva, come se la presenza minacciosa dei nemici, dei potenti che perseguitavano il popolo del Signore, permanesse irrisolta. Sino a che quel nettunico tumultuare di una sola nota parve vinto, o almeno convinto e avvinto dal giubilo allelujatico di chi vi si opponeva, e si sciolse su di un maestoso e perfettissimo accordo e su un neuma resupino.

Pronunciato con fatica quasi ottusa il "sederunt", s'innalzò nell'aria il "principes", in una grande e serafica calma. Non mi domandai più chi fossero i potenti che parlavano contro di me (di noi), era scomparsa, dissolta l'ombra di quel fantasma sedente e incombente.

E altri fantasmi, credetti allora, si dissolsero a quel punto perché riguardando lo stallo di Malachia, dopo che la mia attenzione era stata assorbita dal canto, vidi la figura del bibliotecario tra quella degli altri oranti, come se mai fosse mancato. Guardai Guglielmo e vidi una sfumatura di sollievo nei suoi occhi, la stessa che scorsi da lontano negli occhi dell'Abate. Quanto a Jorge, aveva di nuovo teso le mani e, incontrando il corpo del suo vicino, le aveva prontamente ritratte. Ma di lui non saprei dire quali sentimenti lo agitassero.

Ora il coro stava intonando festosamente lo "adjuva me", di cui la *a* chiara lietamente si espandeva per la chiesa, e la stessa *u* non appariva cupa come quella di "sederunt", ma piena di santa energia. I monaci e i novizi cantavano, come vuole la regola del canto, col corpo diritto, la gola libera, la testa che guarda in alto, il libro quasi all'altezza delle spalle in modo che vi si possa leggere senza che, abbassando il capo, l'aria esca con minore energia dal petto. Ma l'ora era ancora notturna e, malgrado squillassero le trombe della giubilazione, la caligine del sonno insidiava molti dei cantori i quali, persi magari nell'emissione di una lunga nota, fiduciosi nell'onda stessa del cantico, a volte reclinavano il capo, tentati dalla sonnolenza. Allora i veglianti, anche in quel frangente, ne esploravano i volti col lume, a uno a uno, per ricondurli appunto alla veglia, del corpo e dell'anima.

Fu dunque per primo un vegliante che scorse Malachia ciondolare in modo strano, oscillare come se di colpo fosse ripiombato nelle nebbie cimmerie di un sonno che probabilmente quella notte non aveva dormito. Gli si appressò con la lampada, illuminandogli il volto e attirando così la mia attenzione. Il bibliotecario non reagì. Il vegliante lo toccò, e quello cadde pesantemente in avanti. Il vegliante fece appena in tempo a sostenerlo prima che esso precipitasse.

Il canto rallentò, le voci si spensero, ci fu un breve trambusto. Guglielmo era subito scattato dal suo posto e si era precipitato là dove ormai Pacifico da Tivoli e il vegliante stavano distendendo per terra Malachia, esanime.

Li raggiungemmo quasi insieme all'Abate, e alla luce della lampada vedemmo il volto dell'infelice. Ho già descritto l'aspetto di Malachia, ma quella notte, a quella luce, esso era ormai l'immagine stessa della morte. Il naso affilato, gli occhi cavi, le tempie infossate, le orecchie bianche e contratte coi lobi rivolti all'infuori, la pelle del viso era ormai rigida, tesa e secca, il colore delle gote giallastro e soffuso di un'ombra scura. Gli occhi erano ancora aperti e un faticoso respiro usciva da quelle labbra riarse. Aprì la bocca e, chinato dietro Guglielmo che si era chinato su di lui, vidi agitarsi nella chiostra dei denti una lingua ormai nerastra. Guglielmo lo sollevò abbracciandogli le spalle, con la mano gli terse un velo di sudore che gli illividiva la fronte. Malachia avvertì un tocco, una presenza, guardò fisso davanti a sé, certamente senza vedere, sicuramente senza riconoscere chi gli stava dinnanzi. Alzò una mano tremante, afferrò Guglielmo per il petto, traendone il viso sino quasi a toccare il suo, poi fiocamente e raucamente profferì alcune parole: "Me lo aveva detto... davvero... aveva il potere di mille scorpioni..."

"Chi te lo aveva detto?" gli chiese Guglielmo. "Chi?"

Malachia tentò ancora di parlare. Poi fu sconvolto da un gran tremito e il capo gli ricadde all'indietro. Il volto perse ogni colore, ogni parvenza di vita. Era morto.

Guglielmo si alzò. Scorse accanto a sé l'Abate, e non gli disse verbo. Poi vide, dietro all'Abate, Bernardo Gui.

"Signor Bernardo," chiese Guglielmo, "chi ha ucciso costui, se voi avete così ben trovato e custodito gli assassini?"

"Non domandatelo a me," disse Bernardo. "Non ho mai detto di aver assicurato alla giustizia tutti i malvagi che si aggirano per questa abbazia. Lo avrei fatto volentieri, se avessi potuto," guardò Guglielmo. "Ma gli altri ora li lascio alla severità... o alla eccessiva indulgenza del signor Abate." Disse, mentre l'Abate impallidiva tacendo. E si allontanò.

In quel mentre udimmo come un pigolare, un singhiozzo chioccio. Era Jorge, chino sul suo inginocchiatoio, sostenuto da un monaco che doveva avergli descritto l'accaduto.

"Non finirà mai..." disse con voce rotta. "Oh Signore, perdonaci tutti!"

Guglielmo si chinò ancora un momento sul cadavere. Gli afferrò i polsi, volgendogli verso la luce i palmi delle mani. I polpastrelli delle prime tre dita della mano destra erano scuri.

Sesto giorno

LAUDI

*Dove viene eletto un nuovo cellario ma non
un nuovo bibliotecario.*

Era già l'ora di laudi? Era più presto o più tardi? Da quel
punto in avanti persi il senso del tempo. Passarono forse
delle ore, forse meno, in cui il corpo di Malachia fu disteso
in chiesa su di un catafalco, mentre i confratelli si disponevano a ventaglio. L'Abate dava disposizioni per le prossime
esequie. Lo udii chiamare a sé Bencio e Nicola da Morimondo. Nel giro di meno di un giorno, disse, l'abbazia era stata
privata del bibliotecario e del cellario. "Tu," disse a Nicola,
"assumerai le funzioni di Remigio. Conosci il lavoro di molti, qui all'abbazia. Poni qualcuno in tua vece a guardia delle
fucine, provvedi alle necessità immediate di oggi, in cucina,
in refettorio. Sei esentato dagli uffici. Vai." Poi, a Bencio:
"Proprio ieri sera eri stato nominato aiuto di Malachia.
Provvedi all'apertura dello scriptorium e sorveglia che nessuno salga da solo in biblioteca." Bencio fece timidamente osservare che non era stato ancora iniziato ai segreti di quel
luogo. L'Abate lo fissò con severità: "Nessuno ha detto che
lo sarai. Tu sorveglia che il lavoro non si arresti e venga vissuto come preghiera per i fratelli morti... e per coloro che
ancora morranno. Ciascuno lavorerà solo sui libri che ha già
in consegna, chi vuole potrà consultare il catalogo. Niente
altro. Sei esentato dai vespri perché a quell'ora chiuderai
tutto."

"E come uscirò?" domandò Bencio.

"È vero, chiuderò io le porte di sotto dopo la cena. Vai."

Uscì con loro, evitando Guglielmo che cercava di parlargli.
Nel coro restavano, in piccolo gruppo, Alinardo, Pacifico da
Tivoli, Aymaro d'Alessandria e Pietro da Sant'Albano.
Aymaro sogghignava.

"Ringraziamo il Signore," disse. "Morto il tedesco c'era

il rischio che avessimo un nuovo bibliotecario più barbaro ancora.''

''Chi pensate verrà nominato al suo posto?'' chiese Guglielmo.

Pietro da Sant'Albano sorrise in modo enigmatico: ''Dopo tutto quello che è accaduto in questi giorni, il problema non è più il bibliotecario, bensì l'Abate...''

''Taci,'' gli disse Pacifico. E Alinardo, sempre col suo sguardo assorto: ''Commetteranno un'altra ingiustizia... come ai miei tempi. Bisogna fermarli.''

''Chi?'' chiese Guglielmo. Pacifico lo prese confidenzialmente per il braccio e lo accompagnò lontano dal vegliardo, verso la porta.

''Alinardo... tu lo sai, lo amiamo molto, rappresenta per noi la antica tradizione e i giorni migliori dell'abbazia... Ma talora parla senza sapere cosa dice. Noi tutti siamo preoccupati per il nuovo bibliotecario. Dovrà essere degno, e maturo, e saggio... Ecco tutto.''

''Dovrà conoscere il greco?'' domandò Guglielmo.

''E l'arabo, così vuole la tradizione, così esige il suo ufficio. Ma ci sono molti tra noi con queste doti. Io, umilmente, e Pietro, e Aymaro...''

''Bencio sa il greco.''

''Bencio è troppo giovane. Non so perché Malachia lo abbia scelto ieri come suo aiuto, ma...''

''Adelmo conosceva il greco?''

''Credo di no. Anzi, no senz'altro.''

''Ma lo conosceva Venanzio. E Berengario. Va bene, ti ringrazio.''

Uscimmo per andare a prendere qualcosa in cucina.

''Perché volevate sapere chi conoscesse il greco?'' chiesi.

''Perché tutti coloro che muoiono con le dita nere conoscono il greco. Quindi non sarà male attendere il prossimo cadavere tra coloro che sanno il greco. Me compreso. Tu sei salvo.''

''E cosa pensate delle ultime parole di Malachia?''

''Le hai sentite. Gli scorpioni. La quinta tromba annuncia tra l'altro l'uscita delle locuste che tormenteranno gli uomini con un aculeo simile a scorpione, lo sai. E Malachia ci ha fatto sapere che qualcuno glielo aveva preannunciato.''

''La sesta tromba,'' dissi, ''annuncia cavalli con teste di leoni dalla cui bocca esce fumo e fuoco e zolfo, montati da uomini coperti di corazze color fuoco, giacinto e zolfo.''

''Troppe cose. Ma il prossimo delitto potrebbe avvenire

presso le stalle dei cavalli. Bisognerà tenerle d'occhio. E prepariamoci al settimo squillo. Ancora due persone, dunque. Chi sono i candidati più probabili? Se l'obiettivo è il segreto del finis Africae, coloro che lo conoscono. E a mia scienza esiste solo l'Abate. A meno che la trama non sia ancora un'altra. Hai udito poco fa, si stava complottando per deporre l'Abate, ma Alinardo ha parlato al plurale..."

"Bisognerà prevenire l'Abate," dissi.

"Di cosa? Che lo ammazzeranno? Non ho prove convincenti. Io procedo come se l'assassino ragionasse come me. Ma se seguisse un altro disegno? E se, soprattutto, non ci fosse *un* assassino?"

"Cosa intendete dire?"

"Non lo so esattamente. Ma come ti ho detto, bisogna immaginare tutti gli ordini possibili, e tutti i disordini."

Sesto giorno

PRIMA

*Dove Nicola racconta tante cose, mentre
si visita la cripta del tesoro.*

Nicola da Morimondo, nelle sue nuove vesti di cellario,
stava dando disposizioni ai cuochi, e quelli stavano dando a
lui informazioni sugli usi della cucina. Guglielmo voleva
parlargli, ed egli ci chiese di attendere qualche minuto. Poi,
disse, avrebbe dovuto scendere nella cripta del tesoro a sorvegliare il lavoro di pulitura delle teche, che ancora gli com-
peteva, e lì avrebbe avuto più tempo di conversare.

Dopo poco infatti ci invitò a seguirlo, entrò in chiesa,
passò dietro l'altar maggiore (mentre i monaci stavano disponendo un catafalco nella navata, per vegliare la salma di
Malachia), e ci fece discendere una scaletta, ai piedi della
quale ci trovammo in una sala dalle volte molto basse sostenute da grossi pilastri di pietra non lavorata. Eravamo nella
cripta in cui si custodivano le ricchezze dell'abbazia, luogo
di cui l'Abate era molto geloso e che si apriva solo in circostanze eccezionali e per ospiti di molto riguardo.

Tutto intorno stavano teche di grandezza disuguale, al-
l'interno delle quali la luce delle torce (accese da due fidati
aiutanti di Nicola) faceva risplendere oggetti di meravigliosa
bellezza. Paramenti dorati, corone auree tempestate di gemme, scrigni di vari metalli istoriati con figure, lavori di niel-
lo, avori. Nicola ci mostrò estasiato un evangeliario la cui rilegatura ostentava mirabili placche di smalto che componevano una variegata unità di regolati scomparti, divisi da fili-
grane d'oro e fissati, a mo' di chiodi, da pietre preziose. Ci
indicò una delicata edicola con due colonne in lapislazzuli e
oro che inquadravano una deposizione dal sepolcro raffigu-
rata in sottile bassorilievo d'argento sormontata da una croce
aurea tempestata di tredici diamanti su di uno sfondo di o-
nice variegato, mentre il piccolo frontone era centinato in a-

421

gata e rubini. Poi vidi un dittico criselefantino diviso in cinque parti, con cinque scene della vita di Cristo, e al centro un mistico agnello composto da alveoli di argento dorato con paste di vetro, unica immagine policroma su di uno sfondo di cerea bianchezza.

Il volto, i gesti di Nicola, mentre ci indicava quelle cose, erano illuminati dall'orgoglio. Guglielmo lodò le cose che aveva visto, poi domandò a Nicola che tipo mai fosse Malachia.

"Strana domanda," disse Nicola, "lo conoscevi anche tu."

"Sì, ma non abbastanza. Non ho mai capito quali pensieri celasse... e..." esitò a pronunziar giudizi su uno da poco scomparso "...e se ne avesse."

Nicola si inumidì un dito, lo passò su una superficie di cristallo non perfettamente tersa, e rispose con un mezzo sorriso, senza guardare in viso Guglielmo: "Vedi che non hai bisogno di fare domande... È vero, a detta di molti Malachia sembrava assai pensoso, ma era invece un uomo molto semplice. Secondo Alinardo era uno sciocco."

"Alinardo serba rancore a qualcuno per un avvenimento lontano, quando gli era stata negata la dignità di bibliotecario."

"Ne ho sentito parlare anche io, ma si tratta di una storia vecchia, risale ad almeno cinquant'anni fa. Quando io arrivai qui era bibliotecario Roberto da Bobbio, e i vecchi mormoravano di una ingiustizia commessa ai danni di Alinardo. Allora non volli approfondire, perché mi pareva mancare di rispetto ai più anziani e non volevo indulgere a mormorazioni. Roberto aveva un aiutante, che poi morì, e al suo posto venne nominato Malachia, ancora molto giovane. Molti dissero che non aveva alcun merito, che asseriva di sapere il greco e l'arabo e non era vero, era solo una brava scimmia che copiava in bella calligrafia i manoscritti in quelle lingue, ma senza capire cosa copiasse. Si diceva che un bibliotecario deve essere assai più dotto. Alinardo, che allora era ancora un uomo pieno di forza, disse cose amarissime su quella nomina. E insinuò che Malachia era stato messo a quel posto per fare il gioco del suo nemico, ma non capii di chi parlasse. Ecco tutto. Si è sempre sussurrato che Malachia difendesse la biblioteca come un cane da guardia, ma senza capire bene cosa custodisse. D'altra parte si mormorò anche contro Berengario, quando Malachia lo scelse come suo aiutante. Si diceva che anche lui non fosse più abile del suo maestro, che

fosse solo un intrigante. Si disse anche... Ma ormai avrai u-
dito anche tu queste mormorazioni... che ci fosse uno strano
rapporto tra Malachia e lui... Cose vecchie, poi sai che si
mormorò di Berengario e di Adelmo, e gli scrivani giovani
dicevano che Malachia soffriva in silenzio di un'atroce gelosia... E poi si mormorava anche dei rapporti tra Malachia e
Jorge, no, non nel senso che puoi credere... nessuno ha mai
mormorato sulla virtù di Jorge! Ma Malachia, come bibliotecario, per tradizione, aveva dovuto eleggere l'Abate come
suo confessore, mentre tutti gli altri si confessano da Jorge (o
da Alinardo, ma il vecchio è ormai pressoché demente)...
Ebbene, si diceva che malgrado questo Malachia confabulava
troppo spesso con Jorge, come se l'Abate dirigesse la sua a-
nima, ma Jorge regolasse il suo corpo, i suoi gesti, il suo lavoro. D'altra parte lo sai, lo hai visto, probabilmente: se
qualcuno voleva una indicazione su un libro antico e dimenticato, non la chiedeva a Malachia, ma a Jorge. Malachia custodiva il catalogo e saliva in biblioteca, ma Jorge sapeva cosa significasse ciascun titolo...''

''Perché Jorge sapeva tante cose sulla biblioteca?''

''Era il più anziano, dopo Alinardo, è qui sin dalla sua
giovinezza. Jorge deve avere più di ottant'anni, si dice sia
cieco da almeno quarant'anni e forse più...''

''Come ha fatto a diventare così sapiente prima della cecità?''

''Oh, ci sono delle leggende su di lui. Pare che già fanciullo fosse toccato dalla grazia divina e laggiù in Castiglia
leggesse i libri degli arabi e dei dottori greci ancora impube-
re. E poi anche dopo la cecità, anche ora, siede lunghe ore
in biblioteca, si fa recitare il catalogo, si fa portare dei libri e
un novizio gli legge ad alta voce per ore e ore. Egli ricorda
tutto, non è smemorato come Alinardo. Ma perché mi chiedi tutte queste cose?''

''Ora che Malachia e Berengario sono morti, chi è rimasto
a possedere i segreti della biblioteca?''

''L'Abate, e l'Abate dovrà ora trasmetterli a Bencio... se
vorrà...''

''Perché se vorrà?''

''Perché Bencio è giovane, è stato nominato aiuto quando
Malachia era ancora vivo, è diverso essere aiuto bibliotecario
e bibliotecario. Per tradizione il bibliotecario diventa poi
Abate...''

''Ah, è così... Per questo il posto di bibliotecario è così
ambito. Ma allora Abbone è stato bibliotecario?''

"No, Abbone no. La sua nomina avvenne prima che io arrivassi qui, saranno ora trent'anni. Prima era abate Paolo da Rimini, un uomo curioso di cui si raccontano strane storie: pare che fosse un lettore voracissimo, conosceva a memoria tutti i libri della biblioteca, ma aveva una strana infermità, non riusciva a scrivere, lo chiamavano Abbas agraphicus... Divenne abate giovanissimo, si diceva che avesse l'appoggio di Algirdas da Cluny, il Doctor Quadratus... Ma queste sono vecchie chiacchiere dei monaci. Insomma, Paolo divenne abate, Roberto da Bobbio prese il suo posto in biblioteca, ma era minato da un male che lo consumava, si sapeva che non avrebbe potuto reggere le sorti dell'abbazia, e quando Paolo da Rimini scomparve..."

"Morì?"

"No, scomparve, non so come, un giorno partì per un viaggio e non tornò più, forse fu ucciso dai ladroni nel corso del viaggio... Insomma, quando Paolo scomparve, Roberto non poteva prendere il suo posto e ci furono delle trame oscure. Abbone — si dice — era figlio naturale del signore di questa plaga, era cresciuto nell'abbazia di Fossanova, si diceva che giovinetto avesse assistito san Tommaso quando morì laggiù e avesse curato il trasporto di quel gran corpo giù per la scala di una torre da dove il cadavere non riusciva a passare... quella era la sua gloria, mormoravano i maligni quaggiù... Fatto è che fu eletto abate, anche se non era stato bibliotecario, e fu istruito da qualcuno, credo Roberto, ai misteri della biblioteca."

"E Roberto perché fu eletto?"

"Non lo so. Ho sempre cercato di non investigare troppo su queste cose: le nostre abbazie sono luoghi santi, ma intorno alla dignità abbaziale vengono intessute, talvolta, orribili trame. Io ero interessato ai miei vetri e ai miei reliquiari, non volevo essere mescolato a queste storie. Ma capisci ora perché non so se l'Abate voglia istruire Bencio, sarebbe come designarlo suo successore, un ragazzo sconsiderato, un grammatico quasi barbaro, dell'estremo nord, come potrebbe saperne di questo paese, dell'abbazia e dei suoi rapporti coi signori del luogo..."

"Ma anche Malachia non era italiano, né Berengario, eppure sono stati preposti alla biblioteca."

"Ecco un fatto oscuro. I monaci mormorano che da mezzo secolo a questa parte l'abbazia ha abbandonato le sue tradizioni... Per questo, più di cinquant'anni fa, forse prima, Alinardo aspirava alla dignità di bibliotecario. Il bibliotecario era stato sempre italiano, non mancano i grandi ingegni in questa terra. E poi vedi…'' e qui Nicola esitò come se non volesse dire quello che stava per dire: "…vedi, Malachia e Berengario sono morti, forse, perché non diventassero abati.''

Si scosse, agitò la mano davanti al volto come per scacciare idee poco oneste, poi si fece il segno della croce. "Cosa sto dicendo mai? Vedi, in questo paese da molti anni avvengono cose vergognose, anche nei monasteri, nella corte papale, nelle chiese… Lotte per acquistare il potere, accuse d'eresia per sottrarre a qualcuno una prebenda… Che brutto, io sto perdendo la fiducia nel genere umano, vedo complotti e congiure di palazzo dappertutto. A questo doveva ridursi anche questa abbazia, un nido di vipere sorto per magìa occulta in quella che era una teca di membra sante. Guarda, il passato di questo monastero!''

Ci additava i tesori sparsi tutto intorno, e tralasciando croci e altre suppellettili, ci portò a vedere i reliquiari che costituivano la gloria di quel luogo.

"Guardate,'' diceva, "questa è la punta della lancia che trafisse il costato del Salvatore!'' Era una scatola d'oro, dal coperchio di cristallo, dove su di un cuscinetto di porpora stava adagiato un pezzo di ferro di forma triangolare, già roso dalla ruggine ma ora riportato a vivo splendore da un lungo lavoro di olii e di cere. Ma questo era ancora nulla. Perché in un'altra scatola di argento tempestata di ametiste, e dove trasparente era la parete anteriore, vidi un pezzo del legno venerando della santa croce, portato in quell'abbazia dalla stessa regina Elena, madre dell'imperatore Costantino, dopo che era andata pellegrina ai luoghi santi e aveva dissotterrato il colle del Golgota e il santo sepolcro costruendovi sopra una cattedrale.

Poi Nicola ci fece vedere altre cose, e di tutte non saprei dire, per la loro quantità e la loro rarità. V'era, in una teca tutta d'acquamarine, un chiodo della croce. V'era, in una ampolla, posato su un giaciglio di piccole rose appassite, una porzione della corona di spine, e in un'altra scatola, sempre su di una coltre di fiori secchi, un brandello ingiallito della tovaglia dell'ultima cena. Ma poi v'era la borsa di san Matteo, a maglie d'argento, e in un cilindro, legato da un nastro viola roso dal tempo e sigillato d'oro, un osso del braccio di sant'Anna. Vidi, meraviglia delle meraviglie, sormontata da una campana di vetro e su un cuscino rosso trapunto di perle, un pezzo della mangiatoia di Bethlehem, e una spanna della tunica porporina di san Giovanni Evangelista, due delle catene che serrarono le caviglie dell'apostolo Pietro a Roma, il cranio di sant'Adalberto, la spada di santo Stefano, una tibia di santa Margherita, un dito di san Vitale, una costola di santa Sofia, il mento di sant'Eobano, la parte superiore della scapola di san Crisostomo, l'anello di fidanzamento di san Giuseppe, un dente del Battista, la verga di Mosè, un merletto lacero ed esilissimo dell'abito nuziale della Vergine Maria.

E poi altre cose che non erano reliquie ma rappresentavano pur sempre testimonianze di prodigi e di esseri prodigiosi di terre lontane, portati all'abbazia da monaci che avevano viaggiato sino agli estremi confini del mondo: un basilisco e un'idra impagliati, un corno di unicorno, un uovo che un eremita aveva trovato dentro un altro uovo, un pezzo della manna che nutrì gli ebrei nel deserto, un dente di balena, una noce di cocco, l'omero di una bestia prediluviale, la zanna d'avorio di un elefante, la costola di un delfino. E poi ancora altre reliquie che non riconobbi, di cui forse erano più preziosi i reliquiari e alcune (a giudicare dalla fattura dei loro contenitori, di argento annerito) antichissime, una serie infinita di frammenti d'ossa, di stoffa, di legno, di metallo, di vetro. E fiale con polveri scure, di una delle quali seppi che conteneva i detriti combusti della città di Sodoma, e di un'altra calce delle mura di Gerico. Tutte cose, anche le più dimesse, per le quali un imperatore avrebbe dato più di un feudo, e che costituivano una riserva non solo di immenso prestigio ma anche di veritiera ricchezza materiale per l'abbazia che ci ospitava.

Continuavo ad aggirarmi sbalordito, mentre Nicola ormai aveva smesso di illustrarci gli oggetti, che peraltro erano descritti ciascuno da un cartiglio, ormai libero di girovagare quasi a caso per quella riserva di meraviglie inestimabili, a volte ammirando quelle cose in piena luce, a volte intravvedendole nella semioscurità, quando gli accoliti di Nicola si spostavano in un altro punto della cripta con le loro torce. Ero affascinato da quelle cartilagini ingiallite, mistiche e ripugnanti al medesimo tempo, trasparenti e misteriose, da quei brandelli d'abiti di epoca immemoriale, scoloriti, sfilacciati, talora arrotolati in una fiala come un manoscritto sbiadito, da quelle materie sbriciolate che si confondevano con la stoffa che faceva loro da giaciglio, detriti santi di una vita che fu animale (e razionale) e ora, imprigionati da edifici di cristallo o di metallo che mimavano nella loro minuscola dimensione l'arditezza delle cattedrali di pietra con le loro torri e le loro guglie, parevano trasformati anch'essi in sostanza minerale. Così dunque i corpi dei santi attendono sepolti la resurrezione della carne? Da queste schegge si sarebbero ricomposti quegli organismi che nel fulgore della visione divina, riacquistando ogni loro naturale sensibilità, avrebbero avvertito, come scriveva il Piperno, anche le minimas differentias odorum?

Mi riscosse dalle mie meditazioni Guglielmo, che mi toccava sulla spalla: "Io vado," disse. "Salgo nello scriptorium, ho ancora da consultare qualcosa..."

"Ma non si potranno avere dei libri," dissi, "Bencio ha avuto ordine..."

"Devo solo esaminare ancora i libri che leggevo l'altro giorno, e sono ancora tutti nello scriptorium sul tavolo di Venanzio. Tu se vuoi resta qui. Questa cripta è una bella epitome ai dibattiti sulla povertà cui hai assistito in questi giorni. E ora sai per che cosa questi tuoi confratelli si scannino, quando aspirano alla dignità abbaziale."

"Ma voi credete a quello che vi ha suggerito Nicola? I delitti riguardano allora una lotta per l'investitura?"

"Ti ho già detto che per ora non voglio azzardare ipotesi ad alta voce. Nicola ha detto molte cose. E alcune mi hanno interessato. Ma ora vado a seguire un'altra traccia ancora. O forse la stessa, ma da un'altra parte. E tu non t'incantare troppo su queste teche. Di frammenti della croce ne ho visti molti altri, in altre chiese. Se tutti fossero autentici, Nostro Signore non sarebbe stato suppliziato su due assi incrociate, ma su di una intera foresta."

"Maestro!" dissi scandalizzato.

"È così Adso. E ci sono dei tesori ancora più ricchi. Tempo fa, nella cattedrale di Colonia vidi il cranio di Giovanni Battista all'età di dodici anni."

"Davvero?" esclamai ammirato. Poi, colto da un dubbio: "Ma il Battista fu ucciso in età più avanzata!"

"L'altro cranio dev'essere in un altro tesoro," disse Guglielmo con viso serio. Non capivo mai quando celiasse. Nelle mie terre, quando si scherza, si dice una cosa e poi si ride con molto rumore, in modo che tutti partecipino alla celia. Guglielmo invece rideva solo quando diceva cose serie, e si manteneva serissimo quando presumibilmente celiava.

*Dove Adso, ascoltando il "Dies irae", ha un sogno
o visione che dir si voglia.*

Guglielmo salutò Nicola e salì nello scriptorium. Io ormai
avevo visto abbastanza del tesoro, e decisi di andare in chiesa a pregare per l'anima di Malachia. Non avevo mai amato
quell'uomo, che mi faceva paura, e non nascondo che a
lungo l'avevo creduto colpevole di tutti i delitti. Ora avevo
appreso che forse era un poveretto, oppresso da passioni in-
soddisfatte, vaso di coccio tra vasi di ferro, incupito perché
smarrito, silenzioso ed elusivo perché consapevole di non a-
vere nulla da dire. Provavo un certo rimorso nei suoi confronti e pensai che la preghiera per il suo destino soprannaturale
avrebbe potuto acquetare i sensi miei di colpa.

La chiesa era ora illuminata da un chiarore tenue e livido,
dominata dalla salma dello sventurato, abitata dal sussurro
uniforme dei monaci che recitavano l'ufficio dei morti.

Nel monastero di Melk avevo assistito varie volte al trapas-
so di un confratello. Era una circostanza che non posso dire
lieta ma che mi appariva tuttavia serena, regolata dalla calma e da un disteso senso di giustizia. Ciascuno si alternava
nella cella del morente confortandolo con parole buone, e
ciascuno pensava in cuor suo quanto il morente fosse beato,
perché stava per coronare una vita virtuosa e tra poco si sarebbe unito al coro degli angeli, nel gaudio che non ha mai
fine. E parte di questa serenità, l'olezzo di quella santa invidia, si comunicava al morituro, che alfine trapassava sereno.
Quanto diverse erano state le morti di quegli ultimi giorni!
Avevo finalmente visto da vicino come moriva una vittima
dei diabolici scorpioni del finis Africae, e certamente erano
morti così anche Venanzio e Berengario, cercando conforto
nell'acqua, il volto già ridotto come quello di Malachia...

Mi sedetti in fondo alla chiesa, mi rannicchiai su me stesso per combattere il freddo. Sentii un poco di calore, mossi le labbra per unirmi al coro dei confratelli oranti. Li seguivo senza quasi rendermi conto di quanto dicessero le mie labbra, col capo che mi ciondolava e gli occhi che mi si chiudevano. Trascorse molto tempo, credo di essermi addormentato e risvegliato almeno tre o quattro volte. Poi il coro intonò il *Dies irae*... Il salmodiare mi prese come un narcotico. Mi addormentai del tutto. O forse, più che assopirmi, caddi esausto in un agitato torpore, ripiegato su me stesso, come una creatura racchiusa ancora nel ventre della madre. E in quella nebbia dell'anima, ritrovandomi come in una regione che non era di questo mondo, ebbi una visione, o sogno che fosse.

Penetravo per una scala stretta in un budello basso, come se entrassi nella cripta del tesoro, ma pervenivo, sempre scendendo, in una cripta più ampia che erano le cucine dell'Edificio. Erano certamente le cucine, ma non solo operose di forni e pignatte, bensì anche di mantici e di martelli, come se vi si fossero dati convegno anche i fabbri di Nicola. Era tutto un baluginare rosso di stufe e caldaie, e pentole ribollenti che lanciavano fumo mentre alla superficie dei loro liquidi salivano grosse bolle crepitanti che si aprivano poi di colpo con rumore sordo e continuo. I cuochi menavano spiedi per l'aria, mentre i novizi, datisi tutti convegno colà, spiccavano salti per catturare i polli e l'altra uccellagione infilzata su quei ferri roventi. Ma, accanto, i fabbri martellavano con tal forza che tutta l'aria ne era assordata, e nuvole di scintille si levavano dalle incudini confondendosi con quelle eruttate dai due forni.

Non capivo se mi trovavo all'inferno o in un paradiso concepito come avrebbe potuto Salvatore, grondante di sughi e palpitante di salsicciotti. Ma non ebbi tempo di chiedermi dove fossi, perché una torma di omiciattoli, di nanerottoli con la testa grande a forma di pentola, entrarono di corsa e, travolgendomi nel loro impeto, mi spinsero sulla soglia del refettorio, obbligandomi a entrare.

La sala era parata a festa. Grandi arazzi e stendardi pendevano dalle pareti, ma le immagini che li adornavano non erano quelle che di solito fanno appello alla pietà dei fedeli o celebrano le glorie dei re. Esse parevano piuttosto ispirate ai marginalia di Adelmo e delle sue immagini riproducevano le meno tremende e le più buffonesche: lepri che danzavano intorno all'albero della cuccagna, fiumi percorsi da pesci che si buttavano spontaneamente nella padella, tesa da scimmie vestite da vescovi-cuochi, mostri dal ventre pingue che danzavano intorno a marmitte fumanti.

Al centro della tavola stava l'Abate, vestito a festa, con una grande veste di porpora ricamata, impugnando la sua forchetta come uno scettro. Accanto a lui, Jorge beveva da un gran boccale di vino, e il cellario, vestito come Bernardo Gui, leggeva virtuosamente da un libro in forma di scorpione le vite dei santi e i brani del vangelo, ma erano racconti che dicevano di Gesù che celiava con l'apostolo ricordandogli che era una pietra e su quella pietra svergognata che rotolava per la pianura avrebbe fondato la sua chiesa, o il racconto di san Gerolamo che commentava la bibbia dicendo che Dio voleva denudare la terga a Gerusalemme. E a ogni frase del cellario Jorge rideva picchiando il pugno sul tavolo e gridava: "Tu sarai il prossimo Abate, ventre di Dio!", proprio così diceva, Dio mi perdoni.

A un cenno festoso dell'Abate entrò la teoria delle vergini. Era una fulgida fila di femmine riccamente vestite, al centro delle quali mi parve a tutta prima di distinguere mia madre, poi mi resi conto dell'abbaglio, perché si trattava certamente della fanciulla terribile come esercito schierato a battaglia. Salvo che portava sul capo una corona di perle bianche, su due file, e altre due cascate di perle discendevano da ciascuna parte del volto, confondendosi con altre due file di perle che le pendevano sul petto, e a ogni perla era appeso un diamante grosso come una prugna. Inoltre da ambo le orecchie scendeva una fila di perle azzurre che si ricongiungevano a gorgiera alla base del collo, bianco ed eretto come una torre del Libano. Il manto era color murice, e in mano aveva una coppa d'oro tempestata di diamanti nella quale seppi, non so come, che si conteneva l'unguento mortale rubato un giorno a Severino. Seguivano questa donna, bella come l'aurora, altre figure muliebri, l'una vestita di un manto bianco ricamato sopra una veste scura adornata da una doppia stola d'oro trapunta di fiori di campo; la seconda aveva un manto di damasco giallo, su una veste rosa pallido costellata di foglie verdi e con due grandi riquadri filati in forma di labirinto bruno; e la terza aveva il manto rosso e la veste smeraldo intessuta di piccoli animali rossi, e portava tra le mani una stola ricamata e bianca; e delle altre non osservai le vesti, perché cercavo di capire chi fossero costoro che accompagnavano la fanciulla, che ora assomigliava alla Vergine Maria; e come se ciascuna recasse in mano, o le uscisse dalla bocca un cartiglio, seppi che erano Ruth, Sara, Susanna e altre donne della sacra scrittura.

A quel punto l'Abate gridò: "Traete, filii de puta!" ed entrò nel refettorio un'altra composta schiera di personaggi sacri, che riconobbi benissimo, austeramente e splendidamente abbigliati, e al centro della schiera stava uno assiso sul trono, che era Nostro Signore ma era al tempo stesso Adamo, vestito con un manto porporino e un gran diadema rosso e bianco di rubini e perle a fermare il manto sulle spalle, in capo una corona simile a quella della fanciulla, in mano una coppa più grande, piena di sangue dei maiali. Altri santissimi personaggi di cui dirò, tutti a me notissimi, gli facevano corona, più una schiera di arcieri del re di Francia, vestiti vuoi di verde vuoi di rosso, con uno scudo smeraldino su cui campeggiava il monogramma di Cristo. Il capo di quella brigata si recò a rendere omaggio all'Abate porgendogli la coppa e dicendo: "Sao ko kelle terre per kelle fini ke ki kontene, trenta anni le possette parte sancti Benedicti." Al che l'Abate rispose: "Age primum et septimum de quatuor" e tutti intonarono: "In finibus Africae, amen." Quindi tutti sederunt.

Scioltesi così le due opposte schiere, a un ordine dell'Abate Salomone si dispose ad apparecchiar le mense, Giacomo e Andrea portarono una balla di fieno, Adamo si accomodò nel centro, Eva si coricò su una foglia, Caino entrò trascinando un aratro, Abele venne con un secchio per mungere Brunello, Noè fece una entrata trionfale remigando sull'arca, Abramo si sedette sotto un albero, Isacco si coricò sull'altare d'oro della chiesa, Mosè si accovacciò su un sasso, Daniele apparve su un palco funebre al braccio di Malachia, Tobia si sdraiò su di un letto, Giuseppe si buttò su di un moggio, Beniamino si distese su di un sacco e poi ancora, ma qui la visione si faceva confusa, Davide stette su un monticello, Giovanni per terra, Faraone sulla sabbia (naturalmente, mi dissi, ma perché?), Lazzaro sul tavolo, Gesù sull'orlo del pozzo, Zaccheo sui rami di un albero, Matteo su uno sgabello, Raab sulla stoppa, Ruth sulla paglia, Tecla sul davanzale della finestra (dall'esterno apparendo il viso pallido di Adelmo che l'avvertiva che si poteva anche cadere, giù, giù per il dirupo), Susanna nell'orto, Giuda tra le tombe, Pietro sulla cattedra, Giacomo su una rete, Elia su una sella, Rachele su un fagotto. E Paolo apostolo, posata la spada, ascoltava Esaù che brontolava, mentre Giobbe mugolava sullo sterco e accorrevano in suo aiuto Rebecca con una veste, Giuditta con una coperta, Agar con un drappo funebre, e alcuni novizi portavano un gran paiolo fumante dal quale balzava fuori Venanzio da Salvemec, tutto rosso, che cominciava a distribuire sanguinacci di porco.

Il refettorio si affollava ora sempre più e tutti mangiavano a quattro palmenti, Giona portava in tavola delle zucche, Isaia dei legumi, Ezechiele delle more, Zaccheo dei fiori di sicomoro, Adamo dei limoni, Daniele dei lupini, Faraone dei peperoni, Caino dei cardi, Eva dei fichi, Rachele delle mele, Ananaia delle prugne grosse come diamanti, Lia delle cipolle, Aronne delle olive, Giuseppe un uovo, Noè dell'uva, Simeone dei noccioli di pesche, mentre Gesù cantava il *Dies irae* e allegramente versava su tutti i cibi dell'aceto che spremeva da una piccola spugna che aveva preso dalla lancia di uno degli arcieri del re di Francia.

"Figli miei, pecorelle mie tutte," disse a quel punto l'Abate ormai ebbro, "non potete cenare così vestiti come pezzenti, venite, venite." E percuoteva il primo e il settimo dei quattro che fuoriuscivano deformi come spettri, dal profondo dello specchio, lo specchio andava in frantumi e ne precipitavano a terra, lungo le sale del labirinto, vesti multicolori incrostate di pietre, tutte lerce e stracciate. E Zaccheo prese una veste bianca, Abramo una passerina, Lot una zolfina, Giona azzurrina, Tecla rossina, Daniele leonina, Giovanni triclina, Adamo pellicina, Giuda a danari d'argento, Raab scarlatta, Eva color dell'albero del bene e del male, e chi la prendeva colorina, chi spartacina, chi cardina e chi marina, chi arborina e chi muricina, oppure ferrugina e nera e giacinto e colore di fuoco e zolfo, e Gesù si pavoneggiava in una veste colombina e ridendo accusava Giuda di non saper mai scherzare in santa letizia.

E a questo punto Jorge, toltosi i vitra ad legendum, accese un roveto ardente per cui Sara aveva portato la legna, Jefte l'aveva raccolta, Isacco l'aveva scaricata, Giuseppe l'aveva intagliata, e mentre Giacobbe apriva il pozzo e Daniele si sedeva presso il lago, i servi portavano dell'acqua, Noè del vino, Agar un otre, Abramo un vitello che Raab legò a un palo mentre Gesù porgeva la fune ed Elia gli legava i piedi: poi Assalonne lo appese per i capelli, Pietro porse la spada, Caino lo uccise, Erode ne versò il sangue, Sem ne gettò via le interiora e lo sterco, Giacobbe mise l'olio, Molessadon il sale, Antioco lo mise sul fuoco, Rebecca lo fece cuocere ed Eva ne gustò per prima e male gliene incolse, ma Adamo diceva di non pensarci e batteva sulle spalle a Severino che consigliava di aggiungerci erbe aromatiche. Quindi Gesù spezzò il pane, distribuì dei pesci, Giacobbe gridava perché Esaù gli aveva mangiato tutte le lenticchie, Isacco si stava divorando un capretto al forno e Giona una balena lessa, e Gesù rimase digiuno per quaranta giorni e quaranta notti.

Intanto tutti entravano e uscivano portando cacciagione prelibata di ogni forma e colore, di cui Beniamino si teneva sempre la parte maggiore e Maria la parte migliore, mentre Marta si doleva di dover sempre lavare tutti i piatti. Poi divisero il vitello che intanto era diventato grandissimo e Giovanni ne ebbe il capo, Abessalon la cervice, Aronne la lingua, Sansone la mascella, Pietro l'orecchio, Oloferne la testa, Lia il culo, Saul il collo, Giona il ventre, Tobia il fiele, Eva la costola, Maria il seno, Elisabetta la vulva, Mosè la coda, Lot le gambe ed Ezechiele le ossa. Intanto Gesù si divorava un asino, san Francesco un lupo, Abele una pecora, Eva una murena, il Battista una locusta, Faraone un polipo (naturalmente, mi dissi, ma perché?) e Davide mangiava cantaride gettandosi sulla fanciulla nigra sed formosa mentre Sansone addentava le terga di un leone e Tecla fuggiva urlando inseguita da un ragno nero e peloso.

Tutti erano evidentemente ormai ebbri, e chi scivolava sul vino, chi cadeva nelle pentole spuntandone solo con le gambe incrociate come due pali, e Gesù aveva tutte le dita nere e porgeva fogli di libro dicendo prendete e mangiate, questi sono gli enigmi di Sinfosio, tra cui quello del pesce che è figlio di Dio e salvatore vostro. E tutti a bere, Gesù del passito, Giona del marsico, Faraone del sorrento (perché?), Mosè del gaditano, Isacco del cretese, Aronne dell'adriano, Zaccheo dell'arbustino, Tecla dell'arsino, Giovanni dell'albano, Abele del campano, Maria del signino, Rachele del fiorentino.

Adamo gorgogliava riverso e il vino gli usciva dalla costola, Noè malediceva nel sonno Cam, Oloferne russava senza sospetto, Giona dormiva sodo, Pietro vigilava sino al canto del gallo e Gesù si risvegliò di colpo udendo Bernardo Gui e Bertrando del Poggetto che divisavano di bruciare la fanciulla; e gridò, padre se è possibile passi da me questo calice! E chi mesceva male, chi beveva bene, chi moriva ridendo e chi rideva morendo, chi portava ampolle e chi beveva nel bicchiere degli altri. Susanna gridava che non avrebbe mai ceduto il suo bel corpo bianco al cellario e a Salvatore per un misero cuore di bue, Pilato girava per il refettorio come un'anima in pena chiedendo acqua per le mani e fra Dolcino, con la piuma sul cappello, gliela portava, poi si apriva la veste sghignazzando e mostrava le pudenda rosse di sangue, mentre Caino si prendeva gabbo di lui abbracciando la bella Margherita da Trento: e Dolcino si metteva a piangere e andava a posare il capo sulla spalla di Bernardo Gui chiamandolo papa angelico, Ubertino lo consolava con un albero della vita, Michele da Cesena con una borsa d'oro, le Marie lo cospargevano di unguenti e Adamo lo convinceva ad addentare una mela appena colta.

E allora si aprirono le volte dell'Edificio e discese dal cielo Ruggiero Bacone su di una macchina volante, unico homine regente. Poi David suonò la cetra, Salomé danzò coi suoi sette veli e a ogni velo che cadeva suonava una delle sette trombe e mostrava uno dei sette sigilli, sino a che rimase unicamente *amicta sole*. Tutti dicevano che non si era mai vista una abbazia così gaia e Berengario alzava a ciascuno la veste, uomini e donne, baciandoli sul podice. Ed ebbe inizio una danza, Gesù vestito da maestro, Giovanni da custode, Pietro da reziario, Nembrotte da cacciatore, Giuda da delatore, Adamo da giardiniere, Eva da tessitrice, Caino da ladrone, Abele da pastore, Giacobbe da cursore, Zaccaria da sacerdote, David da re, Jubal da citaredo, Giacomo da pescatore, Antioco da cuoco, Rebecca da acquaiolo, Molessadon da stupido, Marta da serva, Erode da pazzo furioso, Tobia da medico, Giuseppe da falegname, Noè da ubriaco, Isacco da contadino, Giobbe da uomo triste, Daniele da giudice, Tamar da prostituta, Maria da padrona e ordinava ai servi di portare altro vino perché quel dissennato di suo figlio non voleva trasformare l'acqua.

Fu allora che l'Abate dette in escandescenze perché, diceva, lui aveva organizzato una così bella festa e nessuno gli donava nulla: e tutti fecero allora a gara per portargli doni e tesori, un toro, una pecora, un leone, un cammello, un cervo, un vitello, una giumenta, un carro solare, il mento di sant'Eobano, la coda di santa Morimonda, l'utero di santa Arundalina, la nuca di santa Burgosina cesellata come una coppa all'età di dodici anni, e una copia del *Pentagonum Salomonis*. Ma l'Abate si mise a gridare che così facendo cercavano di distrarre la sua attenzione e di fatto gli saccheggiavano la cripta del tesoro, in cui ora tutti ci trovavamo, e che era stato sottratto un libro preziosissimo che parlava degli scorpioni e delle sette trombe, e chiamava gli arcieri del re di Francia perché frugassero tutti i sospetti. E furono trovati, con disdoro di tutti, un drappo multicolore addosso ad Agar, un sigillo d'oro su Rachele, uno specchio d'argento in seno a Tecla, un sifone bibitòrio sotto il braccio di Beniamino, una coperta di seta tra le vesti di Giuditta, una lancia in mano a Longino e la moglie di un altro tra le braccia di Abimelech. Ma il peggio accadde quando trovarono un gallo nero sulla fanciulla, nera e bellissima come un gatto dello stesso colore, e la chiamarono strega e pseudo apostolo, così che tutti si gettarono addosso a lei per punirla. Il Battista la decapitò, Abele la scannò, Adamo la cacciò, Nabuccodonosor le scrisse con una mano infuocata segni zodiacali sul seno, Elia la rapì su un carro di fuoco, Noè la immerse nell'acqua, Lot la trasformò in una statua di sale, Susanna la accusò di lussuria, Giuseppe la tradì con un'altra, Anania la ficcò in una fornace, Sansone la incatenò, Paolo la flagellò, Pietro la crocifisse a testa in giù, Stefano la lapidò, Lorenzo la bruciò sulla graticola, Bartolomeo la scuoiò, Giuda la denunciò, il cellario la bruciò, e Pietro negava tutto. Poi tutti si lanciarono su quel corpo buttandole addosso escrementi, petandole sul viso, orinandole sulla testa, vomitandole sul seno, strappandole i capelli, colpendole le terga con fiaccole ardenti. Il corpo della fanciulla, così bello e così dolce un tempo, ora stava scarnificandosi, suddividendosi in frammenti che si disperdevano per le teche e per i reliquiari di cristallo e d'oro della cripta. Ovvero, non era il corpo della fanciulla che andava a popolar la cripta, erano i frammenti della cripta che vorticando via via si componevano a formare il corpo della fanciulla, ormai cosa minerale, e poi di nuovo si decomponevano disperdendosi, pulviscolo sacro di segmenti accumulati da una forsennata empietà. Era ora come se un solo corpo immenso si fosse nel corso dei millenni dissolto nelle sue parti e queste parti si fossero disposte a occupare tutta la cripta, più rifulgente ma non dissimile dall'ossario dei monaci defunti, e come se la forma sostanziale del corpo stesso dell'uomo, capolavoro della creazione, si fosse frammentata in forme accidentali plurime e separate, diventando così immagine del proprio contrario, forma non più ideale ma terrena, di polvere e schegge puteolenti, capaci solo di significare morte e distruzione...

Non ritrovavo ora più i personaggi del convito, e i doni che avevano recato, era come se tutti gli ospiti del simposio ora fossero nella cripta ciascuno mummificato in un proprio detrito, ciascuno diafana sineddoche di se stesso, Rachele come un osso, Daniele come un dente, Sansone come una mascella, Gesù come un brandello di veste porporina. Come se alla fine del convito, trasformatasi la festa nel massacro della

fanciulla, questo fosse diventato il massacro universale e qui
ne vedessi il risultato finale, i corpi (che dico? l'intero corpo
terrestre e sublunare di quei commensali famelici e assetati)
trasformati in un unico corpo morto, lacerato e tormentato
come il corpo di Dolcino dopo il supplizio, trasformato in
un immondo e risplendente tesoro, disteso in tutta la sua
superficie come la pelle di un animale scuoiato e appeso,
che però contenesse ancora pietrificati, con le cuoia, le viscere e gli organi tutti, e i tratti stessi del volto. La pelle con
ciascuna delle sue pieghe, rughe e cicatrici, coi suoi piani
vellutati, con la foresta dei peli, della cute, del petto, e delle pudenda, diventate un sontuoso damasco, e i seni, le unghie, le formazioni cornee sotto il tallone, le filamenta delle
ciglia, la materia acquosa degli occhi, la polpa delle labbra,
la spina sottile della schiena, l'architettura delle ossa, tutto
ridotto a farina sabbiosa, senza che nulla avesse però perso la
propria figura e disposizione reciproca, le gambe svuotate e
flosce come un calzare, la loro carne disposta a lato come u-
na pianeta con tutti gli arabeschi vermigli delle vene, l'ammasso cesellato delle viscere, l'intenso e mucoso rubino del
cuore, la teoria perlacea dei denti tutti uguali disposti a collana, con la lingua quale pendaglio rosa e azzurro, le dita
allineate come ceri, il sigillo dell'ombelico a riannodare le
fila del disteso tappeto del ventre... Da ogni parte, nella
cripta, ora mi sogghignava, mi sussurrava, mi invitava alla
morte questo macrocorpo suddiviso in teche e reliquiari e
tuttavia ricostruito nella sua vasta e irragionevole totalità, ed
era lo stesso corpo che nella cena mangiava e caprioleggiava
osceno e qui mi appariva invece ormai fissato nella intangi-
bilità della sua rovina sorda e cieca. E Ubertino, afferrando-
mi per il braccio, sino a piantarmi le unghie nella carne, mi
sussurrava: "Vedi, è la stessa cosa, quello che prima trionfa-
va nella sua follia e che si dilettava del suo gioco, ora è qui,
punito e premiato, liberato dalla seduzione delle passioni,
irrigidito dall'eternità, consegnato al gelo eterno che lo conservi e lo purifichi, sottratto alla corruzione attraverso il
trionfo della corruzione, perché nulla potrà più ridurre in
polvere ciò che è già polvere e sostanza minerale, mors est
quies viatoris, finis est omnis laboris..."
   Ma di colpo entrò nella cripta Salvatore, fiammeggiante
come un diavolaccio, e gridò: "Stupido! Non vedi che questa è la grande bestia liotarda del libro di Job? Di cosa hai
paura padroncino mio? Ecco il casio in pastelletto!" E improvvisamente la cripta si illuminò di bagliori rossastri ed era

di nuovo la cucina, ma più che una cucina era l'interno di un gran ventre, mucoso e viscido, e al centro una bestia nera come un corvo e con mille mani, incatenata a una gran graticola, che allungava quei suoi arti a prendere tutti quelli che gli stavan d'intorno, e come il villano quando ha sete spreme il grappolo dell'uva, così quel bestione stringeva chi aveva catturato in tal modo che li rompeva tutti con le mani, a chi le gambe, a chi il capo, facendone poi una grande scorpacciata, ruttando un fuoco che pareva più puteolente dello zolfo. Ma, mistero mirabilissimo, quella scena non mi incuteva più spavento e mi sorprendevo a guardare con familiarità quel "buon diavolo" (così pensai) che al postutto non era altro che Salvatore, perché ora del corpo umano mortale, dei suoi patimenti e della sua corruzione, sapevo tutto e non temevo più nulla. Infatti in quella luce di fiamma, che ora pareva gentile e conviviale, rividi tutti gli ospiti della cena, ormai restituiti alla loro figura, che cantavano affermando che di nuovo tutto ricominciava, e tra loro la fanciulla, integra e bellissima, che mi diceva: "Non è nulla, non è nulla, vedrai che poi ritorno più bella di prima, lascia che vada solo un momento a bruciare sul rogo, poi ci rivedremo qui dentro!" E mi mostrava, Dio mi perdoni, la sua vulva, nella quale entrai e mi trovai in una caverna bellissima, che sembrava la valle amena dell'età dell'oro, rorida di acque e frutti e alberi su cui crescevano i casii in pastelletto. E tutti stavano ringraziando l'Abate per la bella festa, e gli manifestavano il loro affetto e buonumore prendendolo a spintoni, a calci, strappandogli la veste, stendendolo a terra, colpendogli la verga con le verghe, mentre egli rideva e pregava di non fargli più il solletico. E a cavallo di cavalli che lanciavano nuvole di zolfo dalle nari entrarono i frati di povera vita che portavano alla cintola borse piene d'oro con le quali convertivano i lupi in agnelli e gli agnelli in lupi e li coronavano imperatori col beneplacito dell'assemblea del popolo che inneggiava all'infinita onnipotenza di Dio. "Ut cachinnis dissolvatur, torqueatur rictibus!" gridava Gesù agitando la corona di spine. Entrò papa Giovanni imprecando alla confusione e dicendo: "Di questo passo non so dove andremo a finire!" Ma tutti lo deridevano e, l'Abate in testa, uscirono coi porci a cercar tartufi nella foresta. Io stavo per seguirli, quando vidi in un angolo Guglielmo che usciva dal labirinto, e aveva in mano il magnete che lo trascinava velocemente verso settentrione. "Non lasciatemi maestro!" gridai. "Voglio vedere anch'io cosa c'è nel finis Africae!"

"L'hai già visto!" mi rispose Guglielmo ormai lontano. E mi svegliai mentre terminavano in chiesa le ultime parole del canto funebre:

> Lacrimosa dies illa
> qua resurget ex favilla
> iudicandus homo reus:
> huic ergo parce deus!
> Pie Iesu domine
> dona eis requiem.

Segno che la mia visione, se non era durata, fulminea come tutte le visioni, la durata di un amen, era durata poco meno di un *Dies irae*.

DOPO TERZA

Dove Guglielmo spiega ad Adso il suo sogno.

Uscii frastornato dal portale principale e mi trovai davanti a una piccola folla. Erano i francescani che partivano, e Guglielmo era sceso a salutarli.

Mi unii agli addii, agli abbracci fraterni. Poi chiesi a Guglielmo quando sarebbero partiti gli altri, coi prigionieri. Mi disse che erano già partiti mezz'ora prima, mentre noi eravamo nel tesoro, forse, pensai, mentre io già stavo sognando.

Ne fui costernato per un attimo, poi mi ripresi. Meglio così. Non avrei potuto sopportare la visione dei condannati (dico il povero sciagurato cellario, Salvatore... e certo dico anche la fanciulla), trascinati lontano e per sempre. E poi ero ancora tanto turbato dal mio sogno che gli stessi miei sentimenti si erano come raggelati.

Mentre la carovana dei minoriti si avviava alla porta di uscita dalla cinta, Guglielmo e io rimanemmo davanti alla chiesa, entrambi melanconici, se pur per diverse ragioni. Poi decisi di raccontare il sogno al mio maestro. Per quanto la visione fosse stata multiforme e illogica, la ricordavo con straordinaria lucidità, immagine per immagine, gesto per gesto, parola per parola. E così la raccontai, senza trascurare nulla, perché sapevo che i sogni sono sovente messaggi misteriosi in cui le persone dotte possono leggere chiarissime profezie.

Guglielmo mi ascoltò in silenzio, poi mi chiese: "Tu sai cosa hai sognato?"

"Quello che vi ho detto..." risposi sconcertato.

"Certo, ho capito. Ma tu sai che in gran parte quello che tu mi hai raccontato è già stato scritto? Tu hai inserito persone e avvenimenti di questi giorni in un quadro che conoscevi già, perché la trama del sogno l'hai già letta da qualche parte, o te l'hanno raccontata da fanciullo, a scuola, in convento. È la *Coena Cypriani*."

Restai perplesso per un istante. Poi ricordai. Era vero! Forse mi ero scordato il titolo, ma quale monaco adulto o monacello irrequieto non ha sorriso o riso sulle varie visioni, in prosa o in rima, di questa storia che appartiene alla tradizione del rito pasquale e dei *ioca monachorum*? Proibita o vituperata dai più austeri tra i maestri dei novizi, non c'è tuttavia convento in cui i monaci non se la siano sussurrata a voce, variamente riassunta e riaggiustata, mentre taluni piamente la trascrivevano, asserendo che sotto il velo della giocondità essa nascondeva segreti insegnamenti morali; e altri ne incoraggiavano la diffusione perché, dicevano, attraverso il gioco i giovani potevano più facilmente ritenere a memoria gli episodi della storia sacra. Ne era stata scritta una versione in versi per il pontefice Giovanni VIII, con la dedica: "Ludere me libuit, ludentem, papa Johannes, accipe. Ridere, si placet, ipse potes." E si diceva che lo stesso Carlo il Calvo ne avesse messo in scena, a modo di giocosissimo mistero sacro, una versione rimata per divertire a cena i suoi dignitari:

> Ridens cadit Gaudericus
> Zacharias admiratur,
> supinus in lectulum
> docet Anastasius...

E quanti rimbrotti mi era accaduto di ricevere dai maestri, quando coi miei compagni ce ne recitavamo dei brani. Ricordavo di un vecchio monaco di Melk che diceva che un uomo virtuoso come Cipriano non aveva potuto scrivere una cosa così indecente, una simile e sacrilega parodia delle scritture, più degna di un infedele e di un buffone che non di un santo martire... Da anni avevo dimenticato quei giochi infantili. Come mai quel giorno la *Coena* era riapparsa così vivida nel mio sogno? Avevo sempre pensato che i sogni fossero messaggi divini, o che al massimo fossero assurdi balbettamenti della memoria addormentata intorno a cose avvenute durante il giorno. Mi avvedevo ora che si possono sognare anche dei libri, e dunque si possono sognare dei sogni.

"Vorrei essere Artemidoro per interpretare rettamente il tuo sogno," disse Guglielmo. "Ma mi pare che anche senza la sapienza di Artemidoro sia facile capire quello che è successo. Tu hai vissuto in questi giorni, mio povero ragazzo, una serie di avvenimenti in cui ogni retta regola sembra essersi sciolta. E stamane è riaffiorato alla tua mente addormentata il ricordo di una specie di commedia in cui, sia pure forse con altri intenti, il mondo si poneva a testa in giù. Vi hai inserito i tuoi ricordi più recenti, le tue ansie, i tuoi timori. Sei partito dai marginalia di Adelmo per rivivere un gran carnevale in cui tutto sembra andare per il verso sbagliato, e tuttavia, come nella *Coena*, ciascuno fa quello che ha veramente fatto nella vita. E alla fine ti sei chiesto, nel sogno, quale sia il mondo sbagliato, e cosa voglia dire procedere a testa in giù. Il tuo sogno non sapeva più dove fosse l'alto e dove il basso, dove la morte e dove la vita. Il tuo sogno ha dubitato degli insegnamenti che hai ricevuto.''

''Non io,'' dissi virtuosamente, ''bensì il mio sogno. Ma allora i sogni non sono messaggi divini, sono vaneggiamenti diabolici, e non contengono nessuna verità!''

''Non lo so, Adso,'' disse Guglielmo. ''Abbiamo già tante verità nelle mani che il giorno che arrivasse anche qualcuno a pretender di cavare una verità dai nostri sogni, allora sarebbero davvero prossimi i tempi dell'Anticristo. E tuttavia, più penso al tuo sogno, più lo trovo rivelatore. Forse non per te, ma per me. Scusami se mi impadronisco dei tuoi sogni per sviluppare le mie ipotesi, lo so, è una cosa vile, non si dovrebbe fare... Ma credo che la tua anima addormentata abbia capito più cose di quante non ne abbia capito io in sei giorni, e da sveglio...''

''Davvero?''

''Davvero. O forse no. Trovo il tuo sogno rivelatore perché coincide con una delle mie ipotesi. Ma mi hai dato un grande aiuto. Grazie.''

''Ma cosa c'era nel mio sogno che vi interessa tanto? Era senza senso, come tutti i sogni!''

''Aveva un altro senso, come tutti i sogni, e le visioni. Va letto allegoricamente o anagogicamente...''

''Come le scritture!?''

''Un sogno è una scrittura, e molte scritture non sono altro che sogni.''

SESTA

Dove si ricostruisce la storia dei bibliotecari e si ha qualche notizia in più sul libro misterioso.

Guglielmo volle risalire nello scriptorium, da cui era appena disceso. Chiese a Bencio di consultare il catalogo, e lo sfogliò rapidamente. "Deve essere da queste parti," diceva, "l'avevo proprio visto un'ora fa..." Si arrestò su una pagina. "Ecco," disse, "leggi questo titolo."

Sotto una sola collocazione (finis Africae!) stava una serie di quattro titoli, segno che si trattava di un solo volume che conteneva più testi. Lessi:

I. ar. de dictis cujusdam stulti
II. syr. libellus alchemicus aegypt.
III. Expositio Magistri Alcofribae de cena beati Cypriani Cartaginensis Episcopi
IV. Liber acephalus de stupris virginum et meretricum amoribus

"Di cosa si tratta?" chiesi.

"È il nostro libro," mi sussurrò Guglielmo. "Ecco perché il tuo sogno mi ha suggerito qualcosa. Ora sono sicuro che è questo. E infatti..." sfogliava rapidamente le pagine immediatamente precedenti e le seguenti, "infatti ecco i libri a cui pensavo, tutti insieme. Ma non è questo che volevo controllare. Ascolta. Hai la tua tavoletta? Bene, dobbiamo fare un calcolo, e cerca di ricordarti bene sia cosa ci ha detto Alinardo l'altro giorno sia quello che abbiamo udito stamane da Nicola. Ora, Nicola ci ha detto che lui è arrivato qui circa trent'anni fa e Abbone era già stato nominato abate. Prima era abate Paolo da Rimini. Giusto? Diciamo che questo avvicendamento avviene intorno al 1290, anno più, anno meno, non importa. Poi Nicola ci ha detto che, quando lui è arrivato, Roberto da Bobbio era già bibliotecario. Va bene? Muore dopo, e il posto viene dato a Malachia, diciamo all'inizio di questo secolo. Scrivi. C'è però un periodo precedente alla venuta di Nicola, in cui Paolo da Rimini è bibliotecario. Da quando lo era? Non ce lo hanno detto, potremmo esaminare i registri dell'abbazia, ma immagino che siano presso l'Abate, e per il momento non vorrei chiederglielo. Facciamo l'ipotesi che Paolo sia stato eletto bibliotecario sessant'anni fa, scrivi. Perché Alinardo si duole del fatto che, circa cinquant'anni fa, dovesse toccare a lui il posto di bibliotecario, e invece fu dato a un altro? Alludeva a Paolo da Rimini?''

"Oppure a Roberto da Bobbio!'' dissi.

"Parrebbe. Ma ora guarda questo catalogo. Sai che i titoli sono registrati, ce lo ha detto Malachia il primo giorno, nell'ordine delle acquisizioni. E chi li scrive su questo registro? Il bibliotecario. Quindi, a seconda del mutamento di calligrafia su queste pagine, possiamo stabilire la successione dei bibliotecari. Ora guardiamo il catalogo dal fondo, l'ultima calligrafia è quella di Malachia, molto gotica, la vedi. E riempie poche pagine. L'abbazia non ha acquistato molti libri in questi ultimi trent'anni. Poi inizia una serie di pagine scritta con una calligrafia tremolante, ci leggo chiaramente la firma di Roberto da Bobbio, malato. Anche qui sono poche pagine, Roberto rimane in carica probabilmente non molto. Ed ecco cosa troviamo ora: pagine e pagine di un'altra calligrafia, dritta e sicura, una serie di acquisizioni (tra cui il gruppo di libri che esaminavo poco fa) veramente impressionante. Quanto deve aver lavorato Paolo da Rimini! Troppo, se pensi che Nicola ci ha detto che divenne abate in giovanissima età. Ma poniamo che in pochi anni questo lettore vorace abbia arricchito l'abbazia di tanti libri... Non ci è stato detto che veniva chiamato Abbas agraphicus a causa di quello strano difetto, o malattia, per cui non riusciva a scrivere? E allora chi scriveva qui? Io direi il suo aiuto bibliotecario. Ma se per caso questo aiuto bibliotecario fosse poi stato nominato bibliotecario, ecco che avrebbe continuato a scrivere lui, e avremmo capito perché ci sono qui tante pagine stilate con la stessa calligrafia. Allora avremmo, tra Paolo e Roberto, un altro bibliotecario, eletto circa cinquant'anni fa, che è il misterioso concorrente di Alinardo, il quale sperava di succedere lui, più anziano, a Paolo. Poi costui scompare e in qualche modo, contro le aspettative di Alinardo e di altri, al suo posto viene eletto Malachia.''

"Ma perché siete così sicuro che questa sia la scansione giusta? Anche ammesso che questa calligrafia sia del bibliotecario senza nome, perché non potrebbero essere invece di Paolo i titoli delle pagine ancora precedenti?"

"Perché tra queste acquisizioni sono registrate tutte le bolle e le decretali, che hanno una data precisa. Voglio dire, se tu trovi qui, come trovi, la *Firma cautela* di Bonifacio VII, datata 1296, sai che questo testo non è entrato prima di quell'anno, e puoi pensare che non sia arrivato molto dopo. Con ciò, io ho come delle pietre miliari disposte lungo gli anni, per cui se concedo che Paolo da Rimini diventi bibliotecario nel 1265, e abate nel 1275, e trovo poi che la sua calligrafia, o quella di qualcun altro che non è Roberto da Bobbio, dura dal 1265 al 1285, scopro una differenza di dieci anni."

Il mio maestro era veramente molto acuto. "Ma quali conclusioni traete da questa scoperta?" chiesi allora.

"Nessuna," mi rispose, "solo delle premesse."

Poi si alzò e andò a parlare con Bencio. Costui stava bravamente al suo posto, ma con aria pochissimo sicura. Era ancora al suo vecchio tavolo e non aveva ardito prendere quello di Malachia presso il catalogo. Guglielmo lo abbordò con un certo distacco. Non dimenticavamo la sgradevole scena della sera prima.

"Anche se sei diventato così potente, signor bibliotecario, vorrai dirmi una cosa, spero. Quella mattina in cui Adelmo e gli altri discussero qui degli enigmi arguti, e Berengario fece il primo accenno al finis Africae, qualcuno nominò la *Coena Cypriani*?"

"Sì," disse Bencio, "non te lo avevo detto? Prima che si parlasse degli enigmi di Sinfosio fu proprio Venanzio ad accennare alla *Coena* e Malachia si adirò, dicendo che era un'opera ignobile, e ricordando che l'Abate ne aveva proibita a tutti la lettura..."

"L'Abate, eh?" disse Guglielmo. "Molto interessante. Grazie Bencio."

"Aspettate," disse Bencio, "vi voglio parlare." Ci fece segno di seguirlo fuori dallo scriptorium, sulla scala che scendeva alle cucine, in modo che gli altri non lo sentissero. Gli tremavano le labbra.

"Ho paura Guglielmo," disse. "Hanno ucciso anche Malachia. Ora io so troppe cose. E poi sono inviso al gruppo degli italiani... Non vogliono più un bibliotecario straniero... Io penso che gli altri siano stati eliminati proprio per questo... Io non vi ho mai parlato dell'odio di Alinardo per Malachia, dei suoi rancori..."

"Chi è colui che gli ha sottratto il posto, anni fa?"

"Questo non lo so, egli ne parla sempre in modo vago, e poi è una storia lontana. Debbono essere morti tutti. Ma il gruppo degli italiani intorno ad Alinardo parla sovente... parlava sovente di Malachia come di un uomo di paglia, messo qui da qualcun altro, con la complicità dell'Abate... Io senza rendermene conto... sono entrato nel gioco opposto di due fazioni... L'ho capito solo stamane... L'Italia è una terra di congiure, vi avvelenano i papi, immaginiamoci un povero ragazzo come me... Ieri non l'avevo capito, credevo che tutto riguardasse quel libro, ma ora non ne sono più sicuro, quello è stato il pretesto: avete visto che il libro è stato ritrovato e Malachia è morto lo stesso... Io devo... voglio... vorrei fuggire. Cosa mi consigliate?"

"Di startene calmo. Adesso vuoi consigli, vero? Ma ieri sera sembravi il padrone del mondo. Sciocco, se mi avessi aiutato ieri avremmo impedito quest'ultimo delitto. Sei tu che hai dato a Malachia il libro che lo ha portato alla morte. Ma dimmi almeno una cosa. Tu quel libro lo hai avuto tra le mani, lo hai toccato, lo hai letto? E perché allora non sei morto?"

"Non lo so. Giuro, non l'ho toccato, ovvero l'ho toccato per prenderlo in laboratorio, senza aprirlo, me lo sono nascosto sotto la tonaca e sono andato a metterlo in cella sotto il pagliericcio. Sapevo che Malachia mi sorvegliava e sono tornato immediatamente nello scriptorium. E dopo, quando Malachia mi ha offerto di diventare suo aiuto, l'ho condotto nella mia cella e gli ho consegnato il libro. È tutto."

"Non dirmi che non lo hai neppure aperto."

"Sì, l'ho aperto, prima di nasconderlo, per assicurarmi che fosse veramente quello che cercavate anche voi. Iniziava con un manoscritto arabo, poi uno che credo in siriano, poi c'era un testo latino e infine uno in greco..."

Mi ricordai delle sigle che avevamo visto sul catalogo. I primi due titoli erano indicati come *ar.* e *syr.* Era *il libro*! Ma Guglielmo incalzava: "Dunque lo hai toccato e non sei morto. Allora non si muore a toccarlo. E del testo greco cosa sai dirmi? Lo hai guardato?"

"Pochissimo, abbastanza per capire che era senza titolo, iniziava come se ne mancasse una parte..."

"Liber acephalus..." mormorò Guglielmo.

"...ho cercato di leggere la prima pagina, ma in verità io conosco il greco molto male, avrei avuto bisogno di impiegarci più tempo. E infine fui incuriosito da un altro particolare, proprio a proposito dei fogli in greco. Non li sfogliai del tutto perché non ci riuscii. I fogli erano, come dire, intrisi di umidità, non si staccavano bene l'uno dall'altro. E questo perché la pergamena era strana... più soffice delle altre pergamene, il modo in cui la prima pagina era corrosa, e si sfaldava quasi, era... insomma, strano.''

"Strano: l'espressione usata anche da Severino," disse Guglielmo.

"La pergamena non sembrava pergamena... Sembrava stoffa, ma esile...'' continuava Bencio.

"Charta lintea, o pergamino de pano," disse Guglielmo. "Non ne avevi mai visto?''

"Ne ho sentito parlare, ma non credo di averne visto. Si dice sia molto cara, e fragile. Per questo la si usa poco. La fanno gli arabi, vero?''

"Sono stati i primi. Ma la fanno anche qui in Italia, a Fabriano. E anche... Ma sicuro, certo, sicuro!'' A Guglielmo scintillavano gli occhi. "Che bella e interessante rivelazione, bravo Bencio, ti ringrazio! Sì, immagino che qui in biblioteca la charta lintea sia rara, perché non vi sono arrivati manoscritti molto recenti. E poi molti temono che non sopravviva ai secoli come la pergamena, e forse è vero. Immaginiamoci se qui volevano qualcosa che non fosse più perenne del bronzo... Pergamino de pano, eh? bene, addio. E stai tranquillo. Tu non corri pericolo.''

"Davvero Guglielmo, me lo assicurate?''

"Te lo assicuro. Se stai al tuo posto. Hai già combinato troppi guai.''

Ci allontanammo dallo scriptorium lasciando Bencio, se non rasserenato, più calmo.

"Stupido!'' disse Guglielmo tra i denti mentre uscivamo fuori. "Potevamo già avere risolto tutto se non ci si metteva di mezzo...''

Trovammo l'Abate nel refettorio. Guglielmo lo affrontò e gli chiese un colloquio. Abbone non poté tergiversare e ci diede convegno, entro breve tempo, nella sua casa.

NONA

Dove l'Abate si rifiuta di ascoltare Guglielmo, parla del linguaggio delle gemme e manifesta il desiderio che non si indaghi più su quelle tristi vicende.

La casa dell'Abate era sopra il capitolo e dalla finestra della sala, grande e sontuosa, in cui egli ci ricevette, si poteva vedere, nel giorno sereno e ventoso, oltre il tetto della chiesa abbaziale, le forme dell'Edificio.

L'Abate, in piedi davanti a una finestra, lo stava appunto ammirando, e ce lo indicò con un gesto solenne.

"Ammirevole rocca," disse, "che riassume nelle sue proporzioni la regola aurea che presiedette alla costruzione dell'arca. Stabilita su tre piani perché tre è il numero della trinità, tre furono gli angeli che visitarono Abramo, i giorni che Giona passò nel ventre del gran pesce, quelli che Gesù e Lazzaro trascorsero nel sepolcro; le volte che Cristo chiese al Padre che il calice amaro si allontanasse da lui, quelle che si appartò a pregare con gli apostoli. Tre volte lo rinnegò Pietro, e tre volte si manifestò ai suoi dopo la resurrezione. Tre sono le virtù teologali, tre le lingue sacre, tre le parti dell'anima, tre le classi di creature intellettuali, angeli, uomini e demoni, tre le specie del suono, vox, flatus, pulsus, tre le epoche della storia umana, prima, durante e dopo la legge."

"Meraviglioso concento di rispondenze mistiche," convenne Guglielmo.

"Ma anche la forma quadrata," continuò l'Abate, "è ricca di insegnamenti spirituali. Quattro sono i punti cardinali, le stagioni, gli elementi, e il caldo, il freddo, l'umido e il secco, la nascita, la crescita, la maturità e la vecchiaia, e le specie celesti, terrestri, aeree e acquatiche degli animali, i colori costitutivi dell'arcobaleno e il numero degli anni che occorre per fare un bisestile."

"Oh certo," disse Guglielmo, "e tre più quattro dà sette, numero mistico quanto altri mai, mentre tre moltiplicato per quattro fa dodici, come gli apostoli, e dodici per dodici fa centoquarantaquattro, che è il numero degli eletti." E a quest'ultima manifestazione di mistica conoscenza del mondo iperuranio dei numeri, l'Abate non ebbe più nulla da aggiungere. Il che diede modo a Guglielmo di venire in argomento.

"Dovremmo parlare degli ultimi fatti, su cui ho riflettuto a lungo," disse.

L'Abate voltò le spalle alla finestra e fronteggiò Guglielmo con viso severo: "Troppo a lungo, forse. Vi confesso frate Guglielmo che mi ero atteso di più da voi. Da quando siete arrivato qui sono passati quasi sei giorni, quattro monaci sono morti, oltre ad Adelmo, due sono stati arrestati dall'inquisizione — fu giustizia, certo, ma avremmo potuto evitare questa vergogna se l'inquisitore non fosse stato costretto a occuparsi dei delitti precedenti — e infine l'incontro di cui ero mediatore, e proprio a causa di tutte queste sceleratezze, ha dato penosi risultati... Converrete che potevo attendermi un diverso scioglimento di queste vicende quando vi ho pregato di investigare sulla morte di Adelmo..."

Guglielmo tacque imbarazzato. Certo l'Abate aveva ragione. Ho detto all'inizio di questo racconto che il mio maestro amava stupire gli altri con la prontezza delle sue deduzioni, ed era logico che il suo orgoglio rimanesse ferito quando lo si accusava, e neppure ingiustamente, di lentezza.

"È vero," ammise, "non ho soddisfatto le vostre attese, ma vi dirò il perché, vostra sublimità. Questi delitti non derivano da una rissa o da qualche vendetta tra i monaci, ma dipendono da fatti che traggono a loro volta origine dalla storia remota dell'abbazia..."

L'Abate lo guardò con inquietudine: "Cosa intendete dire? Capisco anch'io che la chiave non sta nella storia sventurata del cellario, che si è incrociata con un'altra. Ma quell'altra, quell'altra che forse io conosco ma di cui non posso parlare... speravo vi fosse risultata chiara, e che me ne avreste parlato voi..."

"Vostra sublimità pensa a qualche vicenda di cui ha appreso in confessione..." L'Abate rivolse lo sguardo altrove, e Guglielmo continuò: "Se vostra magnificenza vuole sapere se io sappia, senza saperlo dalla magnificenza vostra, se sono intercorsi rapporti disonesti tra Berengario e Adelmo, e tra Berengario e Malachia, ebbene, questo lo sanno tutti all'abbazia..."

L'Abate arrossì con violenza: "Non credo sia utile parlare di cose simili alla presenza di questo novizio. E non credo, a incontro avvenuto, che voi abbiate più bisogno di lui come scrivano. Esci ragazzo," mi disse in tono d'imperio. Umiliato, uscii. Ma, curioso com'ero, mi acquattai dietro alla porta della sala, che lasciai socchiusa, in modo da poter seguire il dialogo.

Guglielmo riprese a parlare: "Allora, questi rapporti disonesti, se pure hanno avuto luogo, hanno avuto scarso ufficio in questi dolorosi avvenimenti. La chiave è un'altra, e pensavo che voi lo immaginaste. Tutto si svolge intorno al furto e al possesso di un libro, che era nascosto in finis Africae, e che ora è tornato laggiù a opera di Malachia, senza però, lo avete visto, che la sequenza dei crimini si sia interrotta."

Ci fu un lungo silenzio, poi l'Abate riprese a parlare con voce rotta e incerta, come di persona sorpresa da inattese rivelazioni. "Non è possibile... Voi... Voi come fate a sapere del finis Africae? Avete violato il mio interdetto e siete entrato nella biblioteca?"

Guglielmo avrebbe dovuto dire la verità, e l'Abate si sarebbe adirato oltre misura. Non voleva evidentemente mentire. Scelse di rispondere alla domanda con un'altra domanda: "Non mi ha detto la magnificenza vostra durante il nostro primo incontro, che un uomo come me, che aveva descritto così bene Brunello senza averlo mai visto, non avrebbe avuto difficoltà a ragionare su luoghi a cui non poteva accedere?"

"È così dunque," disse Abbone. "Ma perché pensate quello che pensate?"

"Come vi sia giunto, è lungo da raccontare. Ma è stata commessa una serie di delitti per impedire a molti di scoprire qualcosa che non si voleva venisse scoperto. Ora tutti quelli che sapevano qualcosa dei segreti della biblioteca, o per diritto o per frode, sono morti. Rimane solo una persona, voi."

"Volete insinuare... volete insinuare..." l'Abate parlava come qualcuno a cui si stessero gonfiando le vene del collo.

"Non fraintendetemi," disse Guglielmo, che probabilmente aveva anche provato a insinuare, "dico che c'è qualcuno che sa e che vuole che nessun altro sappia. Voi siete l'ultimo a sapere, voi potreste essere la prossima vittima. A meno che non mi diciate cosa sapete su quel libro interdetto e, soprattutto, chi c'è nell'abbazia che potrebbe saper quanto sapete voi, e forse più, sulla biblioteca."

"Fa freddo qui," disse l'Abate. "Usciamo."

Io mi allontanai rapidamente dalla porta e li attesi al culmine della scala che portava da basso. L'Abate mi vide e mi sorrise.

"Quante cose inquietanti deve avere udito questo monacello in questi giorni! Suvvia ragazzo, non lasciarti troppo turbare. Mi pare che si siano immaginate più trame di quante ve ne siano..."

Alzò una mano e lasciò che la luce del giorno illuminasse uno splendido anello che recava all'anulare, insegna del suo potere. L'anello sfavillò in tutto il fulgore delle sue pietre.

"Lo riconosci, vero?" mi disse. "Simbolo della mia autorità ma anche del mio fardello. Non è un ornamento, è una splendida silloge della parola divina di cui sono custode." Toccò con le dita la pietra, ovvero il trionfo delle pietre variegate che componevano quel mirabile capolavoro dell'arte umana e della natura. "Ecco l'ametista," disse, "che è specchio di umiltà e ci ricorda l'ingenuità e la dolcezza di san Matteo; ecco il calcedonio, insegna di carità, simbolo della pietà di Giuseppe e di san Giacomo maggiore; ecco il diaspro, che augura la fede, associato a san Pietro; e la sardonica, segno di martirio, che ci ricorda san Bartolomeo; ecco lo zaffiro, speranza e contemplazione, pietra di sant'Andrea e di san Paolo; e il berillo, sana dottrina, scienza e longanimità, virtù proprie di san Tommaso... Come è splendido il linguaggio delle gemme," continuò assorto nella sua visione mistica, "che i lapidari della tradizione han tradotto dal razionale di Aronne e dalla descrizione della Gerusalemme celeste nel libro dell'apostolo. D'altra parte le mura di Sion erano intessute degli stessi gioielli che ornavano il pettorale del fratello di Mosè, salvo il carbonchio, l'agata e l'onice che, citati nell'Esodo, sono sostituiti nell'Apocalisse dal calcedonio, dalla sardonica, dal crisopazio e dal giacinto."

Guglielmo fece per aprire bocca, ma l'Abate lo tacque alzando una mano e continuò il proprio discorso: "Ricordo un litaniale in cui ogni pietra era descritta e rimata in onore della Vergine. Vi si parlava del suo anello di fidanzamento come di un poema simbolico risplendente di verità superiori manifestate nel linguaggio lapidario delle pietre che lo abbellivano. Diaspro per la fede, calcedonio per la carità, smeraldo per la purezza, sardonica per la placidità della vita virginale, rubino per il cuore sanguinante sul calvario, crisolito di cui lo scintillio multiforme ricorda la meravigliosa varietà dei miracoli di Maria, giacinto per la carità, ametista, con la sua mescolanza di rosa e azzurro, per l'amore di Dio... Ma nel castone erano incrostate altre sostanze non meno eloquenti, come il cristallo che rinvia alla castità dell'anima e del corpo, il ligurio, che rassomiglia all'ambra, simbolo di temperanza, e la pietra magnetica che attira il ferro, così come la Vergine tocca le corde dei cuori penitenti con l'archetto della sua bontà. Tutte sostanze che, come vedete, ornano sia pure in minima e umilissima misura anche il mio gioiello.''

Muoveva l'anello e abbacinava i miei occhi con il suo sfavillio, come se volesse stordirmi. ''Meraviglioso linguaggio, vero? Per altri padri le pietre significano altre cose ancora, per il papa Innocenzo III il rubino annuncia la calma e la pazienza e la granata la carità. Per san Brunone l'acquamarina concentra la scienza teologica nella virtù dei suoi purissimi bagliori. Il turchese significa gioia, la sardonica evoca i serafini, il topazio i cherubini, il diaspro i troni, il crisolito le dominazioni, lo zaffiro le virtù, l'onice le potenze, il berillo i principati, il rubino gli arcangeli e lo smeraldo gli angeli. Il linguaggio delle gemme è multiforme, ciascuna esprime più verità, a seconda del senso di lettura che si sceglie, a seconda del contesto in cui appaiono. E chi decide quale sia il livello di interpretazione e quale il giusto contesto? Tu lo sai ragazzo, te l'hanno insegnato: è l'autorità, il commentatore tra tutti più sicuro e più investito di prestigio, e dunque di santità. Altrimenti come interpretare i segni multiformi che il mondo pone sotto i nostri occhi di peccatori, come non incappare negli equivoci in cui ci attrae il demonio? Bada, è singolare come il linguaggio delle gemme sia inviso al diavolo, teste santa Ildegarda. La bestia immonda vede in esso un messaggio che si illumina per sensi o livelli di sapienza diversi, ed egli vorrebbe stravolgerlo perché egli, il nemico, avverte nello splendore delle pietre l'eco delle meraviglie che aveva in suo possesso prima della caduta, e capisce che questi fulgori sono prodotti dal fuoco, che è il suo tormento.'' Mi porse l'anello da baciare, e io mi inginocchiai. Mi accarezzò il capo. ''E dunque tu, ragazzo, dimentica le cose senza dubbio erronee che hai udito in questi giorni. Tu sei entrato nell'ordine più grande e nobile tra tutti, di quest'ordine io sono un Abate, tu sei sotto la mia giurisdizione. E dunque, odi il mio ordine: dimentica, e che le tue labbra si suggellino per sempre. Giura.''

Commosso, soggiogato, avrei certo giurato. E tu, mio buon lettore, non potresti ora leggere questa mia cronaca fedele. Ma a quel punto intervenne Guglielmo, e non forse per impedirmi di giurare, ma per reazione istintiva, per fastidio, per interrompere l'Abate, per spezzare quell'incantesimo che esso aveva certamente creato.

"Cosa c'entra il ragazzo? Io vi ho posto una domanda, io vi ho avvertito di un pericolo, io vi ho chiesto di dirmi un nome... Vorrete ora che baci anch'io l'anello e che giuri di dimenticare quanto ho saputo o quanto sospetto?"

"Oh, voi..." disse melanconicamente l'Abate, "non mi attendo da un frate mendicante che comprenda la bellezza delle nostre tradizioni, o che rispetti il riserbo, i segreti, i misteri di carità... sì, di carità, e il senso dell'onore, e il voto del silenzio su cui si regge la nostra grandezza... Voi mi avete parlato di una strana storia, di una storia incredibile. Un libro interdetto, per cui si uccide a catena, qualcuno che sa quello che solo io dovrei sapere... Fole, illazioni senza senso. Parlatene, se volete, nessuno vi crederà. E se pure qualche elemento della vostra fantasiosa ricostruzione fosse vero... ebbene, ora tutto ricade sotto il mio controllo e la mia responsabilità. Controllerò, ne ho i mezzi, ne ho l'autorità. Ho fatto male sin dall'inizio a richiedere a un estraneo, per quanto saggio, per quanto degno di confidenza, di indagare su cose che sono soltanto di mia competenza. Ma voi lo avete capito, me lo avete detto, io ritenevo all'inizio che si trattasse di una violazione del voto di castità, e volevo (imprudente che fui) che qualcun altro mi dicesse quello che io avevo sentito dire in confessione. Bene, ora me lo avete detto. Vi sono molto grato per quello che avete fatto o avete tentato di fare. L'incontro delle legazioni è avvenuto, la vostra missione quaggiù è terminata. Immagino vi si attenda con ansia alla corte imperiale, non ci si priva a lungo di un uomo come voi. Vi do licenza di lasciare l'abbazia. Forse oggi è tardi, non voglio che viaggiate dopo il tramonto, le strade sono insicure. Partirete domattina, di buonora. Oh, non ringraziatemi, è stata una gioia avervi fratello tra i fratelli e onorarvi della nostra ospitalità. Potrete ritirarvi col vostro novizio in modo da preparare il bagaglio. Vi saluterò ancora domani all'alba. Grazie, di gran cuore. Naturalmente, non occorre che continuiate a condurre le vostre investigazioni. Non turbate ulteriormente i monaci. Andate pure."

Era più di un congedo, era una cacciata. Guglielmo salutò e scendemmo le scale.

"Che significa?" domandai. Non comprendevo più nulla.

"Prova a formulare una ipotesi. Dovresti avere imparato come si fa."

"Se è così ho imparato che ne devo formulare almeno due, una in opposizione all'altra, e tutte e due incredibili. Bene, allora..." Deglutii: fare ipotesi mi metteva a disagio. "Prima ipotesi, l'Abate sapeva già tutto e immaginava che voi non avreste scoperto nulla. Vi aveva incaricato dell'indagine prima, quando era morto Adelmo, ma piano piano ha capito che la storia era molto più complessa, coinvolge in qualche modo anche lui, e non vuole che voi mettiate a nudo questa trama. Seconda ipotesi, l'Abate non ha mai sospettato di nulla (di cosa, poi, non so, perché non so a cosa voi stiate ora pensando). Ma in ogni caso continuava a pensare che tutto fosse dovuto a una lite tra... tra monaci sodomiti... Ora però voi gli avete aperto gli occhi, egli ha capito di colpo qualcosa di terribile, ha pensato a un nome, ha una idea precisa sul responsabile dei delitti. Ma a questo punto vuole risolvere la questione da solo e vuole allontanarvi, per salvare l'onore dell'abbazia."

"Buon lavoro. Incominci a ragionare bene. Ma già vedi che in entrambi i casi il nostro Abate è preoccupato della buona reputazione del suo monastero. Assassino o vittima designata che sia, non vuole che trapelino oltre queste montagne notizie diffamatorie su questa santa comunità. Ammazzagli i monaci, ma non toccargli l'onore di questa abbazia. Ah, per..." Guglielmo si stava ora adirando. "Quel bastardo di un feudatario, quel pavone diventato celebre per aver fatto da becchino all'Aquinate, quell'otre gonfiato che esiste solo perché porta un anello grosso come un culo di bicchiere! Razza di superbo, razza di superbi voi tutti cluniacensi, peggio dei principi, più baroni dei baroni!"

"Maestro..." azzardai, piccato, in tono di rimprovero.

"Taci tu, che sei della stessa pasta. Voi non siete dei semplici, né figli di semplici. Se vi capita un contadino forse lo accogliete, ma ho visto ieri, non esitate a consegnarlo al braccio secolare. Ma uno dei vostri no, bisogna coprire, Abbone è capace di individuare lo sciagurato e di pugnalarlo nella cripta del tesoro, e distribuirne i rognoni nei suoi reliquiari, purché l'onore dell'abbazia sia salvo... Un francescano, un plebeo minorita che scopre la verminaia di questa santa casa? Eh no, questo Abbone non può permetterselo a nessun costo. Grazie frate Guglielmo, l'imperatore ha bisogno di voi, avete visto che bell'anello che ho, arrivederci. Ma ormai la sfida non è solo tra me e Abbone, è tra me e tutta la vicenda, io non esco da questa cinta prima di aver saputo. Vuole che io parta domattina? Bene, lui è il padrone di casa, ma entro domattina io devo sapere. Devo.''

"Dovete? Chi ve lo impone, ormai?"

"Nessuno ci impone di sapere, Adso. Si deve, ecco tutto, anche a costo di capire male.''

Ero ancora confuso e umiliato per le parole di Guglielmo contro il mio ordine e i suoi abati. E tentai di giustificare in parte Abbone formulando una terza ipotesi, arte in cui ero divenuto, mi pareva, abilissimo: "Non avete considerato una terza possibilità, maestro,'' dissi. "Abbiamo notato in questi giorni, e stamane ci è apparso chiaro, dopo le confidenze di Nicola e le mormorazioni che abbiamo colto in chiesa, che vi è un gruppo di monaci italiani che male sopportavano la sequenza dei bibliotecari stranieri, che accusano l'Abate di non rispettare la tradizione e che, a quanto ho capito, si nascondono dietro il vecchio Alinardo, spingendolo davanti a sé come uno stendardo, per chiedere un diverso governo dell'abbazia. Queste cose le ho capite bene, perché anche un novizio ha sentito nel suo monastero tante discussioni, e allusioni, e complotti di questa natura. E allora forse l'Abate teme che le vostre rivelazioni possano offrire un'arma ai suoi nemici, e vuole dirimere tutta la questione con grande prudenza...''

"È possibile. Ma rimane un otre gonfiato, e si farà ammazzare.''

"Ma voi cosa ne pensate delle mie congetture?''

"Te lo dirò più tardi.''

Eravamo nel chiostro. Il vento era sempre più rabbioso, la luce meno chiara, anche se da poco era trascorsa nona. Il giorno si stava avvicinando al tramonto e ci rimaneva ben poco tempo. A vespro certamente l'Abate avrebbe avvertito i monaci che Guglielmo non aveva più alcun diritto di porre domande e di entrare dappertutto.

"È tardi,'' disse Guglielmo, "e quando si ha poco tempo, guai a perdere la calma. Dobbiamo agire come se avessimo l'eternità davanti a noi. Ho un problema da risolvere, come penetrare nel finis Africae, perché là dovrebbe esserci la risposta finale. Poi dobbiamo salvare una persona, non ho ancora deciso quale. Infine dovremmo attenderci qualcosa dalla parte delle stalle, che tu terrai d'occhio... Guarda quanto movimento...''

Infatti lo spazio tra l'Edificio e il chiostro si era singolarmente animato. Un novizio, poco prima, che proveniva dalla casa dell'Abate, era corso verso l'Edificio. Ora ne usciva Nicola, che si dirigeva ai dormitori. In un angolo il gruppo della mattinata, Pacifico, Aymaro e Pietro, stavano parlando fittamente con Alinardo, come per convincerlo di qualcosa.

Poi parvero prendere una decisione. Aymaro sostenne Alinardo, ancora riluttante, e si avviò con lui verso la residenza abbaziale. Stavano entrandovi, quando dal dormitorio uscì Nicola, che conduceva Jorge nella stessa direzione. Vide i due che entravano, sussurrò qualcosa a Jorge nell'orecchio, il vegliardo scosse il capo, e proseguirono comunque verso il capitolo.

"L'Abate prende in pugno la situazione..." mormorò Guglielmo con scetticismo. Dall'Edificio stavano uscendo altri monaci che avrebbero dovuto stare nello scriptorium, seguiti subito dopo da Bencio, che ci venne incontro sempre più preoccupato.

"C'è fermento nello scriptorium," ci disse, "nessuno lavora, tutti parlano fittamente tra di loro... Cosa accade?"

"Accade che le persone che sino a stamane parevano le più sospettabili sono morte tutte. Sino a ieri tutti si guardavano da Berengario, sciocco e infido e lascivo, poi dal cellario, eretico sospetto, infine da Malachia, così inviso a ciascuno... Ora non sanno più da chi guardarsi, e hanno bisogno urgente di trovare un nemico, o un capro espiatorio. E ciascuno sospetta dell'altro, alcuni hanno paura, come te, altri hanno deciso di far paura a qualcun altro. Siete tutti troppo agitati. Adso, dai ogni tanto uno sguardo alle stalle. Io vado a riposarmi."

Avrei dovuto stupirmi: andarsi a riposare quando aveva poche ore ancora a disposizione, non sembrava la risoluzione più saggia. Ma ormai conoscevo il mio maestro. Quanto più il suo corpo era disteso, tanto più la sua mente era in effervescenza.

TRA VESPRO E COMPIETA

Dove in breve si racconta di lunghe ore di smarrimento.

Mi riesce difficile raccontare quello che accadde nelle ore che seguirono, tra vespro e compieta.

Guglielmo era assente. Io vagolavo intorno alle stalle ma senza notare nulla di anormale. I cavallari stavano facendo rientrare le bestie, inquiete per il vento, ma per il resto tutto era tranquillo.

Entrai in chiesa. Tutti erano già ai loro posti negli stalli, ma l'Abate notò l'assenza di Jorge. Con un gesto ritardò l'inizio dell'ufficio. Chiamò Bencio perché andasse a cercarlo. Bencio non c'era. Qualcuno fece osservare che stava probabilmente disponendo lo scriptorium per la chiusura. L'Abate disse, seccato, che si era stabilito che Bencio non chiudesse nulla perché non conosceva le regole. Aymaro d'Alessandria si alzò dal suo posto: "Se la paternità vostra consente, vado io a chiamarlo..."

"Nessuno ti ha chiesto nulla," disse l'Abate bruscamente, e Aymaro tornò al suo posto, non senza aver lanciato uno sguardo indefinibile a Pacifico da Tivoli. L'Abate chiamò Nicola, che non c'era. Gli ricordarono che stava predisponendo la cena ed egli ebbe un cenno di disappunto, come se gli spiacesse mostrare a tutti che si trovava in uno stato di eccitazione.

"Voglio Jorge qui," gridò, "cercatelo! Vai tu," ordinò al maestro dei novizi.

Un altro gli fece notare che mancava anche Alinardo. "Lo so," disse l'Abate, "è infermo." Mi trovavo vicino a Pietro da Sant'Albano e lo udii dire al suo vicino, Gunzo da Nola, in un volgare dell'Italia centrale, che in parte capivo: "Lo credo bene. Oggi quando è uscito dopo il colloquio il povero vecchio era sconvolto. Abbone si comporta come la puttana di Avignone!"

I novizi erano smarriti, con la loro sensibilità di fanciulli ignari avvertivano tuttavia la tensione che stava regnando nel coro, come l'avvertivo io. Passarono alcuni lunghi momenti di silenzio e di imbarazzo. L'Abate ordinò di recitare alcuni salmi, e ne indicò a caso tre, che non erano prescritti dalla regola per il vespro. Tutti si guardarono l'un l'altro, poi presero a pregare a voce bassa. Tornò il maestro dei novizi seguito da Bencio che raggiunse il suo posto a testa china. Jorge non era nello scriptorium e non era nella sua cella. L'Abate ordinò che l'ufficio avesse inizio.

Alla fine, prima che tutti scendessero a cena, mi recai a chiamare Guglielmo. Stava sdraiato sul suo giaciglio, vestito, immobile. Disse che non pensava che fosse così tardi. Gli raccontai brevemente quanto era successo. Scosse il capo.

Sulla porta del refettorio vedemmo Nicola, che poche ore prima aveva accompagnato Jorge. Guglielmo gli chiese se il vecchio era entrato subito dall'Abate. Nicola disse che aveva dovuto attendere a lungo fuori della porta, perché nella sala c'erano Alinardo e Aymaro d'Alessandria. Dopo Jorge era entrato, era rimasto dentro qualche tempo e lui lo aveva atteso. Quindi era uscito e si era fatto accompagnare in chiesa, un'ora prima di vespro, ancora deserta.

L'Abate ci scorse che parlavamo col cellario. "Frate Guglielmo," ammonì, "state ancora inquisendo?" Gli fece segno di accomodarsi alla sua tavola, come d'uso. L'ospitalità benedettina è sacra.

La cena fu più silenziosa del solito, e mesta. L'Abate mangiava di malavoglia, oppresso da foschi pensieri. Alla fine disse ai monaci di affrettarsi a compieta.

Alinardo e Jorge erano ancora assenti. I monaci si indicavano il posto vuoto del cieco, sussurrando. Alla fine del rito l'Abate invitò tutti a recitare una speciale preghiera per la salute di Jorge da Burgos. Non fu chiaro se parlava della salute corporale o della salute eterna. Tutti compresero che una nuova sciagura stava per sconvolgere quella comunità. Poi l'Abate ordinò a ciascuno di affrettarsi, con maggior solerzia del solito, ai propri giacigli. Ordinò che nessuno, e calcò sulla parola nessuno, restasse a circolare fuori del dormitorio. I novizi spauriti uscirono per primi, il cappuccio sul volto, il capo chino, senza scambiarsi i motti, i colpi di gomito, i piccoli sorrisi, i maliziosi e occulti sgambetti con cui erano soliti provocarsi (perché il novizio, benché monacello, è pur sempre un fanciullo, e a poco valgono i rimbrotti del suo maestro, che non può impedire che sovente essi da fanciulli si comportino, come vuole la loro tenera età).

Quando uscirono gli adulti mi accodai, senza averne l'aria, al gruppo che ormai si era caratterizzato ai miei occhi come quello degli "italiani". Pacifico stava mormorando ad Aymaro: "Credi che davvero Abbone non sappia dove è Jorge?" E Aymaro rispondeva: "Potrebbe anche saperlo, e sapere che da dove è non tornerà mai più. Forse il vecchio ha voluto troppo, e Abbone non vuole più lui..."

Mentre io e Guglielmo fingevamo di ritirarci nell'albergo dei pellegrini, scorgemmo l'Abate che rientrava nell'Edificio per la porta del refettorio ancora aperta. Guglielmo consigliò di attendere un poco, poi quando la spianata fu vuota d'ogni presenza, mi invitò a seguirlo. Attraversammo rapidamente gli spazi vuoti ed entrammo in chiesa.

DOPO COMPIETA

*Dove, quasi per caso, Guglielmo scopre il segreto
per entrare nel finis Africae.*

Ci appostammo, come due sicari, vicino all'ingresso, dietro a una colonna, da cui si poteva osservare la cappella dei
teschi.

"Abbone è andato a chiudere l'Edificio," disse Guglielmo. "Quando avrà sbarrato le porte dal di dentro non potrà
che uscire dall'ossario."

"E poi?"

"E poi vediamo cosa fa."

Non potemmo sapere cosa facesse. Dopo un'ora non era
ancora uscito. È andato nel finis Africae, dissi. Può darsi, rispose Guglielmo. Preparato a formulare molte ipotesi ag-
giunsi: forse è uscito di nuovo dal refettorio ed è andato a
cercar Jorge. E Guglielmo: può darsi anche questo. Forse
Jorge è già morto, immaginai ancora. Forse è nell'Edificio e
sta ammazzando l'Abate. Forse sono entrambi da un'altra
parte e qualcun altro li attende in un agguato. Cosa volevano gli "italiani"? e perché Bencio era tanto spaventato?
Non era forse una maschera che aveva posto sul suo viso per
ingannarci? Perché si era trattenuto nello scriptorium durante vespri, se non sapeva né come chiudere né come uscire?
Voleva tentare la via del labirinto?

"Tutto può darsi," disse Guglielmo. "Ma una cosa sola si
dà, o si è data, o si sta dando. E infine la misericordia divina ci sta locupletando di una luminosa certezza."

"Quale?" chiesi pieno di speranza.

"Che frate Guglielmo da Baskerville, il quale ha ormai
l'impressione di aver compreso tutto, non sa come entrare
nel finis Africae. Alle stalle, Adso, alle stalle."

"E se ci trova l'Abate?"

"Fingeremo di essere due spettri."

Non mi parve una soluzione praticabile, ma tacqui. Guglielmo stava diventando nervoso. Uscimmo dal portale settentrionale e passammo attraverso il cimitero, mentre il vento sibilava con forza e chiesi al Signore di non far incontrare due spettri a noi, ché di anime in pena, in quella notte, l'abbazia non aveva penuria. Arrivammo alle stalle e sentimmo i cavalli sempre più inquieti per la furia degli elementi. Il portone principale della costruzione aveva, ad altezza del petto di un uomo, un'ampia griglia di metallo, da cui si poteva vedere l'interno. Intravvedemmo nel buio le sagome dei cavalli, riconobbi Brunello perché era il primo a sinistra. Alla sua destra il terzo animale della fila alzò il capo sentendo la nostra presenza e nitrì. Sorrisi: "Tertius equi," dissi.

"Cosa?" chiese Guglielmo.

"Niente, mi ricordavo del povero Salvatore. Voleva fare chissà quale magìa con quel cavallo, e col suo latino lo designava come tertius equi. Che sarebbe la *u*."

"La *u*?" chiese Guglielmo che aveva seguito il mio vaneggiamento senza porvi molta attenzione.

"Sì, perché tertius equi vorrebbe dire non il terzo cavallo ma il terzo del cavallo, e la terza lettera della parola cavallo è la *u*. Ma è una sciocchezza..."

Guglielmo mi guardò, e al buio mi parve di scorgergli il volto alterato: "Dio ti benedica, Adso!" disse. "Ma certo, suppositio materialis, il discorso si assume de dicto e non de re... Che stupido che sono!" Si stava dando una gran pacca sulla fronte, a mano aperta, tanto che si udì uno schiocco, e credo si fosse fatto male. "Ragazzo mio, è la seconda volta oggi che per bocca tua parla la saggezza, prima in sogno e ora durante la veglia! Corri, corri nella tua cella a prendere il lume, anzi tutti e due quelli che abbiamo nascosto. Non farti vedere, e raggiungimi subito in chiesa! Non fare domande, vai!"

Andai senza far domande. Le lampade erano sotto il mio pagliericcio, colme di olio, perché avevo già provveduto a nutrirle. Avevo l'acciarino nel saio. Con i due preziosi strumenti al petto corsi alla chiesa.

Guglielmo era sotto il tripode e stava rileggendo la pergamena con gli appunti di Venanzio.

"Adso," mi disse, "primum et septimum de quatuor non significa il primo e il settimo dei quattro, ma *del quattro*, della parola quattro!" Non capivo ancora, poi ebbi una illuminazione: "Super thronos viginti quatuor! La scritta! Il versetto! Le parole che sono incise sopra lo specchio!''

"Andiamo!" disse Guglielmo, "forse possiamo ancora salvare una vita!''

"Di chi?" chiesi mentre egli stava già armeggiando intorno ai teschi e aprendo il passaggio all'ossario.

"Di uno che non se lo merita," disse. Ed eravamo già nel cunicolo sotterraneo, i lumi accesi, verso la porta che conduceva alla cucina.

Ho già detto che a quel punto si spingeva una porta di legno e ci si ritrovava in cucina dietro al camino, ai piedi della scala a chiocciola che immetteva nello scriptorium. E proprio mentre spingevamo la porta, udimmo alla nostra sinistra dei rumori sordi nel muro. Venivano dalla parete al fianco della porta, su cui terminava la fila dei loculi coi teschi e le ossa. A quel punto, in luogo dell'ultimo loculo, vi era un tratto di parete piena, di grandi e quadrati blocchi di pietra, con una vecchia lapide al centro, che portava incisi sbiaditi monogrammi. I colpi venivano, pareva, da dietro la lapide, oppure da sopra la lapide, parte dietro la parete, parte quasi sopra la nostra testa.

Se un simile accadimento si fosse prodotto la prima notte avrei subito pensato ai monaci morti. Ma ormai ero pronto ad attendermi di peggio dai monaci vivi. "Chi sarà?" chiesi.

Guglielmo aprì la porta e uscì dietro al camino. I colpi, si udivano anche lungo la parete che costeggiava la scala a chiocciola, come se qualcuno fosse prigioniero nel muro, ovvero in quello spessore di parete (invero vasto) che si poteva presumere consistesse tra il muro interno della cucina e l'esterno del torrione meridionale.

"C'è qualcuno chiuso qui dentro," disse Guglielmo. "Mi ero sempre chiesto se non vi fosse un altro accesso al finis Africae, in questo Edificio così pieno di passaggi. Evidentemente c'è; dall'ossario, prima di salire in cucina, si apre un tratto di parete e si sale per una scala parallela a questa, nascosta nel muro, fuoriuscendo direttamente nella stanza murata.''

"Ma chi c'è ora dentro?"

"La seconda persona. Una è nel finis Africae, un'altra ha cercato di raggiungerla, ma quella in alto deve avere bloccato il meccanismo che regola entrambe le entrate. Così il visitatore è rimasto intrappolato. E deve agitarsi molto perché, immagino, in quel budello non passerà molta aria.''

"E chi è? Salviamolo!"

"Chi sia lo vedremo tra poco. E quanto a salvarlo, lo si

potrà fare solo sbloccando il meccanismo dall'alto, perché da questa parte non conosciamo il segreto. Quindi saliamo svelti."

Così facemmo, salimmo allo scriptorium, e di lì al labirinto, e raggiungemmo in breve il torrione meridionale. Dovetti per ben due volte arrestare il mio impeto, perché il vento che quella sera penetrava dalle feritoie, creava correnti che, insinuandosi in quei meati, percorrevano gemendo le stanze, alitando sui fogli sparsi sui tavoli, e dovevo proteggere la fiamma con la mano.

Fummo in breve alla stanza dello specchio, ormai preparati al gioco deformante che ci attendeva. Alzammo le lampade e illuminammo i versetti che sovrastavano la cornice, super thronos viginti quatuor... Ormai il segreto era chiarito: la parola quatuor ha sette lettere, occorreva agire sulla *q* e sulla *r*. Pensai, eccitato, di farlo io: posai rapidamente la lampada sul tavolo al centro della stanza, compii il gesto nervosamente, la fiamma andò a lambire la legatura di un libro che vi era posato.

"Attento sciocco!" gridò Guglielmo, e con un soffio spense la fiamma. "Vuoi mettere a fuoco la biblioteca?"

Mi scusai e feci per riaccendere il lume. "Non importa," disse Guglielmo, "basta il mio. Prendilo e fammi luce, perché la scritta è troppo alta e tu non ci arriveresti. Facciamo presto."

"E se ci fosse dentro qualcuno armato?" chiesi, mentre Guglielmo, quasi a tastoni, cercava le lettere fatali, alzandosi in punta di piedi, alto come era, per toccare il versetto apocalittico.

"Fai luce, per il demonio, e non temere, Dio è con noi!" mi rispose piuttosto incoerentemente. Le sue dita stavano toccando la *q* di quatuor, e io che stavo qualche passo indietro vedevo meglio di lui quanto stesse facendo. Ho già detto che le lettere dei versetti sembravano intagliate o incise nel muro: evidentemente quelle della parola quatuor erano costituite da sagome di metallo, dietro alle quali era incassato e murato un prodigioso meccanismo. Perché, quando fu spinta in avanti, la *q* fece udire come uno scatto secco, e lo stesso accadde quando Guglielmo agì sulla *r*. L'intera cornice dello specchio ebbe come un sobbalzo, e la superficie vitrea scattò all'indietro. Lo specchio era una porta, incardinata sul lato sinistro. Guglielmo inserì la mano nell'apertura che si era creata tra il bordo destro e il muro, e tirò verso di sé. Cigolando la porta si aprì verso di noi. Guglielmo si insinuò nell'apertura e io scivolai dietro di lui, il lume alto sopra la testa.

Due ore dopo compieta, alla fine del sesto giorno, nel cuore della notte che dava inizio al settimo giorno, eravamo penetrati nel finis Africae.

SETTIMO GIORNO

Settimo giorno
NOTTE

Dove, a riassumere le rivelazioni prodigiose di cui qui si parla, il titolo dovrebbe essere lungo quanto il capitolo, il che è contrario alle consuetudini.

Ci trovammo sulla soglia di una stanza simile per forma alle altre tre stanze cieche eptagonali, in cui dominava un forte odore di chiuso e di libri macerati dall'umidità. Il lume che tenevo alto illuminò dapprima la volta, poi mossi il braccio verso il basso, a destra e a sinistra, e la fiamma alitò vaghi chiarori sugli scaffali lontani, lungo le pareti. Infine vedemmo al centro un tavolo, colmo di carte, e dietro al tavolo, una figura seduta, che pareva attenderci immobile al buio, se pure era ancora viva. Prima ancora che la luce illuminasse il suo volto, Guglielmo parlò.

"Felice notte, venerabile Jorge," disse. "Ci attendevi?"

La lampada ora, avanzati noi di qualche passo, rischiarava il volto del vecchio, che ci guardava come se vedesse.

"Sei tu, Guglielmo da Baskerville?" chiese. "Ti attendevo da oggi pomeriggio prima di vespro, quando venni a rinchiudermi qui. Sapevo che saresti arrivato."

"E l'Abate?" chiese Guglielmo. "È lui che si agita nella scala segreta?" Jorge ebbe un attimo di esitazione: "È ancora vivo?" domandò. "Credevo che gli fosse già mancata l'aria."

"Prima che iniziamo a parlare," disse Guglielmo, "vorrei salvarlo. Tu puoi aprire da questa parte."

"No," disse Jorge con stanchezza, "non posso più. Il meccanismo si manovra dal basso premendo sulla lapide, e qui sopra scatta una leva che apre una porta là in fondo, dietro a quell'armadio," e accennò alle sue spalle. "Potresti vedere accanto all'armadio una ruota con dei contrappesi, che governa il meccanismo da quassù. Ma quando da qui ho udito la ruota girare, segno che Abbone era entrato da sotto, ho dato uno strappo alla corda che sostiene i pesi, e la corda si è spezzata. Ora il passaggio è chiuso, da ambo le parti, e non potresti riannodare i fili di quel congegno. L'Abate è morto."

"Perché lo hai ucciso?"

"Oggi quando mi ha mandato a chiamare mi ha detto che grazie a te aveva scoperto tutto. Non sapeva ancora cosa io avessi cercato di proteggere, non ha mai compreso esattamente quali fossero i tesori, e i fini della biblioteca. Mi ha chiesto di spiegargli ciò che non sapeva. Voleva che il finis Africae venisse aperto. Il gruppo degli italiani gli aveva domandato di porre fine a quello che essi chiamano il mistero alimentato da me e dai miei predecessori. Sono agitati dalla cupidigia di cose nuove..."

"E tu devi avergli promesso che saresti venuto qui e avresti posto fine alla tua vita come avevi posto fine a quella degli altri, in modo che l'onore dell'abbazia fosse salvo e nessuno sapesse nulla. Poi gli hai indicato la strada per venire, più tardi, a controllare. Invece lo attendevi, per uccidere lui. Non pensavi che potesse entrare dallo specchio?"

"No, Abbone è piccolo di statura, non sarebbe stato capace di arrivare da solo al versetto. Gli ho indicato questo passaggio, che io solo ancora conoscevo. È quello che ho usato io per tanti anni, perché era più semplice, al buio. Bastava arrivare alla cappella, e poi seguire le ossa dei morti, sino alla fine del passaggio."

"Così lo hai fatto venire qui sapendo che lo avresti ucciso..."

"Non potevo più fidarmi neppure di lui. Era spaventato. Era diventato celebre perché a Fossanova era riuscito a far discendere un corpo lungo una scala a chiocciola. Ingiusta gloria. Ora è morto perché non è più riuscito a far salire il suo."

"Lo hai usato per quarant'anni. Quando ti sei accorto che stavi diventando cieco e non avresti potuto continuare a controllare la biblioteca, hai lavorato accortamente. Hai fatto eleggere abate un uomo di cui potevi fidarti, e hai fatto nominare bibliotecario prima Roberto da Bobbio, che potevi istruire a tuo piacimento, poi Malachia, che aveva bisogno del tuo aiuto e non faceva un passo senza consultarsi con te. Per quarant'anni sei stato il padrone di questa abbazia. È questo che il gruppo degli italiani aveva capito, è questo che Alinardo ripeteva, ma nessuno gli dava ascolto perché lo ritenevano ormai demente, vero? Però tu attendevi ancora me, e non avresti potuto bloccare l'ingresso dello specchio, perché il meccanismo è murato. Perché mi aspettavi, come facevi a essere sicuro che sarei arrivato?'' Guglielmo chiedeva, ma dal suo tono si capiva che egli indovinava già la risposta, e la attendeva come un premio alla propria abilità.

''Sin dal primo giorno ho capito che tu avresti capito. Dalla tua voce, dal modo in cui mi hai condotto a dibattere su ciò di cui non volevo si parlasse. Eri meglio degli altri, ci saresti giunto comunque. Sai, basta pensare e ricostruire nella propria mente i pensieri dell'altro. E poi ho sentito che facevi domande agli altri monaci, tutte giuste. Ma non facevi mai domande sulla biblioteca, come se ormai ne conoscessi ogni segreto. Una notte sono venuto a bussare alla tua cella, e tu non c'eri. Eri certamente qui. Erano scomparse due lampade dalla cucina, l'ho sentito dire da un servo. E infine, quando Severino è venuto a parlarti di un libro, l'altro giorno nel nartece, sono stato sicuro che eri sulla mia stessa traccia.''

''Ma sei riuscito a sottrarmi il libro. Sei andato da Malachia, che sino ad allora non aveva capito nulla. Agitato dalla sua gelosia, lo stolto continuava a essere ossessionato dall'idea che Adelmo gli avesse rapito il suo adorato Berengario, che ormai voleva carne più giovane della sua. Non capiva cosa c'entrasse Venanzio con questa storia, e tu gli hai confuso ancora più le idee. Gli hai detto che Berengario aveva avuto un rapporto con Severino, e che per compensarlo gli aveva dato un libro del finis Africae. Non so esattamente cosa gli hai detto. Malachia è andato da Severino, folle di gelosia, e lo ha ucciso. Poi non ha fatto in tempo a cercare il libro che tu gli avevi descritto, perché è arrivato il cellario. È andata così?''

''Più o meno.''

''Ma tu non volevi che Malachia morisse. Lui non aveva probabilmente mai guardato i libri del finis Africae, si fidava di te, ubbidiva ai tuoi interdetti. Lui si limitava a predisporre alla sera le erbe per spaventare gli eventuali curiosi. Gliele forniva Severino. Per questo quel giorno Severino lasciò entrare Malachia nell'ospedale, era la sua visita giornaliera per prelevare le erbe fresche, che lui preparava ogni giorno, per ordine dell'Abate. Ho indovinato?''

''Hai indovinato. Non volevo che Malachia morisse. Gli dissi di ritrovare il libro, in ogni modo, e di riporlo qui, senza aprirlo. Gli dissi che aveva il potere di mille scorpioni. Ma per la prima volta il dissennato volle agire di propria iniziativa. Non lo volevo morto, era un esecutore fedele. Ma non ripetermi cosa sai, lo so che sai. Non voglio nutrire il tuo orgoglio, ci pensi già da te stesso. Ti ho udito stamane nello scriptorium interrogare Bencio sulla *Coena Cypriani*. Eri vicinissimo alla verità. Non so come tu abbia scoperto il segreto dello specchio, ma quando ho saputo dall'Abate che tu gli avevi accennato al finis Africae ero sicuro che entro breve ci saresti giunto. Per questo ti aspettavo. E ora cosa vuoi?"

"Voglio vedere," disse Guglielmo, "l'ultimo manoscritto del volume rilegato che raccoglie un testo arabo, uno siriano e una interpretazione o trascrizione della *Coena Cypriani*. Voglio vedere quella copia in greco, fatta probabilmente da un arabo, o da uno spagnolo, che tu hai trovato quando, aiuto di Paolo da Rimini, hai ottenuto che ti mandassero nel tuo paese a raccogliere i più bei manoscritti delle Apocalissi di Leon e Castiglia, un bottino che ti ha reso famoso e stimato qui all'abbazia e ti ha fatto ottenere il posto di bibliotecario, mentre spettava ad Alinardo, di dieci anni più vecchio di te. Voglio vedere quella copia greca scritta su carta di panno, che allora era molto rara, e se ne fabbricava proprio a Silos, vicino a Burgos, tua patria. Voglio vedere il libro che tu hai sottratto laggiù, dopo averlo letto, perché non volevi che altri lo leggesse, e che hai nascosto qui, proteggendolo in modo accorto, e che non hai distrutto perché un uomo come te non distrugge un libro, ma soltanto lo custodisce e provvede a che nessuno lo tocchi. Voglio vedere il secondo libro della Poetica di Aristotele, quello che tutti ritenevano perduto o mai scritto, e di cui tu custodisci forse l'unica copia."

"Quale magnifico bibliotecario saresti stato, Guglielmo," disse Jorge, con un tono insieme di ammirazione e rammarico. "Così sai proprio tutto. Vieni, credo ci sia uno sgabello dalla tua parte del tavolo. Siedi, ecco il tuo premio."

Guglielmo si sedette e posò il lume, che gli avevo passato, illuminando dal basso il volto di Jorge. Il vecchio prese un volume che aveva davanti e glielo passò. Io riconobbi la rilegatura, era quello che avevo aperto nell'ospedale, credendolo un manoscritto arabo.

"Leggi, allora, sfoglia, Guglielmo," disse Jorge. "Hai vinto."

Guglielmo guardò il volume, ma non lo toccò. Trasse dal saio un paio di guanti, non i suoi con la punta delle dita scoperte, ma quelli che indossava Severino quando lo avevamo trovato morto. Aprì lentamente la rilegatura consunta e fragile. Io mi avvicinai e mi chinai sopra la sua spalla. Jorge col suo udito finissimo udì il rumore che facevo. Disse: "Ci sei anche tu, ragazzo? Lo farò vedere anche a te... dopo."

Guglielmo scorse rapidamente le prime pagine. "È un manoscritto arabo sui detti di qualche stolto, secondo il catalogo," disse. "Di cosa tratta?"

"Oh, sciocche leggende degli infedeli, dove si ritiene che gli stolti abbiano dei motti arguti che stupiscono anche i loro sacerdoti ed entusiasmano i loro califfi..."

"Il secondo è un manoscritto siriaco, ma secondo il catalogo traduce un libello egiziano di alchimia. Come mai si trova raccolto qui?"

"È un'opera egiziana del terzo secolo della nostra era. Coerente con l'opera che segue, ma meno pericolosa. Nessuno porrebbe orecchio ai vaneggiamenti di un alchimista africano. Attribuisce la creazione del mondo al riso divino..." Alzò il volto e recitò, con la sua prodigiosa memoria di lettore che da ormai quarant'anni ripeteva a se stesso cose lette quando aveva ancora il bene della vista: "Appena Dio rise nacquero sette dèi che governarono il mondo, appena scoppiò a ridere apparve la luce, alla seconda risata apparve l'acqua, e al settimo giorno che egli rideva apparve l'anima... Follie. E anche lo scritto che viene dopo, di uno degli innumerevoli stupidi che si misero a chiosare la *Coena*... Ma non sono questi che ti interessano."

Guglielmo infatti aveva fatto passare rapidamente le pagine ed era arrivato al testo greco. Vidi subito che i fogli erano di materia diversa e più molle, quasi strappato il primo, con una parte del margine mangiato, cosparso di macchie pallide, come di solito il tempo e l'umidità producono su altri libri. Guglielmo lesse le prime righe, prima in greco, poi traducendo in latino e continuando poi in questa lingua, in modo che anch'io potei apprendere come iniziava il libro fatale.

Nel primo libro abbiamo trattato della tragedia e di come essa suscitando pietà e paura produca la purificazione di tali sentimenti. Come avevamo promesso, trattiamo ora della commedia (nonché della satira e del mimo) e di come suscitando il piacere del ridicolo essa pervenga alla purificazione di tale passione. Di quanto tale passione sia degna di considerazione abbiamo già detto nel libro sull'anima, in quanto — solo tra tutti gli animali — l'uomo è capace di ridere. Definiremo dunque di quale tipo di azioni sia mimesi la commedia, quindi esamineremo i modi in cui la commedia suscita il riso, e questi modi sono i fatti e l'eloquio. Mostreremo come il ridicolo dei fatti nasca dalla assimilazione del migliore al peggiore e viceversa, dal sorprendere ingannando, dall'impossibile e dalla violazione delle leggi di natura, dall'irrilevante e dall'inconseguente, dall'abbassamento dei personaggi, dall'uso delle pantomime buffonesche e volgari, dalla disarmonia, dalla scelta delle cose meno degne. Mostreremo quindi come il ridicolo dell'eloquio nasca dagli equivoci tra parole simili per cose diverse e diverse per cose simili, dalla garrulità e dalla ripetizione, dai giochi di parole, dai diminutivi, dagli errori di pronuncia e dai barbarismi...

Guglielmo traduceva a fatica, cercando le parole giuste, arrestandosi a tratti. Traducendo sorrideva, come se riconoscesse cose che si attendeva di trovare. Lesse ad alta voce la prima pagina, poi smise, come se non gli interessasse sapere altro, e sfogliò in fretta le pagine seguenti: ma dopo alcuni fogli incontrò una resistenza, perché presso il margine laterale superiore, e lungo il taglio, i fogli erano uniti l'uno con l'altro, come accade quando — inumiditasi e deterioratasi — la materia cartacea forma una sorta di glutine colloso. Jorge avvertì che il fruscio dei fogli smossi era cessato, e incitò Guglielmo.

"Su, leggi, sfoglia. È tuo, te lo sei meritato."

Guglielmo rise, e pareva piuttosto divertito: "Allora non è vero che mi ritieni così acuto, Jorge! Tu non lo vedi, ma ho i guanti. Con le dita così impacciate non riesco a distaccare i fogli l'uno dall'altro. Dovrei procedere a mani nude, inumidirmi le dita sulla lingua, come mi è accaduto di fare stamane leggendo nello scriptorium, così che di colpo anche questo mistero mi fu chiaro, e dovrei seguitare a sfogliare così, sino a che il veleno non mi sia passato in bocca in buona misura. Dico il veleno che tu un giorno, tempo fa, hai sottratto al laboratorio di Severino, forse già allora preoccupato perché avevi udito qualcuno nello scriptorium manifestare delle curiosità, o sul finis Africae o sul libro perduto di Aristotele, o su entrambi. Credo che tu abbia custodito l'ampolla a lungo, riservandoti di farne uso quando avessi avvertito un pericolo. E lo hai avvertito giorni fa, quando da un lato Venanzio arrivò troppo vicino al tema di questo libro, e Berengario, per leggerezza, per vanagloria, per impressionare Adelmo, si rivelò meno segreto di quello che tu speravi. Allora sei venuto e hai predisposto la tua trappola. Giusto in tempo perché qualche notte dopo Venanzio penetrò qui, sottrasse il libro, lo sfogliò con ansia, con voracità quasi fisica. Si sentì male entro breve, e corse a cercare aiuto in cucina. Dove morì. Sbaglio?"

"No, va avanti."

"Il resto è semplice. Berengario trova il corpo di Venanzio in cucina, teme che ne nasca una indagine, perché in fondo Venanzio era di notte nell'Edificio come conseguenza della sua prima rivelazione ad Adelmo. Non sa come fare, si carica il corpo in spalla e lo butta nell'orcio del sangue, pensando che tutti si convincessero che era annegato."

"E tu come sai che avvenne così?"

"Lo sai anche tu, ho visto come hai reagito quando trovarono un panno sporco di sangue da Berengario. Col panno quello sconsiderato si era pulito le mani dopo che aveva messo Venanzio nel sangue. Ma poiché era scomparso, Berengario non poteva che essere scomparso col libro che ormai aveva incuriosito anche lui. E tu ti attendevi che lo ritrovassero da qualche parte, non insanguinato, bensì avvelenato. Il resto è chiaro. Severino ritrova il libro, perché Berengario era andato dapprima nell'ospedale per leggerlo al riparo da occhi indiscreti. Malachia uccide Severino istigato da te, e muore quando torna qui per sapere cosa ci fosse di tanto proibito nell'oggetto che l'aveva fatto diventare assassino. Ecco che abbiamo una spiegazione per tutti i cadaveri... Che stupido..."

"Chi?"

"Io. A causa di una frase di Alinardo mi ero convinto che la serie dei delitti seguisse il ritmo delle sette trombe dell'Apocalisse. La grandine per Adelmo, ed era un suicidio. Il sangue per Venanzio, ed era stata una idea bizzarra di Berengario; l'acqua per Berengario stesso, ed era stato un fatto casuale; la terza parte del cielo per Severino, e Malachia aveva colpito con la sfera armillare perché era l'unica cosa che si era trovato sottomano. Infine gli scorpioni per Malachia... Perché gli hai detto che il libro aveva la forza di mille scorpioni?"

"A causa tua. Alinardo mi aveva comunicato la sua idea, poi avevo udito da qualcuno che anche tu l'avevi trovata persuasiva... Allora mi sono convinto che un piano divino regolava queste scomparse di cui io non ero responsabile. E annunciai a Malachia che se fosse stato curioso sarebbe perito secondo lo stesso piano divino, come infatti è avvenuto."

"È così allora... Ho fabbricato uno schema falso per interpretare le mosse del colpevole e il colpevole vi si è adeguato. Ed è proprio questo schema falso che mi ha messo sulle tue tracce. Ai tempi nostri ciascuno è ossessionato dal libro di Giovanni, ma tu mi parevi quello che maggiormente vi meditasse, e non tanto per le tue speculazioni sull'Anticristo ma perché venivi dal paese che ha prodotto le Apocalissi più splendide. Un giorno qualcuno mi ha detto che i codici più belli di questo libro, in biblioteca, erano stati portati da te. Poi un giorno Alinardo vaneggiò di un suo misterioso nemico che era stato a cercare libri a Silos (mi incuriosì il fatto che disse che era tornato anzitempo nel regno delle tenebre: sul momento si poteva pensare che volesse dire che era morto giovane, invece alludeva alla tua cecità). Silos è vicino a Burgos, e stamane nel catalogo ho trovato una serie di acquisizioni che concernevano tutte le apocalissi ispaniche, nel periodo in cui tu eri succeduto o stavi per succedere a Paolo da Rimini. E in quel gruppo di acquisizioni vi era anche questo libro. Ma non potevo essere sicuro di quanto avevo ricostruito, sino a che non appresi che il libro rubato era in carta di panno. Allora mi ricordai di Silos, e fui sicuro. Naturalmente mano a mano che prendeva forma l'idea di questo libro e del suo potere venefico, si sfaldava l'idea dello schema apocalittico, eppure non riuscivo a capire come il libro e la sequenza delle trombe portassero entrambi a te, e ho capito meglio la storia del libro proprio in quanto, indirizzato dalla sequenza apocalittica, ero obbligato a pensare a te, e alle tue discussioni sul riso. Tanto che questa sera, quando allo schema apocalittico non credevo ormai più, insistetti per controllare le stalle, dove mi attendevo lo squillo della sesta tromba, e proprio alle stalle, per puro caso, Adso mi ha fornito la chiave per entrare nel finis Africae."

"Non ti seguo," disse Jorge. "Sei orgoglioso di mostrarmi come seguendo la tua ragione sei giunto sino a me e però mi dimostri che ci sei arrivato seguendo una ragione sbagliata. Cosa vuoi dirmi?"

"Nulla, a te. Sono sconcertato, ecco tutto. Ma non importa. Sono qui."

"Il Signore suonava le sette trombe. E tu, sia pure nel tuo errore, hai udito una eco confusa di quel suono."

"Questo lo hai già detto nella predica di ieri sera. Cerchi di convincerti che tutta questa storia abbia proceduto secondo un disegno divino per celare a te stesso il fatto che sei un assassino."

"Io non ho ucciso nessuno. Ciascuno è caduto seguendo il suo destino a causa dei suoi peccati. Io sono stato solo uno strumento."

"Ieri hai detto che anche Giuda fu uno strumento. Ciò non toglie che sia stato dannato."

"Accetto il rischio della dannazione. Il Signore mi assolverà, perché sa che ho agito per la sua gloria. Il mio dovere era proteggere la biblioteca."

"Ancora pochi momenti fa eri pronto a uccidere anche me, e anche questo ragazzo..."

"Sei più sottile, ma non migliore degli altri."

"E ora che accadrà, ora che ho sventato l'insidia?"

"Lo vedremo," rispose Jorge. "Non voglio necessariamente la tua morte. Forse riuscirò a convincerti. Ma dimmi prima, come hai indovinato che si trattava del secondo libro di Aristotele?"

"Non mi sarebbero bastati certo i tuoi anatemi contro il riso, né il poco che ho saputo sulla discussione che avesti con gli altri. Sono stato aiutato da alcuni appunti lasciati da Venanzio. Non capivo a tutta prima cosa volessero dire. Ma c'erano alcuni riferimenti a una pietra svergognata che rotola per la pianura, alle cicale che canteranno da sotto la terra, ai venerandi fichi. Avevo già letto qualcosa del genere: ho controllato in questi giorni. Sono esempi che Aristotele faceva già nel primo libro della Poetica, e nella Retorica. Poi mi sono ricordato che Isidoro da Siviglia definisce la commedia come qualcosa che racconta stupra virginum et amores meretricum... Piano piano mi si è disegnato nella mente questo secondo libro come avrebbe dovuto essere. Te lo potrei raccontare quasi tutto, senza leggere le pagine che dovrebbero infettarmi. La commedia nasce nelle komai ovvero nei villaggi dei contadini, come celebrazione giocosa dopo un pasto o una festa. Non racconta degli uomini famosi e potenti, ma di esseri vili e ridicoli, non malvagi, e non termina con la morte dei protagonisti. Raggiunge l'effetto di ridicolo mostrando, degli uomini comuni, i difetti e i vizi. Qui Aristotele vede la disposizione al riso come una forza buona, che può avere anche un valore conoscitivo, quando attraverso enigmi arguti e metafore inattese, pur dicendoci le cose diverse da ciò che sono, come se mentisse, di fatto ci obbliga a guardarle meglio, e ci fa dire: ecco le cose stavano proprio così, e io non lo sapevo. La verità raggiunta attraverso la rappresentazione degli uomini, e del mondo, peggiori di quello che sono o di quello che li crediamo, peggiori in ogni caso di come i poemi eroici, le tragedie, le vite dei santi ce li hanno mostrati. È così?"

"Abbastanza. L'hai ricostruito leggendo altri libri?"

"Su molti dei quali stava lavorando Venanzio. Credo che Venanzio fosse da tempo alla ricerca di questo libro. Deve aver letto sul catalogo le indicazioni che ho letto anch'io ed essersi convinto che quello era il libro che lui cercava. Ma non sapeva come entrare nel finis Africae. Quando ha udito Berengario parlarne ad Adelmo, allora si è lanciato come il cane sulla pista di una lepre.''

''È stato così, me ne resi conto subito. Capii che era arrivato il momento che avrei dovuto difendere la biblioteca coi denti...''

''E hai dato l'unguento. Devi aver fatto fatica... al buio.''

''Ormai vedono più le mie mani che i tuoi occhi. A Severino avevo sottratto anche un pennello. E ho usato anch'io i guanti. È stata una bella idea, vero? Ci hai messo molto ad arrivarci...''

''Sì. Io pensavo a un congegno più complesso, a un dente avvelenato o a qualcosa di simile. Devo dire che la tua soluzione era esemplare, la vittima si avvelenava da sola, e proprio nella misura in cui voleva leggere...''

Mi resi conto, con un brivido, che in quel momento quei due uomini, schierati per una lotta mortale, si ammiravano a vicenda, come se ciascuno avesse agito solo per ottenere il plauso dell'altro. La mia mente fu attraversata dal pensiero che le arti dispiegate da Berengario per sedurre Adelmo, e i gesti semplici e naturali con cui la fanciulla aveva suscitato la mia passione e il mio desiderio, erano nulla, quanto ad astuzia, e forsennata abilità nel conquistare l'altro, di fronte alla vicenda di seduzione che si svolgeva sotto i miei occhi in quel momento, e che si era dipanata lungo sette giorni, ciascuno dei due interlocutori dando, per così dire, misteriosi convegni all'altro, ciascuno segretamente aspirando all'approvazione dell'altro, che temeva e odiava.

''Ma ora dimmi,'' stava dicendo Guglielmo, ''perché? Perché hai voluto proteggere questo libro più di tanti altri? Perché nascondevi, ma non a prezzo del delitto, trattati di negromanzia, pagine in cui si bestemmiava, forse, il nome di Dio, ma per queste pagine hai dannato i tuoi fratelli e hai dannato te stesso? Ci sono tanti altri libri che parlano della commédia, tanti altri ancora che contengono l'elogio del riso. Perché questo ti incuteva tanto spavento?''

''Perché era del Filosofo. Ogni libro di quell'uomo ha distrutto una parte della sapienza che la cristianità aveva accumulato lungo i secoli. I padri avevano detto ciò che occorreva sapere sulla potenza del Verbo, ed è bastato che Boezio commentasse il Filosofo perché il mistero divino del Verbo si trasformasse nella parodia umana delle categorie e del sillogismo. Il libro del Genesi dice quello che bisogna sapere sulla composizione del cosmo, ed è bastato che si riscoprissero i libri fisici del Filosofo, perché l'universo fosse ripensato in termini di materia sorda e viscida, e perché l'arabo Averroè quasi convincesse tutti della eternità del mondo. Sapevamo tutto sui nomi divini, e il domenicano seppellito da Abbone — sedotto dal Filosofo — li ha rinominati seguendo i sentieri orgogliosi della ragione naturale. Così il cosmo, che per l'Areopagita si manifestava a chi sapesse guardare in alto la cascata luminosa della causa prima esemplare, è diventato una riserva di indizi terrestri dai quali si risale per nominare una astratta efficienza. Prima guardavamo al cielo, degnando di uno sguardo corrucciato la melma della materia, ora guardiamo alla terra, e crediamo al cielo sulla testimonianza della terra. Ogni parola del Filosofo, su cui ormai giurano anche i santi e i pontefici, ha capovolto l'immagine del mondo. Ma egli non era giunto a capovolgere l'immagine di Dio. Se questo libro diventasse... fosse diventato materia di aperta interpretazione, avremmo varcato l'ultimo limite.''

''Ma cosa ti ha spaventato in questo discorso sul riso? Non elimini il riso eliminando questo libro.''

''No, certo. Il riso è la debolezza, la corruzione, l'insipidità della nostra carne. È il sollazzo per il contadino, la licenza per l'avvinazzato, anche la chiesa nella sua saggezza ha concesso il momento della festa, del carnevale, della fiera, questa polluzione diurna che scarica gli umori e trattiene da altri desideri e da altre ambizioni... Ma così il riso rimane cosa vile, difesa per i semplici, mistero dissacrato per la plebe. Lo diceva anche l'apostolo, piuttosto di bruciare, sposatevi. Piuttosto di ribellarvi all'ordine voluto da Dio, ridete e dilettatevi delle vostre immonde parodie dell'ordine, alla fine del pasto, dopo che avete vuotato le brocche e i fiaschi. Eleggete il re degli stolti, perdetevi nella liturgia dell'asino e del maiale, giocate a rappresentare i vostri saturnali a testa in giù... Ma qui, qui...'' ora Jorge batteva il dito sul tavolo, vicino al libro che Guglielmo teneva davanti, ''qui si ribalta la funzione del riso, lo si eleva ad arte, gli si aprono le porte del mondo dei dotti, se ne fa oggetto di filosofia, e di perfida teologia... Tu hai visto ieri come i semplici possono concepire, e mettere in atto, le più torbide eresie, disconoscendo e le leggi di Dio e le leggi della natura. Ma la chiesa può sopportare l'eresia dei semplici, i quali si condannano da soli, rovinati dalla loro ignoranza. La incolta dissennatezza di Dolcino e dei suoi pari non porrà mai in crisi l'ordine divino. Predicherà violenza e morirà di violenza, non lascerà traccia, si consumerà così come si consuma il carnevale, e non importa se durante la festa si sarà prodotta in terra, e per breve tempo, l'epifania del mondo alla rovescia. Basta che il gesto non si trasformi in disegno, che questo volgare non trovi un latino che lo traduca. Il riso libera il villano dalla paura del diavolo, perché nella festa degli stolti anche il diavolo appare povero e stolto, dunque controllabile. Ma questo libro potrebbe insegnare che liberarsi della paura del diavolo è sapienza. Quando ride, mentre il vino gli gorgoglia in gola, il villano si sente padrone, perché ha capovolto i rapporti di signoria: ma questo libro potrebbe insegnare ai dotti gli artifici arguti, e da quel momento illustri, con cui legittimare il capovolgimento. Allora si trasformerebbe in operazione dell'intelletto quello che nel gesto irriflesso del villano è ancora e fortunatamente operazione del ventre. Che il riso sia proprio dell'uomo è segno del nostro limite di peccatori. Ma da questo libro quante menti corrotte come la tua trarrebbero l'estremo sillogismo, per cui il riso è il fine dell'uomo! Il riso distoglie, per alcuni istanti, il villano dalla paura. Ma la legge si impone attraverso la paura, il cui nome vero è timor di Dio. E da questo libro potrebbe partire la scintilla luciferina che appiccherebbe al mondo intero un nuovo incendio: e il riso si disegnerebbe come l'arte nuova, ignota persino a Prometeo, per annullare la paura. Al villano che ride, in quel momento, non importa di morire: ma poi, cessata la sua licenza, la liturgia gli impone di nuovo, secondo il disegno divino, la paura della morte. E da questo libro potrebbe nascere la nuova e distruttiva aspirazione a distruggere la morte attraverso l'affrancamento dalla paura. E cosa saremmo, noi creature peccatrici, senza la paura, forse il più provvido, e affettuoso dei doni divini? Per secoli i dottori e i padri hanno secreto profumate essenze di santo sapere per redimere, attraverso il pensiero di ciò che è alto, la miseria e la tentazione di ciò che è basso. E questo libro, giustificando come miracolosa medicina la commedia, e la satira e il mimo, che produrrebbero la purificazione dalle passioni attraverso la rappresentazione del difetto, del vizio, della debolezza, indurrebbe i falsi sapienti a tentar di redimere (con diabolico rovesciamento) l'alto attraverso l'accettazione del basso. Da questo libro deriverebbe il pensiero che l'uomo può volere sulla terra (come suggeriva il tuo Bacone a proposito della magìa naturale) l'abbondanza stessa del paese di Cuccagna. Ma è questo che non dobbiamo e non possiamo avere. Guarda i monacelli che si svergognano nella parodia buffonesca della *Coena Cypriani*. Quale diabolica trasfigurazione della sacra scrittura! Eppure nel farlo sanno che ciò è male. Ma il giorno che la parola del Filosofo giustificasse i giochi marginali della immaginazione sregolata, oh allora veramente ciò che stava a margine balzerebbe nel centro, e del centro si perderebbe ogni traccia. Il popolo di Dio si trasformerebbe in una assemblea di mostri eruttati dagli abissi della terra incognita, e in quel momento la periferia della terra conosciuta diventerebbe il cuore dell'impero cristiano, gli arimaspi sul trono di Pietro, i blemmi nei monasteri, i nani dal ventre grosso e dalla testa immensa a guardia della biblioteca! I servi a dettare la legge, noi (ma anche tu, allora) a ubbidire alla vacanza di ogni legge. Disse un filosofo greco (che il tuo Aristotele qui cita, complice e immonda auctoritas) che si deve smantellare la serietà degli avversari con il riso, e il riso avversare con la serietà. La prudenza dei nostri padri ha fatto la sua scelta: se il riso è il diletto della plebe, la licenza della plebe venga tenuta a freno e umiliata, e intimorita con la severità. E la plebe non ha armi per affinare il suo riso sino a farlo diventare strumento contro la serietà dei pastori che devono condurla alla vita eterna e sottrarla alle seduzioni del ventre, delle pudenda, del cibo, dei suoi sordidi desideri. Ma se qualcuno un giorno, agitando le parole del Filosofo, e quindi parlando da filosofo, portasse l'arte del riso a condizione di arma sottile, se alla retorica della convinzione si sostituisse la retorica dell'irrisione, se alla topica della paziente e salvifica costruzione delle immagini della redenzione si sostituisse la topica dell'impaziente decostruzione e dello stravolgimento di tutte le immagini più sante e venerabili — oh quel giorno anche tu e tutta la tua sapienza, Guglielmo, ne sareste travolti!''

''Perché? Mi batterei, la mia arguzia contro l'arguzia altrui. Sarebbe un mondo migliore di quello in cui il fuoco e il ferro rovente di Bernardo Gui umiliano il fuoco e il ferro rovente di Dolcino.''

''Saresti preso ormai tu stesso nella trama del demonio. Combatteresti dall'altra parte del campo dell'Armageddon, dove dovrà avvenire lo scontro finale. Ma per quel giorno la chiesa deve saper imporre ancora una volta la regola del conflitto. Non ci fa paura la bestemmia, perché anche nella maledizione di Dio riconosciamo l'immagine stranita dell'ira di Geova che maledice gli angeli ribelli. Non ci fa paura la violenza di chi uccide i pastori in nome di qualche fantasia di rinnovamento, perché è la stessa violenza dei principi che cercarono di distruggere il popolo di Israele. Non ci fa paura il rigore del donatista, la follia suicida del circoncellione, la lussuria del bogomilo, l'orgogliosa purezza dell'albigese, il bisogno di sangue del flagellante, la vertigine del male del fratello del libero spirito: li conosciamo tutti e conosciamo la radice dei loro peccati che è la radice stessa della nostra santità. Non ci fanno paura e soprattutto sappiamo come distruggerli, meglio, come lasciare che si distruggano da soli portando protervamente allo zenit la volontà di morte che nasce dagli abissi stessi del loro nadir. Anzi, vorrei dire, la loro presenza ci è preziosa, si iscrive nel disegno di Dio, perché il loro peccato incita la nostra virtù, la loro bestemmia incoraggia il nostro canto di lode, la loro sregolata penitenza regola il nostro gusto del sacrificio, la loro empietà fa risplendere la nostra pietà, così come il principe delle tenebre è stato necessario, con la sua ribellione e la sua disperazione, a far meglio rifulgere la gloria di Dio, principio e fine di ogni speranza. Ma se un giorno — e non più come eccezione plebea, ma come ascesi del dotto, consegnata alla testimonianza indistruttibile della scrittura — si facesse accettabile, e apparisse nobile, e liberale, e non più meccanica, l'arte dell'irrisione, se un giorno qualcuno potesse dire (ed essere ascoltato): io rido dell'Incarnazione... Allora non avremmo armi per arrestare quella bestemmia, perché essa chiamerebbe a raccolta le forze oscure della materia corporale, quelle che si affermano nel peto e nel rutto, e il rutto e il peto si arrogherebbero il diritto che è solo dello spirito, di spirare dove vuole!''

''Licurgo aveva fatto erigere una statua al riso.''

''Lo hai letto sul libello di Clorizio, che tentò di assolvere i mimi dalla accusa di empietà, che dice come un malato fu guarito da un medico che lo aveva aiutato a ridere. Perché bisognava guarirlo, se Dio aveva stabilito che la sua giornata terrena era giunta alla fine?''

''Non credo lo abbia guarito dal male. Gli ha insegnato a ridere del male.''

''Il male non si esorcizza. Si distrugge.''

''Col corpo del malato.''

''Se è necessario.''

''Tu sei il diavolo,'' disse allora Guglielmo.

Jorge parve non capire. Se fosse stato veggente direi che avrebbe fissato il suo interlocutore con sguardo attonito. ''Io?'' disse.

"Sì, ti hanno mentito. Il diavolo non è il principe della materia, il diavolo è l'arroganza dello spirito, la fede senza sorriso, la verità che non viene mai presa dal dubbio. Il diavolo è cupo perché sa dove va, e andando va sempre da dove è venuto. Tu sei il diavolo e come il diavolo vivi nelle tenebre. Se volevi convincermi, non ci sei riuscito. Io ti odio, Jorge, e se potessi ti condurrei giù, per il pianoro, nudo con penne di volatili infilate nel buco del culo, e la faccia dipinta come un giocoliere e un buffone, perché tutto il monastero ridesse di te, e non avesse più paura. Mi piacerebbe cospargerti di miele e poi avvoltolarti nelle piume, portarti al guinzaglio nelle fiere, per dire a tutti: costui vi annunciava la verità e vi diceva che la verità ha il sapore della morte, e voi non credevate alla sua parola, bensì alla sua tetraggine. E ora io vi dico che, nella infinita vertigine dei possibili, Dio vi consente anche di immaginarvi un mondo in cui il presunto interprete della verità altro non sia che un merlo goffo, che ripete parole apprese tanto tempo fa."

"Tu sei peggio del diavolo, minorita," disse allora Jorge. "Sei un giullare, come il santo che vi ha partoriti. Sei come il tuo Francesco che de toto corpore fecerat linguam, che teneva sermoni dando spettacoli come i saltimbanchi, che confondeva l'avaro mettendogli in mano monete d'oro, che umiliava la devozione delle suore recitando il *Miserere* invece della predica, che mendicava in francese, e imitava con un pezzo di legno i movimenti di chi suona il violino, che si travestiva da vagabondo per confondere i frati ghiottoni, che si gettava nudo sulla neve, parlava con gli animali e le erbe, trasformava lo stesso mistero della natività in spettacolo da villaggio, invocava l'agnello di Bethlehem imitando il belato della pecora... Fu una buona scuola... Non era minorita quel frate Diotisalvi da Firenze?"

"Sì," sorrise Guglielmo. "Quello che andò al convento dei predicatori e disse che non avrebbe accettato cibo se prima non gli avessero dato un pezzo della tunica di fra Giovanni, onde conservarla come reliquia, e quando l'ebbe vi si pulì il sedere e poi la gettò nel letamaio e con una pertica la rotolava nello sterco gridando: ahimè, aiutatemi fratelli perché ho perso nella latrina le reliquie del santo!"

"Ti diverte questa storia, mi pare. Forse vorrai raccontarmi anche quella dell'altro minorita, frate Paolo Millemosche, che un giorno è caduto lungo disteso sul ghiaccio e i suoi cittadini lo dileggiavano e uno gli chiese se non avrebbe voluto aver qualcosa di meglio sotto di sé, ed egli rispose a quello: sì, tua moglie... Così voi cercavate la verità.''

''Così Francesco insegnava alla gente a guardare le cose da un'altra parte.''

''Ma vi abbiamo disciplinati. Li hai visti ieri, i tuoi confratelli. Sono rientrati nelle nostre file, non parlano più come i semplici. I semplici non debbono parlare. Questo libro avrebbe giustificato l'idea che la lingua dei semplici sia portatrice di qualche saggezza. Questo occorreva impedire, questo io ho fatto. Tu dici che io sono il diavolo: non è vero. Io sono stato la mano di Dio.''

''La mano di Dio crea, non nasconde.''

''Ci sono dei confini al di là dei quali non è permesso andare. Dio ha voluto che su certe carte fosse scritto: hic sunt leones.''

''Dio ha creato anche i mostri. Anche te. E di tutto vuole che si parli.''

Jorge allungò le mani tremule e trasse a sé il libro. Lo teneva aperto, ma capovolto, in modo che Guglielmo continuasse a vederlo per il verso giusto. ''Allora perché,'' disse, ''ha lasciato che questo testo andasse perduto lungo il corso dei secoli, e se ne salvasse solo una copia, che la copia di quella copia, finita chissà dove, rimanesse seppellita per anni nelle mani di un infedele che non conosceva il greco, e poi giacesse abbandonata nel chiuso di una vecchia biblioteca dove io, non tu, io fui chiamato dalla provvidenza a trovarla, e a portarla con me, e a nasconderla per altri anni ancora? Io so, so come se lo vedessi scritto a lettere di diamante, coi miei occhi che vedono cose che tu non vedi, io so che questa era la volontà del Signore, interpretando la quale ho agito. Nel nome del Padre, del Figlio, e dello Spirito Santo.''

NOTTE

Dove avviene l'ecpirosi e a causa della troppa virtù prevalgono le forze dell'inferno.

Il vecchio tacque. Teneva ambo le mani aperte sul libro, quasi accarezzandone le pagine, come se stesse stendendo i fogli per leggerlo meglio, o volesse proteggerlo da una presa rapace.

"Tutto questo non è servito comunque a nulla," gli disse Guglielmo. "Ora è finita, ti ho trovato, ho trovato il libro, e gli altri sono morti invano."

"Non invano," disse Jorge. "Forse in troppi. E se mai ti fosse servita una prova che questo libro è maledetto, l'hai avuta. Ma non debbono essere morti invano. E affinché non siano morti invano, un'altra morte non sarà di troppo."

Disse, e incominciò con le sue mani scarnite e diafane a lacerare lentamente, a brani e a strisce, le pagine molli del manoscritto, ponendosele a brandelli in bocca, e masticando lentamente come se consumasse l'ostia e volesse farla carne della propria carne.

Guglielmo lo guardava affascinato e pareva non si rendesse conto di quanto avveniva. Poi si riscosse e si protese in avanti gridando: "Cosa fai?" Jorge sorrise scoprendo le gengive esangui, mentre una bava giallastra gli colava dalle labbra pallide sulla peluria bianca e rada del mento.

"Sei tu che attendevi il suono della settima tromba, non è vero? Ascolta ora cosa dice la voce: sigilla quello che han detto i sette tuoni e non lo scrivere, prendilo e divoralo, esso amareggerà il tuo ventre ma alla tua bocca sarà dolce come il miele. Vedi? Ora sigillo ciò che non doveva essere detto, nella tomba che divento."

Rise, proprio lui, Jorge. Per la prima volta lo udii ridere... Rise con la gola, senza che le labbra si atteggiassero a letizia, e quasi sembrava che piangesse: "Non te la attendevi, Guglielmo, questa conclusione, vero? Questo vecchio per grazia del Signore vince ancora, nevvero?'' E siccome Guglielmo cercava di sottrargli il libro, Jorge, che avvertì il gesto percependo la vibrazione dell'aria, si ritrasse stringendo il volume al petto con la sinistra, mentre con la destra continuava a stracciarne le pagine e a porsele in bocca.

Stava dall'altra parte del tavolo e Guglielmo, che non arrivava a toccarlo, tentò bruscamente di aggirare l'ostacolo. Ma fece cadere il suo scranno, impigliandovi la veste, in modo che Jorge ebbe modo di percepire il trambusto. Il vecchio rise ancora, questa volta più forte, e con insospettata rapidità protese la mano destra, a tentoni individuando il lume, guidato dal calore raggiunse la fiamma e vi premette sopra la mano, senza temere il dolore, e la fiamma si spense. La stanza piombò nell'oscurità e udimmo per l'ultima volta la risata di Jorge, che gridava: ''Trovatemi ora, perché ora sono io che vedo meglio!'' Poi tacque e non si fece più udire, muovendosi con quei passi silenziosi che rendevano sempre così inattese le sue apparizioni, e solo udivamo a tratti, in punti diversi della sala, il rumore della carta che si lacerava.

''Adso!'' gridò Guglielmo, ''stai sulla porta, non lasciare che esca!''

Ma aveva parlato troppo tardi perché io, che già da alcuni secondi fremevo dal desiderio di lanciarmi sul vecchio, al cader della tenebra mi ero buttato in avanti cercando di aggirare il tavolo dalla parte opposta a quella in cui si era mosso il mio maestro. Troppo tardi compresi che avevo dato modo a Jorge di guadagnare la porta, perché il vecchio sapeva dirigersi nel buio con straordinaria sicurezza. E infatti udimmo un rumore di carta lacerata alle nostre spalle, e abbastanza attutito, perché già proveniva dalla stanza attigua. E al tempo stesso udimmo un altro rumore, un cigolio stentato e progressivo, un gemere di cardini.

''Lo specchio!'' gridò Guglielmo, ''sta chiudendoci dentro!'' Guidati dal rumore, entrambi ci buttammo verso l'entrata; io inciampai in uno sgabello e mi contusi una gamba, ma non ci feci caso, perché in un lampo capii che se Jorge ci avesse rinchiusi non saremmo mai più usciti: al buio non avremmo trovato il modo di aprire, non sapendo da quella parte cosa si dovesse manovrare e come.

Credo che Guglielmo si muovesse con la mia stessa disperazione perché me lo sentii accanto mentre entrambi, raggiunta la soglia, ci spingevamo contro il retro dello specchio che si stava chiudendo verso di noi. Arrivammo in tempo, perché la porta si arrestò e poco dopo cedette, riaprendosi. Evidentemente Jorge avvertendo che il gioco era impari, si era allontanato. Uscimmo dalla stanza maledetta, ma ormai non sapevamo dove il vecchio si fosse diretto e il buio era sempre totale. A un tratto mi sovvenni:

"Maestro, ma io ho con me l'acciarino!"

"E allora cosa aspetti," gridò Guglielmo, "cerca la lampada e accendila!" Io mi gettai nel buio, indietro nel finis Africae, cercando il lume a tastoni. Vi riuscii subito, per miracolo divino, mi frugai nello scapolare, trovai l'acciarino, le mani mi tremavano e fallii due o tre volte prima di accenderlo, mentre Guglielmo ansimava dalla porta: "Presto, presto!" e finalmente feci luce.

"Presto," mi incitò ancora Guglielmo, "se no quello si mangia tutto l'Aristotele!"

"E muore!" gridai io angosciato, raggiungendolo e mettendomi con lui alla ricerca.

"Non mi importa se muore, il maledetto!" gridava Guglielmo figgendo gli occhi in giro e muovendosi in modo disordinato. "Tanto con quello che ha mangiato il suo destino è già segnato. Ma io voglio il libro!"

Poi si arrestò, e soggiunse con maggior calma: "Ferma. Se facciamo così non lo troveremo mai. Zitti e fermi un istante." Ci irrigidimmo in silenzio. E nel silenzio udimmo non molto lontano il rumore di un corpo che urtava un armadio, e il fracasso di alcuni libri che cadevano. "Di là!" gridammo insieme.

Corremmo in direzione dei rumori, ma subito ci rendemmo conto che dovevamo rallentare il passo. Infatti, fuori del finis Africae, la biblioteca era attraversata quella sera da refoli d'aria che sibilavano e gemevano in proporzione al forte vento esterno. Moltiplicati col nostro impeto, essi minacciavano di spegnere il lume, così duramente riconquistato. Non potendo noi accelerare, sarebbe stato d'uopo rallentare Jorge. Ma Guglielmo ebbe l'intuizione opposta e gridò: "Ti abbiamo preso vecchio, ora abbiamo la luce!" E fu saggia risoluzione, perché la rivelazione mise probabilmente in agitazione Jorge, che dovette accelerare il passo, compromettendo l'equilibrio di quella sua magica sensibilità di veggente delle tenebre. Infatti poco dopo udimmo un altro rumore e quando, seguendo il suono, entrammo nella sala Y di YSPANIA lo vedemmo, caduto a terra, il libro ancora tra le mani, mentre cercava di rialzarsi in mezzo ai volumi precipitati dal tavolo, che egli aveva urtato e rovesciato. Cercava di rialzarsi ma continuava a strappare le pagine, come per divorare quanto più in fretta potesse la sua preda.

Lo raggiungemmo che si era ormai levato e, sentendo la nostra presenza, ci fronteggiava arretrando. Il suo volto, al chiarore rosso del lume, ci apparve ora orrendo: i lineamenti alterati, un sudore maligno gli striava la fronte e le gote, gli occhi di solito bianchi di morte si erano iniettati di sangue, dalla bocca gli uscivano lembi di pergamena come a una belva famelica che si fosse troppo ingozzata e non riuscisse più a trangugiare il suo cibo. Sfigurata dall'ansia, dall'incombere del veleno che ormai già gli serpeggiava abbondante nelle vene, dalla sua disperata e diabolica determinazione, quella che era stata la figura venerabile del vegliardo appariva ora disgustosa e grottesca: in altri momenti avrebbe potuto muovere al riso, ma anche noi eravamo ridotti simili ad animali, a cani che braccano la selvaggina.

Avremmo potuto afferrarlo con calma, gli precipitammo invece addosso con enfasi, egli si divincolò, serrò le mani sul petto difendendo il volume, io lo tenevo con la sinistra mentre con la destra cercavo di mantenere alto il lume, ma gli sfiorai il volto con la fiamma, egli avvertì il calore, emise un suono soffocato, un ruggito, quasi, lasciando cadere dalla bocca pezzi di carta, abbandonò con la destra la presa sul libro, mosse la mano verso il lume e me lo strappò di colpo, lanciandolo in avanti...

Il lume andò a cadere proprio nel mucchio di libri precipitati dal tavolo, accatastati l'uno sopra l'altro con le pagine aperte. L'olio si versò, il fuoco si apprese subito a una pergamena fragilissima che divampò come un fascio di sterpi secchi. Tutto avvenne in pochi attimi, una vampata si levò dai volumi, come se quelle pagine millenarie anelassero da secoli all'arsione e gioissero nel soddisfare di colpo una immemoriale sete di ecpirosi. Guglielmo si avvide di quanto stava accadendo e abbandonò la presa sul vecchio — il quale, come si sentì libero, si ritrasse di qualche passo — esitò alquanto, certo troppo, incerto se riprendere Jorge o buttarsi a spegnere il piccolo rogo. Un libro più vecchio degli altri arse quasi di colpo, buttando in alto una lingua di fiamma.

Le sottili lame del vento, che potevano spegnere una debole fiammella, ne incoraggiavano invece una più forte e vivace, e anzi ne facevan scaturire facelle vaganti.

"Spegni quel fuoco, presto!" gridò Guglielmo. "Qui brucia tutto!"

Io mi lanciai verso il rogo, poi mi arrestai perché non sapevo cosa fare. Guglielmo si mosse ancora verso di me, per venirmi in aiuto. Protendemmo le mani verso l'incendio, cercammo con gli occhi qualcosa con cui soffocarlo, io ebbi come una ispirazione, mi levai la veste sfilandola dal capo e cercai di buttarla sul focolaio. Ma le vampe erano ormai troppo alte, morsero la mia veste e se ne alimentarono. Ritrassi le mani che si erano ustionate, mi voltai verso Guglielmo e vidi, proprio alle sue spalle, Jorge che si era avvicinato di nuovo. Il calore era ormai così forte che egli lo avvertì benissimo, seppe con assoluta certezza dove stava il fuoco, e vi gettò l'Aristotele.

Guglielmo ebbe un moto d'ira e diede una spinta violenta al vecchio che urtò contro un armadio picchiando la testa contro uno spigolo e cadendo a terra... Ma Guglielmo, che credo di aver udito pronunciare una orribile bestemmia, non si prese cura di lui. Tornò ai libri. Troppo tardi. L'Aristotele, ovvero quanto ne era rimasto dopo il pasto del vecchio, già stava bruciando.

Frattanto alcune scintille erano volate verso le pareti e già i volumi di un altro armadio si stavano accartocciando sotto l'impeto del fuoco. Ormai non uno, ma due incendi ardevano nella stanza.

Guglielmo comprese che non avremmo potuto spegnerli con le mani, e risolse di salvare i libri coi libri. Afferrò un volume che gli parve meglio rilegato degli altri, e più compatto, e cercò di usarlo come un'arma per soffocare l'elemento nemico. Ma battendo la rilegatura borchiata sulla pira dei libri ardenti, non faceva altro che suscitare nuove scintille. Cercò di disperderle coi piedi, ma ottenne l'effetto opposto, perché se ne levarono volatili brandelli di pergamena quasi incenerita, che veleggiarono come pipistrelli mentre l'aria, alleata col suo aereo sodale, li inviava a incendiare la materia terrestre di altri fogli.

Sventura aveva voluto che quella fosse una delle sale più disordinate del labirinto. Dai ripiani degli armadi pendevano manoscritti arrotolati, altri libri ormai sfasciati lasciavano fuoriuscire dalle loro coperte, come da labbra beanti, lingue di vello rinsecchito dagli anni, e il tavolo doveva aver contenuto una quantità grande di scritti che Malachia (ormai solo da giorni) aveva trascurato di riporre. Cosicché la stanza, dopo il rovinio provocato da Jorge, era invasa da pergamene che altro non attendevano se non di trasformarsi in altro elemento.

In breve quel luogo fu un braciere, un roveto ardente.

Anche gli armadi partecipavano di quel sacrificio e incominciavano a crepitare. Mi resi conto che tutto il labirinto altro non era che una immensa pira sacrificale, preparata nell'attesa di una prima favilla...

"Dell'acqua, ci vuole dell'acqua!" diceva Guglielmo, ma poi soggiungeva: "E dove si trova dell'acqua in questo inferno?"

"In cucina, giù in cucina!" gridai.

Guglielmo mi guardò perplesso, il volto arrossato da quel furente chiarore. "Sì, ma prima che siamo scesi e risaliti... Al diavolo!" gridò poi, "in ogni caso questa stanza è perduta, e forse anche la prossima. Scendiamo subito, io cerco dell'acqua, e tu vai a dare l'allarme, ci vuole molta gente!"

Trovammo la strada verso la scala perché la conflagrazione rischiarava anche le stanze successive, sia pure sempre più debolmente, tanto che percorremmo le ultime due stanze quasi a tentoni. Sotto, la luce della notte illuminava pallidamente lo scriptorium e di lì scendemmo in refettorio. Guglielmo corse alla cucina, io alla porta del refettorio, armeggiando per aprirla dall'interno, e vi riuscii dopo non poco lavoro, perché l'agitazione mi rendeva goffo e inabile. Uscii sul pianoro, corsi verso il dormitorio, poi compresi che non avrei potuto svegliare i monaci a uno a uno, ebbi una ispirazione, andai in chiesa cercando la strada per la torre campanaria. Come vi giunsi, mi afferrai a tutte le corde, suonando a martello. Tiravo con forza e la corda della campana maggiore, risalendo, mi trascinava con sé. Le mani in biblioteca si erano ustionate sul dorso, avevo ancora le palme sane, così che me le ustionai facendole scivolare lungo le corde, sino a che sanguinarono e dovetti mollare la presa.

Ma ormai avevo fatto abbastanza rumore, mi precipitai all'esterno, in tempo per vedere i primi monaci che uscivano dal dormitorio, mentre da lontano si udivano le voci dei famigli che stavano affacciandosi alla soglia dei loro alloggiamenti. Non potei spiegarmi bene, perché ero incapace di formular parole, e le prime che mi vennero alle labbra furono nella mia lingua materna. Con la mano sanguinante indicavo le finestre dell'ala meridionale dell'Edificio dalle quali traspariva attraverso l'alabastro un anormale chiarore. Mi resi conto, dall'intensità della luce, che mentre scendevo e suonavo le campane, il fuoco si era ormai propagato ad altre stanze. Tutte le finestre dell'Africa e tutta la facciata tra questa e il torrione orientale ora rilucevano di bagliori disuguali.

"Acqua, portate acqua!" gridavo.

A tutta prima nessuno comprese. I monaci erano così a-
dusi considerare la biblioteca come un luogo sacro e inaccessibile, che non riuscivano a rendersi conto che essa fosse minacciata da un accidente volgare, come una capanna di contadini. I primi che alzarono lo sguardo alle finestre si segna-
rono mormorando parole di spavento, e capii che credevano
a nuove apparizioni. Mi afferrai alle loro vesti, li implorai di
comprendere, sino a che qualcuno tradusse i miei singulti in
parole umane.

Era Nicola da Morimondo, che disse: "La biblioteca brucia!"

"Ecco," mormorai, lasciandomi cadere sfinito per terra.

Nicola dette prova di grande energia, gridò ordini ai servi,
dette consigli ai monaci che lo attorniavano, inviò qualcuno
ad aprire le altre porte dell'Edificio, altri spinse a cercar secchi e recipienti di ogni genere, indirizzò i presenti verso le
sorgenti e i depositi d'acqua della cinta. Comandò ai vaccari
di usare i muli e gli asini per trasportare degli orci... Se a
dare queste disposizioni fosse stato un uomo dotato di autorità, sarebbe stato subito ubbidito. Ma i famigli erano usi ricevere ordini da Remigio, gli scrivani da Malachia, tutti dal-
l'Abate. E nessuno dei tre era ahimè presente. I monaci cercavano con gli occhi l'Abate per cercare indicazioni e conforto, e non lo trovavano, e solo io sapevo che egli era morto, o
stava morendo in quel momento, murato in un budello a-
sfittico che ora si stava trasformando in un forno, in un toro
di Falaride.

Nicola spingeva i vaccari da un lato ma qualche altro monaco, animato da buone intenzioni, li spingeva dall'altro.
Alcuni confratelli avevano evidentemente perduto la calma,
altri erano ancora intorpiditi dal sonno. Io cercavo di spiegare, ché ormai avevo ripreso l'uso della parola, ma è necessario ricordare che ero pressoché ignudo, avendo buttato la tonaca alle fiamme, e la vista del ragazzo che ero, sanguinante, annerito nel volto dalla fuliggine, indecentemente im-
plume nel corpo, instupidito ora dal freddo, non doveva
certo ispirare fiducia.

Finalmente Nicola riuscì a trascinare alcuni confratelli e
altra gente nella cucina, che frattanto qualcuno aveva reso
accessibile. Qualcun altro ebbe il buon senso di portare delle
torce. Trovammo il locale in gran disordine, e compresi che
Guglielmo doveva averlo messo a soqquadro per cercare acqua e recipienti adatti al trasporto.

Vidi in quel mentre proprio Guglielmo che sbucava dalla porta del refettorio, il volto bruciacchiato, l'abito fumigante, in mano aveva una gran pignatta e provai pietà per lui, povera allegoria dell'impotenza. Compresi che, se pure era riuscito a trasportare al secondo piano una pentola d'acqua senza rovesciarla, e se pure lo aveva fatto più d'una volta, doveva aver ottenuto ben poco. Mi sovvenni della storia di sant'Agostino, quando vede un fanciullo che tenta di travasare l'acqua del mare con un cucchiaio: il fanciullo era un angelo e così faceva per prendersi gioco del santo che pretendeva penetrare i misteri della natura divina. E come l'angelo mi parlò Guglielmo appoggiandosi esausto allo stipite della porta: "È impossibile, non ce la faremo mai, neppure con tutti i monaci dell'abbazia. La biblioteca è perduta." Diversamente dall'angelo, Guglielmo piangeva.

Io mi strinsi a lui, mentre egli strappava da un tavolo un panno e tentava di ricoprirmi. Ci fermammo a osservare, ormai sconfitti, ciò che accadeva intorno a noi.

Era un accorrere disordinato di gente, alcuni salivano a mani nude e si incrociavano per la scala a chiocciola con chi a mani nude, spinto da stolida curiosità, era già salito, e ora discendeva a cercar recipienti. Altri più accorti cercavano subito pentole e bacili, per accorgersi che in cucina non vi era acqua bastante. All'improvviso lo stanzone fu invaso da alcuni muli che recavano degli orci, e i vaccari che li spingevano, li scaricarono e accennarono a trasportare l'acqua in alto. Ma non conoscevano la strada per salire allo scriptorium, e ci volle del tempo prima che alcuni degli scrivani li istruissero, e quando salivano si scontravano con coloro che discendevano terrorizzati. Alcuni degli orci si infransero e sparsero l'acqua per terra, altri furono passati lungo le scale a chiocciola da mani volonterose. Seguii il gruppo e mi trovai nello scriptorium: dall'accesso alla biblioteca proveniva un fumo denso, gli ultimi che avevano tentato di spingersi su per il torrione orientale già ritornavano tossendo con gli occhi arrossati e dichiaravano che non si poteva più penetrare in quell'inferno.

Vidi allora Bencio. Alterato in viso, con un enorme recipiente saliva dal piano inferiore. Udì quello che dicevano i reduci e li apostrofò: "L'inferno ingoierà voi tutti, vigliacchi!" Si voltò come per cercare aiuto e mi vide: "Adso," gridò, "la biblioteca... la biblioteca..." Non attese la mia risposta. Corse ai piedi della scala e penetrò arditamente nel fumo. Fu l'ultima volta che lo vidi.

Avvertii uno scricchiolio che proveniva dall'alto. Dalle volte dello scriptorium cadevano pezzi di pietra misti a calce. Una chiave di volta scolpita in forma di fiore si staccò e quasi mi precipitava sul capo. Il pavimento del labirinto stava cedendo.

Scesi di corsa al piano terreno e uscii all'aperto. Alcuni famigli volonterosi avevano portato delle scale con le quali tentavano di raggiungere le finestre dei piani alti e far passare l'acqua per quella via. Ma le scale più lunghe arrivavano a malapena alle finestre dello scriptorium e chi vi era salito non poteva aprirle dall'esterno. Mandarono a dire di aprirle dall'interno, ma nessuno ora ardiva più salire.

Frattanto io guardavo le finestre del terzo piano. La biblioteca tutta doveva essere diventata ormai un solo braciere fumigante e il fuoco ora correva di stanza in stanza aprendosi rapido alle migliaia di pagine riarse. Tutte le finestre erano ormai illuminate, un fumo nero usciva dal tetto: il fuoco si era già comunicato alle travature di copertura. L'Edificio, che sembrava così solido e tetragono, rivelava in quel frangente la sua debolezza, le sue crepe, i muri mangiati sin dall'interno, le pietre sgretolate che permettevano alla fiamma di raggiungere le intelaiature di legno ovunque esse fossero.

D'un tratto alcune finestre si spezzarono come premute da una forza interna, le scintille uscirono all'aperto punteggiando di luci vaganti il buio della notte. Il vento, da forte era divenuto più leggero, e fu sventura, perché forte avrebbe forse spento le scintille, leggero le trasportava eccitandole, e con loro faceva volteggiare nell'aria brandelli di pergamena, resi esili da una interna face. A quel punto si udì uno schianto: il pavimento del labirinto aveva ceduto in qualche punto precipitando le sue travi infuocate al piano inferiore, perché ora vidi lingue di fiamma alzarsi dallo scriptorium, anch'esso popolato di libri e di armadi, e di carte sciolte, distese sui tavoli, pronte alla sollecitazione delle scintille. Udii delle grida di disperazione provenire da un gruppo di scrivani che si mettevano le mani nei capelli e ancora divisavano di salire eroicamente, per ricuperare le loro pergamene amatissime. Invano, ché la cucina e il refettorio erano ormai un incrocio di anime perdute agitantesi in tutte le direzioni, dove ciascuno ostacolava gli altri. La gente si urtava, cadeva, chi aveva un recipiente ne rovesciava il salvifico contenuto, i muli penetrati in cucina avevano avvertito la presenza del fuoco e scalpitando si precipitavano verso le uscite urtando gli umani e i loro stessi spaventatissimi palafrenieri. Si vedeva bene che, in ogni caso, quella turba di villani e di uomini devoti e saggi, ma inabilissimi, non diretta da alcuno, stava intralciando anche quei soccorsi che pure avessero potuto sopraggiungere.

Tutto il pianoro era in preda al disordine. Ma si era appena all'inizio della tragedia. Perché, uscendo dalle finestre e dal tetto, la nube ormai trionfante delle scintille, incoraggiata dal vento, stava ricadendo ovunque, toccando le coperture della chiesa. Non v'è chi non sappia quante splendide cattedrali siano state vulnerabili al morso del fuoco: perché la casa di Dio appare bella e ben difesa come la Gerusalemme celeste a causa della pietra di cui fa pompa, ma le mura e le volte si reggono su di una fragile, per quanto mirabile, architettura di legno, e se la chiesa di pietra ricorda le foreste più venerabili per le sue colonne che si diramano alte nelle volte, ardite come querce, della quercia ha sovente il corpo — come ha parimenti di legno tutto il proprio arredo, gli altari, i cori, le tavole dipinte, le panche, gli scranni, i candelabri. Così accadde per la chiesa abbaziale dal portale bellissimo che tanto mi aveva affascinato il primo giorno. Essa prese fuoco in un tempo brevissimo. I monaci e la popolazione tutta del pianoro capirono allora che era in gioco la sopravvivenza stessa dell'abbazia, e tutti si misero a correre ancora più bravamente e disordinatamente per far fronte al pericolo.

Certo la chiesa era più accessibile e quindi più difendibile della biblioteca. La biblioteca era stata condannata dalla sua stessa impenetrabilità, dal mistero che la proteggeva, dall'avarizia dei suoi accessi. La chiesa, aperta maternamente a tutti nell'ora della preghiera, a tutti era aperta nell'ora del soccorso. Ma non v'era più acqua, o almeno pochissima se ne poteva reperire depositata in quantità sufficiente, le sorgenti ne fornivano con naturale parsimonia e con lentezza non commisurata all'urgenza della bisogna. Tutti avrebbero voluto spegnere l'incendio della chiesa, nessuno sapeva ormai come. Inoltre il fuoco si era comunicato dall'alto, dove era difficile issarsi per battere le fiamme o soffocarle con terra e stracci. E quando le fiamme arrivarono da basso, era ormai inutile buttarvi terra o sabbia, ché il soffitto ormai rovinava sui soccorritori travolgendone non pochi.

Così alle grida di rimpianto per le molte ricchezze arse si

stavano ora unendo le grida di dolore per i volti ustionati, le membra schiacciate, i corpi scomparsi sotto un repentino precipitar di volte.

Il vento si era fatto di nuovo impetuoso e più impetuosamente alimentava il contagio. Subito dopo la chiesa presero fuoco gli stabbi e le stalle. Gli animali terrorizzati spezzarono i loro legami, travolsero le porte, si sparsero per il pianoro nitrendo, muggendo, belando, grugnendo orribilmente. Alcune scintille raggiunsero la criniera di molti cavalli e si vide la spianata percorsa da creature infernali, da destrieri fiammeggianti che travolgevano tutto sul loro cammino che non aveva né meta né requie. Vidi il vecchio Alinardo, che si aggirava smarrito senza aver compreso cosa accadesse, travolto dal magnifico Brunello, aureolato di fuoco, trasportato nella polvere e ivi abbandonato, povera cosa informe. Ma non ebbi né modo né tempo di soccorrerlo, né di piangere la sua fine, perché scene non dissimili avvenivano ormai per ogni dove.

I cavalli in fiamme avevano trasportato il fuoco là dove il vento non lo aveva ancora fatto: ora ardevano anche le officine e la casa dei novizi. Torme di persone correvano da un capo all'altro della spianata, senza meta o con mete illusorie. Vidi Nicola, il capo ferito, l'abito a brandelli, che ormai vinto, in ginocchio sul viale di accesso, malediceva la maledizione divina. Vidi Pacifico da Tivoli che, rinunciando a ogni idea di soccorso, stava cercando di afferrare al passaggio un mulo imbizzarrito, e come vi riuscì mi gridò di fare anch'io la stessa cosa, e di fuggire, per sfuggire a quella bieca parvenza di Armageddon.

Mi chiesi allora dove fosse Guglielmo e temetti che fosse stato travolto da un crollo. Lo trovai dopo lunga ricerca nei pressi del chiostro. Aveva in mano la sua sacca da viaggio: mentre il fuoco già si comunicava alla casa dei pellegrini era salito nella sua cella per salvare almeno le sue preziosissime cose. Aveva preso anche la mia sacca, in cui trovai qualcosa di cui rivestirmi. Ci soffermammo ansanti a guardare cosa avveniva d'intorno.

Ormai l'abbazia era condannata. Quasi tutti i suoi edifici erano, quale più quale meno, raggiunti dal fuoco. Quelli ancora intatti, non lo sarebbero stati tra poco, perché tutto ormai, dagli elementi naturali all'opera confusa dei soccorritori, collaborava a propagare l'incendio. Salve rimanevano le parti non edificate, l'orto, il giardino davanti al chiostro... Non si poteva fare più nulla per salvare le costruzioni ma bastava abbandonare l'idea di salvarle per poter osservare tutto senza pericolo, stando in zona aperta.

Guardammo la chiesa che ormai ardeva lentamente, perché è proprio di queste grandi costruzioni avvampare subito nelle parti lignee e poi agonizzare per ore, talora per giorni. Diversamente fiammeggiava ancora l'Edificio. Qui il materiale combustibile era molto più ricco, il fuoco ormai propagatosi del tutto per lo scriptorium aveva ora invaso il piano della cucina. Quanto al terzo piano, dove un tempo e per centinaia di anni v'era stato il labirinto, era ormai praticamente distrutto.

"Era la più grande biblioteca della cristianità," disse Guglielmo. "Ora," aggiunse, "l'Anticristo è veramente vicino perché nessuna sapienza gli farà più da barriera. D'altra parte ne abbiamo visto il volto questa notte."

"Il volto di chi?" domandai stordito.

"Jorge, dico. In quel viso devastato dall'odio per la filosofia, ho visto per la prima volta il ritratto dell'Anticristo, che non viene dalla tribù di Giuda come vogliono i suoi annunciatori, né da un paese lontano. L'Anticristo può nascere dalla stessa pietà, dall'eccessivo amor di Dio o della verità, come l'eretico nasce dal santo e l'indemoniato dal veggente. Temi, Adso, i profeti e coloro disposti a morire per la verità, ché di solito fan morire moltissimi con loro, spesso prima di loro, talvolta al posto loro. Jorge ha compiuto un'opera diabolica perché amava in modo così lubrico la sua verità da osare tutto pur di distruggere la menzogna. Jorge temeva il secondo libro di Aristotele perché esso forse insegnava davvero a deformare il volto di ogni verità, affinché non diventassimo schiavi dei nostri fantasmi. Forse il compito di chi ama gli uomini è di far ridere della verità, *fare ridere la verità*, perché l'unica verità è imparare a liberarci dalla passione insana per la verità."

"Ma maestro," azzardai dolente, "voi ora parlate così perché siete ferito nel profondo dell'animo. Però c'è una verità, quella che avete scoperto stasera, quella cui siete arrivato interpretando le tracce che avete letto nei giorni scorsi. Jorge ha vinto, ma voi avete vinto Jorge perché avete messo a nudo la sua trama..."

"Non v'era una trama," disse Guglielmo, "e io l'ho scoperta per sbaglio."

L'asserto era autocontraddittorio, e non capii se veramente Guglielmo voleva che lo fosse. "Ma era vero che le orme sulla neve rinviavano a Brunello," dissi, "era vero che Adelmo si era suicidato, era vero che Venanzio non era annegato nell'orcio, era vero che il labirinto era organizzato così come lo avete immaginato, era vero che si entrava nel finis Africae toccando la parola *quatuor*, era vero che il libro misterioso era di Aristotele... Potrei continuare a elencare tutte le cose vere che voi avete scoperto giovandovi della vostra scienza...''

''Non ho mai dubitato della verità dei segni, Adso, sono la sola cosa di cui l'uomo dispone per orientarsi nel mondo. Ciò che io non ho capito è stata la relazione tra i segni. Sono arrivato a Jorge attraverso uno schema apocalittico che sembrava reggere tutti i delitti, eppure era casuale. Sono arrivato a Jorge cercando un autore di tutti i crimini e abbiamo scoperto che ogni crimine aveva in fondo un autore diverso, oppure nessuno. Sono arrivato a Jorge inseguendo il disegno di una mente perversa e raziocinante, e non v'era alcun disegno, ovvero Jorge stesso era stato sopraffatto dal proprio disegno iniziale e dopo era iniziata una catena di cause, e di concause, e di cause in contraddizione tra loro, che avevano proceduto per conto proprio, creando relazioni che non dipendevano da alcun disegno. Dove sta tutta la mia saggezza? Mi sono comportato da ostinato, inseguendo una parvenza di ordine, quando dovevo sapere bene che non vi è un ordine nell'universo.''

''Ma immaginando degli ordini errati avete pur trovato qualcosa...''

''Hai detto una cosa molto bella, Adso, ti ringrazio. L'ordine che la nostra mente immagina è come una rete, o una scala, che si costruisce per raggiungere qualcosa. Ma dopo si deve gettare la scala, perché si scopre che, se pure serviva, era priva di senso. Er muoz gelîchesame die Leiter abewerfen, sô Er an ir ufgestigen ist... Si dice così?''

''Suona così nella mia lingua. Chi l'ha detto?''

''Un mistico delle tue terre. Lo ha scritto da qualche parte, non ricordo dove. E non è necessario che qualcuno un giorno ritrovi quel manoscritto. Le uniche verità che servono sono strumenti da buttare.''

''Voi non potete rimproverarvi nulla, avete fatto del vostro meglio.''

''È il meglio degli uomini, che è poco. È difficile accettare l'idea che non vi può essere un ordine nell'universo, perché offenderebbe la libera volontà di Dio e la sua onnipotenza. Così la libertà di Dio è la nostra condanna, o almeno la condanna della nostra superbia.''

Ardii, per la prima e l'ultima volta in vita mia, una conclusione teologica: "Ma come può esistere un essere necessario totalmente intessuto di possibile? Che differenza c'è allora tra Dio e il caos primigenio? Affermare l'assoluta onnipotenza di Dio e la sua assoluta disponibilità rispetto alle sue stesse scelte, non equivale a dimostrare che Dio non esiste?"

Guglielmo mi guardò senza che alcun sentimento trasparisse dai tratti del suo viso, e disse: "Come potrebbe un sapiente continuare a comunicare il suo sapere se rispondesse di sì alla tua domanda?" Non capii il senso delle sue parole: "Intendete dire," chiesi, "che non ci sarebbe più sapere possibile e comunicabile, se mancasse il criterio stesso della verità, oppure che non potreste più comunicare quello che sapete perché gli altri non ve lo consentirebbero?"

In quel momento una parte dei tetti del dormitorio crollò con immenso fragore soffiando verso l'alto una nuvola di scintille. Una parte delle pecore e delle capre, che erravano per la corte, ci passarono accanto lanciando atroci belati. Dei servi passarono in frotta accanto a noi, gridando, e quasi ci calpestarono.

"C'è troppa confusione qui," disse Guglielmo. "Non in commotione, non in commotione Dominus."

ULTIMO FOLIO

L'abbazia arse per tre giorni e per tre notti e a nulla valsero gli ultimi sforzi. Già nella mattinata del settimo giorno della nostra permanenza in quel luogo, quando ormai i superstiti si avvidero che nessun edificio poteva più essere salvato, quando delle costruzioni più belle diroccarono i muri esterni, e la chiesa, quasi avvolgendosi su di sé, ingoiò la sua torre, a quel punto mancò a ciascuno la volontà di combattere contro il castigo divino. Sempre più stanche furono le corse ai pochi secchi d'acqua rimasti, mentre ancora ardeva quetamente la sala capitolare con la superba casa dell'Abate. Quando il fuoco raggiunse il lato estremo delle varie officine, i servi avevano ormai da tempo salvato quante più suppellettili potevano, e preferirono battere la collina per recuperare almeno parte degli animali, fuggiti oltre la cinta nella confusione della notte.

Vidi qualcuno dei famigli avventurarsi entro quello che rimaneva della chiesa: immaginai che cercassero di penetrare nella cripta del tesoro per arraffare, prima della fuga, qualche oggetto prezioso. Non so se ci siano riusciti, se la cripta non fosse già sprofondata, se i gaglioffi non siano sprofondati nelle viscere della terra nel tentativo di raggiungerla.

Salivano intanto uomini dal villaggio, a prestar soccorso, o a cercar anch'essi di racimolare un qualche bottino. I morti rimasero per lo più tra le rovine ancora roventi. Al terzo giorno, curati i feriti, seppelliti i cadaveri rimasti allo scoperto, i monaci e tutti gli altri raccolsero le loro cose e abbandonarono il pianoro ancora fumante, come un luogo maledetto. Non so dove si siano dispersi.

Guglielmo e io lasciammo quei luoghi, su due cavalcature trovate smarrite nel bosco, e che ormai considerammo res nullius. Puntammo verso oriente. Giunti di nuovo a Bobbio apprendemmo cattive nuove dell'imperatore. Arrivato a Roma era stato incoronato dal popolo. Ritenuta ormai impossibile ogni composizione con Giovanni, aveva eletto un antipapa, Nicola V. Marsilio era stato nominato vicario spirituale di Roma, ma per sua colpa, o per sua debolezza, avvenivano in quella città cose assai tristi a riferirsi. Si torturavano sacerdoti fedeli al papa che non volevano dir messa, un priore degli agostiniani era stato gettato nella fossa dei leoni in Campidoglio. Marsilio e Giovanni da Gianduno avevano dichiarato Giovanni eretico e Ludovico l'aveva fatto condannare a morte. Ma l'imperatore malgovernava, si stava inimicando i signori locali, sottraeva danaro al pubblico erario. Man mano che udivamo queste notizie, ritardavamo la nostra discesa verso Roma, e capii che Guglielmo non voleva trovarsi a essere testimone di eventi che umiliavano le sue speranze.

Giunti che fummo a Pomposa, apprendemmo che Roma si era ribellata a Ludovico, il quale era risalito verso Pisa, mentre nella città papale rientravano trionfalmente i legati di Giovanni.

Nel frattempo Michele da Cesena si era reso conto che la sua presenza ad Avignone non portava ad alcun risultato, anzi temeva per la sua vita, ed era fuggito ricongiungendosi con Ludovico a Pisa. L'imperatore aveva frattanto perso anche l'appoggio di Castruccio, signore di Lucca e Pistoia, che era morto.

In breve, prevedendo gli eventi, e sapendo che il Bavaro si sarebbe portato a Monaco, invertimmo il cammino e decidemmo di precederlo colà, anche perché Guglielmo avvertiva che l'Italia stava diventando insicura per lui. Nei mesi e negli anni che seguirono, Ludovico vide l'alleanza dei signori ghibellini disfarsi, l'anno dopo Nicola antipapa si sarebbe reso a Giovanni, presentandoglisi con una corda al collo.

Come giungemmo a Monaco di Baviera io dovetti separarmi, tra molte lacrime, dal mio buon maestro. La sua sorte era incerta, i miei parenti preferirono che tornassi a Melk. Dalla tragica notte in cui Guglielmo mi aveva palesato il suo sconforto davanti alle rovine dell'abbazia, come per tacito accordo, non avevamo più parlato di quella vicenda. Né più vi accennammo nel corso del nostro doloroso commiato.

Il mio maestro mi diede molti buoni consigli per i miei studi futuri, e mi regalò le lenti che gli aveva fabbricato Nicola, lui avendo ormai di nuovo le sue. Ero ancora giovane, mi disse, ma un giorno mi sarebbero tornate utili (e invero le tengo sul naso, ora che scrivo queste righe). Poi mi abbracciò forte, con la tenerezza di un padre, e mi congedò.

Non lo vidi più. Seppi molto più tardi che era morto durante la grande pestilenza che infierì per l'Europa verso la metà di questo secolo. Prego sempre che Dio abbia accolto la sua anima e gli abbia perdonato i molti atti d'orgoglio che la sua fierezza intellettuale gli aveva fatto commettere.

Anni dopo, già uomo assai maturo, ebbi occasione di compiere un viaggio in Italia su mandato del mio Abate. Non resistetti alla tentazione e al ritorno feci una lunga deviazione per rivisitare quello che era rimasto dell'abbazia.

I due villaggi alle falde del monte si erano spopolati, le terre intorno erano incolte. Salii sino al pianoro e uno spettacolo di desolazione e di morte si presentò ai miei occhi inumiditi di pianto.

Delle grandi e magnifiche costruzioni che adornavano quel luogo, erano rimaste sparse rovine, come era già accaduto dei monumenti degli antichi pagani nella città di Roma. L'edera aveva ricoperto i brandelli dei muri, le colonne, i radi architravi rimasti intatti. Erbe selvatiche invadevano il terreno per ogni dove, e non si capiva neppure dove fossero stati un tempo l'orto e il giardino. Solo il luogo del cimitero era riconoscibile, per alcune tombe che ancora affioravano dal terreno. Unico cenno di vita, alti uccelli da preda cacciavano lucertole e serpenti che, come basilischi, si acquattavano tra le pietre o guizzavano sui muri. Del portale della chiesa erano rimaste poche vestigia corrose di muffa. Il timpano sopravviveva per metà e vi scorsi ancora, dilatato dalle intemperie e languido di luridi licheni, l'occhio sinistro del Cristo in trono, e qualcosa del volto del leone.

L'Edificio, tranne il muro meridionale, diroccato, sembrava ancora stare in piedi e sfidare il corso del tempo. I due torrioni esterni, che davano sullo strapiombo, parevano quasi intatti, ma dappertutto le finestre erano occhiaie vuote le cui lacrime vischiose eran rampicanti putridi. Nell'interno l'opera dell'arte, distrutta, si confondeva con quella della natura e per vasti tratti dalla cucina l'occhio correva al cielo aperto, attraverso lo squarcio dei piani superiori e del tetto, diruti abbasso come angeli caduti. Tutto ciò che non era verde di muschio era ancora nero dal fumo di tanti decenni prima.

Rovistando tra le macerie trovavo a tratti brandelli di pergamena, precipitati dallo scriptorium e dalla biblioteca e sopravvissuti come tesori sepolti nella terra; e incominciai a raccoglierli, come se dovessi ricomporre i fogli di un libro. Poi mi avvidi che da uno dei torrioni saliva ancora, pericolante e quasi intatta, una scala a chiocciola allo scriptorium, e di lì, inerpicandosi per un pendio di macerie, si poteva arrivare all'altezza della biblioteca: la quale era però soltanto una sorta di galleria rasente le mura esterne, che dava in ogni punto sul vuoto.

Lungo un tratto di muro trovai un armadio, ancora miracolosamente ritto lungo la parete, non so come sopravvissuto al fuoco, marcio d'acqua e di insetti. Dentro vi stava ancora qualche foglio. Altri lacerti trovai frugando le rovine da basso. Povera messe fu la mia, ma passai una intera giornata a raccoglierla, come se da quelle disiecta membra della biblioteca dovesse pervenirmi un messaggio. Alcuni brandelli di pergamena erano scoloriti, altri lasciavano intravvedere l'ombra di una immagine, a tratti il fantasma di una o più parole. Talora trovai fogli su cui erano leggibili intere frasi, più facilmente rilegature ancora intatte, difese da quelle che erano state borchie di metallo... Larve di libri, apparentemente ancora sane di fuori ma divorate all'interno: eppure qualche volta si era salvato un mezzo foglio, traspariva un incipit, un titolo...

Raccolsi ogni reliquia che potei trovare, e ne empii due sacche da viaggio, abbandonando cose che mi erano utili pur di salvare quel misero tesoro.

Lungo il viaggio di ritorno e poi a Melk passai molte e molte ore a tentar di decifrare quelle vestigia. Spesso riconobbi da una parola o da una immagine residua di quale opera si trattasse. Quando ritrovai nel tempo altre copie di quei libri, li studiai con amore, come se il fato mi avesse lasciato quel legato, come se l'averne individuato la copia distrutta fosse stato un segno chiaro del cielo che diceva tolle et lege. Alla fine della mia paziente ricomposizione mi si disegnò come una biblioteca minore, segno di quella maggiore scomparsa, una biblioteca fatta di brani, citazioni, periodi incompiuti, moncherini di libri.

Più rileggo questo elenco più mi convinco che esso è effetto del caso e non contiene alcun messaggio. Ma queste pagine incomplete mi hanno accompagnato per tutta la vita che da allora mi è restata da vivere, le ho spesso consultate come un oracolo, e ho quasi l'impressione che quanto ho scritto su questi fogli, che tu ora leggerai, ignoto lettore, altro non sia che un centone, un carme a figura, un immenso acrostico che non dice e non ripete altro che ciò che quei frammenti mi hanno suggerito, né so più se io abbia sinora parlato di essi o essi abbiano parlato per bocca mia. Ma quale delle due venture si sia data, più recito a me stesso la storia che ne è sortita, meno riesco a capire se in essa vi sia una trama che vada al di là della sequenza naturale degli eventi e dei tempi che li connettono. Ed è cosa dura per questo vecchio monaco, alle soglie della morte, non sapere se la lettera che ha scritto contenga un qualche senso nascosto, e se più d'uno, e molti, o nessuno.

Ma questa mia inabilità a vedere è forse effetto dell'ombra che la grande tenebra che si avvicina sta gettando sul mondo incanutito.

Est ubi gloria nunc Babylonia? Dove sono le nevi di un tempo? La terra danza la danza di Macabré, mi sembra a tratti che il Danubio sia percorso da battelli carichi di folli che vanno verso un luogo oscuro.

Non mi rimane che tacere. O quam salubre, quam iucundum et suave est sedere in solitudine et tacere et loqui cum Deo! Tra poco mi ricongiungerò col mio principio, e non credo più che sia il Dio di gloria di cui mi avevano parlato gli abati del mio ordine, o di gioia, come credevano i minoriti di allora, forse neppure di pietà. Gott ist ein lautes Nichts, ihn rührt kein Nun noch Hier... Mi inoltrerò presto in questo deserto amplissimo, perfettamente piano e incommensurabile, in cui il cuore veramente pio soccombe beato. Sprofonderò nella tenebra divina, in un silenzio muto e in una unione ineffabile, e in questo sprofondarsi andrà perduta ogni eguaglianza e ogni disuguaglianza, e in quell'abisso il mio spirito perderà se stesso, e non conoscerà né l'uguale né il disuguale, né altro: e saranno dimenticate tutte le differenze, sarò nel fondamento semplice, nel deserto silenzioso dove mai si vide diversità, nell'intimo dove nessuno si trova nel proprio luogo. Cadrò nella divinità silenziosa e disabitata dove non c'è opera né immagine.

Fa freddo nello scriptorium, il pollice mi duole. Lascio questa scrittura, non so per chi, non so più intorno a che cosa: stat rosa pristina nomine, nomina nuda tenemus.

Postille
a "Il nome della rosa"
1983

Il testo di *Postille a "Il nome della rosa"*
è apparso su *Alfabeta* n. 49, giugno 1983

Rosa que al prado, encarnada,
te ostentas presuntüosa
de grana y carmín bañada:
campa lozana y gustosa;
pero no, que siendo hermosa
también serás desdichada.

Juana Inés de la Cruz

Il titolo e il senso

Da quando ho scritto Il nome della rosa *mi arrivano molte let-*
tere di lettori che mi chiedono cosa significa l'esametro latino fina-
le, e perché questo esametro ha dato origine al titolo. Rispondo
che si tratta di un verso da De contemptu mundi *di Bernardo*
Morliacense, un benedettino del XII secolo, il quale varia sul tema
*dell'*ubi sunt *(da cui poi il* mais où sont les neiges d'antan *di Vil-*
lon), salvo che Bernardo aggiunge al topos corrente (i grandi di un
tempo, le città famose, le belle principesse, tutto svanisce nel nul-
la) l'idea che di tutte queste cose scomparse ci rimangono puri no-
mi. Ricordo che Abelardo usava l'esempio dell'enunciato nulla
rosa est *per mostrare come il linguaggio potesse parlare sia delle*
cose scomparse che di quelle inesistenti. Dopodiché lascio che il
lettore tragga le sue conseguenze.

Un narratore non deve fornire interpretazioni della propria ope-
ra, altrimenti non avrebbe scritto un romanzo, che è una macchi-
na per generare interpretazioni. Ma uno dei principali ostacoli alla
realizzazione di questo virtuoso proposito è proprio il fatto che un
romanzo deve avere un titolo.

Un titolo è purtroppo già una chiave interpretativa. Non ci si
può sottrarre alle suggestioni generate da Il rosso e il nero *o da*
Guerra e pace. *I titoli più rispettosi del lettore sono quelli che si*
riducono al nome dell'eroe eponimo, come David Copperfield *o*
Robinson Crusoe, *ma anche il riferimento all'eponimo può costi-*
tuire una indebita ingerenza da parte dell'autore. Le Père Goriot
centra l'attenzione del lettore sulla figura del vecchio padre, men-
tre il romanzo è anche l'epopea di Rastignac, o di Vautrin alias
Collin. Forse bisognerebbe essere onestamente disonesti come Du-
mas, poiché è chiaro che I tre moschettieri *è in verità la storia del*

quarto. Ma sono lussi rari, e forse l'autore può consentirseli solo per sbaglio.

Il mio romanzo aveva un altro titolo di lavoro, che era l'Abbazia del delitto. L'ho scartato perché fissa l'attenzione del lettore sulla sola trama poliziesca e poteva illecitamente indurre sfortunati acquirenti, in caccia di storie tutte azione, a buttarsi su un libro che li avrebbe delusi. Il mio sogno era di intitolare il libro Adso da Melk. *Titolo molto neutro, perché Adso era pur sempre la voce narrante. Ma da noi gli editori non amano i nomi propri, persino* Fermo e Lucia *è stato riciclato in altra forma, e per il resto ci sono pochi esempi, come* Lemmonio Boreo, Rubé *o* Metello... *Pochissimi, rispetto alle legioni di cugine* Bette, *di* Barry Lyndon, *di* Armance *e di* Tom Jones *che popolano altre letterature.*

L'idea del Nome della rosa *mi venne quasi per caso e mi piacque perché la rosa è una figura simbolica così densa di significati da non averne quasi più nessuno: rosa mistica, e rosa ha vissuto quel che vivono le rose, la guerra delle due rose, una rosa è una rosa è una rosa è una rosa, i rosacroce, grazie delle magnifiche rose, rosa fresca aulentissima. Il lettore ne risultava giustamente depistato, non poteva scegliere una interpretazione; e anche se avesse colto le possibili letture nominaliste del verso finale ci arrivava appunto alla fine, quando già aveva fatto chissà quali altre scelte. Un titolo deve confondere le idee, non irreggimentarle.*

Nulla consola maggiormente un autore di un romanzo che lo scoprire letture a cui egli non pensava, e che i lettori gli suggeriscono. Quando scrivevo opere teoriche il mio atteggiamento verso i recensori era di tipo giudiziario: hanno capito o no quello che volevo dire? Con un romanzo è tutto diverso. Non dico che l'autore non possa scoprire una lettura che gli pare aberrante, ma dovrebbe tacere, in ogni caso, ci pensino gli altri a contestarla, testo alla mano. Per il resto, la gran maggioranza delle letture fa scoprire effetti di senso a cui non si era pensato. Ma cosa vuol dire che non ci avevo pensato?

Una studiosa francese, Mireille Calle Gruber, ha scoperto sottili paragrammi che uniscono, i semplici (nel senso dei poveri) ai semplici nel senso delle erbe medicamentose, e poi trova che parlo di "mala pianta" dell'eresia. Io potrei rispondere che il termine "semplici" ricorre in entrambi i casi nella letteratura dell'epoca, e così l'espressione "mala pianta". D'altra parte conoscevo bene l'esempio di Greimas sulla doppia isotopia che nasce quando si definisce l'erborista come "amico dei semplici". Sapevo o no di giocare di paragrammi? Non conta nulla dirlo ora, il testo è lì e produce i propri effetti di senso.

Leggendo le recensioni al romanzo, provavo un brivido di soddi-

sfazione quando trovavo un critico (e i primi sono stati Ginevra Bompiani e Lars Gustaffson) che citava una battuta che Guglielmo pronunciava alla fine del processo inquisitorio (pagina 388 dell'edizione italiana). "Cosa vi terrorizza di più nella purezza?", chiede Adso. E Guglielmo risponde: "La fretta". Amavo molto, e amo ancora, queste due righe. Ma poi un lettore mi ha fatto notare che nella pagina successiva Bernardo Gui, minacciando il cellario di tortura, dice: "La giustizia non è mossa dalla fretta, come credevano gli pseudo apostoli, e quella di Dio ha secoli a disposizione". E il lettore giustamente mi domandava quale rapporto avevo voluto instaurare tra la fretta temuta da Guglielmo e la assenza di fretta celebrata da Bernardo. A quel punto io mi sono reso conto che era successo qualcosa di inquietante. Lo scambio di battute tra Adso e Guglielmo, nel manoscritto non c'era. Quel breve dialogo l'ho aggiunto in bozze: per ragioni di concinnitas, avevo bisogno di inserire ancora una scansione prima di ridare la parola a Bernardo. E naturalmente mentre facevo odiare la fretta a Guglielmo (e con molta convinzione, per questo la battuta poi mi piacque molto) mi ero completamente dimenticato che poco più avanti Bernardo parlava di fretta. Se vi rileggete la battuta di Bernardo senza quella di Guglielmo, non è altro che un modo di dire, è ciò che ci aspetteremmo di sentir affermare da un giudice, è una frase fatta tanto quanto "la giustizia è uguale per tutti". Ahimé, contrapposta alla fretta nominata da Guglielmo, la fretta nominata da Bernardo fa legittimamente nascere un effetto di senso, e il lettore ha ragione di chiedersi se essi stanno dicendo la stessa cosa, o se l'odio per la fretta, espresso da Guglielmo, non sia insensibilmente diverso dall'odio per la fretta espresso da Bernardo. Il testo è lì, e produce i propri effetti. Che io lo volessi o no, ora si è di fronte a una domanda, a una provocazione ambigua, e io stesso mi trovo imbarazzato a interpretare l'opposizione, eppure capisco che lì si annida un senso (forse molti).

L'autore dovrebbe morire dopo aver scritto. Per non disturbare il cammino del testo.

Raccontare il processo

L'autore non deve interpretare. Ma può raccontare perché e come ha scritto. I cosiddetti scritti di poetica non servono sempre a capire l'opera che li ha ispirati, ma servono a capire come si risolve quel problema tecnico che è la produzione di un'opera.

Poe nel suo La filosofia della composizione racconta come ha scritto Il corvo. Non ci dice come dobbiamo leggerlo, ma quali *problemi si è posto per realizzare un effetto poetico. E definirei l'effetto poetico come la capacità, che un testo esibisce, di generare letture sempre diverse, senza consumarsi mai del tutto.*

Chi scrive (chi dipinge o scolpisce o compone musica) sa sempre cosa fa e quanto gli costa. Sa che deve risolvere un problema. Può darsi che i dati di partenza siano oscuri, pulsionali, ossessivi, non più che una voglia o un ricordo. Ma dopo il problema si risolve a tavolino, interrogando la materia su cui si lavora – materia che esibisce delle proprie leggi naturali ma al tempo stesso porta con sé il ricordo della cultura di cui è carica (l'eco dell'intertestualità).

Quando l'autore ci dice che ha lavorato nel raptus dell'ispirazione, mente. Genius is twenty per cent inspiration and eighty per cent perspiration.

Non ricordo per quale sua celebre poesia, Lamartine scrisse che gli era nata di getto, in una notte di tempesta, in un bosco. Quando morì, si ritrovarono i manoscritti con le correzioni e le varianti, e si scoprì che quella era forse la poesia più "lavorata" di tutta la letteratura francese.

Quando lo scrittore (o l'artista in genere) dice che ha lavorato senza pensare alle regole del processo, vuol solo dire che lavorava senza sapere di conoscere la regola. Un bambino parla benissimo la lingua materna però non saprebbe scriverne la grammatica. Ma il grammatico non è il solo che conosce le regole della lingua, perché queste le conosce benissimo, senza saperlo, anche il bambino: il grammatico è solo colui che conosce perché e come il bambino conosce la lingua.

Raccontare come si è scritto non significa provare che si è scritto "bene". Poe diceva che "altro è l'effetto dell'opera e altra la conoscenza del processo". Quando Kandinsky o Klee ci raccontano come dipingono non ci dicono se uno dei due è migliore dell'altro. Quando Michelangelo ci dice che scolpire vuol dire liberare del proprio soverchio la figura già iscritta nella pietra, non ci dice se la Pietà vaticana è meglio della Rondanini. Talora le pagine più luminose sui processi artistici sono state scritte da artisti minori, che realizzavano effetti modesti ma sapevano riflettere bene sui propri processi: Vasari, Horatio Greenough, Aaron Copland...

Ovviamente, il Medio Evo

Ho scritto un romanzo perché me ne è venuta voglia. Credo sia una ragione sufficiente per mettersi a raccontare. L'uomo è animale fabulatore per natura. Ho incominciato a scrivere nel marzo '78, mosso da una idea seminale. Avevo voglia di avvelenare un monaco. Credo che un romanzo nasca da una idea di questo genere, il resto è polpa che si aggiunge strada facendo. L'idea doveva essere più antica. Ho ritrovato poi un quaderno datato 1975 dove avevo steso una lista di monaci in un convento imprecisato. Null'altro. All'inizio mi sono messo a leggere il Traité des poisons di Orfila – che avevo acquistato vent'anni prima da un bouquiniste lungo la Senna, per pure ragioni di fedeltà huysmaniana (La bas). Siccome nessuno dei veleni mi soddisfaceva, ho chiesto a un amico biologo di consigliarmi un farmaco che avesse determinate proprietà (che fosse assorbibile via pelle, manovrando qualcosa). Ho distrutto subito la lettera in cui colui mi rispondeva che non conosceva un veleno che facesse al caso mio, perché si tratta di documenti che, letti in altro contesto, potrebbero portarti alla forca.

All'inizio i miei monaci dovevano vivere in un convento contemporaneo (pensavo a un monaco investigatore che leggeva il "Manifesto"). Ma siccome un convento, o un'abbazia, vivono ancora di molti ricordi medievali, mi sono messo a scartabellare tra i miei archivi di medievalista in ibernazione (un libro sull'estetica medievale nel 1956, altre cento pagine sull'argomento nel 1969, qualche saggio strada facendo, ritorni alla tradizione medievale nel 1962 per il mio lavoro su Joyce, e poi nel 1972 il lungo studio sull'Apocalisse e sulle miniature del commento di Beato di Liebana: dunque il Medio Evo veniva tenuto in esercizio). Mi è capitato tra le mani un vasto materiale (schede, fotocopie, quaderni) che si accumulava dal 1952, e destinato ad altri imprecisissimi scopi: per una storia dei mostri, o per un'analisi delle enciclopedie medievali, o per una teoria dell'elenco... A un certo punto mi son detto che, visto che il Medio Evo era il mio immaginario quotidiano, tanto valeva scrivere un romanzo che si svolgesse direttamente nel Medio Evo. Come ho detto in qualche intervista, il presente lo conosco solo attraverso lo schermo televisivo mentre del Medio Evo ho una conoscenza diretta. Quando accendevamo dei falò sul prato, in campagna, mia moglie mi accusava di non saper guardare le scintille che si levavano tra gli alberi e aliavano lungo i fili della luce. Quando poi ha letto il capitolo sull'incendio ha detto: "Ma allora le scintille le guardavi!". Ho risposto: "No, ma sapevo come le avrebbe viste un monaco medievale".

Dieci anni fa, accompagnando con una lettera dell'autore all'editore il mio commento al commento all'Apocalisse di Beato di Liebana (per Franco Maria Ricci), confessavo: "Comunque la metta, sono nato alla ricerca attraversando foreste simboliche abitate da unicorni e grifoni e comparando le strutture pinnacolari e quadrate delle cattedrali alle punte di malizia esegetica celata nelle tetragone formule delle Summulae, girovagando tra il Vico degli

Strami e le navate cistercensi, affabilmente intrattenendomi con colti e fastosi monaci cluniacensi, tenuto d'occhio da un Aquinate grassoccio e razionalista, tentato da Onorio Augustoduniense, dalle sue fantastiche geografie in cui a un tempo si spiegava quare in pueritia coitus non contingat, *come si arrivi all'Isola Perduta e come si catturi un basilisco muniti soltanto di uno specchietto da tasca e da incrollabile fede nel Bestiario.*

Questo gusto e questa passione non mi hanno mai lasciato, anche se poi, per ragioni morali e materiali (fare il medievalista implica spesso cospicue ricchezze e facoltà di vagare per biblioteche lontane microfilmando manoscritti introvabili) ho battuto altre strade. Così il Medio Evo è rimasto, se non il mio mestiere, il mio hobby – e la mia tentazione costante, e lo vedo dovunque, in trasparenza, nelle cose di cui mi occupo, che medievali non sembrano e pur sono.

Segrete vacanze sotto le navate di Autun, dove l'Abate Grivot, oggi, scrive manuali sul Diavolo dalla rilegatura impregnata di zolfo, estasi campestri a Moissac e a Conques, abbacinato da Vegliardi della Apocalisse o da diavoli che stipano in calderoni bollenti le anime dannate; e contemporaneamente letture rigeneranti dell'illuminista monaco Beda, conforti razionali chiesti ad Occam, per capire i misteri del Segno là dove Saussure è ancora oscuro. E così via, con continue nostalgie della Peregrinatio Sancti Brandani, *controlli del nostro pensare compiuti sul Libro di Kells, Borges rivisitato nei* kenningars *celtici, rapporti tra potere e masse persuase controllati nei diari del Vescovo Suger..."*

La maschera

In verità non ho solo deciso di raccontare del Medio Evo. Ho deciso di raccontare nel Medio Evo, e per bocca di un cronista dell'epoca. Ero narratore esordiente e sino ad allora i narratori li avevo guardati dall'altra parte della barricata. Mi vergognavo a raccontare. Mi sentivo come un critico teatrale che di colpo si esponga alle luci della ribalta e si vede guardato da coloro coi quali sino ad allora era stato complice in platea.

Si può dire "Era una bella mattina di fine novembre" senza sentirsi Snoopy? Ma se lo avessi fatto dire a Snoopy? Se cioè "era una bella mattina..." lo avesse detto qualcuno che era autorizzato a dirlo, perché così si poteva fare ai suoi tempi? Una maschera, ecco cosa mi occorreva.

Mi sono messo a leggere o a rileggere i cronisti medievali, per acquistarne il ritmo, e il candore. Essi avrebbero parlato per me, e io ero libero da sospetti. Libero da sospetti, ma non dagli echi dell'intertestualità. Ho riscoperto così ciò che gli scrittori hanno sempre saputo (e che tante volte ci hanno detto): i libri parlano sempre di altri libri e ogni storia racconta una storia già raccontata. Lo sapeva Omero, lo sapeva Ariosto, per non dire di Rabelais o di Cervantes. Per cui la mia storia non poteva che iniziare col manoscritto ritrovato, e anche quella sarebbe stata una citazione (naturalmente). Così scrissi subito l'introduzione, ponendo la mia narrazione a un quarto livello di incassamento, dentro a altre tre narrazioni: io dico che Vallet diceva che Mabillon ha detto che Adso disse...

Ero libero ormai da ogni timore. E a quel punto ho smesso di scrivere, per un anno. Ho smesso perché ho scoperto un'altra cosa che già sapevo (che tutti sapevano) ma che ho capito meglio lavorando.

Ho scoperto dunque che un romanzo non ha nulla a che fare, in prima istanza, con le parole. Scrivere un romanzo è una faccenda cosmologica, come quella raccontata dal Genesi (bisogna pur sceglierci dei modelli, diceva Woody Allen).

Il romanzo come fatto cosmologico

Intendo che per raccontare bisogna anzitutto costruirsi un mondo, il più possibile ammobiliato sino agli ultimi particolari. Se costruissi un fiume, due rive, e sulla riva sinistra ponessi un pescatore, e se a questo pescatore assegnassi un carattere iroso e una fedina penale poco pulita, ecco, potrei incominciare a scrivere, traducendo in parole quello che non può non avvenire. Che fa un pescatore? Pesca (ed ecco tutta una sequenza più o meno inevitabile di gesti). E poi cosa accade? O ci sono pesci che abboccano, o non ce ne sono. Se ci sono, il pescatore li pesca e poi va a casa tutto contento. Fine della storia. Se non ci sono, visto che è irascibile, forse si arrabbierà. Forse spezzerà la canna da pesca. Non è molto, ma è già un bozzetto. Ma c'è un proverbio indiano che dice "siediti sulla riva del fiume e aspetta, il cadavere del tuo nemico non tarderà a passare". E se lungo la corrente passasse un cadavere – visto che la possibilità è insita nell'area intertestuale del fiume? Non dimentichiamo che il mio pescatore ha la fedina penale sporca. Vorrà correre il rischio di trovarsi nei pasticci? Che farà? Fuggirà, fingerà di non vedere il cadavere? Si sentirà preso da coda di paglia, perché al postutto il cadavere è quello dell'uomo che odiava? Irascibile com'è, si adirerà perché non ha potuto compiere lui la vendetta agognata? Vedete, è bastato ammobiliare con poco il proprio mondo, e già c'è l'inizio di una storia. C'è anche già l'inizio di

uno stile, perché un pescatore che pesca dovrebbe impormi un ritmo narrativo lento, fluviale, scandito sulla sua attesa che dovrebbe essere paziente, ma anche sui sussulti della sua impaziente ira-
condia. Il problema è costruire il mondo, le parole verranno quasi
da sole. Rem tene, verba sequentur. Il contrario di quanto, credo, avviene con la poesia: verba tene, res sequentur.

Il primo anno di lavoro del mio romanzo è stato dedicato alla
costruzione del mondo. Lunghi regesti di tutti i libri che si potevano trovare in una biblioteca medievale. Elenchi di nomi e schede
anagrafiche per molti personaggi, tanti dei quali poi sono stati
esclusi dalla storia. Vale a dire che dovevo sapere anche chi erano
gli altri monaci che nel libro non appaiono; e non era necessario
che il lettore li conoscesse, ma dovevo conoscerli io. Chi ha detto
che la narrativa deve fare concorrenza allo Stato Civile? Ma forse
deve fare concorrenza anche all'assessorato all'urbanistica. E così
lunghe indagini architettoniche, su foto e su piani nell'enciclopedia dell'architettura, per stabilire la pianta dell'abbazia, le distan-
ze, persino il numero degli scalini in una scala a chiocciola. Marco
Ferreri una volta mi ha detto che i miei dialoghi sono cinematogra-
fici perché durano il tempo giusto. Per forza, quando due dei miei
personaggi parlavano andando dal refettorio al chiostro, io scrivevo con la pianta sott'occhio, e quando erano arrivati smettevano
di parlare.

Occorre crearsi delle costrizioni, per potere inventare liberamente. In poesia la costrizione può essere data dal piede, dal verso,
dalla rima, da quello che i contemporanei hanno chiamato il respiro secondo l'orecchio... In narrativa la costrizione è data dal
mondo sottostante. E questo non ha nulla a che vedere con il realismo (anche se spiega persino il realismo). Si può costruire un
mondo del tutto irreale, in cui gli asini volano e le principesse vengono risuscitate da un bacio: ma occorre che quel mondo, puramente possibile e irrealistico, esista, secondo strutture definite in
partenza (bisogna sapere se è un mondo dove una principessa può
essere risuscitata solo dal bacio di un principe, o anche da quello
di una strega, e se il bacio di una principessa ritrasforma in principe solo i rospi o anche, poniamo, gli armadilli).

Faceva parte del mio mondo anche la Storia, ed ecco perché ho
letto e riletto tante cronache medievali, e leggendole mi sono accorto che dovevano entrare nel romanzo anche cose che all'inizio
non mi avevano neppure sfiorato l'immaginazione, come le lotte
per la povertà, o l'inquisizione contro i fraticelli.

Per esempio: perché nel mio libro ci sono i fraticelli trecente-
schi? Se dovevo scrivere una storia medievale, avrei dovuto farla
svolgere nel XIII o nel XII secolo, perché li conoscevo meglio del

XIV. Ma avevo bisogno di un investigatore, possibilmente inglese (citazione intertestuale), che avesse un grande senso dell'osservazione e una particolare sensibilità per l'interpretazione degli indizi. Queste qualità non si trovavano se non nell'ambito francescano, e dopo Ruggiero Bacone; inoltre una teoria sviluppata dei segni la troviamo solo con gli occamisti, o meglio c'era anche prima, ma prima l'interpretazione dei segni o era di tipo simbolico o tendeva a leggere nei segni le idee e gli universali. Solo tra Bacone e Occam si usano i segni per indirizzarsi alla conoscenza degli individui. Dunque dovevo situare la storia nel XIV secolo, con molta irritazione, perché mi ci muovevo più a fatica. Di lì nuove letture, e la scoperta che un francescano del XIV secolo, anche inglese, non poteva ignorare la disputa sulla povertà, specie se era amico o seguace, o conoscente di Occam. (Per inciso, all'inizio avevo deciso che l'investigatore dovesse essere Occam stesso, poi vi ho rinunciato, perché umanamente il Venerabile Inceptor mi è antipatico.)

Ma perché si svolge tutto alla fine di novembre del 1327? Perché in dicembre Michele da Cesena è già ad Avignone (ed ecco cosa vuole dire ammobiliare un mondo in un romanzo storico: alcuni elementi, come il numero di scalini, dipendono da una decisione dell'autore, altri, come i movimenti di Michele, dipendono dal mondo reale, che per avventura, in questo tipo di romanzi, viene a coincidere col mondo possibile della narrazione).

Ma novembre era troppo presto. Infatti io avevo anche bisogno di ammazzare un maiale. Perché? Ma è semplice, per poter ficcare un cadavere a testa in giù in un orcio di sangue. E perché questo bisogno? Perché la seconda tromba dell'Apocalisse dice che... Mica potevo cambiare l'Apocalisse, faceva parte del mondo. Bene, succede che (mi sono informato) i maiali si ammazzano solo col freddo, e novembre poteva essere troppo presto. A meno che non mettessi l'abbazia in montagna, in modo da avere già della neve. Altrimenti la mia storia avrebbe potuto svolgersi in pianura, a Pomposa, o a Conques.

È il mondo costruito che ci dirà come la storia deve poi andare avanti. Tutti mi chiedono perché il mio Jorge evochi, nel nome, Borgés, e perché Borgés sia così malvagio. Ma io non lo so. Volevo un cieco a guardia di una biblioteca (il che mi sembrava una buona idea narrativa) e biblioteca più cieco non può che dare Borgés, anche perché i debiti si pagano. E poi è attraverso commenti e miniature spagnole che l'Apocalisse influenza tutto il Medio Evo. Ma quando ho messo Jorge in biblioteca non sapevo ancora che fosse lui l'assassino. Per così dire, ha fatto lui tutto da solo. E non si pensi che questa è una posizione "idealistica", come chi dicesse che i personaggi hanno una vita loro e l'autore, come in trance, li *fa agire per quello che essi gli suggeriscono. Sciocchezze da tema della maturità. È che i personaggi sono costretti ad agire secondo le leggi del mondo in cui vivono. Ovvero, il narratore è prigioniero delle proprie premesse.*

Un'altra bella storia è stata quella del labirinto. Tutti i labirinti di cui avevo notizia, e avevo tra le mani il bello studio di Santarcangeli, erano labirinti all'aperto. Potevano essere assai complicati e pieni di circonvoluzioni. Ma io avevo bisogno di un labirinto chiuso (avete mai visto una biblioteca all'aperto?) e se il labirinto era troppo complicato, con molti corridoi e sale interne, sarebbe mancata l'areazione sufficiente. E una buona areazione era necessaria per alimentare l'incendio (questo sì, che alla fine l'Edificio dovesse bruciare mi era molto chiaro, ma anche questo per ragioni cosmologico - storiche: nel Medio Evo cattedrali e conventi bruciavano come zolfanelli, immaginare una storia medievale senza incendio è come immaginare un film di guerra nel Pacifico senza un aeroplano da caccia che precipita in fiamme). Ed ecco che ho lavorato per due o tre mesi alla costruzione di un labirinto adatto, e alla fine ho dovuto aggiungerci delle feritoie, altrimenti di aria ve ne sarebbe stata sempre troppo poca.

Chi parla

Avevo molti problemi. Volevo un luogo chiuso, un universo concentrazionario, e per chiuderlo meglio era opportuno che introducessi oltre le unità di luogo, anche le unità di tempo (visto che quella di azione era dubbia). Dunque un'abbazia benedettina, con la vita scandita dalle ore canoniche (forse il modello inconscio era l'Ulysses, per la struttura ferrea a ore del giorno; ma era anche la Montagna Incantata, per il luogo rupestre e sanatoriale in cui avrebbero dovuto svolgersi tante conversazioni).

Le conversazioni mi ponevano molti problemi, ma quelli li ho risolti poi scrivendo. C'è una tematica, poco trattata nelle teorie della narrativa, che è quella dei turn ancillaries, *e cioè degli artifici attraverso i quali il narratore passa la parola ai vari personaggi. Si veda quali differenze ci sono tra questi cinque dialoghi:*

1. *– Come stai?*
   – Non male, e tu?
2. *– Come stai? disse Giovanni.*
   – Non male, e tu? disse Piero.
3. *– Come, – disse Giovanni –, come stai?*
   E Piero, di botto: – Non male, e tu?

4.   - *Come stai?* - si premurò Giovanni.
     Non male, e tu? - cachinnò Piero.
5.   *Disse Giovanni:* - *Come stai?*
     - *Non male,* - rispose Piero con voce incolore.
     Poi, con un sorriso indefinibile: - *E tu?*

Tranne i primi due casi, negli altri si osserva quello che si definisce "istanza dell'enunciazione". L'autore interviene con un commento personale a suggerire quale senso possano assumere le parole
dei due. Ma tale intenzione è davvero assente dalle soluzioni apparentemente asettiche dei primi due casi? E il lettore, è più libero
nei due casi asettici, dove potrebbe subire una imposizione emoti-
va senza accorgersene (si pensi all'apparente neutralità del dialogo
hemingwayano!) oppure è più libero negli altri tre casi, dove almeno sa a che gioco l'autore stia giocando?

È un problema di stile, è un problema ideologico, è un problema di "poesia", tanto come la scelta di una rima interna o di
un'assonanza, o l'introduzione di un paragramma. Si deve trovare
una certa coerenza. Forse nel mio caso ero facilitato, perché tutti i
dialoghi sono riferiti da Adso, ed è più che evidente che Adso impone il suo punto di vista a tutta la narrazione.

I dialoghi mi ponevano poi un altro problema. Quanto potevano essere medievali? In altri termini, mi rendevo conto, già scrivendo, che il libro assumeva una struttura da melodramma buffo,
con lunghi recitativi, e ampie arie. Le arie (per esempio la descrizione del portale) facevano il verso alla grande retorica dell'Età
Media, e lì i modelli non mancavano. Ma i dialoghi? A un certo
punto temevo che i dialoghi fossero Agata Christie, mentre le arie
erano Suger o San Bernardo. Sono andato a rileggermi i romanzi
medievali, voglio dire l'epopea cavalleresca, e mi sono accorto
che, con qualche licenza da parte mia, rispettavo però un uso narrativo e poetico che non era ignoto al Medio Evo. Ma il problema
mi ha a lungo arrovellato, e non sono sicuro di aver risolto questi
cambi di registro tra aria e recitativo.

Altro problema: l'incassamento delle voci ovvero delle istanze
narrative. Sapevo che stavo raccontando (io) una storia con le parole di un altro, e avendo avvertito nella prefazione che le parole
di questo altro erano state filtrate da almeno altre due istanze narrative, quella di Mabillon e quella dell'abate Vallet, anche se si
poteva supporre che essi avessero lavorato solo come filologi di un
testo non manipolato (ma chi ci crede?). Però il problema si ripro-
poneva all'interno della narrazione fatta in prima persona da Adso. Adso racconta a ottant'anni quello che ha visto a diciotto. Chi
parla, l'Adso diciottenne o l'Adso ottantenne? Tutti e due, è ov-

vio, ed è voluto. Il gioco stava nel mettere in scena di continuo Adso vecchio che ragiona su ciò che ricorda di aver visto e sentito come Adso giovane. Il modello (ma non sono andato a rileggermi il libro, mi bastavano remoti ricordi) era il Serenus Zeitblom del Doctor Faustus. Questo doppio gioco enunciativo mi ha affascinato e appassionato moltissimo. Anche perché, tornando a ciò che dicevo sulla maschera, duplicando Adso duplicavo ancora una volta la serie di intercapedini, di schermi, posti tra me come personalità biografica, o me come autore narrante, io narrante, e i personaggi narrati, compresa la voce narrativa. Mi sentivo sempre più protetto, e tutta l'esperienza mi ha ricordato (vorrei dire carnalmente, e con l'evidenza di un sapore di madeleine imbevuta di tiglio) certi giochi infantili sotto le coperte, quando mi sentivo come in un sottomarino, e di lì lanciavo messaggi a mia sorella, sotto le coperte di un altro lettino, entrambi isolati dal mondo esterno, e totalmente liberi di inventare lunghe corse sul fondo di mari silenziosi.

Adso è stato molto importante per me. Sin dall'inizio volevo raccontare tutta la storia (coi suoi misteri, i suoi eventi politici e teologici, le sue ambiguità) con la voce di qualcuno che passa attraverso gli avvenimenti, li registra tutti con la fedeltà fotografica di un adolescente, ma non li capisce (e non li capirà a fondo neppure da vecchio, tanto che poi sceglie una fuga nel nulla divino che non era quella che gli aveva insegnato il suo maestro). Far capire tutto attraverso le parole di qualcuno che non capisce nulla.

Leggendo le critiche, mi accorgo che questo è uno degli aspetti del romanzo che ha meno impressionato i lettori colti, o almeno, direi che nessuno lo ha rilevato, o quasi. Ma mi chiedo ora se questo non sia stato uno degli elementi che hanno determinato la leggibilità del romanzo da parte di lettori non sofisticati. Si sono identificati con l'innocenza del narratore, e si sono sentiti giustificati anche quando non capivano tutto. Li ho restituiti ai loro tremori di fronte al sesso, alle lingue ignote, alle difficoltà del pensiero, ai misteri della vita politica... Queste sono cose che capisco ora, après coup, ma forse allora trasferivo ad Adso molti dei miei tremori di adolescente, certamente nelle sue palpitazioni d'amore (però sempre con la garanzia di poter agire per interposta persona: infatti Adso vive i suoi patimenti d'amore solo attraverso le parole con cui i dottori della chiesa parlavano d'amore). L'arte è la fuga dall'emozione personale, me lo avevano insegnato sia Joyce che Eliot.

La lotta contro l'emozione è stata durissima. Avevo scritto una bella preghiera, modellata sull'elogio della Natura di Alano di Lilla, da mettere in bocca a Guglielmo in un momento di emozione.

Poi ho capito che ci saremmo emozionati entrambi, io come autore e lui come personaggio. Io come autore non dovevo, per ragioni di poetica. Lui come personaggio non poteva, perché era fatto di altra pasta, e le sue emozioni erano tutte mentali, oppure represse. Così ho eliminato quella pagina. Dopo aver letto il libro una amica mi ha detto: "L'unica mia obiezione è che Guglielmo non ha mai un moto di pietà". L'ho riferito a un altro amico che mi ha risposto: "È giusto, quello è lo stile della sua pietas". Forse era così. E così sia.

La preterizione

Adso mi è servito per risolvere ancora un'altra questione. Avrei potuto fare svolgere la storia in un Medio Evo in cui tutti sapevano di cosa si parlava. Come in una storia contemporanea, se un personaggio dice che il Vaticano non approverebbe il suo divorzio, non si deve spiegare cos'è il Vaticano e perché non approva il divorzio. Ma in un romanzo storico non si può fare così perché vi si narra anche per chiarire meglio a noi contemporanei cosa sia accaduto, e in che senso ciò che è accaduto conti anche per noi.

Il rischio è allora quello del salgarismo. I personaggi di Salgari fuggono nella foresta, braccati dai nemici, e inciampano in una radice di baobab: ed ecco che il narratore sospende l'azione e ci fa una lezione di botanica sui baobab. Ora è diventato topos, amabile come i vizi delle persone che abbiamo amato, ma non si dovrebbe fare.

Ho riscritto centinaia di pagine per evitare questo tipo di caduta; ma non ricordo di essermi mai accorto di come risolvessi il problema. Me ne son reso conto solo due anni dopo, e proprio mentre cercavo di spiegarmi perché il libro fosse letto anche da persone che non potevano certo amare i libri così "colti". Lo stile narrativo di Adso è fondato su quella figura di pensiero che si chiama preterizione. Ricordate l'esempio illustre? "Cesare taccio, che per ogni piaggia..." Si dice di non voler parlare di qualcosa che tutti conoscono benissimo, e nel dirlo si parla di quella cosa. Questo è un poco il modo in cui Adso accenna a persone ed eventi come ben noti, e tuttavia ne parla. Quanto a quelle persone e a quegli eventi che il lettore di Adso, tedesco della fine del secolo, non poteva conoscere, perché si erano svolti in Italia all'inizio del secolo, Adso non ha reticenze a parlarne, e in tono didascalico, perché tale era lo stile del cronista medievale, voglioso di introdurre nozioni enciclopediche ogni qual volta nominasse qualcosa. Dopo aver letto il manoscritto, un'amica (non la stessa di prima) mi disse che *era stata colpita dal tono giornalistico del racconto, non da romanzo, ma da articolo di Espresso, così disse, se ben ricordo. Sulle prime ci rimasi male, poi capii quello che lei aveva colto, ma senza riconoscere. È così che raccontano i cronisti di quei secoli, e se noi parliamo oggi di cronaca è perché allora si scrivevano tante croniche.*

Il respiro

Ma i lunghi brani didascalici andavano messi anche per un'altra ragione. Dopo aver letto il manoscritto, gli amici della casa editrice mi suggerirono di accorciare le prime cento pagine, che trovavano molto impegnative e faticose. Non ebbi dubbi, rifiutai, perché, sostenevo, se qualcuno voleva entrare nell'abbazia e viverci sette giorni, doveva accettarne il ritmo. Se non ci riusciva, non sarebbe mai riuscito a leggere tutto il libro. Quindi, funzione penitenziale, iniziatoria, delle prime cento pagine, e a chi non piace peggio per lui, rimane alle falde della collina.

Entrare in un romanzo è come fare un'escursione in montagna: occorre imparare un respiro, prendere un passo, altrimenti ci si ferma subito. È lo stesso di ciò che avviene in poesia. Pensate come sono insopportabili quei poeti recitati da attori che, per "interpretare", non rispettano la misura del verso, fanno degli enjambements recitativi come se parlassero in prosa, stanno dietro al contenuto e non al ritmo. Per leggere una poesia in endecasillabi e terza rima occorre assumere il ritmo cantato che il poeta voleva. Meglio recitar Dante come se fossero le rime del Corriere dei Piccoli di un tempo, che non correndo a tutti i costi dietro al senso.

In narrativa il respiro non è affidato alle frasi, ma a macroproposizioni più ampie, a scansioni di eventi. Ci sono romanzi che respirano come gazzelle e altri che respirano come balene, o elefanti. L'armonia non sta nella lunghezza del fiato, ma nella regolarità con cui lo si tira: anche perché se a un certo punto (ma non dovrebbe essere troppo sovente) il fiato si interrompe e un capitolo (o una sequenza) finiscono prima che il respiro sia tirato del tutto, questo può giocare un ruolo importante nell'economia del racconto, segnare un punto di rottura, un colpo di scena. Almeno così si vede fare dai grandi: "La sventurata rispose" – punto e a capo – non ha lo stesso ritmo di "Addio monti", ma quando arriva è come se il bel cielo di Lombardia si coprisse di sangue. Un grande romanzo è quello in cui l'autore sa sempre a che punto accelerare, frenare e come dosare questi colpi di pedale nel quadro di un ritmo di fondo che rimane costante. E in musica si può "rubare", ma che non si rubi troppo, se no abbiamo quei cattivi esecutori che credo-

no che, per fare Chopin, basti esagerare nel rubato. Non sto par-
lando di come ho risolto i miei problemi, bensì di come me li sono
posti. E se dovessi dire che me li ponevo coscientemente, mentirei.
C'è un pensiero compositivo che pensa anche attraverso il ritmo
delle dita che battono sui tasti della macchina.

Vorrei dare un esempio di come raccontare sia pensare con le di-
ta. È chiaro che la scena dell'amplesso in cucina è costruita tutta
con citazioni da testi religiosi, a partire dal Cantico dei Cantici si-
no a san Bernardo e a Jean de Fecamp, o santa Hildegarda di Bin-
gen. Almeno, anche chi non ha pratica di mistica medievale, ma
un po' di orecchio, se ne è accorto. Ma quando ora qualcuno mi
chiede di chi sono le citazioni e dove finisce una e incomincia l'al-
tra, non sono più in grado di dirlo.

Infatti io avevo decine e decine di schede con tutti i testi, e talo-
ra delle pagine di libro, e delle fotocopie, moltissime, molte più di
quante non ne abbia poi usate. Ma quando ho scritto la scena l'ho
scritta di getto (solo dopo l'ho limata, come a passarci sopra una
vernice omogeneizzante, perché si vedessero ancora meno le suture).
Dunque, scrivevo, accanto avevo tutti i testi, buttati senz'ordine, e
spostavo l'occhio ora su uno ora sull'altro, copiando un brano, poi
collegandolo subito a un altro. È il capitolo che, in prima stesura,
ho scritto più rapidamente di tutti. Ho capito dopo che cercavo di
seguire con le dita il ritmo dell'amplesso, e quindi non potevo arre-
starmi per scegliere la citazione giusta. Ciò che rendeva giusta la ci-
tazione inserita in quel punto era il ritmo con cui la inserivo, scarta-
vo con gli occhi quelle che avrebbero arrestato il ritmo delle dita.
Non posso dire che la stesura dell'evento sia durata quanto l'evento
(benché ci siano degli amplessi abbastanza lunghi), ma ho cercato di
abbreviare il più possibile la differenza tra tempo dell'amplesso e
tempo della scrittura. E dico scrittura non nel senso barthesiano,
bensì nel senso del dattilografo, sto parlando della scrittura come at-
to materiale, fisico. E sto parlando di ritmi del corpo, non di emo-
zioni. L'emozione, ormai filtrata, era tutta prima, nella decisione di
assimilare estasi mistica ed estasi erotica, nel momento in cui avevo
letto e scelto i testi da usare. Dopo, nessuna emozione, era Adso che
faceva all'amore, non io, io dovevo solo tradurre la sua emozione in
un gioco di occhi e di dita, come se avessi deciso di raccontare una
storia d'amore suonando il tamburo.

Costruire il lettore

Ritmo, respiro, penitenza... Per chi, per me? No, certo, per il
lettore. Si scrive pensando a un lettore. Così come il pittore dipin-

ge pensando allo spettatore del quadro. Dopo aver dato un colpo di pennello, si allontana di due o tre passi e studia l'effetto: guarda cioè al quadro come dovrebbe guardarlo, in condizioni di luce acconcia, lo spettatore quando l'ammirerà appeso alla parete. Quando l'opera è finita, si instaura un dialogo tra il testo e i suoi lettori (l'autore è escluso). Mentre l'opera si fa, il dialogo è doppio. C'è il dialogo tra quel testo e tutti gli altri testi scritti prima (si fanno libri solo su altri libri e intorno ad altri libri) e c'è il dialogo tra l'autore e il proprio lettore modello. L'ho teorizzato in altre opere come Lector in fabula o prima ancora in Opera aperta, né l'ho inventato io.

Può accadere che l'autore scriva pensando a un certo pubblico empirico, come facevano i fondatori del romanzo moderno, Richardson o Fielding o Defoe, che scrivevano per i mercanti e le loro mogli, ma scrive per il pubblico anche Joyce che pensa a un lettore ideale affetto da un'ideale insonnia. In entrambi i casi, sia che si creda di parlare a un pubblico che è lì, soldi alla mano, fuori dalla porta, sia che ci si proponga di scrivere per un lettore a venire, scrivere è costruire, attraverso il testo, il proprio modello di lettore.

Cosa vuol dire pensare a un lettore capace di superare lo scoglio penitenziale delle prime cento pagine? Significa esattamente scrivere cento pagine allo scopo di costruire un lettore adatto per quelle che seguiranno.

C'è uno scrittore che scrive solo per i posteri? No, neppure se lo afferma, perché, siccome non è Nostradamus, non può che configurarsi i posteri sul modello di ciò che sa dei contemporanei. C'è un autore che scriva per pochi lettori? Sì, se con questo si intende che il Lettore Modello che egli si configura, nelle sue previsioni, ha poche possibilità di essere impersonato dai più. Ma anche in questo caso lo scrittore scrive con la speranza, neppur troppo segreta, che proprio il suo libro crei, e in gran numero, molti nuovi rappresentanti di questo lettore voluto e perseguito con tanta acribia artigiana, postulato, incoraggiato dal suo testo.

La differenza è se mai tra il testo che vuole produrre un lettore nuovo e quello che cerca di andare incontro ai desideri dei lettori tali quali li si trova già per la strada. In questo secondo caso abbiamo il libro scritto, costruito secondo un formulario buono per prodotti serializzati, l'autore fa una sorta di analisi di mercato, e si adegua. Che lavori per formule lo si vede sulla distanza, analizzando i vari romanzi che ha scritto, e rilevando che in tutti, cambiando i nomi, i luoghi e le fisionomie, si racconta la stessa storia. Quella che il pubblico già chiedeva.

Ma quando lo scrittore pianifica il nuovo, e progetta un lettore diverso, non vuole essere un analista di mercato che fa la lista delle richieste espresse, bensì un filosofo, che intuisce le trame dello Zeitgeist. Egli vuole rivelare al proprio pubblico ciò che esso dovrebbe *volere*, anche se non lo sa. Egli vuole rivelare il lettore a se stesso.

Se Manzoni avesse dovuto badare a quello che il pubblico chiedeva, la formula l'aveva, il romanzo storico di ambiente medievale, con personaggi illustri, come nella tragedia greca, re e principesse (e non fa così nell'Adelchi?) e grandi e nobili passioni, e imprese guerresche, e celebrazione delle glorie italiche in un'epoca in cui l'Italia era terra di forti. Non facevano così, prima di lui, con lui e dopo di lui, tanti romanzieri storici più o meno sciagurati, dall'artigiano d'Azeglio, al focoso e lutulento Guerrazzi, all'illeggibile Cantù?

E invece cosa fa Manzoni? Sceglie il Seicento, epoca di schiavitù, e personaggi vili, e l'unico spadaccino è un fellone, e di battaglie non ne racconta, e ha il coraggio di appesantire la storia con documenti e grida... E piace, piace a tutti, a dotti e a indotti, a grandi e piccini, a pinzoccheri e a mangiapreti. Perché aveva intuito che i lettori del suo tempo dovevano avere quello, anche se non lo sapevano, anche se non lo chiedevano, anche se non credevano che fosse commestibile. E quanto lavora, di lima, sega e martello, e risciacquatura di panni, per rendere palatabile il suo prodotto. Per obbligare i lettori empirici a diventare il lettore modello che egli aveva vagheggiato.

Manzoni non scriveva per piacere al pubblico così come era, ma per creare un pubblico a cui il suo romanzo non potesse non piacere. E guai se non fosse piaciuto, lo vedete con quanta ipocrisia e serenità parla dei suoi venticinque lettori. Venticinque milioni, ne vuole.

Che lettore modello volevo, mentre scrivevo? Un complice, certo, che stesse al mio gioco. Io volevo diventare completamente medievale e vivere nel Medio Evo come se fosse il mio tempo (e viceversa). Ma al tempo stesso volevo, con tutte le mie forze, che si disegnasse una figura di lettore il quale, superata l'iniziazione, diventasse mia preda, ovvero preda del testo e pensasse di non voler altro che ciò che il testo gli offriva. Un testo vuole essere una esperienza di trasformazione per il proprio lettore. Tu credi di voler sesso, e trame criminali in cui alla fine si scopre il colpevole, e molta azione, ma al tempo stesso ti vergogneresti di accettare una venerabile paccottiglia fatta di mani della morta e fabbri del convento. Ebbene io ti darò latino, e poche donne, e teologia a bizzeffe e sangue a litri come nel Grand Guignol, in modo che tu dica "ma è falso, non ci sto!" E a questo punto dovrai essere mio, e provare il brivido della infinita onnipotenza di Dio, che vanifica l'ordine del mondo. E poi, se sarai bravo, accorgerti del modo in cui ti ho tratto nella trappola, perché infine te lo dicevo ad ogni passo, ti avvertivo bene che ti stavo traendo a dannazione, ma il bello dei patti col diavolo è che li si firma ben sapendo con chi si tratta. Altrimenti, perché essere premiato con l'inferno?

E siccome volevo che fosse preso come piacevole l'unica cosa che ci fa fremere, e cioè il brivido metafisico, non mi restava che scegliere (tra i modelli di trama) quella più metafisica e filosofica, il romanzo poliziesco.

La metafisica poliziesca

Non a caso il libro parte come se fosse un giallo (e continua a illudere il lettore ingenuo, sino alla fine, così che il lettore ingenuo può anche non accorgersi che si tratta di un giallo dove si scopre assai poco, e il detective viene sconfitto). Io credo che alla gente piacciano i gialli non perché ci sono i morti ammazzati, né perché vi si celebra il trionfo dell'ordine finale (intellettuale, sociale, legale e morale) sul disordine della colpa. È che il romanzo poliziesco rappresenta una storia di congettura, allo stato puro. Ma anche una diagnosi medica, una ricerca scientifica, anche una interrogazione metafisica sono casi di congettura. In fondo la domanda base della filosofia (come quella della psicoanalisi) è la stessa del romanzo poliziesco: di chi è la colpa? Per saperlo (per credere di saperlo) bisogna congetturare che tutti i fatti abbiano una logica, la logica che ha imposto loro il colpevole. Ogni storia di indagine e di congettura ci racconta qualcosa presso a cui abitiamo da sempre (citazione pseudo-heideggeriana). A questo punto è chiaro perché la mia storia di base (chi è l'assassino?) si dirama in tante altre storie, tutte storie di altre congetture, tutte intorno alla struttura della congettura in quanto tale.

Un modello astratto della congetturalità è il labirinto. Ma ci sono tre tipi di labirinto. Uno è quello greco, quello di Teseo. Questo labirinto non consente a nessuno di perdersi: entri e arrivi al centro, e poi dal centro all'uscita. Per questo al centro c'è il Minotauro, altrimenti la storia non avrebbe sapore, sarebbe una semplice passeggiata. Il terrore nasce caso mai perché non sai dove arriverai e cosa farà il Minotauro. Ma se tu svolgi il labirinto classico, ti ritrovi tra le mani un filo, il filo d'Arianna. Il labirinto classico è il filo d'Arianna di se stesso.

Poi c'è il labirinto manieristico: se lo svolgi ti ritrovi tra le mani una specie di albero, una struttura a radici con molti vicoli ciechi.

L'uscita è una sola, ma puoi sbagliare. Hai bisogno di un filo d'Arianna per non perderti. Questo labirinto è un modello di trial-and-error process.

Infine c'è la rete, ovvero quella che Deleuze e Guattari chiamano rizoma. Il rizoma è fatto in modo che ogni strada può connettersi con ogni altra. Non ha centro, non ha periferia, non ha uscita, perché è potenzialmente infinito. Lo spazio della congettura è uno spazio a rizoma. Il labirinto della mia biblioteca è ancora un labirinto manieristico, ma il mondo in cui Guglielmo si accorge di vivere è già strutturato a rizoma: ovvero, è strutturabile, ma mai definitivamente strutturato.

Un ragazzo di diciassette anni mi ha detto che non ha capito nulla delle discussioni teologiche, ma che esse agivano come prolungamenti del labirinto spaziale (come se fossero musica thrilling in un film di Hitchcock). Credo che sia accaduto qualcosa del genere: anche il lettore ingenuo ha fiutato che si trovava di fronte a una storia di labirinti, e non di labirinti spaziali. Potremmo dire che, curiosamente, le letture più ingenue erano le più "strutturali". Il lettore ingenuo è entrato a contatto diretto, senza mediazione dei contenuti, con il fatto che è impossibile che ci sia una storia.

Il divertimento

Volevo che il lettore si divertisse. Almeno quanto mi stavo divertendo io. Questo è un punto molto importante, che sembra contrastare con le idee più pensose che crediamo di avere circa il romanzo.

Divertire non significa di-vertere, distogliere dai problemi. Robinson Crusoe *vuole divertire* il proprio lettore modello, raccontandogli dei calcoli e delle operazioni quotidiane di un bravo homo oeconomicus *assai simile a lui*. Ma il *semblable* di *Robinson*, dopo che si è divertito leggendosi in Robinson, *in qualche modo dovrebbe aver capito qualcosa di più, essere diventato un altro*. Divertendosi, in qualche modo, ha imparato. Che il lettore impari qualcosa circa il mondo o qualcosa circa il linguaggio, questa differenza contrassegna diverse poetiche della narratività, ma il punto non cambia. Il lettore ideale del Finnegans Wake deve alla fine divertirsi quanto il lettore di Carolina Invernizio. Tanto quanto. Ma in modo diverso.

Ora, il concetto divertimento è storico. Ci sono modi di divertirsi e di divertire diversi per ogni stagione del romanzo. È indubbio che il romanzo moderno ha cercato di deprimere il divertimento della trama per privilegiare altri tipi di divertimento. Io, grande ammiratore della poetica aristotelica, ho sempre pensato che, malgrado tutto, un romanzo deve divertire anche e soprattutto attraverso la trama.

È indubbio che se un romanzo diverte, ottiene il consenso di un pubblico. Ora, per un certo periodo, si è pensato che il consenso fosse una spia negativa. Se un romanzo trova consenso, allora è perché non dice nulla di nuovo, e dà al pubblico ciò che esso si attendeva già.

Credo però non sia la stessa cosa dire "se un romanzo dà al lettore ciò che si attendeva, trova consenso" e "se un romanzo trova consenso è perché dà al lettore ciò che esso si attendeva".

La seconda affermazione non è sempre vera. Basti pensare a Defoe o a Balzac, per arrivare sino al Tamburo di latta o a Cent'anni di solitudine.

Si dirà che l'equazione "consenso = disvalore" è stata incoraggiata da certe posizioni polemiche prese da noi del gruppo 63, e anche prima del '63, quando si identificava il libro di successo col libro consolatorio, e il romanzo consolatorio col romanzo a intreccio, mentre si celebrava l'opera sperimentale, che fa scandalo ed è rifiutata dal grande pubblico. E queste cose sono state dette, aveva un senso dirle, e sono quelle che hanno maggiormente scandalizzato i letterati benpensanti e che non sono mai più state dimenticate dai cronisti – e giustamente perché erano state pronunciate proprio per ottenere quest'effetto, e pensando a romanzi tradizionali dall'impianto fondamentalmente consolatorio e privi di innovazioni interessanti rispetto alla problematica ottocentesca. E che poi allora si formassero schieramenti, e si facesse sovente di ogni erba un fascio, talora per ragioni di guerra per bande, è fatale. Mi ricordo che i nemici erano Lampedusa, Bassani e Cassola, e oggi, personalmente, farei sottili differenze tra i tre. Lampedusa aveva scritto un buon romanzo fuori tempo, e si polemizzava contro la celebrazione che se ne faceva come se proponesse una nuova via alla letteratura italiana, mentre al contrario ne chiudeva gloriosamente un'altra. Su Cassola non ho cambiato opinione. Su Bassani invece oggi andrei molto ma molto più cauto e se fossi nel '63 lo accetterei come compagno di strada. Ma il problema di cui voglio parlare è un altro.

È che nessuno si ricorda più di quanto è accaduto nel 1965, quando il gruppo si era riunito a Palermo, di nuovo, per discutere sul romanzo sperimentale (e dire che gli atti sono ancora in catalogo, col titolo Il romanzo sperimentale, da Feltrinelli, con la data 1965 in copertina, e 1966 sul finito di stampare).

Ora nel corso di quel dibattito si trovavano cose molto interessanti. Anzitutto la relazione iniziale di Renato Barilli, già teorico di tutti gli sperimentalismi del *Nouveau Roman*, che si trovava a quel punto a fare i conti col nuovo Robbe Grillet, e con Grass, e con Pynchon (non si dimentichi che ora Pynchon viene citato tra gli iniziatori del post-moderno, ma allora questa parola non esisteva, almeno in Italia, e stava cominciando John Barth in America), e citava il riscoperto Roussel, che amava Verne, e non citava Borgés perché la sua rivalutazione non era ancora iniziata. E cosa diceva Barilli? Che sino ad allora si era privilegiata la fine dell'intreccio, e il blocco dell'azione nell'epifania e nell'estasi materialistica. Ma che stava iniziando una nuova fase della narrativa con la rivalutazione dell'azione, sia pure di una azione *autre*.

Io analizzavo l'impressione che avevamo provato la sera prima assistendo a un curioso collage cinematografico di Baruchello e Grifi, Verifica incerta, una storia fatta con spezzoni di storie, anzi di situazioni standard, di *topoi*, del cinema commerciale. E rilevavo che là dove il pubblico aveva reagito con maggior piacere era nei punti in cui, sino a pochi anni fa, avrebbe reagito dando segni di scandalo, e cioè dove le conseguenze logiche e temporali dell'azione tradizionale venivano eluse e le sue attese apparivano violentemente frustrate. L'avanguardia stava diventando tradizione, ciò che era dissonante qualche anno prima diventava miele per le orecchie (o per gli occhi). E da questo non si poteva che trarre una conclusione. L'inaccettabilità del messaggio non era più criterio principe per una narrativa (e per qualsiasi arte) sperimentale, visto che l'inaccettabile era ormai codificato come piacevole. Si profilava un ritorno conciliato a nuove forme di accettabile, e di piacevole. E ricordavo che, se al tempo delle serate futuriste di Marinetti era indispensabile che il pubblico fischiasse, "oggi è invece improduttiva e sciocca la polemica di chi giudica fallito un esperimento per il fatto che viene accettato come normale: è un rifarsi allo schema assiologico dell'avanguardia storica, e a questo punto l'eventuale critico dell'avanguardia altro non è che un marinettiano in ritardo. Ribadiamo che solo in un momento storico preciso l'inaccettabilità del messaggio da parte del ricettore è diventata una garanzia di valore... Sospetto che forse dovremo rinunciare a quella *arrière pensée*, che domina costantemente le nostre discussioni, per cui lo scandalo esterno dovrebbe essere una verifica della validità di un lavoro. La stessa dicotomia tra ordine e disordine, tra opera di consumo e opera di provocazione, pur non perdendo di validità, andrà riesaminata forse in un'altra prospettiva: cioè, credo che sarà possibile trovare elementi di rottura e contestazione in opere che apparentemente si prestano ad un facile consumo, ed accorgersi al contrario che certe opere, che appaiono *come provocatorie e fanno ancora saltare sulla sedia il pubblico, non contestano nulla... In questi giorni ho trovato qualcuno che, insospettito perché un prodotto gli era piaciuto troppo, lo sospendeva in una zona di dubbio..." E via dicendo.*

1965. Erano gli anni in cui iniziava la pop art, e dunque cadevano le distinzioni tradizionali tra arte sperimentale, non figurativa, e arte di massa, narrativa e figurativa. Gli anni in cui Pousseur, riferendosi ai Beatles, mi diceva "essi lavorano per noi", non accorgendosi però ancora che lui stava lavorando anche per loro (e avrebbe dovuto venire Cathy Berberian a mostrarci che i Beatles, ricondotti a Purcell, come era giusto, potevano essere eseguiti in concerto accanto a Monteverdi e a Satie).

Il post-moderno, l'ironia, il piacevole

Dal 1965 a oggi si sono definitivamente chiarite due idee. Che si poteva ritrovare l'intreccio anche sotto forma di citazione di altri intrecci, e che la citazione avrebbe potuto essere meno consolatoria dell'intreccio citato (sarà del 1972 l'almanacco Bompiani intitolato al Ritorno dell'intreccio, *sia pure attraverso la rivisitazione ironica, e ammirata al tempo stesso, di Ponson du Terrail e di Eugène Sue, e all'ammirazione con poca ironia di certe grandi pagine di Dumas). Si poteva avere un romanzo non consolatorio, abbastanza problematico, e tuttavia piacevole?*

Questa sutura, e il ritrovamento non solo dell'intreccio ma anche della piacevolezza, doveva essere attuata dai teorici americani del Post-Modernismo.

Malauguratamente "post-moderno" è un termine buono à tout faire. *Ho l'impressione che oggi lo si applichi a tutto ciò che piace a chi lo usa. D'altra parte sembra ci sia un tentativo di farlo slittare all'indietro: prima sembrava adattarsi ad alcuni scrittori o artisti operanti negli ultimi vent'anni, poi via via è arrivato sino a inizio secolo, poi più indietro, e la marcia continua, tra poco la categoria del post-moderno arriverà a Omero.*

Credo tuttavia che il post-moderno non sia una tendenza circoscrivibile cronologicamente, ma una categoria spirituale, o meglio un Kunstwollen, un modo di operare. Potremmo dire che ogni epoca ha il proprio post-moderno, così come ogni epoca avrebbe il proprio manierismo (tanto che mi chiedo se post-moderno non sia il nome moderno del Manierismo come categoria metastorica). Credo che in ogni epoca si arrivi a dei momenti di crisi quali quelli descritti da Nietzsche nella Seconda Inattuale, *sul danno degli studi storici. Il passato ci condiziona, ci sta addosso, ci ricatta.*

L'avanguardia storica (ma anche qui intenderei quella di avanguardia come categoria metastorica) cerca di regolare i conti con il passato. "Abbasso il chiaro di luna", motto futurista, è un programma tipico di ogni avanguardia, basta mettere qualcosa di appropriato al posto del chiaro di luna. L'avanguardia distrugge il passato, lo sfigura: le Demoiselles d'Avignon *sono il gesto tipico dell'avanguardia; poi l'avanguardia va oltre, distrutta la figura l'annulla, arriva all'astratto, all'informale, alla tela bianca, alla tela lacerata, alla tela bruciata, in architettura sarà la condizione minima del curtain wall, l'edificio come stele, parallelepipedo puro, in letteratura la distruzione del flusso del discorso, sino al collage alla Bourroughs, sino al silenzio o alla pagina bianca, in musica sarà il passaggio dall'atonalità al rumore, al silenzio assoluto (in questo senso il Cage delle origini è moderno).*

Ma arriva il momento che l'avanguardia (il moderno) non può più andare oltre, perché ha ormai prodotto un metalinguaggio che parla dei suoi impossibili testi (l'arte concettuale). La risposta post-moderna al moderno consiste nel riconoscere che il passato, visto che non può essere distrutto, perché la sua distruzione porta al silenzio, deve essere rivisitato: con ironia, in modo non innocente. Penso all'atteggiamento post-moderno come a quello di chi ami una donna, molto colta, e che sappia che non può dirle "ti amo disperatamente", perché lui sa che lei sa (e che lei sa che lui sa) che queste frasi le ha già scritte Liala. Tuttavia c'è una soluzione. Potrà dire: "Come direbbe Liala, ti amo disperatamente". A questo punto, avendo evitata la falsa innocenza, avendo detto chiaramente che non si può più parlare in modo innocente, costui avrà però detto alla donna ciò che voleva dirle: che la ama, ma che la ama in un'epoca di innocenza perduta. Se la donna sta al gioco, avrà ricevuto una dichiarazione d'amore, ugualmente. Nessuno dei due interlocutori si sentirà innocente, entrambi avranno accettato la sfida del passato, del già detto che non si può eliminare, entrambi giocheranno coscientemente e con piacere al gioco dell'ironia... Ma entrambi saranno riusciti ancora una volta a parlare d'amore.

Ironia, gioco metalinguistico, enunciazione al quadrato. Per cui se, col moderno, chi non capisce il gioco non può che rifiutarlo, col post-moderno è anche possibile non capire il gioco e prendere le cose sul serio. Che è poi la qualità (il rischio) dell'ironia. C'è sempre chi prende il discorso ironico come se fosse serio. Penso che i collages di Picasso, di Juan Gris e di Braque fossero moderni: per questo la gente normale non li accettava. Invece i collages che faceva Max Ernst, montando pezzi di incisioni ottocentesche, erano post-moderni: si possono anche leggere come un racconto fantasti-

co, come il racconto di un sogno, senza accorgersi che rappresentano un discorso sull'incisione, e forse sul collage stesso. Se il postmoderno è questo, è chiaro perché Sterne o Rabelais fossero postmoderni, perché lo è certamente Borgés, perché in uno stesso artista possano convivere, o seguirsi a breve distanza, o alternarsi, il momento moderno e quello post-moderno. Si veda cosa accade con Joyce. Il Portrait è la storia di un tentativo moderno. I Dubliners, anche se vengono prima, sono più moderni del Portrait. Ulysses sta al limite. Finnegans Wake è già post-moderno, o almeno apre il discorso post-moderno, richiede, per essere compreso, non la negazione del già detto, ma il suo ripensamento ironico.

Sul post-moderno è stato detto quasi tutto sin dall'inizio (e cioè da saggi come "La letteratura dell'esaurimento" di John Barth, che è del 1967, e che è stato recentemente pubblicato da Calibano, nel numero 7 sul post-moderno americano). Non è che sia del tutto d'accordo con le pagelle che i teorici del post-modernismo (Barth compreso) assegnano a scrittori e artisti, stabilendo chi è post-moderno e chi non ancora. Ma mi interessa il teorema che i teorici della tendenza traggono dalle loro premesse: "Il mio scrittore ideale post-moderno non imita e non ripudia né i suoi genitori novecenteschi né i suoi nonni ottocenteschi. Ha digerito il modernismo, ma non lo porta sulle spalle come un peso... Questo scrittore forse non può sperare di raggiungere o commuovere i cultori di James Michener e Irving Wallace, per non parlare degli analfabeti lobotomizzati dai mass media, ma dovrebbe sperare di raggiungere e divertire, almeno qualche volta, un pubblico più vasto del circolo di quelli che Thomas Mann chiamava i primi cristiani, i devoti dell'Arte... Il romanzo post-moderno ideale dovrebbe superare le diatribe tra realismo e irrealismo, formalismo e "contenutismo", letteratura pura e letteratura dell'impegno, narrativa d'élite e narrativa di massa... L'analogia che preferisco è piuttosto con il buon jazz o con la musica classica: a riascoltare e ad analizzare lo spartito si scoprono molte cose che non si erano colte la prima volta, ma la prima volta deve saperti prendere al punto da farti desiderare di riascoltare, e questo vale sia per gli specialisti che per i non specialisti." Così Barth, nel 1980, riprendendo il tema, ma questa volta sotto il titolo "La letteratura della pienezza". Naturalmente il discorso può essere ripreso con maggior gusto del paradosso, come fa Leslie Fiedler. Il numero di Calibano pubblica un suo saggio del 1981, e recentissimamente la nuova rivista Linea d'ombra pubblica un suo dibattito con altri autori americani. Fiedler provoca, è ovvio. Loda L'ultimo dei Mohicani, la narrativa d'avventure, il Gothic, la robaccia disprezzata dai critici e che ha saputo creare dei miti, e popolare l'immaginario di più di una generazione. Si *chiede se apparirà ancora qualcosa come* La capanna dello zio Tom, *che possa essere letto con eguale passione in cucina, in salotto e nella stanza dei bambini. Mette Shakespeare dalla parte di quelli che sapevano divertire, insieme a* Via col vento. *Sappiamo tutti che è critico troppo fine per crederci. Vuole semplicemente rompere la barriera che è stata eretta tra arte e piacevolezza. Intuisce che raggiungere un pubblico vasto e popolare i suoi sogni, significa forse oggi fare avanguardia e ci lascia ancora liberi di dire che popolare i sogni dei lettori non vuol dire necessariamente consolarli. Può voler dire ossessionarli.*

Il romanzo storico

Da due anni rifiuto di rispondere a questioni oziose. Del tipo: la tua è un'opera aperta o no? E che ne so, non sono fatti miei, sono fatti vostri. Oppure: con quale dei tuoi personaggi ti identifichi? Dio mio, ma con chi si identifica un autore? Con gli avverbi, è ovvio.

Di tutte le questioni oziose la più oziosa è stata quella di coloro che suggeriscono che raccontare del passato sia un modo di sfuggire al presente. È vero? mi chiedono. È probabile, rispondo, se Manzoni ha raccontato del Seicento è perché non gli interessava l'Ottocento, e il Sant'Ambrogio *di Giusti parla agli austriaci del suo tempo mentre chiaramente il* Giuramento di Pontida *di Berchet parla di favole del tempo che fu.* Love story *si impegna sul proprio tempo mentre la* Certosa di Parma *raccontava solo fatti avvenuti venticinque anni prima... Inutile dire che tutti i problemi dell'Europa moderna si formano, così come li sentiamo oggi, nel Medio Evo, dalla democrazia comunale alla economia bancaria, dalle monarchie nazionali alle città, dalle nuove tecnologie alle rivolte dei poveri: il Medio Evo è la nostra infanzia a cui occorre sempre tornare per fare l'anamnesi. Ma si può parlare di Medio Evo anche nello stile di* Excalibur. *E dunque il problema è un altro, e non eludibile. Che cosa vuol dire scrivere un romanzo storico? Credo che vi siano tre modi di raccontare intorno al passato. Uno è il* romance, *dal ciclo bretone alle storie di Tolkien, e ci sta dentro anche la "Gothic novel", che* novel *non è ma appunto* romance. *Il passato come scenografia, pretesto, costruzione favolistica, per dare libero sfogo alla immaginazione. Dunque non è neppure necessario che il* romance *si svolga nel passato, basta che non si svolga ora e qui e che dell'ora e del qui non parli, neppure per allegoria. Molta fantascienza è puro* romance. *Il* romance *è la storia di un* altrove.

Poi viene il romanzo di cappa e spada, come quello di Dumas. Il romanzo di cappa e spada sceglie un passato "reale" e riconoscibile, e per renderlo riconoscibile lo popola di personaggi già registrati dall'enciclopedia (Richelieu, Mazarino) ai quali fa compiere alcune azioni che l'enciclopedia non registra (aver incontrato Milady, aver avuto contatti con un certo Bonacieux) ma da cui l'enciclopedia non viene contraddetta. Naturalmente, per corroborare l'impressione di realtà, i personaggi storici faranno anche quello che (per consenso della storiografia) hanno fatto (assediare la Rochelle, aver avuto rapporti intimi con Anna d'Austria, aver avuto a che fare con la Fronda). In questo quadro ("vero") si inseriscono i personaggi di fantasia, i quali però manifestano sentimenti che potrebbero essere attribuiti anche a personaggi di altre epoche. Quello che d'Artagnan fa ricuperando a Londra i gioielli della regina, avrebbe potuto farlo anche nel XV o nel XVIII secolo. Non è necessario vivere nel Seicento per aver la psicologia di d'Artagnan.

Nel romanzo storico invece non è necessario che entrino in scena personaggi riconoscibili in termini di enciclopedia comune. Pensate ai Promessi sposi, il personaggio più noto è il cardinal Federigo, che prima di Manzoni conoscevano in pochi (e ben più noto era l'altro Borromeo, San Carlo). Ma ogni cosa che fanno Renzo, Lucia o Fra Cristoforo non poteva che essere fatta nella Lombardia del Seicento. Quello che i personaggi fanno serve a far capire meglio la storia, ciò che è avvenuto. Vicende e personaggi sono inventati, eppure ci dicono sull'Italia dell'epoca cose che i libri di storia non ci avevano mai detto con altrettanta chiarezza.

In questo senso certamente io volevo scrivere un romanzo storico, e non perché Ubertino o Michele fossero davvero esistiti e dicessero più o meno quello che avevano detto davvero, ma perché tutto quello che personaggi fittizi come Guglielmo dicevano avrebbe dovuto essere stato detto a quell'epoca.

Non so quanto sono stato fedele a questo proposito. Non credo di averlo disatteso quando mascheravo citazioni di autori posteriori (come Wittgenstein) facendole passare per citazioni dell'epoca. In quei casi sapevo benissimo che non erano i miei medievali a essere moderni, caso mai erano i moderni a pensar medievale. Piuttosto mi chiedo se talora non ho prestato ai miei personaggi fittizi una capacità di mettere insieme, dalle disiecta membra *di pensieri del tutto medievali, alcuni ircocervi concettuali che, come tali, il Medio Evo non avrebbe riconosciuto come propri. Ma credo che un romanzo storico debba fare anche questo: non solo individuare nel passato le cause di quel che è avvenuto dopo, ma anche disegnare il processo per cui quelle cause si sono avviate lentamente a produrre i loro effetti.*

Se un mio personaggio, comparando due idee medievali, ne trae una terza idea più moderna, egli fa esattamente quello che la cultura ha poi fatto, e se nessuno ha mai scritto ciò che lui dice, è certo che qualcuno, sia pure in modo confuso, avrebbe dovuto incominciare a pensarlo (magari senza dirlo, preso da chissà quanti timori e pudori).

In ogni caso c'è una faccenda che mi ha molto divertito: ogni qual volta un critico o un lettore hanno scritto o detto che un mio personaggio affermava cose troppo moderne, ebbene, in tutti quei casi e proprio in quei casi, io avevo usato citazioni testuali del XIV secolo.

E ci sono altre pagine in cui il lettore ha goduto come squisitamente medievali atteggiamenti che io sentivo come illegittimamente moderni. È che ciascuno ha una propria idea, di solito corrotta, del Medio Evo. Solo noi monaci di allora sappiamo la verità ma, a dirla, talora si viene portati al rogo.

Per finire

Ho ritrovato – due anni dopo aver scritto il romanzo – un mio appunto del 1953, quando ancora facevo l'università.

"Orazio e l'amico chiamano il conte di P. per risolvere il mistero dello spettro. Conte di P., gentiluomo eccentrico e flemmatico. Per contro, un giovane capitano delle guardie danesi con metodi americani. Sviluppo normale dell'azione secondo le linee della tragedia. All'ultimo atto il conte di P., radunata la famiglia, spiega l'arcano: l'assassino è Amleto. Troppo tardi, Amleto muore."

Anni dopo ho scoperto che una idea del genere l'aveva avuta da qualche parte Chesterton. Pare che il gruppo dell'Oulipo abbia recentemente costruito una matrice di tutte le possibili situazioni poliziesche e abbia trovato che rimane da scrivere un libro in cui l'assassino sia il lettore.

Morale: esistono idee ossessive, non sono mai personali, i libri si parlano tra loro, e una vera indagine poliziesca deve provare che i colpevoli siamo noi.

INDICE

QUARTO GIORNO

Bompiani ha raccolto l'invito della campagna
"Scrittori per le foreste" promossa da Greenpeace.
Questo libro è stampato su carta riciclata senza cloro
e non ha comportato il taglio di un solo albero.
Per maggiori informazioni: http://www.greenpeace.it/scrittori/

I GRANDI Tascabili Bompiani
Periodico quindicinale anno XVIII numero 33
Registr. Tribunale di Milano n.133 del 2/4/1976
Direttore responsabile: Elisabetta Sgarbi
Finito di stampare nel mese di gennaio 2007 presso
il Nuovo Istituto Italiano d'Arti Grafiche - Bergamo
Printed in Italy

RCS Libri

ISBN 88-452-4634-5